S0-CBQ-057

A L'OMBRE
DES JEUNES FILLES
EN FLEURS

Deuxième partie

A la recherche du temps perdu
est publié intégralement dans la collection
GF Flammarion et comprend :

MARCEL PROUST

**A LA RECHERCHE
DU TEMPS PERDU**

Édition réalisée sous la direction de
Jean MILLY
Professeur à la Sorbonne Nouvelle

A L'OMBRE
DES JEUNES FILLES
EN FLEURS

DEUXIÈME PARTIE

*Édition du texte,
Introduction, Notes, Bibliographie*
par
Danièle GASIGLIA-LASTER

GF-Flammarion

*On trouvera en fin de volume un résumé
d'*A l'ombre des jeunes filles en fleurs
(*Deuxième partie*), *l'accueil de la critique,
une bibliographie, une chronologie.*

© 1987, FLAMMARION, Paris
ISBN : 2-08-070469-9

A L'OMBRE
DES JEUNES FILLES
EN FLEURS

Deuxième partie

SIGLES ET ABRÉVIATIONS

BIP   *Bulletin d'Informations proustiennes.*

BSAMP   *Bulletin de la Société des Amis de Marcel Proust.*

CSB   *Contre Sainte-Beuve* (Gallimard, Bibliothèque de la Pléiade, Paris, 1971).

Daria Galateria   Edition annotée par Daria Galateria d'*All'ombra delle fanciulle in fiore*, dans le tome I de *Alla ricerca del tempo perduto*, traduction italienne de Giovanni Raboni, Arnoldo Mondadori éditeur, Milan, 1983.

Corr.   *Correspondance de Marcel Proust*, texte établi par Philippe Kolb, Plon, 1970-1987. Le chiffre romain indique le volume.

Ep. BN ou Épreuves N.R.F.   Épreuves d'*A l'ombre des jeunes filles en fleurs* imprimées par les éditions de la Nouvelle Revue française et conservées à la Bibliothèque nationale. L'abréviation ép. BN sera utilisée dans les notes, l'abréviation épreuves N.R.F. dans l'Introduction.

Ep. BN imp.   Texte imprimé des épreuves N.R.F.

Ep. BN ms.   Correction ou addition manuscrite de Proust sur les épreuves N.R.F.

Fug.   *La Fugitive* (ou *Albertine disparue*), GF Flammarion, Paris, 1986.

GF   Collection GF Flammarion.

Grasset A   Placards imprimés par Grasset en 1913.

Grasset B   Placards imprimés par Grasset en 1914.

Gu. I   *Le Côté de Guermantes* (1er tome), GF Flammarion, Paris, 1987.

GU. II   *Le Côté de Guermantes* (2e tome), GF Flammarion, Paris, 1987.

JFF 1er p.   *A l'ombre des jeunes filles en fleurs* (1re partie), GF Flammarion, Paris, 1987.

JFF 2e p.   *A l'ombre des jeunes filles en fleurs* (2e partie), GF Flammarion, Paris, 1987.

J.S.   *Jean Santeuil* (Gallimard, Pléiade, 1971).

La N.R.F.   La Nouvelle Revue française (la revue).

N.a.fr.   Nouvelles acquisitions françaises (classement de la Bibliothèque nationale).

Jacques Nathan   Jacques Nathan, *Citations, références et allusions de Marcel Proust dans « A la recherche du temps perdu »*, Nizet, Paris, 1969.

Placards Grasset (les)   Les placards Grasset de 1913 et de 1914.

Pris.   *La Prisonnière*, GF Flammarion, Paris, 1984.

RTP   *A la recherche du temps perdu* (Gallimard, Pléiade, 1954, 3 volumes ; le chiffre romain, dans les références, indique le volume ; les chiffres arabes, les pages).

SG vol. 1   *Sodome et Gomorrhe* (1er tome), GF Flammarion, Paris, 1987.

SG vol. 2   *Sodome et Gomorrhe* (2e tome), GF Flammarion, Paris, 1987.

Sw.   *Du côté de chez Swann.* GF Flammarion, Paris, 1987.

T.L.F.   *Trésor de la langue française.* Dictionnaire du XIXe et du XXe siècle, Centre national de la recherche scientifique, puis Gallimard, 1971-1985.

TR   *Le Temps retrouvé*, GF Flammarion, Paris, 1986.

Vogely Maxime Arnold Vogely, *A Proust dictionary*, The Whitston Publishing Company, Troy, New York, 1981.

DEUXIÈME PARTIE
NOMS DE PAYS :
LE PAYS

J'étais arrivé à une presque complète indifférence à l'égard de Gilberte, quand deux ans plus tard je partis avec ma grand-mère pour Balbec[1]. Quand je subissais le charme d'un visage nouveau, quand c'était à l'aide d'une autre jeune fille que j'espérais connaître les cathédrales gothiques, les palais et les jardins de l'Italie, je me disais tristement que notre amour, en tant qu'il est l'amour d'une certaine créature, n'est peut-être pas quelque chose de bien réel, puisque, si des associations de rêveries agréables ou douloureuses peuvent le lier pendant quelque temps à une femme jusqu'à nous faire penser qu'il a été inspiré par elle d'une façon nécessaire, en revanche si nous nous dégageons volontairement ou à notre insu de ces associations, cet amour, comme s'il était au contraire spontané et venait de nous seuls, renaît pour se donner à une autre femme. Pourtant au moment de ce départ pour Balbec et pendant les premiers temps de mon séjour, mon indifférence n'était encore qu'intermittente. Souvent (notre vie étant si peu chronologique, interférant tant d'anachronismes dans la suite des jours), je vivais dans ceux, plus anciens que la veille ou l'avant-veille, où j'aimais Gilberte. Alors ne plus la voir m'était soudain douloureux, comme c'eût été dans ce temps-là. Le moi qui l'avait aimée, remplacé déjà presque entièrement par un autre, resurgissait, et il m'était rendu beaucoup plus fréquemment par une chose futile que par une chose importante. Par exemple, pour anticiper sur mon séjour en Normandie, j'entendis à Balbec un inconnu que je croisai sur la digue, dire : « La famille du directeur du ministère des Postes. » Or (comme je ne savais pas alors l'influence que cette famille devait avoir sur ma vie [2]), ce propos aurait dû me paraître oiseux, mais il me causa une vive souffrance, celle qu'éprouvait un moi, aboli pour une grande part depuis longtemps, à être séparé de Gilberte. C'est que jamais je n'avais repensé à une conversation que Gilberte avait eue devant moi avec son père, relativement à la famille du « directeur du ministère des Postes ». Or, les souvenirs d'amour ne font pas exception aux lois générales de la mémoire, elles-mêmes régies par les lois plus générales de l'habitude. Comme celle-ci affaiblit tout, ce qui nous rappelle le mieux un être, c'est justement ce que nous avions oublié (parce que c'était insignifiant et que nous lui avions ainsi laissé toute sa force). C'est pourquoi la meilleure part de notre mémoire est hors de nous, dans un souffle pluvieux, dans l'odeur de renfermé d'une chambre ou dans l'odeur d'une première flambée, partout où nous retrouvons de nous-même ce que notre intelligence, n'en ayant pas l'emploi, avait dédaigné, la dernière réserve du passé, la meilleure, celle qui, quand toutes nos larmes semblent taries, sait nous faire pleurer encore. Hors de nous ? En nous pour mieux dire, mais dérobée à nos propres regards, dans un oubli plus ou moins prolongé. C'est grâce à cet oubli seul que nous pouvons de temps à autre retrouver l'être que nous fûmes, nous placer vis-à-vis des choses comme cet être l'était, souffrir à nouveau, parce que nous ne sommes plus nous, mais lui, et qu'il aimait ce qui nous est maintenant indifférent. Au grand jour de la mémoire habituelle, les images du passé pâlissent peu à peu, s'effacent, il ne reste plus rien d'elles, nous ne le retrouverons plus. Ou plutôt nous ne le retrouverons plus, si quelques mots (comme « directeur au minis-

tère des Postes ») n'avaient été soigneusement enfermés dans l'oubli, de même qu'on dépose à la
Bibliothèque Nationale un exemplaire d'un livre qui
sans cela risquerait de devenir introuvable.

Mais cette souffrance et ce regain d'amour pour
Gilberte ne furent pas plus longs que ceux qu'on a en
rêve, et cette fois, au contraire, parce qu'à Balbec,
l'Habitude ancienne n'était plus là pour les faire
durer. Et si ces effets de l'Habitude semblent contradictoires, c'est qu'elle obéit à des lois multiples. À
Paris j'étais devenu de plus en plus indifférent à
Gilberte, grâce à l'Habitude. Le changement d'habitude, c'est-à-dire la cessation momentanée de l'Habitude, paracheva l'œuvre de l'Habitude quand je partis
pour Balbec. Elle affaiblit mais stabilise, elle amène la
désagrégation mais la fait durer indéfiniment. Chaque
jour depuis des années je calquais tant bien que mal
mon état d'âme sur celui de la veille. À Balbec un lit
nouveau à côté duquel on m'apportait le matin un
petit déjeuner différent de celui de Paris, ne devait
plus soutenir les pensées dont s'était nourri mon
amour pour Gilberte : il y a des cas (assez rares, il est
vrai) où, la sédentarité immobilisant les jours, le
meilleur moyen de gagner du temps, c'est de changer
de place. Mon voyage à Balbec fut comme la première
sortie d'un convalescent qui n'attendait plus qu'elle
pour s'apercevoir qu'il est guéri.

Ce voyage on le ferait sans doute aujourd'hui en
automobile, croyant le rendre ainsi plus agréable. On
verra, qu'accompli de cette façon, il serait même en un
sens plus vrai puisqu'on y suivrait de plus près, dans
une intimité plus étroite, les diverses gradations par
lesquelles change la face de la terre. Mais enfin le
plaisir spécifique du voyage n'est pas de pouvoir
descendre en route et s'arrêter quand on est fatigué,
c'est de rendre la différence entre le départ et l'arrivée
non pas aussi insensible, mais aussi profonde qu'on
peut, de la ressentir dans sa totalité, intacte, telle
qu'elle était dans notre pensée quand notre imagination nous portait du lieu où nous vivions jusqu'au

cœur d'un lieu désiré, en un bond qui nous semblait moins miraculeux parce qu'il franchissait une distance que parce qu'il unissait deux individualités distinctes de la terre, qu'il nous menait d'un nom à un autre nom, et que schématise (mieux qu'une promenade où, comme on débarque où l'on veut, il n'y a guère plus d'arrivée) l'opération mystérieuse qui s'accomplissait dans ces lieux spéciaux, les gares, lesquels ne font pas partie pour ainsi dire de la ville mais contiennent l'essence de sa personnalité de même que sur un écriteau signalétique elles portent son nom.

Mais en tout genre, notre temps a la manie de vouloir ne montrer les choses qu'avec ce qui les entoure dans la réalité, et par là de supprimer l'essentiel, l'acte de l'esprit, qui les isola d'elle. On « présente » un tableau au milieu de meubles, de bibelots, de tentures de la même époque, fade décor qu'excelle à composer dans les hôtels d'aujourd'hui, la maîtresse de maison la plus ignorante la veille, passant maintenant ses journées dans les archives et les bibliothèques et au milieu duquel le chef-d'œuvre qu'on regarde tout en dînant ne nous donne pas la même enivrante joie qu'on ne doit lui demander que dans une salle de musée, laquelle symbolise bien mieux par sa nudité et son dépouillement de toutes particularités, les espaces intérieurs où l'artiste s'est abstrait pour créer.

Malheureusement ces lieux merveilleux que sont les gares, d'où l'on part pour une destination éloignée, sont aussi des lieux tragiques, car si le miracle s'y accomplit grâce auquel les pays qui n'avaient encore d'existence que dans notre pensée vont être ceux au milieu desquels nous vivrons, pour cette raison même il faut renoncer au sortir de la salle d'attente à retrouver tout à l'heure la chambre familière où l'on était il y a un instant encore. Il faut laisser toute espérance de rentrer coucher chez soi, une fois qu'on s'est décidé à pénétrer dans l'antre empesté par où l'on accède au mystère, dans un de ces grands ateliers vitrés, comme celui de Saint-Lazare où j'allai chercher le train de Balbec, et qui déployait au-dessus de la ville éventrée un de ces immenses ciels crus et gros de menaces amoncelées de drame, pareils à certains ciels, d'une modernité presque parisienne, de Mantegna ou de Véronèse, et sous lequel ne pouvait s'accomplir que quelque acte terrible et solennel comme un départ en chemin de fer ou l'érection de la Croix [3].

Tant que je m'étais contenté d'apercevoir du fond de mon lit de Paris l'église persane de Balbec au milieu des flocons de la tempête, aucune objection à ce voyage n'avait été faite par mon corps [4]. Elles avaient commencé seulement quand il avait compris qu'il serait de la partie et que le soir de l'arrivée on me conduirait à « ma » chambre qui lui serait inconnue. Sa révolte était d'autant plus profonde que la veille même du départ j'avais appris que ma mère ne nous accompagnerait pas, mon père, retenu au ministère jusqu'au moment où il partirait pour l'Espagne avec M. de Norpois, ayant préféré louer une maison dans les environs de Paris. D'ailleurs la contemplation de Balbec ne me semblait pas moins désirable parce qu'il fallait l'acheter au prix d'un mal qui au contraire me semblait figurer et garantir la réalité de l'impression que j'allais chercher, impression que n'aurait remplacée aucun spectacle prétendu équivalent, aucun « panorama » que j'eusse pu aller voir sans être empêché par cela même de rentrer dormir dans mon lit. Ce n'était pas la première fois que je sentais que ceux qui aiment et ceux qui ont du plaisir ne sont pas les mêmes. Je croyais désirer aussi profondément Balbec que le docteur qui me soignait et qui me dit, s'étonnant, le matin du départ, de mon air malheureux : « Je vous réponds que si je pouvais seulement trouver huit jours pour aller prendre le frais au bord de la mer, je ne me ferais pas prier. Vous allez avoir les courses, les régates, ce sera exquis. » Pour moi j'avais déjà appris et même bien avant d'aller entendre la Berma, que quelle que fût la chose que j'aimerais, elle ne serait jamais placée qu'au terme d'une poursuite douloureuse au cours de laquelle il me faudrait d'abord sacrifier mon plaisir à ce bien suprême, au lieu de l'y chercher.

Ma grand-mère concevait naturellement notre départ d'une façon un peu différente et, toujours aussi désireuse qu'autrefois de donner aux présents qu'on me faisait un caractère artistique, avait voulu pour m'offrir de ce voyage une « épreuve » en partie ancienne, que nous refissions moitié en chemin de fer, moitié en voiture le trajet qu'avait suivi Mme de Sévigné quand elle était allé de Paris à « L'Orient » en passant par Chaulnes et par « le Pont-Audemer[5] ». Mais ma grand-mère avait été obligée de renoncer à ce projet, sur la défense de mon père, qui savait, quand elle organisait un déplacement en vue de lui faire rendre tout le profit intellectuel qu'il pouvait comporter, combien on pouvait pronostiquer de trains manqués, de bagages perdus, de maux de gorge et de contraventions. Elle se réjouissait du moins à la pensée que jamais au moment d'aller sur la plage, nous ne serions exposés à en être empêchés par la survenue de ce que sa chère Sévigné appelle une chienne de carrossée[6], puisque nous ne connaîtrions personne à Balbec, Legrandin ne nous ayant pas offert de lettre d'introduction pour sa sœur. (Abstention qui n'avait pas été appréciée de même par mes tantes Céline et Victoire, lesquelles ayant connu jeune fille celle qu'elle n'avaient appelée jusqu'ici, pour marquer cette intimité d'autrefois que « Renée de Cambremer », et possédant encore d'elle de ces cadeaux qui meublent une chambre et la conversation mais auxquels la réalité actuelle ne correspond pas, croyaient venger notre affront en ne prononçant plus jamais chez Mme Legrandin mère, le nom de sa fille, et se bornant à se congratuler une fois sorties par des phrases comme : « Je n'ai pas fait allusion à qui tu sais, je crois qu'*on* aura compris. »)

Donc nous partirions simplement de Paris par ce train de une heure vingt-deux que je m'étais plu trop longtemps à chercher dans l'indicateur des chemins de fer où il me donnait chaque fois l'émotion, presque la bienheureuse illusion du départ, pour ne pas me figurer que je le connaissais. Comme la détermination dans notre imagination des traits d'un bonheur, tient plutôt à l'identité des désirs qu'il nous inspire qu'à la précision des renseignements que nous avons sur lui, je croyais connaître celui-là dans ses détails, et je ne doutais pas que j'éprouverais dans le wagon un plaisir spécial quand la journée commencerait à fraîchir, que je contemplerais tel effet à l'approche d'une certaine station ; si bien que ce train réveillant toujours en moi les images des mêmes villes que j'enveloppais dans la lumière de ces heures de l'après-midi qu'il traverse, me semblait différent de tous les autres trains ; et j'avais fini comme on fait souvent pour un être qu'on n'a jamais vu mais dont on se plaît à s'imaginer qu'on a conquis l'amitié, par donner une physionomie particulière et immuable à ce voyageur artiste et blond qui m'aurait emmené sur sa route, et à qui j'aurais dit adieu au pied de la cathédrale de Saint-Lô, avant qu'il se fût éloigné vers le couchant.

Comme ma grand-mère ne pouvait se résoudre à aller « tout bêtement » à Balbec, elle s'arrêterait vingt-quatre heures chez une de ses amies, de chez laquelle je repartirais le soir même pour ne pas déranger, et aussi de façon à voir dans la journée du lendemain l'église de Balbec, qui, avions-nous appris, était assez éloignée de Balbec-Plage, et où je ne pourrais peut-être pas aller ensuite au début de mon traitement de bains. Et peut-être était-il moins pénible pour moi de sentir l'objet admirable de mon voyage placé avant la cruelle première nuit où j'entrerais dans une demeure nouvelle et accepterais d'y vivre. Mais il avait fallu d'abord quitter l'ancienne ; ma mère avait arrangé de s'installer ce jour-là même à Saint-Cloud, et elle avait pris, ou feint de prendre, toutes ses dispositions pour y aller directement après nous avoir conduits à la gare, sans avoir à repasser par la maison où elle craignait que je ne voulusse, au lieu de partir pour Balbec, rentrer avec elle. Et même sous le prétexte d'avoir beaucoup à faire dans la maison qu'elle venait de louer et d'être à court de temps, en réalité pour m'éviter la cruauté de ce genre d'adieux, elle avait décidé de ne pas rester avec nous jusqu'à ce départ du train où, dissimulée auparavant dans des allées et venues et des préparatifs qui n'engagent pas définitivement, une séparation apparaît brusquement impossible à souffrir, alors qu'elle n'est déjà plus possible à éviter, concentrée tout entière dans un instant immense de lucidité impuissante et suprême.

Pour la première fois je sentais qu'il était possible que ma mère vécût sans moi, autrement que pour moi, d'une autre vie. Elle allait habiter de son côté avec mon père à qui peut-être elle trouvait que ma mauvaise santé, ma nervosité, rendaient l'existence un peu compliquée et triste. Cette séparation me désolait davantage parce que je me disais qu'elle était probablement pour ma mère le terme des déceptions successives que je lui avais causées, qu'elle m'avait tues et après lesquelles elle avait compris la difficulté de vacances communes ; et peut-être aussi le premier essai d'une existence à laquelle elle commençait à se résigner pour l'avenir, au fur et à mesure que les années viendraient pour mon père et pour elle, d'une existence où je la verrais moins, où ce qui même dans mes cauchemars ne m'était jamais apparu, elle serait déjà pour moi un peu étrangère, une dame qu'on verrait rentrer seule dans une maison où je ne serais pas, demandant au concierge s'il n'y avait pas de lettres de moi.

Je pus à peine répondre à l'employé qui voulut me prendre ma valise. Ma mère essayait pour me consoler, des moyens qui lui paraissaient les plus efficaces. Elle croyait inutile d'avoir l'air de ne pas voir mon chagrin, elle le plaisantait doucement : « Eh bien, qu'est-ce que dirait l'église de Balbec si elle savait que c'est avec cet air malheureux qu'on s'apprête à aller la voir ? Est-ce cela, le voyageur ravi dont parle Ruskin[8] ? D'ailleurs, je saurai si tu as été à la hauteur des circonstances, même loin je serai encore avec mon petit loup. Tu auras demain une lettre de ta maman. »

— « Ma fille, dit ma grand-mère, je te vois comme Mme de Sévigné, une carte devant les yeux et ne nous quittant pas un instant[9]. »

Puis maman cherchait à me distraire, elle me demandait ce que je commanderais pour dîner, elle admirait Françoise, lui faisait compliment d'un chapeau et d'un manteau qu'elle ne reconnaissait pas, bien qu'ils eussent jadis excité son horreur quand elle les avait vus neufs sur ma grand-tante, l'un avec l'immense oiseau qui le surmontait, l'autre surchargé de dessins affreux et de jais. Mais le manteau étant hors d'usage, Françoise l'avait fait retourner et exhibait un envers de drap uni d'un beau ton. Quant à l'oiseau, il y avait longtemps que, cassé, il avait été mis au rancart. Et, de même qu'il est quelquefois troublant de rencontrer les raffinements vers lesquels les artistes les plus conscients s'efforcent, dans une chanson populaire, à la façade de quelque maison de paysan qui fait épanouir au-dessus de la porte une rose blanche ou soufrée juste à la place qu'il fallait — de même le nœud de velours, la coque de ruban qui eussent ravi dans un portrait de Chardin ou de Whistler, Françoise les avait placés avec un goût infaillible et naïf sur le chapeau devenu charmant.

Pour remonter à un temps plus ancien, la modestie et l'honnêteté qui donnaient souvent de la noblesse au visage de notre vieille servante ayant gagné les vêtements que, en femme réservée mais sans bassesse, qui sait « tenir son rang et garder sa place », elle avait revêtus pour le voyage afin d'être digne d'être vue avec nous sans avoir l'air de chercher à se faire voir, Françoise, dans le drap cerise mais passé de son manteau et les poils sans rudesse de son collet de fourrure, faisait penser à quelqu'une de ces images d'Anne de Bretagne peintes dans des livres d'Heures par un vieux maître[10], et dans lesquelles tout est si bien en place, le sentiment de l'ensemble s'est si également répandu dans toutes les parties que la riche et désuète singularité du costume exprime la même gravité pieuse que les yeux, les lèvres et les mains.

On n'aurait pu parler de pensée à propos de Françoise. Elle ne savait rien, dans ce sens total où ne rien savoir équivaut à ne rien comprendre, sauf les rares vérités que le cœur est capable d'atteindre directement. Le monde immense des idées n'existait pas pour elle. Mais devant la clarté de son regard, devant les lignes délicates de ce nez, de ces lèvres, devant tous ces témoignages, absents de tant d'êtres cultivés chez qui ils eussent signifié la distinction suprême, le noble détachement d'un esprit d'élite, on était troublé comme devant le regard intelligent et bon d'un chien à qui on sait pourtant que sont étrangères toutes les conceptions des hommes, et on pouvait se demander s'il n'y a pas parmi ces autres humbles frères, les paysans, des êtres qui sont comme les hommes supérieurs du monde des simples d'esprit, ou plutôt qui, condamnés par une injuste destinée à vivre parmi les simples d'esprit, privés de lumière, mais pourtant plus naturellement, plus essentiellement apparentés aux natures d'élite que ne le sont la plupart des gens instruits, sont comme des membres dispersés, égarés, privés de raison, de la famille sainte, des parents, restés en enfance, des plus hautes intelligences, et auxquels — comme il apparaît dans la lueur impossible à méconnaître de leurs yeux où pourtant elle ne s'applique à rien — il n'a manqué, pour avoir du talent, que du savoir.

Ma mère, voyant que j'avais peine à contenir mes larmes, me disait : « Régulus avait coutume dans les grandes circonstances[11]... Et puis ce n'est pas gentil pour ta maman. Citons Mme de Sévigné, comme ta grand-mère : " Je vais être obligée de me servir de tout le courage que tu n'as pas[12]. " » Et se rappelant que l'affection pour autrui détourne des douleurs égoïstes, elle tâchait de me faire plaisir en me disant qu'elle croyait que son trajet de Saint-Cloud s'effectuerait bien, qu'elle était contente du fiacre qu'elle avait gardé, que le cocher était poli et la voiture confortable. Je m'efforçais de sourire à ces détails et j'inclinais la tête d'un air d'acquiescement et de satisfaction. Mais ils ne m'aidaient qu'à me représenter avec plus de vérité le départ de maman et c'est le cœur serré que je la regardais comme si elle était déjà séparée de moi, sous ce chapeau de paille rond qu'elle avait acheté pour la campagne, dans une robe légère qu'elle avait mise à cause de cette longue course par la pleine chaleur, et qui la faisaient autre, appartenant déjà à la villa de « Montretout » où je ne la verrais pas.

Pour éviter les crises de suffocation que me donnerait le voyage, le médecin m'avait conseillé de prendre au moment du départ un peu trop de bière ou de cognac, afin d'être dans cet état qu'il appelait « euphorie », où le système nerveux est momentanément moins vulnérable. J'étais encore incertain si je le ferais, mais je voulais au moins que ma grand-mère reconnût qu'au cas où je m'y déciderais, j'aurais pour moi le droit et la sagesse. Aussi j'en parlais comme si mon hésitation ne portait que sur l'endroit où je boirais de l'alcool, buffet ou wagon-bar. Mais aussitôt, à l'air de blâme que prit le visage de ma grand-mère et de ne pas même vouloir s'arrêter à cette idée : « Comment, m'écriai-je, me résolvant soudain à cette action d'aller boire, dont l'exécution devenait nécessaire à prouver ma liberté puisque son annonce verbale n'avait pu passer sans protestation, comment, tu sais combien je suis malade, tu sais ce que le médecin m'a dit, et voilà le conseil que tu me donnes ! »

Quand j'eus expliqué mon malaise à ma grand-mère, elle eut un air si désolé, si bon, en répondant : « Mais alors, va vite chercher de la bière ou une liqueur, si cela doit te faire du bien » que je me jetai sur elle et la couvris de baisers. Et si j'allai cependant boire beaucoup trop dans le bar du train, ce fut parce que je sentais que sans cela j'aurais un accès trop violent et que c'est encore ce qui la peinerait le plus. Quand, à la première station, je remontai dans notre wagon, je dis à ma grand-mère combien j'étais heureux d'aller à Balbec, que je sentais que tout s'arrangerait bien, qu'au fond je m'habituerais vite à être loin de maman, que ce train était agréable, l'homme du bar et les employés si charmants que j'aurais voulu refaire souvent ce trajet pour avoir la possibilité de les revoir. Ma grand-mère cependant ne paraissait pas éprouver la même joie que moi de toutes ces bonnes nouvelles. Elle me répondit en évitant de me regarder : « Tu devrais peut-être essayer de dormir un peu », et tourna les yeux vers la fenêtre dont nous avions abaissé le rideau qui ne remplissait pas tout le cadre de la vitre, de sorte que le soleil pouvait glisser sur le chêne ciré de la portière et le drap de la banquette (comme une réclame beaucoup plus persuasive pour une vie mêlée à la nature que celles accrochées trop haut dans le wagon, par les soins de la Compagnie, et représentant des paysages dont je ne pouvais pas lire les noms) la même clarté tiède et dormante qui faisait la sieste dans les clairières.

Mais quand ma grand-mère croyait que j'avais les yeux fermés, je la voyais par moments sous son voile à gros pois jeter un regard sur moi, puis le retirer, puis recommencer, comme quelqu'un qui cherche à s'efforcer pour s'y habituer, à un exercice qui lui est pénible.

Alors je lui parlais, mais cela ne semblait pas lui être agréable. Et à moi pourtant ma propre voix me donnait du plaisir, et de même les mouvements les plus insensibles, les plus intérieurs de mon corps. Aussi je tâchais de les faire durer, je laissais chacune de mes inflexions s'attarder longtemps aux mots, je sentais chacun de mes regards se trouver bien là où il s'était posé et y rester au-delà du temps habituel. « Allons, repose-toi, me dit ma grand-mère. Si tu ne peux pas dormir, lis quelque chose. » Et elle me passa un volume de Mme de Sévigné que j'ouvris, pendant qu'elle-même s'absorbait dans les *Mémoires de Madame de Beausergent* [13]. Elle ne voyageait jamais sans un tome de l'une et de l'autre. C'était ses deux auteurs de prédilection. Ne bougeant pas volontiers ma tête en ce moment et éprouvant un grand plaisir à garder une position une fois que je l'avais prise, je

restai à tenir le volume de Mme de Sévigné sans
l'ouvrir et je n'abaissai pas sur lui mon regard qui
n'avait devant lui que le store bleu de la fenêtre. Mais
contempler ce store me paraissait admirable et je
n'eusse pas pris la peine de répondre à qui eût voulu
me détourner de ma contemplation. La couleur bleue
du store me semblait, non peut-être par sa beauté,
mais par sa vivacité intense, effacer à tel point toutes
les couleurs qui avaient été devant mes yeux depuis le
jour de ma naissance jusqu'au moment où j'avais fini
d'avaler ma boisson et où elle avait commencé de faire
son effet, qu'à côté de ce bleu du store, elles étaient
pour moi aussi ternes, aussi nulles, que peut l'être
rétrospectivement l'obscurité où ils ont vécu pour les
aveugles-nés qu'on opère sur le tard et qui voient enfin
les couleurs. Un vieil employé vint nous demander nos
billets. Les reflets argentés qu'avaient les boutons en
métal de sa tunique ne laissèrent pas de me charmer.
Je voulus lui demander de s'asseoir à côté de nous.
Mais il passa dans un autre wagon, et je songeai avec
nostalgie à la vie des cheminots, lesquels passant tout
leur temps en chemin de fer, ne devaient guère
manquer un seul jour de voir ce vieil employé. Le
plaisir que j'éprouvais à regarder le store bleu et à
sentir que ma bouche était à demi ouverte commença
enfin à diminuer. Je devins plus mobile ; je remuai un
peu ; j'ouvris le volume que ma grand-mère m'avait
tendu et je pus fixer mon attention sur les pages que je
choisis çà et là. Tout en lisant je sentais grandir mon
admiration pour Mme de Sévigné.

Il ne faut pas se laisser tromper par des particularités purement formelles qui tiennent à l'époque, à la
vie de salon et qui font que certaines personnes croient
qu'elles ont fait leur Sévigné quand elles ont dit :
« Mandez-moi, ma bonne » ou « Ce comte me parut
avoir bien de l'esprit », ou « faner est la plus jolie
chose du monde [14] ». Déjà Mme de Simiane s'imagine
ressembler à sa grand-mère parce qu'elle écrit :
« M. de la Boulie se porte à merveille, Monsieur, et il
est fort en état d'entendre des nouvelles de sa mort »,

ou « Oh ! mon cher marquis, que votre lettre me plaît !
Le moyen de ne pas y répondre », ou encore : « Il me
semble, Monsieur, que vous me devez une réponse et
moi des tabatières de bergamote. Je m'en acquitte
pour huit, il en viendra d'autres... ; jamais la terre
n'en avait tant porté. C'est apparemment pour vous
plaire [15]. » Et elle écrit dans ce même genre la lettre
sur la saignée, sur les citrons, etc., qu'elle se figure
être des lettres de Mme de Sévigné. Mais ma grand-
mère qui était venue à celle-ci par le dedans, par
l'amour pour les siens, pour la nature, m'avait appris à
en aimer les vraies beautés, qui sont tout autres. Elles
devaient bientôt me frapper d'autant plus que Mme de
Sévigné est une grande artiste de la même famille
qu'un peintre que j'allais rencontrer à Balbec et qui
eut une influence si profonde sur ma vision des
choses, Elstir. Je me rendis compte à Balbec que c'est
de la même façon que lui qu'elle nous présente les
choses, dans l'ordre de nos perceptions, au lieu de les
expliquer d'abord par leur cause. Mais déjà cet après-
midi-là, dans ce wagon, en relisant la lettre où apparaît
le clair de lune : « Je ne pus résister à la tentation, je
mets toutes mes coiffes et casaques qui n'étaient pas
nécessaires, je vais dans ce mail dont l'air est bon
comme celui de ma chambre ; je trouve mille coquecigrues, *des moines blancs et noirs, plusieurs religieuses
grises et blanches, du linge jeté par-ci par-là, des hommes
ensevelis tout droits contre des arbres*, etc. [16] », je fus ravi
par ce que j'eusse appelé un peu plus tard (ne peint-
elle pas les paysages de la même façon que lui, les
caractères ?) le côté Dostoïevski des *Lettres de Madame
de Sévigné*.
    Quand le soir, après avoir conduit ma grand-mère et
être resté quelques heures chez son amie, j'eus repris
seul le train, du moins je ne trouvai pas pénible la nuit
qui vint ; c'est que je n'avais pas à la passer dans la
prison d'une chambre dont l'ensommeillement me
tiendrait éveillé ; j'étais entouré par la calmante activité de tous ces mouvements du train qui me tenaient
compagnie, s'offraient à causer avec moi si je ne

trouvais pas le sommeil, me berçaient de leurs bruits que j'accouplais comme le son des cloches à Combray, tantôt sur un rythme, tantôt sur un autre (entendant selon ma fantaisie d'abord quatre doubles croches égales, puis une double croche furieusement précipitée contre une noire); ils neutralisaient la force centrifuge de mon insomnie en exerçant sur elle des pressions contraires qui me maintenaient en équilibre et sur lesquelles mon immobilité et bientôt mon sommeil se sentirent portés avec la même impression rafraîchissante que m'aurait donnée un repos dû à la vigilance de forces puissantes au sein de la nature et de la vie, si j'avais pu pour un moment m'incarner en quelque poisson qui dort dans la mer, promené dans son assoupissement par les courants et la vague, ou en quelque aigle étendu sur le seul appui de la tempête.

Les levers de soleil sont un accompagnement des longs voyages en chemin de fer, comme les œufs durs, les journaux illustrés, les jeux de cartes, les rivières où des barques s'évertuent sans avancer. À un moment où je dénombrais les pensées qui avaient rempli mon esprit pendant les minutes précédentes, pour me rendre compte si je venais ou non de dormir (et où l'incertitude même qui me faisait me poser la question était en train de me fournir une réponse affirmative), dans le carreau de la fenêtre, au-dessus d'un petit bois noir, je vis des nuages échancrés dont le doux duvet était d'un rose fixé, mort, qui ne changera plus, comme celui qui teint les plumes de l'aile qui l'a assimilé ou le pastel sur lequel l'a déposé la fantaisie du peintre. Mais je sentais qu'au contraire cette couleur n'était ni inertie, ni caprice, mais nécessité et vie. Bientôt s'amoncelèrent derrière elle des réserves de lumière. Elle s'aviva, le ciel devint d'un incarnat que je tâchais, en collant mes yeux à la vitre, de mieux voir car je le sentais en rapport avec l'existence profonde de la nature, mais la ligne du chemin de fer ayant changé de direction, le train tourna, la scène matinale fut remplacée dans le cadre de la fenêtre par un village nocturne aux toits bleus de clair de lune,

avec un lavoir encrassé de la nacre opaline de la nuit,
sous un ciel encore semé de toutes ses étoiles, et je me
désolais d'avoir perdu ma bande de ciel rose quand je
l'aperçus de nouveau, mais rouge cette fois, dans la
fenêtre d'en face qu'elle abandonna à un deuxième
coude de la voie ferrée ; si bien que je passais mon
temps à courir d'une fenêtre à l'autre pour rapprocher, pour rentoiler les fragments intermittents et
opposites de mon beau matin écarlate et versatile et en
avoir une vue totale et un tableau continu.

Le paysage devint accidenté, abrupt, le train s'arrêta à une petite gare entre deux montagnes. On ne
voyait au fond de la gorge, au bord du torrent, qu'une
maison de garde enfoncée dans l'eau qui coulait au ras
des fenêtres. Si un être peut être le produit d'un sol
dont on goûte en lui le charme particulier, plus encore
que la paysanne que j'avais tant désiré voir apparaître
quand j'errais seul du côté de Méséglise, dans les bois
de Roussainville, ce devait être la grande fille que je
vis sortir de cette maison et, sur le sentier qu'illuminait obliquement le soleil levant, venir vers la gare en
portant une jarre de lait. Dans la vallée à qui ces
hauteurs cachaient le reste du monde, elle ne devait
jamais voir personne que dans ces trains qui ne
s'arrêtaient qu'un instant. Elle longea les wagons,
offrant du café au lait à quelques voyageurs réveillés.
Empourpré des reflets du matin, son visage était plus
rose que le ciel. Je ressentis devant elle ce désir de
vivre qui renaît en nous chaque fois que nous prenons
de nouveau conscience de la beauté et du bonheur.
Nous oublions toujours qu'ils sont individuels et, leur
substituant dans notre esprit un type de convention
que nous formons en faisant une sorte de moyenne
entre les différents visages qui nous ont plu, entre les
plaisirs que nous avons connus, nous n'avons que des
images abstraites qui sont languissantes et fades parce
qu'il leur manque précisément ce caractère d'une
chose nouvelle, différente de ce que nous avons
connu, ce caractère qui est propre à la beauté et au
bonheur. Et nous portons sur la vie un jugement

pessimiste et que nous supposons juste, car nous avons cru y faire entrer en ligne de compte le bonheur et la beauté, quand nous les avons omis et remplacés par des synthèses où d'eux il n'y a pas un seul atome. C'est ainsi que bâille d'avance d'ennui un lettré à qui on parle d'un nouveau « beau livre », parce qu'il imagine une sorte de composé de tous les beaux livres qu'il a lus, tandis qu'un beau livre est particulier, imprévisible, et n'est pas fait de la somme de tous les chefs-d'œuvre précédents mais de quelque chose que s'être parfaitement assimilé cette somme ne suffit nullement à faire trouver, car c'est justement en dehors d'elle. Dès qu'il a eu connaissance de cette nouvelle œuvre, le lettré, tout à l'heure blasé, se sent de l'intérêt pour la réalité qu'elle dépeint. Telle, étrangère aux modèles de beauté que dessinait ma pensée quand je me trouvais seul, la belle fille me donna aussitôt le goût d'un certain bonheur (seule forme, toujours particulière, sous laquelle nous puissions connaître le goût du bonheur), d'un bonheur qui se réaliserait en vivant auprès d'elle. Mais ici encore la cessation momentanée de l'Habitude agissait pour une grande part. Je faisais bénéficier la marchande de lait de ce que c'était mon être au complet, apte à goûter de vives jouissances, qui était en face d'elle. C'est d'ordinaire avec notre être réduit au minimum que nous vivons, la plupart de nos facultés restent endormies, parce qu'elles se reposent sur l'habitude qui sait ce qu'il y a à faire et n'a pas besoin d'elles. Mais par ce matin de voyage, l'interruption de la routine de mon existence, le changement de lieu et d'heure avaient rendu leur présence indispensable. Mon habitude qui était sédentaire et n'était pas matinale, faisait défaut, et toutes mes facultés étaient accourues pour la remplacer, rivalisant entre elles de zèle — s'élevant toutes, comme des vagues, à un même niveau inaccoutumé — de la plus basse à la plus noble, de la respiration, de l'appétit et de la circulation sanguine à la sensibilité et à l'imagination. Je ne sais si, en me faisant croire que cette fille n'était pas pareille aux autres femmes, le charme sauvage de ces lieux ajoutait au sien, mais elle le leur rendait. La vie m'aurait paru délicieuse si seulement j'avais pu, heure par heure, la passer avec elle, l'accompagner jusqu'au torrent, jusqu'à la vache, jusqu'au train, être toujours à ses côtés, me sentir connu d'elle, ayant ma place dans sa pensée. Elle m'aurait initié aux charmes de la vie rustique et des premières heures du jour. Je lui fis signe qu'elle vint me donner du café au lait. J'avais besoin d'être remarqué d'elle. Elle ne me vit pas, je l'appelai. Au-dessus de son corps très grand, le teint de sa figure était si doré et si rose qu'elle avait l'air d'être vue à travers un vitrail illuminé. Elle revint sur ses pas, je ne pouvais détacher mes yeux de son visage de plus en plus large, pareil à un soleil qu'on pourrait fixer et qui s'approcherait jusqu'à venir tout près de vous, se laissant regarder de près, vous éblouissant d'or et de rouge. Elle posa sur moi son regard perçant, mais comme les employés fermaient les portières, le train se mit en marche ; je la vis quitter la gare et reprendre le sentier, il faisait grand jour maintenant : je m'éloignais de l'aurore. Que mon exaltation eût été produite par cette fille, ou au contraire eût causé la plus grande partie du plaisir que j'avais eu à me trouver près d'elle, en tous cas elle était si mêlée à lui, que mon désir de la revoir était avant tout le désir moral de ne pas laisser cet état d'excitation périr entièrement, de ne pas être séparé à jamais de l'être qui y avait, même à son insu, participé. Ce n'est pas seulement que cet état fût agréable. C'est surtout que (comme la tension plus grande d'une corde ou la vibration plus rapide d'un nerf produit une sonorité ou une couleur différente), il donnait une autre tonalité à ce que je voyais, il m'introduisait comme acteur dans un univers inconnu et infiniment plus intéressant ; cette belle fille que j'apercevais encore, tandis que le train accélérait sa marche, c'était comme une partie d'une vie autre que celle que je connaissais, séparée d'elle par un liséré, et où les sensations qu'éveillaient les objets n'étaient plus les mêmes et

d'où sortir maintenant eût été comme mourir à moi-
même. Pour avoir la douceur de me sentir du moins
rattaché à cette vie il eût suffi que j'habitasse assez
près de la petite station pour pouvoir venir tous les
matins demander du café au lait à cette paysanne.
Mais, hélas ! elle serait toujours absente de l'autre vie
vers laquelle je m'en allais de plus en plus vite et que je
ne me résignais à accepter qu'en combinant des plans
qui me permettraient un jour de reprendre ce même
train et de m'arrêter à cette même gare, projet qui
avait aussi l'avantage de fournir un aliment à la
disposition intéressée, active, pratique, machinale,
paresseuse, centrifuge qui est celle de notre esprit car
il se détourne volontiers de l'effort qu'il faut pour
approfondir en soi-même, d'une façon générale et
désintéressée, une impression agréable que nous avons
eue. Et comme d'autre part nous voulons continuer à
penser à elle, il préfère l'imaginer dans l'avenir,
préparer habilement les circonstances qui pourront la
faire renaître, ce qui ne nous apprend rien sur son
essence, mais nous évite la fatigue de la recréer en
nous-même et nous permet d'espérer la recevoir de
nouveau du dehors.

Certains noms de villes, Vézelay ou Chartres,
Bourges ou Beauvais, servent à désigner, par abréviation, leur église principale. Cette acception partielle
où nous le prenons si souvent, finit — s'il s'agit de
lieux que nous ne connaissons pas encore — par
sculpter le nom tout entier, qui dès lors quand nous
voudrons y faire entrer l'idée de la ville — de la ville
que nous n'avons jamais vue — lui imposera —
comme un moule — les mêmes ciselures, et du même
style, en fera une sorte de grande cathédrale. Ce fut
pourtant à une station de chemin de fer, au-dessus
d'un buffet, en lettres blanches sur un avertisseur
bleu, que je lus le nom, presque de style persan, de
Balbec. Je traversai vivement la gare et le boulevard
qui y aboutissait, je demandai la grève pour ne voir
que l'église et la mer ; on n'avait pas l'air de comprendre ce que je voulais dire. Balbec-le-vieux, Balbec-en-

terre, où je me trouvais, n'était ni une plage ni un port. Certes, c'était bien dans la mer que les pêcheurs avaient trouvé, selon la légende, le Christ miraculeux dont un vitrail de cette église qui était à quelques mètres de moi racontait la découverte ; c'était bien de falaises battues par les flots qu'avait été tirée la pierre de la nef et des tours. Mais cette mer, qu'à cause de cela j'avais imaginée venant mourir au pied du vitrail, était à plus de cinq lieues de distance, à Balbec-plage, et, à côté de sa coupole, ce clocher que, parce que j'avais lu qu'il était lui-même une âpre falaise normande où s'amassaient les grains, où tournoyaient les oiseaux, je m'étais toujours représenté comme recevant à sa base la dernière écume des vagues soulevées, il se dressait sur une place où était l'embranchement de deux lignes de tramways, en face d'un Café qui portait, écrit en lettres d'or, le mot : « Billard » ; il se détachait sur un fond de maisons aux toits desquelles ne se mêlait aucun mât. Et l'église — entrant dans mon attention avec le Café, avec le passant à qui il avait fallu demander mon chemin, avec la gare où j'allais retourner — faisait un avec tout le reste, semblait un accident, un produit de cette fin d'après-midi, dans laquelle la coupole moelleuse et gonflée sur le ciel était comme un fruit dont la même lumière qui baignait les cheminées des maisons, mûrissait la peau rose, dorée et fondante. Mais je ne voulus plus penser qu'à la signification éternelle des sculptures, quand je reconnus les Apôtres dont j'avais vu les statues moulées au musée du Trocadéro et qui, des deux côtés de la Vierge, devant la baie profonde du porche, m'attendaient comme pour me faire honneur. La figure bienveillante, camuse et douce, le dos voûté, ils semblaient s'avancer d'un air de bienvenue, en chantant l'*Alleluia* d'un beau jour. Mais on s'apercevait que leur expression était immuable comme celle d'un mort et ne se modifiait que si on tournait autour d'eux. Je me disais : C'est ici, c'est l'église de Balbec. Cette place qui a l'air de savoir sa gloire est le seul lieu du monde qui possède l'église de Balbec. Ce que j'ai

vu jusqu'ici c'était des photographies de cette église,
et, de ces Apôtres, de cette Vierge du porche si
célèbres, les moulages seulement. Maintenant c'est
l'église elle-même, c'est la statue elle-même, ce sont
elles ; elles, les uniques : c'est bien plus.

C'était moins aussi peut-être. Comme un jeune
homme, un jour d'examen ou de duel, trouve le fait
sur lequel on l'a interrogé, la balle qu'il a tirée, bien
peu de chose, quand il pense aux réserves de science et
de courage qu'il possède et dont il aurait voulu faire
preuve, de même mon esprit qui avait dressé la Vierge
du Porche hors des reproductions que j'en avais eues
sous les yeux, inaccessible aux vicissitudes qui pouvaient menacer celles-ci, intacte si on les détruisait,
idéale, ayant une valeur universelle, s'étonnait de voir
la statue qu'il avait mille fois sculptée réduite maintenant à sa propre apparence de pierre, occupant par
rapport à la portée de mon bras une place où elle avait
pour rivales une affiche électorale et la pointe de ma
canne, enchaînée à la Place, inséparable du débouché
de la grand-rue, ne pouvant fuir les regards du Café et
du bureau d'omnibus, recevant sur son visage la
moitié du rayon de soleil couchant — et bientôt, dans
quelques heures, de la clarté du réverbère — dont le
bureau du Comptoir d'Escompte recevait l'autre moitié, gagnée, en même temps que cette Succursale d'un
Établissement de crédit, par le relent des cuisines du
pâtissier, soumise à la tyrannie du Particulier au point
que, si j'avais voulu tracer ma signature sur cette
pierre, c'est elle, la Vierge illustre que jusque-là j'avais
douée d'une existence générale et d'une intangible
beauté, la Vierge de Balbec, l'unique (ce qui, hélas,
voulait dire la seule), qui, sur son corps encrassé de la
même suie que les maisons voisines, aurait, sans
pouvoir s'en défaire, montré à tous les admirateurs
venus là pour la contempler, la trace de mon morceau
de craie et les lettres de mon nom, et c'était elle enfin
l'œuvre d'art immortelle et si longtemps désirée, que
je trouvais, métamorphosée ainsi que l'église elle-
même, en une petite vieille de pierre dont je pouvais

mesurer la hauteur et compter les rides. L'heure passait, il fallait retourner à la gare où je devais attendre ma grand-mère et Françoise pour gagner ensemble Balbec-Plage. Je me rappelais ce que j'avais lu sur Balbec, les paroles de Swann : « C'est délicieux, c'est aussi beau que Sienne. » Et n'accusant de ma déception que des contingences, la mauvaise disposition où j'étais, ma fatigue, mon incapacité de savoir regarder, j'essayais de me consoler en pensant qu'il restait d'autres villes encore intactes pour moi, que je pourrais prochainement peut-être pénétrer comme au milieu d'une pluie de perles dans le frais gazouillis des égouttements de Quimperlé, traverser le reflet verdissant et rose qui baignait Pont-Aven ; mais pour Balbec, dès que j'y étais entré, ç'avait été comme si j'avais entr'ouvert un nom qu'il eût fallu tenir hermétiquement clos et où, profitant de l'issue que je leur avais imprudemment offerte en chassant toutes les images qui y vivaient jusque-là, un tramway, un café, les gens qui passaient sur la place, la succursale du Comptoir d'Escompte, irrésistiblement poussés par une pression externe et une force pneumatique, s'étaient engouffrés à l'intérieur des syllabes qui, refermées sur eux, les laissaient maintenant encadrer le porche de l'église persane et ne cesseraient plus de les contenir.

Dans le petit chemin de fer d'intérêt local qui devait nous conduire à Balbec-Plage, je retrouvai ma grand-mère, mais l'y retrouvai seule — car elle avait imaginé de faire partir avant elle pour que tout fût préparé d'avance (mais lui ayant donné un renseignement faux, n'avait réussi qu'à faire partir dans une mauvaise direction), Françoise qui en ce moment sans s'en douter filait à toute vitesse sur Nantes et se réveillerait peut-être à Bordeaux. À peine fus-je assis dans le wagon rempli par la lumière fugitive du couchant et par la chaleur persistante de l'après-midi (la première, hélas ! me permettant de voir en plein sur le visage de ma grand-mère combien la seconde l'avait fatiguée), elle me demanda : « Hé bien, Balbec ? » avec un sourire si ardemment éclairé par l'espérance du grand plaisir qu'elle pensait que j'avais éprouvé, que je n'osai pas lui avouer tout d'un coup ma déception. D'ailleurs, l'impression que mon esprit avait recherchée m'occupait moins au fur et à mesure que se rapprochait le lieu auquel mon corps aurait à s'accoutumer. Au terme, encore éloigné de plus d'une heure, de ce trajet, je cherchais à imaginer le directeur de l'hôtel de Balbec pour qui j'étais, en ce moment, inexistant, et j'aurais voulu me présenter à lui dans une compagnie plus prestigieuse que celle de ma grand-mère qui allait certainement lui demander des rabais. Il m'apparaissait empreint d'une morgue certaine, mais très vague de contours.

À tout moment le petit chemin de fer nous arrêtait à l'une des stations qui précédaient Balbec-Plage et dont les noms mêmes (Incarville, Marcouville, Doville, Pont-à-Couleuvre, Arambouville, Saint-Mars-le-Vieux, Hermonville, Maineville) me semblaient étranges, alors que lus dans un livre ils auraient eu quelque rapport avec les noms de certaines localités qui étaient voisines de Combray. Mais à l'oreille d'un musicien deux motifs, matériellement composés de plusieurs des mêmes notes, peuvent ne présenter aucune ressemblance, s'ils diffèrent par la couleur de l'harmonie et de l'orchestration. De même, rien moins que ces tristes noms faits de sable, d'espace trop aéré et vide, et de sel, au-dessus desquels le mot ville s'échappait comme vole dans Pigeon-vole, ne me faisait penser à ces autres noms de Roussainville ou de Martinville, qui parce que je les avais entendu prononcer si souvent par ma grand-tante à table, dans la « salle », avaient acquis un certain charme sombre où s'étaient peut-être mélangés des extraits du goût des confitures, de l'odeur du feu de bois et du papier d'un livre de Bergotte, de la couleur de grès de la maison d'en face, et qui, aujourd'hui encore, quand ils remontent comme une bulle gazeuse, du fond de ma mémoire, conservent leur vertu spécifique à travers les couches superposées de milieux différents qu'ils ont à franchir avant d'atteindre jusqu'à la surface.

C'était, dominant la mer lointaine du haut de leur dune, ou s'accommodant déjà pour la nuit au pied de collines d'un vert cru et d'une forme désobligeante, comme celle du canapé d'une chambre d'hôtel où l'on vient d'arriver, composées de quelques villas que prolongeait un terrain de tennis et quelquefois un casino dont le drapeau claquait au vent fraîchissant, évidé et anxieux, de petites stations qui me montraient pour la première fois leurs hôtes habituels, mais me les montraient par leur dehors — des joueurs de tennis en casquettes blanches, le chef de gare vivant là, près de ses tamaris et de ses roses, une dame, coiffée d'un « canotier », qui, décrivant le tracé quotidien d'une vie que je ne connaîtrais jamais, rappelait son lévrier qui s'attardait, et rentrait dans son chalet où la lampe était déjà allumée — et qui blessaient cruellement de ces images étrangement usuelles et dédaigneusement familières, mes regards inconnus et mon cœur dépaysé. Mais combien ma souffrance s'aggrava quand nous eûmes débarqué dans le hall du Grand-Hôtel de Balbec, en face de l'escalier monumental qui imitait le marbre, et pendant que ma grand-mère, sans souci d'accroître l'hostilité et le mépris des étrangers au milieu desquels nous allions vivre, discutait les « conditions » avec le directeur, sorte de poussah à la figure et à la voix pleines de cicatrices (qu'avait laissées l'extirpation sur l'une, de nombreux boutons, sur l'autre, des divers accents dus à des origines lointaines et à une enfance cosmopolite), au smoking de mondain, au regard de psychologue prenant généralement, à l'arrivée de l' « omnibus », les grands seigneurs pour des râleux et les rats d'hôtels pour des grands seigneurs ! Oubliant sans doute que lui-même ne touchait pas cinq cents francs d'appointements mensuels, il méprisait profondément les personnes pour qui cinq cents francs, ou plutôt comme il disait « vingt-cinq louis » est « une somme » et les considérait comme faisant partie d'une race de parias à qui n'était pas destiné le Grand-Hôtel. Il est vrai que dans ce Palace même, il y avait des gens qui ne payaient pas

très cher, tout en étant estimés du directeur, à
condition que celui-ci fût certain qu'ils regardaient à
dépenser non pas par pauvreté mais par avarice. Elle
ne saurait en effet rien ôter au prestige, puisqu'elle est
un vice et peut par conséquent se rencontrer dans
toutes les situations sociales. La situation sociale était
la seule chose à laquelle le directeur fît attention, la
situation sociale, ou plutôt les signes qui lui paraissaient impliquer qu'elle était élevée, comme de ne pas
se découvrir en entrant dans le hall, de porter des
knickerbockers, un paletot à taille, et de sortir un
cigare ceint de pourpre et d'or d'un étui en maroquin
écrasé (tous avantages, hélas ! qui me faisaient défaut).
Il émaillait ses propos commerciaux d'expressions
choisies, mais à contresens.

Tandis que j'entendais ma grand-mère, sans se
froisser qu'il l'écoutât son chapeau sur la tête et tout
en sifflotant, lui demander sur une intonation artificielle : « Et quels sont… vos prix ?… Oh ! beaucoup
trop élevés pour mon petit budget », attendant sur
une banquette, je me réfugiais au plus profond de
moi-même, je m'efforçais d'émigrer dans des pensées
éternelles, de ne laisser rien de moi, rien de vivant, à la
surface de mon corps — insensibilisée comme l'est
celle des animaux qui par inhibition font les morts
quand on les blesse — afin de ne pas trop souffrir dans
ce lieu où mon manque total d'habitude m'était rendu
plus sensible encore par la vue de celle que semblaient
en avoir au même moment une dame élégante à qui le
directeur témoignait son respect en prenant des fami-
liarités avec le petit chien dont elle était suivie, le
jeune gandin qui, la plume au chapeau, rentrait en
demandant « s'il avait des lettres », tous ces gens pour
qui c'était regagner leur home que de gravir les degrés
en faux marbre. Et en même temps le regard de
Minos, Éaque et Rhadamante [17] (regard dans lequel je
plongeai mon âme dépouillée, comme dans un
inconnu où plus rien ne la protégeait), me fut jeté
sévèrement par des messieurs qui, peu versés peut-
être dans l'art de « recevoir », portaient le titre de

« chefs de réception » ; plus loin, derrière un vitrage clos, des gens étaient assis dans un salon de lecture pour la description duquel il m'aurait fallu choisir dans le Dante tour à tour les couleurs qu'il prête au Paradis et à l'Enfer, selon que je pensais au bonheur des élus qui avaient le droit d'y lire en toute tranquillité, ou à la terreur que m'eût causée ma grand-mère si, dans son insouci de ce genre d'impressions, elle m'eût ordonné d'y pénétrer.

Mon impression de solitude s'accrut encore un moment après. Comme j'avais avoué à ma grand-mère que je n'étais pas bien, que je croyais que nous allions être obligés de revenir à Paris, sans protester elle avait dit qu'elle sortait pour quelques emplettes, utiles aussi bien si nous partions que si nous restions (et que je sus ensuite m'être toutes destinées, Françoise ayant avec elle des affaires qui m'eussent manqué) ; en l'attendant j'étais allé faire les cent pas dans les rues encombrées d'une foule qui y maintenait une chaleur d'appartement et où étaient encore ouverts la boutique du coiffeur et le salon d'un pâtissier chez lequel des habitués prenaient des glaces, devant la statue de Duguay-Trouin [18]. Elle me causa à peu près autant de plaisir que son image au milieu d'un « illustré » peut en procurer au malade qui le feuillette dans le cabinet d'attente d'un chirurgien. Je m'étonnais qu'il y eût des gens assez différents de moi pour que, cette promenade dans la ville, le directeur eût pu me la conseiller comme une distraction, et aussi pour que le lieu de supplice qu'est une demeure nouvelle pût paraître à certains « un séjour de délices » comme disait le prospectus de l'hôtel qui pouvait exagérer, mais pourtant s'adressait à toute une clientèle dont il flattait les goûts. Il est vrai qu'il invoquait, pour la faire venir au Grand-Hôtel de Balbec, non seulement « la chère exquise » et le « coup d'œil féerique des jardins du Casino » mais encore les « arrêts de Sa Majesté la Mode, qu'on ne peut violer impunément sans passer pour un béotien, ce à quoi aucun homme bien élevé ne voudrait s'exposer ».

Le besoin que j'avais de ma grand-mère était grandi par ma crainte de lui avoir causé une désillusion. Elle devait être découragée, sentir que si je ne supportais pas cette fatigue c'était à désespérer qu'aucun voyage pût me faire du bien. Je me décidai à rentrer l'attendre ; le directeur vint lui-même pousser un bouton : et un personnage encore inconnu de moi, qu'on appelait « lift » (et qui à ce point le plus haut de l'hôtel où serait le lanternon d'une église normande, était installé comme un photographe derrière son vitrage ou comme un organiste dans sa chambre), se mit à descendre vers moi avec l'agilité d'un écureuil domestique, industrieux et captif. Puis en glissant de nouveau le long d'un pilier il m'entraîna à sa suite vers le dôme de la nef commerciale. A chaque étage, des deux côtés de petits escaliers de communication, se dépliaient en éventails de sombres galeries, dans lesquelles, portant un traversin, passait une femme de chambre. J'appliquais à son visage, rendu indécis par le crépuscule, le masque de mes rêves les plus passionnés, mais lisais dans son regard tourné vers moi l'horreur de mon néant. Cependant pour dissiper, au cours de l'interminable ascension, l'angoisse mortelle que j'éprouvais à traverser en silence le mystère de ce clair-obscur sans poésie, éclairé d'une seule rangée verticale de verrières que faisait l'unique water-closet de chaque étage, j'adressai la parole au jeune organiste, artisan de mon voyage et compagnon de ma captivité, lequel continuait à tirer les registres de son instrument et à pousser les tuyaux. Je m'excusai de tenir autant de place, de lui donner tellement de peine, et lui demandai si je ne le gênais pas dans l'exercice d'un art, à l'endroit duquel, pour flatter le virtuose, je fis plus que manifester de la curiosité, je confessai ma prédilection. Mais il ne me répondit pas, soit étonnement de mes paroles, attention à son travail, souci de l'étiquette, dureté de son ouïe, respect du lieu, crainte du danger, paresse d'intelligence ou consigne du directeur.

Il n'est peut-être rien qui donne plus l'impression

de la réalité de ce qui nous est extérieur, que le
changement de la position, par rapport à nous, d'une
personne même insignifiante, avant que nous l'ayons
connue, et après. J'étais le même homme qui avait pris
à la fin de l'après-midi le petit chemin de fer de
Balbec, je portais en moi la même âme. Mais dans
cette âme, à l'endroit où, à six heures, il y avait, avec
l'impossibilité d'imaginer le directeur, le Palace, son
personnel, une attente vague et craintive du moment
où j'arriverais, se trouvaient maintenant les boutons
extirpés dans la figure du directeur cosmopolite (en
réalité naturalisé Monégasque, bien qu'il fût —
comme il disait parce qu'il employait toujours des
expressions qu'il croyait distinguées, sans s'apercevoir
qu'elles étaient vicieuses — « d'originalité rou-
maine »), son geste pour sonner le lift, le lift lui-
même, toute une frise de personnages de guignol
sortis de cette boîte de Pandore qu'était le Grand-
Hôtel, indéniables, inamovibles et, comme tout ce qui
est réalisé, stérilisants [19]. Mais du moins ce changement dans lequel je n'étais pas intervenu me prouvait
qu'il s'était passé quelque chose d'extérieur à moi — si
dénuée d'intérêt que cette chose fût en soi — et j'étais
comme le voyageur qui ayant eu le soleil devant lui en
commençant une course, constate que les heures ont
passé quand il le voit derrière lui. J'étais brisé par la
fatigue, j'avais la fièvre, je me serais bien couché, mais
je n'avais rien de ce qu'il eût fallu pour cela. J'aurais
voulu au moins m'étendre un instant sur le lit, mais à
quoi bon puisque je n'aurais pu y faire trouver de
repos à cet ensemble de sensations qui est pour chacun
de nous son corps conscient, sinon son corps matériel,
et puisque les objets inconnus qui l'encerclaient, en le
forçant à mettre ses perceptions sur le pied permanent
d'une défensive vigilante, auraient maintenu mes
regards, mon ouïe, tous mes sens, dans une position
aussi réduite et incommode (même si j'avais allongé
mes jambes) que celle du cardinal La Balue dans la
cage où il ne pouvait ni se tenir debout ni s'asseoir [20].
C'est notre attention qui met des objets dans une

chambre, et l'habitude qui les en retire, et nous y fait de la place. De la place, il n'y en avait pas pour moi dans ma chambre de Balbec (mienne de nom seulement), elle était pleine de choses qui ne me connaissaient pas, me rendirent le coup d'œil méfiant que je leur jetai et sans tenir aucun compte de mon existence, témoignèrent que je dérangeais le train-train de la leur. La pendule — alors qu'à la maison je n'entendais la mienne que quelques secondes par semaine, seulement quand je sortais d'une profonde méditation — continua sans s'interrompre un instant à tenir dans une langue inconnue des propos qui devaient être désobligeants pour moi, car les grands rideaux violets l'écoutaient sans répondre mais dans une attitude analogue à celle des gens qui haussent les épaules pour montrer que la vue d'un tiers les irrite. Ils donnaient à cette chambre si haute un caractère quasi historique qui eût pu la rendre appropriée à l'assassinat du duc de Guise[21], et plus tard à une visite de touristes, conduits par un guide de l'agence Cook — mais nullement à mon sommeil. J'étais tourmenté par la présence de petites bibliothèques à vitrines, qui couraient le long des murs, mais surtout par une grande glace à pieds, arrêtée en travers de la pièce et avant le départ de laquelle je sentais qu'il n'y aurait pas pour moi de détente possible. Je levais à tout moment mes regards — que les objets de ma chambre de Paris ne gênaient pas plus que ne faisaient mes propres prunelles, car ils n'étaient plus que des annexes de mes organes, un agrandissement de moi-même — vers le plafond surélevé de ce belvédère situé au sommet de l'hôtel et que ma grand-mère avait choisi pour moi ; et, jusque dans cette région plus intime que celle où nous voyons et où nous entendons, dans cette région où nous éprouvons la qualité des odeurs, c'était presque à l'intérieur de mon moi que celle du vétiver venait pousser dans mes derniers retranchements son offensive, à laquelle j'opposais non sans fatigue la riposte inutile et incessante d'un reniflement alarmé. N'ayant plus d'univers, plus de chambre, plus de corps que menacé par les ennemis qui m'entouraient, qu'envahi jusque dans les os par la fièvre, j'étais seul, j'avais envie de mourir. Alors ma grand-mère entra; et à l'expansion de mon cœur refoulé s'ouvrirent aussitôt des espaces infinis.

Elle portait une robe de chambre de percale qu'elle revêtait à la maison chaque fois que l'un de nous était malade (parce qu'elle s'y sentait plus à l'aise, disait-elle, attribuant toujours à ce qu'elle faisait des mobiles égoïstes), et qui était pour nous soigner, pour nous veiller, sa blouse de servante et de garde, son habit de religieuse. Mais tandis que les soins de celles-là, la bonté qu'elles ont, le mérite qu'on leur trouve et la reconnaissance qu'on leur doit augmentent encore l'impression qu'on a d'être, pour elles, un autre, de se sentir seul, gardant pour soi la charge de ses pensées, de son propre désir de vivre, je savais, quand j'étais avec ma grand-mère, si grand chagrin qu'il y eût en moi, qu'il serait reçu dans une pitié plus vaste encore; que tout ce qui était mien, mes soucis, mon vouloir, serait, en ma grand-mère, étayé sur un désir de conservation et d'accroissement de ma propre vie autrement fort que celui que j'avais moi-même; et mes pensées se prolongeaient en elle sans subir de déviation parce qu'elles passaient de mon esprit dans le sien sans changer de milieu, de personne. Et — comme quelqu'un qui veut nouer sa cravate devant une glace sans comprendre que le bout qu'il voit n'est pas placé par rapport à lui du côté où il dirige sa main, ou comme un chien qui poursuit à terre l'ombre dansante d'un insecte — trompé par l'apparence du corps comme on l'est dans ce monde où nous ne percevons pas directement les âmes, je me jetai dans les bras de ma grand-mère et je suspendis mes lèvres à sa figure comme si j'accédais ainsi à ce cœur immense qu'elle m'ouvrait. Quand j'avais ainsi ma bouche collée à ses joues, à son front, j'y puisais quelque chose de si bienfaisant, de si nourricier, que je gardais l'immobilité, le sérieux, la tranquille avidité d'un enfant qui tète.

Je regardais ensuite sans me lasser son grand visage découpé comme un beau nuage ardent et calme, derrière lequel on sentait rayonner la tendresse. Et tout ce qui recevait encore, si faiblement que ce fût, un peu de ses sensations, tout ce qui pouvait ainsi être dit encore à elle, en était aussitôt si spiritualisé, si sanctifié que de mes paumes je lissais ses beaux cheveux à peine gris avec autant de respect, de précaution et de douceur que si j'y avais caressé sa bonté. Elle trouvait un tel plaisir dans toute peine qui m'en épargnait une, et, dans un moment d'immobilité et de calme pour mes membres fatigués, quelque chose de si délicieux, que quand, ayant vu qu'elle voulait m'aider à me coucher et me déchausser, je fis le geste de l'en empêcher et de commencer à me déshabiller moi-même, elle arrêta d'un regard suppliant mes mains qui touchaient aux premiers boutons de ma veste et de mes bottines. « Oh, je t'en prie, me dit-elle. C'est une telle joie pour ta grand-mère. Et surtout ne manque pas de frapper au mur si tu as besoin de quelque chose cette nuit, mon lit est adossé au tien, la cloison est très mince. D'ici un moment quand tu seras couché, fais-le, pour voir si nous nous comprenons bien. » Et, en effet, ce soir-là je frappai trois coups — que, une semaine plus tard quand je fus souffrant je renouvelai pendant quelques jours tous les matins parce que ma grand-mère voulait me donner du lait de bonne heure. Alors quand je croyais entendre qu'elle était réveillée — pour qu'elle n'attendît pas et pût, tout de suite après, se rendormir — je risquais trois petits coups, timidement, faiblement, distinctement malgré tout, car si je craignais d'interrompre son sommeil dans le cas où je me serais trompé et où elle eût dormi, je n'aurais pas voulu non plus qu'elle continuât d'épier un appel qu'elle n'aurait pas distingué d'abord et que je n'oserais pas renouveler. Et à peine j'avais frappé mes coups que j'en entendais trois autres, d'une intonation différente ceux-là, empreints d'une calme autorité, répétés à deux reprises pour plus de clarté et qui disaient : « Ne t'agite pas, j'ai entendu, dans quelques instants je serai là » ; et bientôt après ma grand-mère arrivait. Je lui disais que j'avais eu peur qu'elle ne m'entendît pas ou crût que c'était un voisin qui avait frappé ; elle riait : « Confondre les coups de mon pauvre chou [22] avec d'autres, mais entre mille sa grand-mère les reconnaîtrait ! Crois-tu donc qu'il y en ait d'autres au monde qui soient aussi bêtas, aussi fébriles, aussi partagés entre la crainte de me réveiller et de ne pas être compris ? Mais quand même elle se contenterait d'un grattement, on reconnaîtrait tout de suite sa petite souris, surtout quand elle est aussi unique et à plaindre que la mienne. Je l'entendais déjà depuis un moment qui hésitait, qui se remuait dans le lit, qui faisait tous ses manèges. » Elle entrouvrait les persiennes ; à l'annexe en saillie de l'hôtel, le soleil était déjà installé sur les toits comme un couvreur matinal qui commence tôt son ouvrage et l'accomplit en silence pour ne pas réveiller la ville qui dort encore et de laquelle l'immobilité le fait paraître plus agile. Elle me disait l'heure, le temps qu'il ferait, que ce n'était pas la peine que j'allasse jusqu'à la fenêtre, qu'il y avait de la brume sur la mer, si la boulangerie était déjà ouverte, quelle était cette voiture qu'on entendait : tout cet insignifiant lever de rideau, ce négligeable *introït* du jour auquel personne n'assiste, petit morceau de vie qui n'était qu'à nous deux, que j'évoquerais volontiers dans la journée devant Françoise ou des étrangers en parlant du brouillard à couper au couteau qu'il y avait eu le matin à six heures, avec l'ostentation non d'un savoir acquis, mais d'une marque d'affection reçue par moi seul ; doux instant matinal qui s'ouvrait comme une symphonie par le dialogue rythmé de mes trois coups auquel la cloison pénétrée de tendresse et de joie, devenue harmonieuse, immatérielle, chantant comme les anges, répondait par trois autres coups, ardemment attendus, deux fois répétés, et où elle savait transporter l'âme de ma grand-mère tout entière et la promesse de sa venue, avec une allégresse d'annonciation et une fidélité musicale. Mais cette première nuit d'arrivée, quand ma grand-mère m'eut quitté, je recommençai à souffrir, comme j'avais déjà souffert à Paris au moment de quitter la maison. Peut-être cet effroi que j'avais — qu'ont tant d'autres — de coucher dans une chambre inconnue, peut-être cet effroi n'est-il que la forme la plus humble, obscure, organique, presque inconsciente, de ce grand refus désespéré qu'opposent les choses qui constituent le meilleur de notre vie présente à ce que nous revêtions mentalement de notre acceptation la formule d'un avenir où elles ne figurent pas ; refus qui était au fond de l'horreur que m'avait fait si souvent éprouver la pensée que mes parents mourraient un jour, que les nécessités de la vie pourraient m'obliger à vivre loin de Gilberte, ou simplement à me fixer définitivement dans un pays où je ne verrais plus jamais mes amis ; refus qui était encore au fond de la difficulté que j'avais à penser à ma propre mort ou à une survie comme celle que Bergotte promettait aux hommes dans ses livres, dans laquelle je ne pourrais emporter mes souvenirs, mes défauts, mon caractère, qui ne se résignaient pas à l'idée de ne plus être et ne voulaient pour moi ni du néant, ni d'une éternité où ils ne seraient plus.

Quand Swann m'avait dit à Paris, un jour que j'étais particulièrement souffrant : « Vous devriez partir pour ces délicieuses îles de l'Océanie, vous verrez que vous n'en reviendrez plus », j'aurais voulu lui répondre : « Mais alors je ne verrai plus votre fille, je vivrai au milieu de choses et de gens qu'elle n'a jamais vus. » Et pourtant ma raison me disait : « Qu'est-ce que cela peut faire, puisque tu n'en seras pas affligé ? Quand M. Swann te dit que tu ne reviendras pas, il entend par là que tu ne voudras pas revenir, et puisque tu ne le voudras pas, c'est que, là-bas, tu seras heureux. » Car ma raison savait que l'habitude — l'habitude qui allait assumer maintenant l'entreprise de me faire aimer ce logis inconnu, de changer la place de la glace, la nuance des rideaux, d'arrêter la pendule — se charge aussi bien de nous rendre chers les compa-

gnons qui nous avaient déplu d'abord, de donner une
autre forme aux visages, de rendre sympathique le son
d'une voix, de modifier l'inclination des cœurs. Certes
ces amitiés nouvelles pour des lieux et des gens, ont
pour trame l'oubli des anciennes ; mais justement ma
raison pensait que je pouvais envisager sans terreur la
perspective d'une vie où je serais à jamais séparé
d'êtres dont je perdrais le souvenir, et, c'est comme
une consolation, qu'elle offrait à mon cœur une
promesse d'oubli qui ne faisait au contraire qu'affoler
son désespoir. Ce n'est pas que notre cœur ne doive
éprouver, lui aussi, quand la séparation sera consom-
mée, les effets analgésiques de l'habitude ; mais jusque-là il continuera de souffrir. Et la crainte d'un
avenir où nous seront enlevés la vue et l'entretien de
ceux que nous aimons et d'où nous tirons aujourd'hui
notre plus chère joie, cette crainte, loin de se dissiper,
s'accroît, si à la douleur d'une telle privation nous
pensons que s'ajoutera ce qui pour nous semble
actuellement plus cruel encore : ne pas la ressentir
comme une douleur, y rester indifférent ; car alors
notre moi serait changé, ce ne serait plus seulement le
charme de nos parents, de notre maîtresse, de nos
amis, qui ne serait plus autour de nous, mais notre
affection pour eux ; elle aurait été si parfaitement
arrachée de notre cœur dont elle est aujourd'hui une
notable part, que nous pourrions nous plaire à cette
vie séparée d'eux dont la pensée nous fait horreur
aujourd'hui ; ce serait donc une vraie mort de nous-
même, mort suivie, il est vrai, de résurrection, mais en
un moi différent et jusqu'à l'amour duquel ne peuvent
s'élever les parties de l'ancien moi condamnées à
mourir. Ce sont elles — mêmes les plus chétives,
comme les obscurs attachements aux dimensions, à
l'atmosphère d'une chambre — qui s'effarent et
refusent, en des rébellions où il faut voir un mode
secret, partiel, tangible et vrai de la résistance à la
mort, de la longue résistance désespérée et quoti-
dienne à la mort fragmentaire et successive telle
qu'elle s'insère dans toute la durée de notre vie,

détachant de nous à chaque moment des lambeaux de nous-même sur la mortification desquels des cellules nouvelles multiplieront. Et pour une nature nerveuse comme était la mienne — c'est-à-dire chez qui les intermédiaires, les nerfs, remplissent mal leurs fonctions, n'arrêtent pas dans sa route vers la conscience, mais y laissent au contraire parvenir, distincte, épuisante, innombrable et douloureuse, la plainte des plus humbles éléments du moi qui vont disparaître —, l'anxieuse alarme que j'éprouvais sous ce plafond inconnu et trop haut, n'était que la protestation d'une amitié qui survivait en moi, pour un plafond familier et bas. Sans doute cette amitié disparaîtrait, une autre ayant pris sa place (alors la mort, puis une nouvelle vie auraient, sous le nom d'Habitude, accompli leur œuvre double); mais, jusqu'à son anéantissement, chaque soir elle souffrirait, et, ce premier soir-là surtout, mise en présence d'un avenir déjà réalisé où il n'y avait plus de place pour elle, elle se révoltait, elle me torturait du cri de ses lamentations chaque fois que mes regards, ne pouvant se détourner de ce qui les blessait, essayaient de se poser au plafond inaccessible.

Mais le lendemain matin ! — après qu'un domestique fut venu m'éveiller et m'apporter de l'eau chaude, et pendant que je faisais ma toilette et essayais vainement de trouver les affaires dont j'avais besoin dans ma malle d'où je ne tirais, pêle-mêle, que celles qui ne pouvaient me servir à rien, quelle joie, pensant déjà au plaisir du déjeuner et de la promenade, de voir dans la fenêtre et dans toutes les vitrines des bibliothèques, comme dans les hublots d'une cabine de navire, la mer nue, sans ombrages, et pourtant à l'ombre sur une moitié de son étendue que délimitait une ligne mince et mobile, et de suivre des yeux les flots qui s'élançaient l'un après l'autre comme des sauteurs sur un tremplin. A tous moments, tenant à la main la serviette raide et empesée où était écrit le nom de l'hôtel et avec laquelle je faisais d'inutiles efforts pour me sécher, je retournais près de la fenêtre jeter encore

un regard sur ce vaste cirque éblouissant et monta-
gneux et sur les sommets neigeux de ses vagues en
pierre d'émeraude çà et là polie et translucide, lesquelles avec une placide violence et un froncement léonin,
laissaient s'accomplir et dévaler l'écroulement de leurs
pentes auxquelles le soleil ajoutait un sourire sans
visage. Fenêtre à laquelle je devais ensuite me mettre
chaque matin comme au carreau d'une diligence dans
laquelle on a dormi, pour voir si pendant la nuit s'est
rapprochée ou éloignée une chaîne désirée — ici ces
collines de la mer qui avant de revenir vers nous en
dansant, peuvent reculer si loin que souvent ce n'était
qu'après une longue plaine sablonneuse que j'apercevais à une grande distance leurs premières ondulations, dans un lointain transparent, vaporeux et
bleuâtre comme ces glaciers qu'on voit au fond des
tableaux des primitifs toscans[23]. D'autres fois c'était
tout près de moi que le soleil riait sur ces flots d'un
vert aussi tendre que celui que conserve aux prairies
alpestres (dans les montagnes où le soleil s'étale çà et là
comme un géant qui en descendrait gaiement, par
bonds inégaux, les pentes), moins l'humidité du sol
que la liquide mobilité de la lumière. Au reste, dans
cette brèche que la plage et les flots pratiquent au
milieu du reste du monde pour y faire passer, pour y
accumuler la lumière, c'est elle surtout, selon la
direction d'où elle vient et que suit notre œil, c'est elle
qui déplace et situe les vallonnements de la mer. La
diversité de l'éclairage ne modifie pas moins l'orienta-
tion d'un lieu, ne dresse pas moins devant nous de
nouveaux buts qu'il nous donne le désir d'atteindre,
que ne ferait un trajet longuement et effectivement
parcouru en voyage. Quand le matin, le soleil venait
de derrière l'hôtel, découvrant devant moi les grèves
illuminées jusqu'aux premiers contreforts de la mer, il
semblait m'en montrer un autre versant et m'engager
à poursuivre, sur la route tournante de ses rayons, un
voyage immobile et varié à travers les plus beaux sites
du paysage accidenté des heures. Et dès ce premier
matin, le soleil me désignait au loin, d'un doigt

souriant, ces cimes bleues de la mer qui n'ont de nom
sur aucune carte géographique, jusqu'à ce qu'étourdi
de sa sublime promenade à la surface retentissante et
chaotique de leurs crêtes et de leurs avalanches, il vînt
se mettre à l'abri du vent dans ma chambre, se
prélassant sur le lit défait et égrenant ses richesses sur
le lavabo mouillé, dans la malle ouverte, où, par sa
splendeur même et son luxe déplacé, il ajoutait encore
à l'impression du désordre. Hélas, le vent de mer, une
heure plus tard, dans la grande salle à manger —
tandis que nous déjeunions et que, de la gourde de
cuir d'un citron, nous répandions quelques gouttes
d'or sur deux soles qui bientôt laissèrent dans nos
assiettes le panache de leurs arêtes, frisé comme une
plume et sonore comme une cithare — il parut cruel à
ma grand-mère de n'en pas sentir le souffle vivifiant à
cause du châssis transparent mais clos qui comme une
vitrine, nous séparait de la plage tout en nous la
laissant entièrement voir et dans lequel le ciel entrait si
complètement que son azur avait l'air d'être la couleur
des fenêtres et ses nuages blancs un défaut du verre.
Me persuadant que j'étais « assis sur le môle » ou au
fond du « boudoir » dont parle Baudelaire, je me
demandais si son « soleil rayonnant sur la mer [24] », ce
n'était pas — bien différent du rayon du soir, simple
et superficiel comme un trait doré et tremblant —
celui qui en ce moment brûlait la mer comme une
topaze, la faisait fermenter, devenir blonde et laiteuse
comme de la bière, écumante comme du lait, tandis
que par moments s'y promenaient çà et là de grandes
ombres bleues que quelque dieu semblait s'amuser à
déplacer en bougeant un miroir dans le ciel. Malheureusement ce n'était pas seulement par son aspect que
différait de la « salle » de Combray donnant sur les
maisons d'en face, cette salle à manger de Balbec, nue,
emplie de soleil vert comme l'eau d'une piscine, et à
quelques mètres de laquelle, la marée pleine et le
grand jour élevaient, comme devant la cité céleste, un
rempart indestructible et mobile d'émeraude et d'or.
À Combray, comme nous étions connus de tout le

monde, je ne me souciais de personne. Dans la vie de
bains de mer on ne connaît pas ses voisins. Je n'étais
pas encore assez âgé et j'étais resté trop sensible pour
avoir renoncé au désir de plaire aux êtres et de les
posséder. Je n'avais pas l'indifférence plus noble
qu'aurait éprouvée un homme du monde à l'égard des
personnes qui déjeunaient dans la salle à manger, ni
des jeunes gens et des jeunes filles passant sur la
digue, avec lesquels je souffrais de penser que je ne
pourrais pas faire d'excursions, moins pourtant que si
ma grand-mère, dédaigneuse des formes mondaines et
ne s'occupant que de ma santé, leur avait adressé la
demande, humiliante pour moi, de m'agréer comme
compagnon de promenade. Soit qu'ils rentrassent vers
quelque chalet inconnu, soit qu'ils en sortissent pour
se rendre raquette en main à un terrain de tennis, ou
montassent sur des chevaux dont les sabots me
piétinaient le cœur, je les regardais avec une curiosité
passionnée, dans cet éclairage aveuglant de la plage où
les proportions sociales sont changées, je suivais tous
leurs mouvements à travers la transparence de cette
grande baie vitrée qui laissait passer tant de lumière.
Mais elle interceptait le vent et c'était un défaut à
l'avis de ma grand-mère qui, ne pouvant supporter
l'idée que je perdisse le bénéfice d'une heure d'air,
ouvrit subrepticement un carreau et fit envoler du
même coup, avec les menus, les journaux, voiles et
casquettes de toutes les personnes qui étaient en train
de déjeuner ; elle-même, soutenue par le souffle
céleste, restait calme et souriante comme sainte Blandine [25], au milieu des invectives qui, augmentant mon
impression d'isolement et de tristesse, réunissaient
contre nous les touristes méprisants, dépeignés et
furieux.

Pour une certaine partie — ce qui, à Balbec,
donnait à la population, d'ordinaire banalement riche
et cosmopolite, de ces sortes d'hôtels de grand luxe,
un caractère régional assez accentué — ils se composaient de personnalités éminentes des principaux
départements de cette partie de la France, d'un

premier président de Caen, d'un bâtonnier de Cher-
bourg, d'un grand notaire du Mans, qui à l'époque des
vacances, partant des points sur lesquels toute l'année
ils étaient disséminés en tirailleurs ou comme des
pions au jeu de dames, venaient se concentrer dans cet
hôtel. Ils y conservaient toujours les mêmes chambres,
et, avec leurs femmes qui avaient des prétentions à
l'aristocratie, formaient un petit groupe, auquel
s'étaient adjoints un grand avocat et un grand médecin
de Paris qui le jour du départ leur disaient : « Ah !
c'est vrai, vous ne prenez pas le même train que nous,
vous êtes privilégiés, vous serez rendus pour le
déjeuner. » — « Comment, privilégiés ? Vous qui
habitez la capitale, Paris, la grand-ville, tandis que
j'habite un pauvre chef-lieu de cent mille âmes, il est
vrai cent deux mille au dernier recensement ; mais
qu'est-ce à côté de vous qui en comptez deux millions
cinq cent mille, et qui allez retrouver l'asphalte et tout
l'éclat du monde parisien ? » Ils le disaient avec un
roulement d'r paysan, sans y mettre d'aigreur, car
c'étaient des lumières de leur province qui auraient pu
comme d'autres venir à Paris — on avait plusieurs fois
offert au premier président de Caen un siège à la Cour
de cassation — mais avaient préféré rester sur place,
par amour de leur ville, ou de l'obscurité, ou de la
gloire, ou parce qu'ils étaient réactionnaires, et pour
l'agrément des relations de voisinage avec les châteaux. Plusieurs d'ailleurs ne regagnaient pas tout de
suite leur chef-lieu.

Car — comme la baie de Balbec était un petit
univers à part au milieu du grand, une corbeille des
saisons où étaient rassemblés en cercle les jours variés
et les mois successifs, si bien que, non seulement les
jours où on apercevait Rivebelle, ce qui était signe
d'orage, on y distinguait du soleil sur les maisons
pendant qu'il faisait noir à Balbec, mais encore que,
quand les froids avaient gagné Balbec on était certain
de trouver sur cette autre rive deux ou trois mois
supplémentaires de chaleur — ceux de ces habitués du
Grand-Hôtel dont les vacances commençaient tard ou

duraient longtemps, faisaient, quand arrivaient les pluies et les brumes, à l'approche de l'automne, charger leurs malles sur une barque, et traversaient rejoindre l'été à Rivebelle ou à Costedor. Ce petit groupe de l'hôtel de Balbec regardait d'un air méfiant chaque nouveau venu, et, en ayant l'air de ne pas s'intéresser à lui, tous interrogeaient sur son compte leur ami le maître d'hôtel. Car c'était le même — Aimé — qui revenait tous les ans faire la saison et leur gardait leurs tables ; et mesdames leurs épouses, sachant que sa femme attendait un bébé, travaillaient après les repas chacune à une pièce de la layette, tout en nous toisant avec leur face-à-main, ma grand-mère et moi, parce que nous mangions des œufs durs dans la salade, ce qui était réputé commun et ne se faisait pas dans la bonne société d'Alençon. Ils affectaient une attitude de méprisante ironie à l'égard d'un Français qu'on appelait Majesté et qui s'était, en effet, proclamé lui-même roi d'un petit îlot de l'Océanie peuplé par quelques sauvages. Il habitait l'hôtel avec sa jolie maîtresse, sur le passage de qui, quand elle allait se baigner, les gamins criaient : « Vive la reine ! » parce qu'elle faisait pleuvoir sur eux des pièces de cinquante centimes. Le premier président et le bâtonnier ne voulaient même pas avoir l'air de la voir, et si quelqu'un de leurs amis la regardait, ils croyaient devoir le prévenir que c'était une petite ouvrière. « Mais on m'avait assuré qu'à Ostende ils usaient de la cabine royale. » — « Naturellement ! On la loue pour vingt francs. Vous pouvez la prendre si cela vous fait plaisir. Et je sais pertinemment que, lui, avait fait demander une audience au roi qui lui a fait savoir qu'il n'avait pas à connaître ce souverain de Guignol. » — « Ah, vraiment, c'est intéressant ! il y a tout de même des gens !... » Et sans doute tout cela était vrai, mais c'était aussi par ennui de sentir que pour une bonne partie de la foule ils n'étaient, eux, que de bons bourgeois qui ne connaissaient pas ce roi et cette reine prodigues de leur monnaie, que le notaire, le président, le bâtonnier, au passage de ce qu'ils appelaient un carnaval, éprouvaient tant de mauvaise humeur et manifestaient tout haut une indignation au courant de laquelle était leur ami le maître d'hôtel, qui, obligé de faire bon visage aux souverains plus généreux qu'authentiques, cependant tout en prenant leur commande, adressait de loin à ses vieux clients un clignement d'œil significatif. Peut-être y avait-il aussi un peu de ce même ennui d'être par erreur crus moins « chic » et de ne pouvoir expliquer qu'ils l'étaient davantage, au fond du « Joli Monsieur ! » dont ils qualifiaient un jeune gommeux, fils poitrinaire et fêtard d'un grand industriel et qui, tous les jours, dans un veston nouveau, une orchidée à la boutonnière, déjeunait au champagne, et allait, pâle, impassible, un sourire d'indifférence aux lèvres, jeter au Casino sur la table de baccara des sommes énormes « qu'il n'a pas les moyens de perdre », disait d'un air renseigné le notaire au premier président duquel la femme « tenait de bonne source » que ce jeune homme « fin de siècle » faisait mourir de chagrin ses parents.

D'autre part, le bâtonnier et ses amis ne tarissaient pas de sarcasmes au sujet d'une vieille dame riche et titrée, parce qu'elle ne se déplaçait qu'avec tout son train de maison. Chaque fois que la femme du notaire et la femme du premier président la voyaient dans la salle à manger au moment des repas, elles l'inspectaient insolemment avec leur face-a-main du même air minutieux et défiant que si elle avait été quelque plat au nom pompeux mais à l'apparence suspecte qu'après le résultat défavorable d'une observation méthodique on fait éloigner, avec un geste distant, et une grimace de dégoût.

Sans doute par là voulaient-elles seulement montrer, que s'il y avait certaines choses dont elles manquaient — dans l'espèce certaines prérogatives de la vieille dame, et être en relations avec elle — c'était non pas parce qu'elles ne pouvaient, mais ne voulaient pas les posséder. Mais elles avaient fini par s'en convaincre elles-mêmes ; et c'est la suppression de tout désir, de la curiosité pour les formes de la vie qu'on ne connaît pas, de l'espoir de plaire à de nouveaux êtres, remplacés chez ces femmes par un dédain simulé, par une allégresse factice, qui avait l'inconvénient de leur faire mettre du déplaisir sous l'étiquette de contentement et se mentir perpétuellement à elles-mêmes, deux conditions pour qu'elles fussent malheureuses. Mais tout le monde dans cet hôtel agissait sans doute de la même manière qu'elles, bien que sous d'autres formes, et sacrifiait, sinon à l'amour-propre, du moins à certains principes d'éducation ou à des habitudes intellectuelles, le trouble délicieux de se mêler à une vie inconnue. Sans doute le microcosme dans lequel s'isolait la vieille dame n'était pas empoisonné de virulentes aigreurs comme le groupe où ricanaient de rage la femme du notaire et du premier président. Il était au contraire embaumé d'un parfum fin et vieillot mais qui n'était pas moins factice. Car au fond la vieille dame eût probablement trouvé à séduire, à s'attacher en se renouvelant pour cela elle-même, la sympathie mystérieuse d'êtres nouveaux, un charme dont est dénué le plaisir qu'il y a à ne fréquenter que des gens de son monde et à se rappeler que, ce monde étant le meilleur qui soit, le dédain mal informé d'autrui est négligeable. Peut-être sentait-elle que, si elle était arrivée inconnue au Grand-Hôtel de Balbec elle eût avec sa robe de laine noire et son bonnet démodé, fait sourire quelque noceur qui de son « rocking » eût murmuré « quelle purée ! » ou surtout quelque homme de valeur ayant gardé comme le premier président entre ses favoris poivre et sel, un visage frais et des yeux spirituels comme elle les aimait, et qui eût aussitôt désigné à la lentille rapprochante du face-à-main conjugal l'apparition de ce phénomène insolite ; et peut-être était-ce par inconsciente appréhension de cette première minute qu'on sait courte mais qui n'est pas moins redoutée — comme la première tête qu'on pique dans l'eau — que cette dame envoyait d'avance un domestique mettre l'hôtel au courant de sa personnalité et de ses habitudes, et coupant court aux salutations du

directeur, gagnait, avec une brièveté où il y avait plus
de timidité que d'orgueil, sa chambre où des rideaux
personnels remplaçant ceux qui pendaient aux fenêtres, des paravents, des photographies, mettaient si
bien entre elle et le monde extérieur auquel il eût fallu
s'adapter, la cloison de ses habitudes, que c'était son
chez elle, au sein duquel elle était restée, qui voyageait
plutôt qu'elle-même.

Dès lors, ayant placé entre elle d'une part, le
personnel de l'hôtel et les fournisseurs de l'autre, ses
domestiques qui recevaient à sa place le contact de
cette humanité nouvelle et entretenaient autour de
leur maîtresse l'atmosphère accoutumée, ayant mis ses
préjugés entre elle et les baigneurs, insoucieuse de
déplaire à des gens que ses amies n'auraient pas reçus,
c'est dans son monde qu'elle continuait à vivre par la
correspondance avec ses amies, par le souvenir, par la
conscience intime qu'elle avait de sa situation, de la
qualité de ses manières, de la compétence de sa
politesse. Et tous les jours, quand elle descendait pour
aller dans sa calèche faire une promenade, sa femme
de chambre qui portait ses affaires derrière elle, son
valet de pied qui la devançait semblaient comme ces
sentinelles, qui aux portes d'une ambassade pavoisée
aux couleurs du pays dont elle dépend, garantissent
pour elle, au milieu d'un sol étranger, le privilège de
son exterritorialité. Elle ne quitta pas sa chambre
avant le milieu de l'après-midi, le jour de notre
arrivée, et nous ne l'aperçûmes pas dans la salle à
manger où le directeur, comme nous étions nouveaux
venus, nous conduisit, sous sa protection, à l'heure du
déjeuner, comme un gradé qui mène des bleus chez le
caporal tailleur pour les faire habiller ; mais nous y
vîmes, en revanche, au bout d'un instant un hobereau
et sa fille, d'une obscure mais très ancienne famille de
Bretagne, M. et Mlle de Stermaria [26], dont on nous
avait fait donner la table croyant qu'ils ne rentreraient
que le soir. Venus seulement à Balbec pour retrouver
des châtelains qu'ils connaissaient dans le voisinage,
ils ne passaient dans la salle à manger de l'hôtel, entre

les invitations acceptées au-dehors et les visites rendues, que le temps strictement nécessaire. C'était leur morgue qui les préservait de toute sympathie humaine, de tout intérêt pour les inconnus assis autour d'eux, et au milieu desquels M. de Stermaria gardait l'air glacial, pressé, distant, rude, pointilleux et malintentionné, qu'on a dans un buffet de chemin de fer au milieu de voyageurs qu'on n'a jamais vus, qu'on ne reverra pas, et avec qui on ne conçoit d'autres rapports que de défendre contre eux son poulet froid et son coin dans le wagon. À peine commencions-nous à déjeuner qu'on vint nous faire lever sur l'ordre de M. de Stermaria, lequel venait d'arriver et sans le moindre geste d'excuse à notre adresse, pria à haute voix le maître d'hôtel de veiller à ce qu'une pareille erreur ne se renouvelât pas, car il lui était désagréable que « des gens qu'il ne connaissait pas » eussent pris sa table.

Et certes dans le sentiment qui poussait une certaine actrice (plus connue d'ailleurs à cause de son élégance, de son esprit, de ses belles collections de porcelaine allemande que pour quelques rôles joués à l'Odéon), son amant, jeune homme très riche pour lequel elle s'était cultivée, et deux hommes très en vue de l'aristocratie à faire dans la vie bande à part, à ne voyager qu'ensemble, à prendre à Balbec leur déjeuner, très tard, quand tout le monde avait fini, à passer la journée dans leur salon à jouer aux cartes, il n'entrait aucune malveillance, mais seulement les exigences du goût qu'ils avaient pour certaines formes spirituelles de conversation, pour certains raffinements de bonne chère, lequel leur faisait trouver plaisir à ne vivre, à ne prendre leurs repas qu'ensemble, et leur eût rendu insupportable la vie en commun avec des gens qui n'y avaient pas été initiés. Même devant une table servie, ou devant une table à jeu, chacun d'eux avait besoin de savoir que dans le convive ou le partenaire qui était assis en face de lui, reposaient en suspens et inutilisés un certain savoir qui permet de reconnaître la camelote dont tant de

demeures parisiennes se parent comme d'un « Moyen
Âge » ou d'une « Renaissance » authentiques et, en
toutes choses, des critériums communs à eux pour
distinguer le bon et le mauvais. Sans doute ce n'était
plus, dans ces moments-là, que par quelque rare et
drôle interjection jetée au milieu du silence du repas
ou de la partie, ou par la robe charmante et nouvelle
que la jeune actrice avait revêtue pour déjeuner ou
faire un poker, que se manifestait l'existence spéciale
dans laquelle ces amis voulaient partout rester plon-
gés. Mais en les enveloppant ainsi d'habitudes qu'ils
connaissaient à fond, elle suffisait à les protéger contre
le mystère de la vie ambiante. Pendant les longs après-
midi, la mer n'était suspendue en face d'eux que
comme une toile d'une couleur agréable accrochée
dans le boudoir d'une riche célibataire, et ce n'était
que dans l'intervalle des coups qu'un des joueurs,
n'ayant rien de mieux à faire, levait les yeux vers elle
pour en tirer une indication sur le beau temps ou sur
l'heure, et rappeler aux autres que le goûter attendait.
Et le soir ils ne dînaient pas à l'hôtel où, les sources
électriques faisant sourdre à flots la lumière dans la
grande salle à manger, celle-ci devenait comme un
immense et merveilleux aquarium devant la paroi de
verre duquel la population ouvrière de Balbec, les
pêcheurs et aussi les familles de petits bourgeois,
invisibles dans l'ombre, s'écrasaient au vitrage pour
apercevoir, lentement balancée dans des remous d'or,
la vie luxueuse de ces gens, aussi extraordinaire pour
les pauvres que celle de poissons et de mollusques
étranges (une grande question sociale, de savoir si la
paroi de verre protégera toujours le festin des bêtes
merveilleuses et si les gens obscurs qui regardent
avidement dans la nuit ne viendront pas les cueillir
dans leur aquarium et les manger). En attendant,
peut-être parmi la foule arrêtée et confondue dans la
nuit y avait-il quelque écrivain, quelque amateur
d'ichtyologie humaine, qui regardant les mâchoires de
vieux monstres féminins se refermer sur un morceau
de nourriture engloutie, se complaisait à classer ceux-

ci par race, par caractères innés et aussi par ces
caractères acquis qui font qu'une vieille dame serbe
dont l'appendice buccal est d'un grand poisson de
mer, parce que depuis son enfance elle vit dans les
eaux douces du faubourg Saint-Germain, mange la
salade comme une La Rochefoucauld.

À cette heure-là on apercevait les trois hommes en
smoking attendant la femme en retard, laquelle bientôt, en une robe presque chaque fois nouvelle et des
écharpes, choisies selon un goût particulier à son
amant, après avoir de son étage, sonné le lift, sortait
de l'ascenseur comme d'une boîte de joujoux. Et tous
les quatre qui trouvaient que le phénomène internatio-
nal du Palace, implanté à Balbec, y avait fait fleurir le
luxe plus que la bonne cuisine, s'engouffrant [27] dans
une voiture, allaient dîner à une demi-lieue de là dans
un petit restaurant réputé où ils avaient avec le
cuisinier d'interminables conférences sur la composition du menu, et la confection des plats. Pendant ce
trajet la route bordée de pommiers qui part de Balbec
n'était pour eux que la distance qu'il fallait franchir —
peu distincte dans la nuit noire de celle qui séparait
leurs domiciles parisiens du Café Anglais [28] ou de la
Tour d'Argent — avant d'arriver au petit restaurant
élégant où tandis que les amis du jeune homme riche
l'enviaient d'avoir une maîtresse si bien habillée, les
écharpes de celle-ci tendaient devant la petite société
comme un voile parfumé et souple, mais qui la
séparait du monde.

Malheureusement pour ma tranquillité, j'étais bien
loin d'être comme tous ces gens. De beaucoup d'entre
eux je me souciais ; j'aurais voulu ne pas être ignoré
d'un homme au front déprimé, au regard fuyant entre
les œillères de ses préjugés et de son éducation, le
grand seigneur de la contrée, lequel n'était autre que
le beau-frère de Legrandin, venait quelquefois en
visite à Balbec et, le dimanche, par la garden-party
hebdomadaire que sa femme et lui donnaient, dépeu-
plait l'hôtel d'une partie de ses habitants, parce qu'un
ou deux d'entre eux étaient invités à ces fêtes, et parce

que les autres pour ne pas avoir l'air de ne pas l'être, choisissaient ce jour-là pour faire une excursion éloignée. Il avait, d'ailleurs, été le premier jour fort mal reçu à l'hôtel quand le personnel, frais débarqué de la Côte d'Azur, ne savait pas encore qui il était. Non seulement il n'était pas habillé en flanelle blanche, mais par vieille manière française, et ignorance de la vie des Palaces, entrant dans un hall où il y avait des femmes, il avait ôté son chapeau dès la porte, ce qui avait fait que le directeur n'avait même pas touché le sien pour lui répondre estimant que ce devait être quelqu'un de la plus humble extraction, ce qu'il appelait un homme « sortant de l'ordinaire ». Seule la femme du notaire s'était sentie attirée vers le nouveau venu qui fleurait toute la vulgarité gourmée des gens comme il faut et elle avait déclaré, avec le fond de discernement infaillible et d'autorité sans réplique d'une personne pour qui la première société du Mans n'a pas de secrets, qu'on se sentait devant lui en présence d'un homme d'une haute distinction, parfaitement bien élevé et qui tranchait sur tout ce qu'on rencontrait à Balbec et qu'elle jugeait infréquentable tant qu'elle ne le fréquentait pas. Ce jugement favorable qu'elle avait porté sur le beau-frère de Legrandin, tenait peut-être au terne aspect de quelqu'un qui n'avait rien d'intimidant, peut-être à ce qu'elle avait reconnu dans ce gentilhomme-fermier à allure de sacristain les signes maçonniques de son propre cléricalisme.

J'avais beau avoir appris que les jeunes gens qui montaient tous les jours à cheval devant l'hôtel étaient les fils du propriétaire véreux d'un magasin de nouveautés et que mon père n'eût jamais consenti à connaître, la « vie de bains de mer » les dressait, à mes yeux, en statues équestres de demi-dieux et le mieux que je pouvais espérer était qu'ils ne laissassent jamais tomber leurs regards sur le pauvre garçon que j'étais, qui ne quittait la salle à manger de l'hôtel que pour aller s'asseoir sur le sable. J'aurais voulu inspirer de la sympathie même à l'aventurier qui avait été roi d'une île déserte en Océanie, même au jeune tuberculeux dont j'aimais à supposer qu'il cachait sous ses dehors insolents une âme craintive et tendre qui eût peut-être prodigué pour moi seul des trésors d'affection. D'ailleurs (au contraire de ce qu'on dit d'habitude des relations de voyage), comme être vu avec certaines personnes peut vous ajouter, sur une plage où l'on retourne quelquefois un coefficient sans équivalent dans la vraie vie mondaine, il n'y a rien, non pas qu'on tienne aussi à distance, mais qu'on cultive si soigneusement dans la vie de Paris, que les amitiés de bains de mer. Je me souciais de l'opinion que pouvaient avoir de moi toutes ces notabilités momentanées ou locales que ma disposition à me mettre à la place des gens et à recréer leur état d'esprit me faisait situer non à leur rang réel, à celui qu'ils auraient occupé à Paris par exemple et qui eût été fort bas, mais à celui qu'ils devaient croire le leur, et qui l'était à vrai dire à Balbec où l'absence de commune mesure leur donnait une sorte de supériorité relative et d'intérêt singulier. Hélas, d'aucune de ces personnes le mépris ne m'était aussi pénible que celui de M. de Stermaria.

Car j'avais remarqué sa fille, dès son entrée, son joli visage pâle et presque bleuté, ce qu'il y avait de particulier dans le port de sa haute taille, dans sa démarche, et qui m'évoquait avec raison son hérédité, son éducation aristocratique, et d'autant plus clairement que je savais son nom — comme ces thèmes expressifs inventés par des musiciens de génie et qui peignent splendidement le scintillement de la flamme, le bruissement du fleuve, et la paix de la campagne [29], pour les auditeurs qui en parcourant préalablement le livret, ont aiguillé leur imagination dans la bonne voie. La « race » en ajoutant aux charmes de Mlle de Stermaria l'idée de leur cause les rendait plus intelligibles, plus complets. Elle les faisait aussi plus désirables, annonçant qu'ils étaient peu accessibles, comme un prix élevé ajoute à la valeur d'un objet qui nous a plu. Et la tige héréditaire donnait à ce teint composé de sucs choisis la saveur d'un fruit exotique ou d'un cru célèbre.

Or, un hasard mit tout d'un coup entre nos mains le moyen de nous donner à ma grand-mère et à moi, pour tous les habitants de l'hôtel un prestige immédiat. En effet, dès ce premier jour, au moment où la vieille dame descendait de chez elle, exerçant, grâce au valet de pied qui la précédait, à la femme de chambre qui courait derrière avec un livre et une couverture oubliés, une action sur les âmes et excitant chez tous une curiosité et un respect auxquels il fut visible qu'échappait moins que personne M. de Stermaria, le directeur se pencha vers ma grand-mère, et par amabilité (comme on montre le Shah de Perse ou la Reine Ranavalo [30] à un spectateur obscur qui ne peut évidemment avoir aucune relation avec le puissant souverain, mais peut trouver intéressant de l'avoir vu à quelques pas), il lui coula dans l'oreille : « La Marquise de Villeparisis », cependant qu'au même moment cette dame apercevant ma grand-mère ne pouvait retenir un regard de joyeuse surprise.

On peut penser que l'apparition soudaine, sous les traits d'une petite vieille, de la plus puissante des fées, ne m'aurait pas causé plus de plaisir, dénué comme j'étais de tout recours pour m'approcher de Mlle de Stermaria, dans un pays où je ne connaissais personne. J'entends personne au point de vue pratique. Esthétiquement, le nombre des types humains est trop restreint pour qu'on n'ait pas bien souvent, dans quelque endroit qu'on aille, la joie de revoir des gens de connaissance, même sans les chercher dans les tableaux des vieux maîtres, comme faisait Swann. C'est ainsi que dès les premiers jours de notre séjour à Balbec, il m'était arrivé de rencontrer Legrandin, le concierge de Swann, et Mme Swann elle-même, devenus le premier, un garçon de café, le second un étranger de passage que je ne revis pas, et la dernière un maître baigneur. Et une sorte d'aimantation attire et retient si inséparablement les uns auprès des autres certains caractères de physionomie et de mentalité que quand la nature introduit ainsi une personne dans un nouveau corps, elle ne la mutile pas trop. Legrandin changé en garçon de café gardait intacts sa stature, le profil de son nez et une partie du menton ; Mme Swann dans le sexe masculin et la condition de maître baigneur avait été suivie non seulement par sa physionomie habituelle, mais même par une certaine manière de parler. Seulement elle ne pouvait pas m'être de plus d'utilité, entourée de sa ceinture rouge, et hissant, à la moindre houle, le drapeau qui interdit les bains — car les maîtres baigneurs sont prudents, sachant rarement nager — qu'elle ne l'eût pu dans la fresque de la *Vie de Moïse* où Swann l'avait reconnue jadis sous les traits de la fille de Jethro[31]. Tandis que cette Mme de Villeparisis était bien la véritable, elle n'avait pas été victime d'un enchantement qui l'eût dépouillée de sa puissance, mais était capable au contraire d'en mettre un à la disposition de la mienne qu'il centuplerait, et grâce auquel, comme si j'avais été porté par les ailes d'un oiseau fabuleux, j'allais franchir en quelques instants les distances sociales infinies — au moins à Balbec — qui me séparaient de Mlle de Stermaria.

Malheureusement, s'il y avait quelqu'un qui, plus que quiconque, vécût enfermé dans son univers particulier, c'était ma grand-mère. Elle ne m'aurait même pas méprisé, elle ne m'aurait pas compris, si elle avait su que j'attachais de l'importance à l'opinion, que j'éprouvais de l'intérêt pour la personne, de gens dont elle ne remarquait seulement pas l'existence et dont elle devait quitter Balbec sans avoir retenu le nom ; je n'osais pas lui avouer que si ces mêmes gens l'avaient vue causer avec Mme de Villeparisis, j'en aurais eu un grand plaisir, parce que je sentais que la Marquise avait du prestige dans l'hôtel et que son amitié nous eût posés aux yeux de M. de Stermaria. Non d'ailleurs que l'amie de ma grand-mère me représentât le moins du monde une personne de l'aristocratie : j'étais trop habitué à son nom devenu familier à mes oreilles avant que mon esprit s'arrêtât sur lui quand tout enfant je l'entendais prononcer à la maison ; et son titre n'y ajoutait qu'une particularité bizarre comme aurait fait un prénom peu usité, ainsi qu'il arrive dans les noms de rue où on n'aperçoit rien de plus noble, dans la rue Lord-Byron, dans la si populaire et vulgaire rue Rochechouart, ou dans la rue de Gramont que dans la rue Léonce-Reynaud ou la rue Hippolyte-Lebas. Mme de Villeparisis ne me faisait pas plus penser à une personne d'un monde spécial que son cousin Mac-Mahon que je ne différenciais pas de M. Carnot, président de la République, comme lui, et de Raspail dont Françoise avait acheté la photographie avec celle de Pie IX [32]. Ma grand-mère avait pour principe qu'en voyage on ne doit plus avoir de relations, qu'on ne va pas au bord de la mer pour voir des gens, qu'on a tout le temps pour cela à Paris, qu'ils vous feraient perdre en politesses, en banalités, le temps précieux qu'il faut passer tout entier au grand air, devant les vagues ; et trouvant plus commode de supposer que cette opinion était partagée par tout le monde et qu'elle autorisait entre de vieux amis que le hasard mettait en présence dans le même hôtel la fiction d'un incognito réciproque, au nom que lui cita le directeur, elle se contenta de détourner les yeux et eut l'air de ne pas voir Mme de Villeparisis qui, comprenant que ma grand-mère ne tenait pas à faire de reconnaissances, regarda à son tour dans le vague. Elle s'éloigna, et je restai dans mon isolement comme un naufragé de qui a paru s'approcher un vaisseau, lequel a disparu ensuite sans s'être arrêté.

Elle prenait aussi ses repas dans la salle à manger, mais à l'autre bout. Elle ne connaissait aucune des personnes qui habitaient l'hôtel ou y venaient en visite, pas même M. de Cambremer ; en effet, je vis qu'il ne la saluait pas, un jour où il avait accepté avec sa femme une invitation à déjeuner du bâtonnier, lequel, ivre de l'honneur d'avoir le gentilhomme à sa table, évitait ses amis des autres jours et se contentait de leur adresser de loin un clignement d'œil pour faire à cet événement historique une allusion toutefois assez discrète pour qu'elle ne pût être interprétée comme une invite à s'approcher. « Eh bien, j'espère que vous

vous mettez bien, que vous êtes un homme chic », lui
dit le soir la femme du premier président. — « Chic ?
pourquoi ? demanda le bâtonnier, dissimulant sa joie
sous un étonnement exagéré ; à cause de mes invités ?
dit-il en sentant qu'il était incapable de feindre plus
longtemps ; mais qu'est-ce que ça a de chic d'avoir des
amis à déjeuner ? Faut bien qu'ils déjeunent quelque
part ! » — « Mais si, c'est chic ! C'était bien les *de*
Cambremer, n'est-ce pas ? Je les ai bien reconnus.
C'est une Marquise. Et authentique. Pas par les
femmes. » — « Oh ! c'est une femme bien simple, elle
est charmante, on ne fait pas moins de façons. Je
pensais que vous alliez venir, je vous faisais des
signes... je vous aurais présenté ! » dit-il en corrigeant
par une légère ironie l'énormité de cette proposition
comme Assuérus quand il dit à Esther : « Faut-il de
mes États vous donner la moitié[33] ? » « Non, non,
non, non, nous restons cachés, comme l'humble
violette. » — « Mais vous avez eu tort, je vous le
répète, répondit le bâtonnier enhardi maintenant que
le danger était passé. Ils ne vous auraient pas mangés.
Allons-nous faire notre petit bésigue ? » — « Mais
volontiers, nous n'osions pas vous le proposer, maintenant que vous traitez des Marquises ! » — « Oh !
allez, elles n'ont rien de si extraordinaire. Tenez, j'y
dîne demain soir. Voulez-vous y aller à ma place ?
C'est de grand cœur. Franchement, j'aime autant
rester ici. » — « Non, non !... on me révoquerait
comme réactionnaire, s'écria le président, riant aux
larmes de sa plaisanterie. Mais vous aussi, vous êtes
reçu à Féterne », ajouta-t-il en se tournant vers le
notaire. — « Oh ! je vais là les dimanches, on entre par
une porte, on sort par l'autre. Mais ils ne déjeunent
pas chez moi comme chez le bâtonnier. »

M. de Stermaria n'était pas ce jour-là à Balbec, au
grand regret du bâtonnier. Mais insidieusement il dit
au maître d'hôtel : « Aimé, vous pourrez dire à M. de
Stermaria qu'il n'est pas le seul noble qu'il y ait eu
dans cette salle à manger. Vous avez bien vu ce
monsieur qui a déjeuné avec moi ce matin ? Hein ?

petites moustaches, air militaire? Eh bien, c'est le Marquis de Cambremer. » — « Ah, vraiment? cela ne m'étonne pas! » — « Ça lui montrera qu'il n'est pas le seul homme titré. Et attrape donc! Il n'est pas mal de leur rabattre leur caquet à ces nobles. Vous savez, Aimé, ne lui dites rien si vous voulez, moi, ce que j'en dis, ce n'est pas pour moi; du reste, il le connaît bien. » Et le lendemain, M. de Stermaria qui savait que le bâtonnier avait plaidé pour un de ses amis, alla se présenter lui-même. « Nos amis communs, les de Cambremer, voulaient justement nous réunir, nos jours n'ont pas coïncidé, enfin je ne sais plus », dit le bâtonnier, comme beaucoup de menteurs qui s'imaginent qu'on ne cherchera pas à élucider un détail insignifiant qui suffit pourtant (si le hasard vous met en possession de l'humble réalité qui est en contradiction avec lui) pour dénoncer un caractère et inspirer à jamais la méfiance.

Comme toujours, mais plus facilement pendant que son père s'était éloigné pour causer avec le bâtonnier, je regardais Mlle de Stermaria. Autant que la singularité hardie et toujours belle de ses attitudes, comme quand, les deux coudes posés sur la table, elle élevait son verre au-dessus de ses deux avant-bras[34], la sécheresse d'un regard vite épuisé, la dureté foncière, familiale, qu'on sentait, mal recouverte sous ses inflexions personnelles, au fond de sa voix, et qui avait choqué ma grand-mère, une sorte de cran d'arrêt atavique auquel elle revenait dès que dans un coup d'œil ou une intonation elle avait achevé de donner sa pensée propre; tout cela ramenait la pensée de celui qui la regardait vers la lignée qui lui avait légué cette insuffisance de sympathie humaine, des lacunes de sensibilité, un manque d'ampleur dans l'étoffe qui à tout moment faisait faute. Mais à certains regards qui passaient un instant sur le fond si vite à sec de sa prunelle et dans lesquels on sentait cette douceur presque humble que le goût prédominant des plaisirs des sens donne à la plus fière, laquelle bientôt ne reconnaît plus qu'un prestige, celui qu'a pour elle tout

être qui peut les lui faire éprouver, fût-ce un comédien
ou un saltimbanque pour lequel elle quittera peut-être
un jour son mari ; à certaine teinte d'un rose sensuel et
vif qui s'épanouissait dans ses joues pâles, pareille à
celle qui mettait son incarnat au cœur des nymphéas
blancs de la Vivonne, je croyais sentir qu'elle eût
facilement permis que je vinsse chercher sur elle le
goût de cette vie si poétique qu'elle menait en
Bretagne, vie à laquelle, soit par trop d'habitude, soit
par distinction innée, soit par dégoût de la pauvreté ou
de l'avarice des siens, elle ne semblait pas trouver
grand prix, mais que pourtant elle contenait enclose
en son corps. Dans la chétive réserve de volonté qui
lui avait été transmise et qui donnait à son expression
quelque chose de lâche, peut-être n'eût-elle pas trouvé
les ressources d'une résistance. Et surmonté d'une
plume un peu démodée et prétentieuse, le feutre gris
qu'elle portait invariablement à chaque repas me la
rendait plus douce, non parce qu'il s'harmonisait avec
son teint d'argent et de rose, mais parce qu'en me la
faisant supposer pauvre, il la rapprochait de moi.
Obligée à une attitude de convention par la présence
de son père, mais apportant déjà à la perception et au
classement des êtres qui étaient devant elle des
principes autres que lui, peut-être voyait-elle en moi
non le rang insignifiant, mais le sexe et l'âge. Si un
jour M. de Stermaria était sorti sans elle, surtout si
Mme de Villeparisis en venant s'asseoir à notre table
lui avait donné de nous une opinion qui m'eût enhardi
à m'approcher d'elle, peut-être aurions-nous pu
échanger quelques paroles, prendre un rendez-vous,
nous lier davantage. Et, un mois où elle serait restée
seule sans ses parents dans son château romanesque,
peut-être aurions-nous pu nous promener seuls le soir
tous deux dans le crépuscule où luiraient plus doucement au-dessus de l'eau assombrie les fleurs roses des
bruyères, sous les chênes battus par le clapotement
des vagues. Ensemble nous aurions parcouru cette île
empreinte pour moi de tant de charme parce qu'elle
avait enfermé la vie habituelle de Mlle de Stermaria et

qu'elle reposait dans la mémoire de ses yeux. Car il me semblait que je ne l'aurais vraiment possédée que là, quand j'aurais traversé ces lieux qui l'enveloppaient de tant de souvenirs — voile que mon désir voulait arracher et de ceux que la nature interpose entre la femme et quelques êtres (dans la même intention qui lui fait, pour tous, mettre l'acte de la reproduction entre eux et le plus vif plaisir, et pour les insectes, placer devant le nectar le pollen qu'ils doivent emporter) afin que trompés par l'illusion de la posséder ainsi plus entière ils soient forcés de s'emparer d'abord des paysages au milieu desquels elle vit et qui, plus utiles pour leur imagination que le plaisir sensuel, n'eussent pas suffi pourtant, sans lui, à les attirer.

Mais je dus détourner mes regards de Mlle de Stermaria, car déjà, considérant sans doute que faire la connaissance d'une personnalité importante était un acte curieux et bref qui se suffisait à lui-même et qui pour développer tout l'intérêt qu'il comportait n'exigeait qu'une poignée de main et un coup d'œil pénétrant sans conversation immédiate ni relations ultérieures, son père avait pris congé du bâtonnier et retournait s'asseoir en face d'elle, en se frottant les mains comme un homme qui vient de faire une précieuse acquisition. Quant au bâtonnier, la première émotion de cette entrevue une fois passée, comme les autres jours on l'entendait par moments, s'adressant au maître d'hôtel : « Mais moi je ne suis pas roi, Aimé ; allez donc près du roi ; dites, Premier, cela a l'air très bon ces petites truites-là, nous allons en demander à Aimé. Aimé, cela me semble tout à fait recommandable ce petit poisson que vous avez là-bas : vous allez nous apporter de cela, Aimé, et à discrétion. »

Il répétait tout le temps le nom d'Aimé, ce qui faisait que quand il avait quelqu'un à dîner, son invité lui disait : « Je vois que vous êtes tout à fait bien dans la maison » et croyait devoir aussi prononcer constamment « Aimé » par cette disposition, où il entre à la fois de la timidité, de la vulgarité et de la sottise, qu'ont certaines personnes à croire qu'il est spirituel et

élégant d'imiter à la lettre les gens avec qui elles se
trouvent. Il le répétait sans cesse, mais avec un
sourire, car il tenait à étaler à la fois ses bonnes
relations avec le maître d'hôtel et sa supériorité sur lui.
Et le maître d'hôtel lui aussi chaque fois que revenait
son nom, souriait d'un air attendri et fier, montrant
qu'il ressentait l'honneur et comprenait la plaisanterie.

Si intimidants que fussent toujours pour moi les
repas, dans ce vaste restaurant, habituellement
comble, du Grand-Hôtel, ils le devenaient davantage
encore quand arrivait pour quelques jours le propriétaire (ou directeur général élu par une société de
commanditaires, je ne sais), non seulement de ce
palace mais de sept ou huit autres situés aux quatre
coins de la France et dans chacun desquels, faisant
entre eux la navette, il venait passer de temps en
temps une semaine. Alors, presque au commencement
du dîner, apparaissait chaque soir, à l'entrée de la salle
à manger, cet homme petit, à cheveux blancs, à nez
rouge, d'une impassibilité et d'une correction extraor-
dinaires, et qui était connu, paraît-il, à Londres aussi
bien qu'à Monte-Carlo, pour un des premiers hôteliers
de l'Europe. Une fois que j'étais sorti un instant au
commencement du dîner, comme en rentrant je passai
devant lui, il me salua, sans doute pour montrer que
j'étais chez lui, mais avec une froideur dont je ne pus
démêler si la cause était la réserve de quelqu'un qui
n'oublie pas ce qu'il est, ou le dédain pour un client
sans importance. Devant ceux qui en avaient au
contraire une très grande, le Directeur général s'inclinait avec autant de froideur mais plus profondément,
les paupières abaissées par une sorte de respect
pudique, comme s'il eût eu devant lui, à un enterre-
ment, le père de la défunte ou le Saint Sacrement.
Sauf pour ces saluts glacés et rares, il ne faisait pas un
mouvement, comme pour montrer que ses yeux
étincelants qui semblaient lui sortir de la figure,
voyaient tout, réglaient tout, assuraient dans « le
Dîner au Grand-Hôtel » aussi bien le fini des détails

que l'harmonie de l'ensemble. Il se sentait évidemment plus que metteur en scène, que chef d'orchestre, véritable généralissime. Jugeant qu'une contemplation portée à son maximum d'intensité lui suffisait pour s'assurer que tout était prêt, qu'aucune faute commise ne pouvait entraîner la déroute, et pour prendre enfin ses responsabilités, il s'abstenait non seulement de tout geste, même de bouger ses yeux pétrifiés par l'attention qui embrassaient et dirigeaient la totalité des opérations. Je sentais que les mouvements de ma cuiller eux-mêmes ne lui échappaient pas, et s'éclipsât-il dès après le potage, pour tout le dîner la revue qu'il venait de passer m'avait coupé l'appétit. Le sien était fort bon, comme on pouvait le voir au déjeuner qu'il prenait comme un simple particulier, à la même heure que tout le monde, dans la salle à manger. Sa table n'avait qu'une particularité, c'est qu'à côté, pendant qu'il mangeait, l'autre directeur, l'habituel, restait debout tout le temps à faire la conversation. Car étant le subordonné du Directeur général, il cherchait à le flatter et avait de lui une grande peur. La mienne était moindre pendant ces déjeuners, car perdu alors au milieu des clients, il mettait la discrétion d'un général assis dans un restaurant où se trouvent aussi des soldats à ne pas avoir l'air de s'occuper d'eux. Néanmoins quand le concierge, entouré de ses « chasseurs », m'annonçait : « Il repart demain matin pour Dinard. De là il va à Biarritz et après à Cannes », je respirais plus librement.

Ma vie dans l'hôtel était rendue non seulement triste parce que je n'y avais pas de relations, mais incommode, parce que Françoise en avait noué de nombreuses. Il peut sembler qu'elles auraient dû nous faciliter bien des choses. C'était tout le contraire. Les prolétaires, s'ils avaient quelque peine à être traités en personnes de connaissance par Françoise et ne le pouvaient qu'à de certaines conditions de grande politesse envers elle, en revanche, une fois qu'ils y étaient arrivés, étaient les seules gens qui comptassent pour elle. Son vieux code lui enseignait qu'elle n'était tenue à rien envers les amis de ses maîtres, qu'elle pouvait si elle était pressée envoyer promener une dame venue pour voir ma grand-mère. Mais envers ses relations à elle, c'est-à-dire avec les rares gens du peuple admis à sa difficile amitié, le protocole le plus subtil et le plus absolu réglait ses actions. Ainsi Françoise ayant fait la connaissance du cafetier et d'une petite femme de chambre qui faisait des robes pour une dame belge, ne remontait plus préparer les affaires de ma grand-mère tout de suite après déjeuner, mais seulement une heure plus tard parce que le cafetier voulait lui faire du café ou une tisane à la cafeterie, que la femme de chambre lui demandait de venir la regarder coudre et que leur refuser eût été impossible et de ces choses qui ne se font pas. D'ailleurs des égards particuliers étaient dus à la petite femme de chambre qui était orpheline et avait été élevée chez des étrangers auprès desquels elle allait passer parfois quelques jours. Cette situation excitait la pitié de Françoise et aussi son dédain bienveillant. Elle qui avait de la famille, une petite maison qui lui venait de ses parents et où son frère élevait quelques vaches, elle ne pouvait pas considérer comme son égale une déracinée. Et comme cette petite espérait pour le 15 août aller voir ses bienfaiteurs, Françoise ne pouvait se tenir de répéter : « Elle me fait rire. Elle dit : j'espère d'aller chez moi pour le 15 août. Chez moi, qu'elle dit ! C'est seulement pas son pays, c'est des gens qui l'ont recueillie, et ça dit chez moi comme si c'était vraiment chez elle. Pauvre petite ! quelle misère qu'elle peut bien avoir pour qu'elle ne connaisse pas ce que c'est que d'avoir un chez soi. » Mais si encore Françoise ne s'était liée qu'avec des femmes de chambre amenées par des clients, lesquelles dînaient avec elle aux « courriers », et devant son beau bonnet de dentelles et son fin profil la prenaient pour quelque dame noble peut-être, réduite par les circonstances, ou poussée par l'attachement à servir de dame de compagnie à ma grand-mère, si en un mot

Françoise n'eût connu que des gens qui n'étaient pas de l'hôtel, le mal n'eût pas été grand, parce qu'elle n'eût pu les empêcher de nous servir à quelque chose, pour la raison qu'en aucun cas, et même inconnus d'elle, ils n'auraient pu nous servir à rien. Mais elle s'était liée aussi avec un sommelier, avec un homme de la cuisine, avec une gouvernante d'étage. Et il en résultait en ce qui concernait notre vie de tous les jours, que Françoise qui le jour de son arrivée, quand elle ne connaissait encore personne sonnait à tort et à travers pour la moindre chose, à des heures où ma grand-mère et moi nous n'aurions pas osé le faire, et, si nous lui en faisions une légère observation répondait : « Mais on paye assez cher pour ça », comme si elle avait payé elle-même, maintenant depuis qu'elle était amie d'une personnalité de la cuisine, ce qui nous avait paru de bon augure pour notre commodité, si ma grand-mère ou moi nous avions froid aux pieds, Françoise, fût-il une heure tout à fait normale, n'osait pas sonner ; elle assurait que ce serait mal vu parce que cela obligerait à rallumer les fourneaux, ou gênerait le dîner des domestiques qui seraient mécontents. Et elle finissait par une locution qui malgré la façon incertaine dont elle la prononçait n'en était pas moins claire et nous donnait nettement tort : « Le fait est... » Nous n'insistions pas, de peur de nous en faire infliger une, bien plus grave : « C'est quelque chose !... » De sorte qu'en somme nous ne pouvions plus avoir d'eau chaude parce que Françoise était devenue l'amie de celui qui la faisait chauffer.

À la fin nous aussi, nous fîmes une relation, malgré mais par ma grand-mère, car elle et Mme de Villeparisis tombèrent un matin l'une sur l'autre dans une porte et furent obligées de s'aborder non sans échanger au préalable des gestes de surprise, d'hésitation, exécuter des mouvements de recul, de doute et enfin des protestations de politesse et de joie comme dans certaines scènes de Molière où deux acteurs monologuant depuis longtemps chacun de son côté à quelques pas l'un de l'autre, sont censés ne pas s'être vus

encore, et tout à coup s'aperçoivent, n'en peuvent
croire leurs yeux, entrecoupent leurs propos, finalement parlent ensemble, le chœur ayant suivi le
dialogue, et se jettent dans les bras l'un de l'autre[35].
Mme de Villeparisis par discrétion voulut au bout
d'un instant quitter ma grand-mère qui au contraire,
préféra la retenir jusqu'au déjeuner, désirant apprendre comment elle faisait pour avoir son courrier plus
tôt que nous et de bonnes grillades (car Mme de
Villeparisis, très gourmande, goûtait fort peu la
cuisine de l'hôtel où l'on nous servait des repas que ma
grand-mère citant toujours Mme de Sévigné prétendait être « d'une magnificence à mourir de faim[36] »).
Et la Marquise prit l'habitude de venir tous les jours
en attendant qu'on la servît, s'asseoir un moment près
de nous dans la salle à manger, sans permettre que
nous nous levions, que nous nous dérangions en rien.
Tout au plus nous attardions-nous souvent à causer
avec elle, notre déjeuner fini, à ce moment sordide où
les couteaux traînent sur la nappe à côté des serviettes
défaites. Pour ma part, afin de garder, pour pouvoir
aimer Balbec, l'idée que j'étais sur la pointe extrême
de la terre, je m'efforçais de regarder plus loin, de ne
voir que la mer, d'y chercher des effets décrits par
Baudelaire et de ne laisser tomber mes regards sur
notre table que les jours où y était servi quelque vaste
poisson, monstre marin qui au contraire des couteaux
et des fourchettes était contemporain des époques
primitives où la vie commençait à affluer dans
l'Océan, au temps des Cimmériens[37], et duquel le
corps aux innombrables vertèbres, aux nerfs bleus et
roses, avait été construit par la nature, mais selon un
plan architectural, comme une polychrome cathédrale
de la mer.

Comme un coiffeur voyant un officier qu'il sert avec
une considération particulière, reconnaître un client
qui vient d'entrer et entamer un bout de causette avec
lui, se réjouit en comprenant qu'ils sont du même
monde et ne peut s'empêcher de sourire en allant
chercher le bol de savon, car il sait que dans son

établissement, aux besognes vulgaires du simple salon de coiffure, s'ajoutent des plaisirs sociaux, voire aristocratiques, tel Aimé, voyant que Mme de Villeparisis avait retrouvé en nous d'anciennes relations, s'en allait chercher nos rince-bouches avec le même sourire orgueilleusement modeste et savamment discret de maîtresse de maison qui sait se retirer à propos. On eût dit aussi un père heureux et attendri qui veille sans le troubler sur le bonheur de fiançailles qui se sont nouées à sa table. Du reste, il suffisait qu'on prononçât le nom d'une personne titrée pour qu'Aimé parût heureux, au contraire de Françoise devant qui on ne pouvait dire « le Comte Untel » sans que son visage s'assombrît et que sa parole devînt sèche et brève, ce qui signifiait qu'elle chérissait la noblesse, non pas moins que ne faisait Aimé, mais davantage. Puis Françoise avait la qualité qu'elle trouvait chez les autres le plus grand des défauts, elle était fière. Elle n'était pas de la race agréable et pleine de bonhomie dont Aimé faisait partie. Ils éprouvent, ils manifestent un vif plaisir quand on leur raconte un fait plus ou moins piquant, mais inédit, qui n'est pas dans le journal. Françoise ne voulait pas avoir l'air étonné. On aurait dit devant elle que l'Archiduc Rodolphe, dont elle n'avait jamais soupçonné l'existence, était non pas mort comme cela passait pour assuré[38], mais vivant, qu'elle eût répondu « Oui », comme si elle le savait depuis longtemps. Il est, d'ailleurs, à croire que pour que même de notre bouche à nous, qu'elle appelait si humblement ses maîtres et qui l'avions presque si entièrement domptée, elle ne pût entendre, sans avoir à réprimer un mouvement de colère, le nom d'un noble, il fallait que la famille dont elle était sortie occupât dans son village une situation aisée, indépendante, et qui ne devait être troublée dans la considération dont elle jouissait que par ces mêmes nobles chez lesquels au contraire, dès l'enfance, un Aimé a servi comme domestique, s'il n'y a pas été élevé par charité. Pour Françoise, Mme de Villeparisis avait donc à se faire pardonner d'être noble. Mais, en France du

moins, c'est justement le talent, comme la seule
occupation, des grands seigneurs et des grandes
dames. Françoise, obéissant à la tendance des domestiques qui recueillent sans cesse sur les rapports de
leurs maîtres avec les autres personnes des observations fragmentaires dont ils tirent parfois des inductions erronées — comme font les humains sur la vie
des animaux — trouvait à tout moment qu'on nous
avait « manqué », conclusion à laquelle l'amenait
facilement, d'ailleurs, autant que son amour excessif
pour nous, le plaisir qu'elle avait à nous être désagréable. Mais ayant constaté, sans erreur possible, les
mille prévenances dont nous entourait et dont l'entourait elle-même Mme de Villeparisis, Françoise
l'excusa d'être marquise et comme elle n'avait jamais
cessé de lui savoir gré de l'être, elle la préféra à toutes
les personnes que nous connaissions. C'est qu'aussi
aucune ne s'efforçait d'être aussi continuellement
aimable. Chaque fois que ma grand-mère remarquait
un livre que Mme de Villeparisis lisait, ou disait avoir
trouvé beaux des fruits que celle-ci avait reçus d'une
amie, une heure après un valet de chambre montait
nous remettre livre ou fruits. Et quand nous la voyions
ensuite, pour répondre à nos remerciements, elle se
contentait de dire, ayant l'air de chercher une excuse à
son présent dans quelque utilité spéciale : « Ce n'est
pas un chef-d'œuvre, mais les journaux arrivent si
tard, il faut bien avoir quelque chose à lire » ou :
« C'est toujours plus prudent d'avoir du fruit dont on
est sûr au bord de la mer. » « Mais il me semble que
vous ne mangez jamais d'huîtres, nous dit Mme de
Villeparisis (augmentant l'impression de dégoût que
j'avais à cette heure-là, car la chair vivante des huîtres
me répugnait encore plus que la viscosité des méduses
ne me ternissait la plage de Balbec); elles sont
exquises sur cette côte ! Ah ! je dirai à ma femme de
chambre d'aller prendre vos lettres en même temps
que les miennes. Comment, votre fille vous écrit *tous
les jours ?* Mais qu'est-ce que vous pouvez trouver à
vous dire ! » Ma grand-mère se tut, mais on peut

croire que ce fut par dédain, elle qui répétait pour maman les mots de Mme de Sévigné : « Dès que j'ai reçu une lettre, j'en voudrais tout à l'heure une autre, je ne respire que d'en recevoir [39]. Peu de gens sont dignes de comprendre ce que je sens. » Et je craignais qu'elle n'appliquât à Mme de Villeparisis la conclusion : « Je cherche ceux qui sont de ce petit nombre, et j'évite les autres. » Elle se rabattit sur l'éloge des fruits que Mme de Villeparisis nous avait fait porter la veille. Et ils étaient en effet si beaux que le directeur malgré la jalousie de ses compotiers dédaignés m'avait dit : « Je suis comme vous, je suis plus frivole de fruit que de tout autre dessert. » Ma grand-mère dit à son amie qu'elle les avait d'autant plus appréciés que ceux qu'on servait à l'hôtel étaient généralement détestables. « Je ne peux pas, ajouta-t-elle, dire comme Mme de Sévigné que si nous voulions par fantaisie trouver un mauvais fruit, nous serions obligés de le faire venir de Paris [40]. » — « Ah, oui, vous lisez Mme de Sévigné. Je vous vois depuis le premier jour avec ses *Lettres* (elle oubliait qu'elle n'avait jamais aperçu ma grand-mère dans l'hôtel avant de la rencontrer dans cette porte). Est-ce que vous ne trouvez pas que c'est un peu exagéré ce souci constant de sa fille, elle en parle trop pour que ce soit bien sincère. Elle manque de naturel. » Ma grand-mère trouva la discussion inutile et, pour éviter d'avoir à parler des choses qu'elle aimait devant quelqu'un qui ne pouvait les comprendre, elle cacha, en posant son sac sur eux, les *Mémoires de Madame de Beausergent*.

Quand Mme de Villeparisis rencontrait Françoise au moment (que celle-ci appelait « le midi ») où, coiffée d'un beau bonnet et entourée de la considération générale elle descendait « manger aux courriers », Mme de Villeparisis l'arrêtait pour lui demander de nos nouvelles. Et Françoise, nous transmettant les commissions de la Marquise : « Elle a dit : Vous leur donnerez bien le bonjour », contrefaisant la voix de Mme de Villeparisis de laquelle elle croyait citer textuellement les paroles, tout en ne les déformant pas

moins que Platon celles de Socrate ou saint Jean celles
de Jésus. Françoise était naturellement très touchée de
ces attentions. Tout au plus ne croyait-elle pas ma
grand-mère et pensait-elle que celle-ci mentait dans un
intérêt de classe, les gens riches se soutenant les uns
les autres, quand elle assurait que Mme de Villeparisis
avait été autrefois ravissante. Il est vrai qu'il n'en
subsistait que de bien faibles restes dont on n'eût pu, à
moins d'être plus artiste que Françoise, restituer la
beauté détruite. Car, pour comprendre combien une
vieille femme a pu être jolie, il ne faut pas seulement
regarder, mais traduire chaque trait. « Il faudra que je
pense une fois à lui demander si je me trompe et si elle
n'a pas quelque parenté avec des Guermantes », me
dit ma grand-mère qui excita par là mon indignation.
Comment aurais-je pu croire à une communauté
d'origine entre deux noms qui étaient entrés en moi
l'un par la porte basse et honteuse de l'expérience,
l'autre par la porte d'or de l'imagination ?

On voyait souvent passer depuis quelques jours, en
pompeux équipage, grande, rousse, belle, avec un nez
un peu fort, la Princesse de Luxembourg qui était en
villégiature pour quelques semaines dans le pays. Sa
calèche s'était arrêtée devant l'hôtel, un valet de pied
était venu parler au directeur, était retourné à la
voiture et avait rapporté des fruits merveilleux (qui
unissaient dans une seule corbeille, comme la baie
elle-même, diverses saisons), avec une carte : « La
Princesse de Luxembourg », où étaient écrits
quelques mots au crayon. À quel voyageur princier
demeurant ici incognito, pouvaient être destinés ces
prunes glauques, lumineuses et sphériques comme
était à ce moment-là la rotondité de la mer, des raisins
transparents suspendus au bois desséché comme une
claire journée d'automne, des poires d'un outremer
céleste ? Car ce ne pouvait être à l'amie de ma grand-
mère que la Princesse avait voulu faire visite[41].
Pourtant le lendemain soir Mme de Villeparisis nous
envoya la grappe de raisins fraîche et dorée et des
prunes et des poires que nous reconnûmes aussi,

quoique les prunes eussent passé comme la mer à
l'heure de notre dîner, au mauve et que dans l'outremer des poires flottassent quelques formes de nuages
roses. Quelques jours après nous rencontrâmes
Mme de Villeparisis en sortant du concert symphonique qui se donnait le matin sur la plage. Persuadé que
les œuvres que j'y entendais (le prélude de *Lohengrin*,
l'ouverture de *Tannhäuser*, etc.) exprimaient les vérités les plus hautes, je tâchais de m'élever autant que je
pouvais pour atteindre jusqu'à elles, je tirais de moi,
pour les comprendre, je leur remettais, tout ce que je
recélais alors de meilleur, de plus profond.

Or, en sortant du concert, comme, en reprenant le
chemin qui va vers l'hôtel, nous nous étions arrêtés un
instant sur la digue, ma grand-mère et moi, pour
échanger quelques mots avec Mme de Villeparisis qui
nous annonçait qu'elle avait commandé pour nous à
l'hôtel des « croque-monsieur » et des œufs à la crème,
je vis de loin venir dans notre direction la Princesse de
Luxembourg, à demi appuyée sur une ombrelle de
façon à imprimer à son grand et merveilleux corps
cette légère inclinaison, à lui faire dessiner cette
arabesque si chère aux femmes qui avaient été belles
sous l'Empire et qui savaient, les épaules tombantes,
le dos remonté, la hanche creuse, la jambe tendue,
faire flotter mollement leur corps comme un foulard,
autour de l'armature d'une invisible tige inflexible et
oblique qui l'aurait traversé. Elle sortait tous les
matins faire son tour de plage presque à l'heure où
tout le monde après le bain remontait pour le déjeuner
et comme le sien était seulement à une heure et demie,
elle ne rentrait à sa villa que longtemps après que les
baigneurs avaient abandonné la digue déserte et
brûlante. Mme de Villeparisis présenta ma grand-
mère, voulut me présenter, mais dut me demander
mon nom, car elle ne se le rappelait pas. Elle ne l'avait
peut-être jamais su, ou en tous cas, avait oublié depuis
bien des années à qui ma grand-mère avait marié sa
fille. Ce nom parut faire une vive impression sur
Mme de Villeparisis. Cependant la Princesse de

Luxembourg nous avait tendu la main et, de temps en temps, tout en causant avec la Marquise, elle se détournait pour poser de doux regards sur ma grand-mère et sur moi, avec cet embryon de baiser qu'on ajoute au sourire quand celui-ci s'adresse à un bébé avec sa nounou. Même dans son désir de ne pas avoir l'air de siéger dans une sphère supérieure à la nôtre elle avait sans doute mal calculé la distance, car, par une erreur de réglage, ses regards s'imprégnèrent d'une telle bonté que je vis approcher le moment où elle nous flatterait de la main comme deux bêtes sympathiques qui eussent passé la tête vers elle, à travers un grillage, au Jardin d'Acclimatation. Aussitôt du reste cette idée d'animaux et de Bois de Boulogne prit plus de consistance pour moi. C'était l'heure où la digue est parcourue par des marchands ambulants et criards qui vendent des gâteaux, des bonbons, des petits pains. Ne sachant que faire pour nous témoigner sa bienveillance, la Princesse arrêta le premier qui passa ; il n'avait plus qu'un pain de seigle, du genre de ceux qu'on jette aux canards. La Princesse le prit et me dit : « C'est pour votre grand-mère. » Pourtant, ce fut à moi qu'elle le tendit, en me disant avec un fin sourire : « Vous le lui donnerez vous-même », pensant qu'ainsi mon plaisir serait plus complet s'il n'y avait pas d'intermédiaires entre moi et les animaux. D'autres marchands s'approchèrent, elle remplit mes poches de tout ce qu'ils avaient, de paquets tout ficelés, de plaisirs[42], de babas et de sucres d'orge. Elle me dit : « Vous en mangerez et vous en ferez manger aussi à votre grand-mère » et elle fit payer les marchands par le petit nègre habillé en satin rouge qui la suivait partout et qui faisait l'émerveillement de la plage. Puis elle dit adieu à Mme de Villeparisis et nous tendit la main avec l'intention de nous traiter de la même manière que son amie, en intimes, et de se mettre à notre portée. Mais cette fois, elle plaça sans doute notre niveau un peu moins bas dans l'échelle des êtres, car son égalité avec nous fut signifiée par la Princesse à ma grand-mère au moyen de ce tendre et maternel sourire qu'on adresse à un gamin quand on lui dit au revoir comme à une grande personne. Par un merveilleux progrès de l'évolution, ma grand-mère n'était plus un canard ou une antilope, mais déjà ce que Mme Swann eût appelé un « baby ». Enfin, nous ayant quittés tous trois, la Princesse reprit sa promenade sur la digue ensoleillée en incurvant sa taille magnifique qui comme un serpent autour d'une baguette s'enlaçait à l'ombrelle blanche imprimée de bleu que Mme de Luxembourg tenait fermée à la main. C'était ma première altesse, je dis la première, car la Princesse Mathilde n'était pas altesse du tout de façons. La seconde, on le verra plus tard, ne devait pas moins m'étonner par sa bonne grâce. Une forme de l'amabilité des grands seigneurs, intermédiaires bénévoles entre les souverains et les bourgeois, me fut apprise le lendemain quand Mme de Villeparisis nous dit : « Elle vous a trouvés charmants. C'est une femme d'un grand jugement, de beaucoup de cœur. Elle n'est pas comme tant de souveraines ou d'altesses. Elle a une vraie valeur. » Et Mme de Villeparisis ajouta d'un air convaincu, et toute ravie de pouvoir nous le dire : « Je crois qu'elle serait enchantée de vous revoir. »

Mais ce matin-là même en quittant la Princesse de Luxembourg, Mme de Villeparisis me dit une chose qui me frappa davantage et qui n'était pas du domaine de l'amabilité. « Est-ce que vous êtes le fils du directeur au Ministère ? me demanda-t-elle. Ah ! il paraît que votre père est un homme charmant. Il fait un bien beau voyage en ce moment. »

Quelques jours auparavant nous avions appris par une lettre de maman que mon père et son compagnon M. de Norpois avaient perdu leurs bagages. « Ils sont retrouvés, ou plutôt ils n'ont jamais été perdus, voici ce qui était arrivé, nous dit Mme de Villeparisis, qui, sans que nous sussions comment, avait l'air beaucoup plus renseigné que nous sur les détails du voyage. Je crois que votre père avancera son retour à la semaine prochaine car il renoncera probablement à aller à

Algésiras. Mais il a envie de consacrer un jour de plus à Tolède car il est admirateur d'un élève de Titien dont je ne me rappelle pas le nom et qu'on ne voit bien que là. »

Et je me demandais par quel hasard, dans la lunette indifférente à travers laquelle Mme de Villeparisis considérait d'assez loin l'agitation sommaire, minuscule et vague de la foule des gens qu'elle connaissait, se trouvait intercalé à l'endroit où elle considérait mon père un morceau de verre prodigieusement grossissant qui lui faisait voir avec tant de relief et dans le plus grand détail tout ce qu'il avait d'agréable, les contingences qui le forçaient à revenir, ses ennuis de douane, son goût pour le Greco, et changeant pour elle l'échelle de sa vision, lui montrait ce seul homme si grand au milieu des autres, tout petits, comme ce Jupiter à qui Gustave Moreau a donné, quand il l'a peint à côté d'une faible mortelle, une stature plus qu'humaine [43].

Ma grand-mère prit congé de Mme de Villeparisis pour que nous puissions rester à respirer l'air un instant de plus devant l'hôtel, en attendant qu'on nous fît signe à travers le vitrage que notre déjeuner était servi. On entendit un tumulte. C'était la jeune maîtresse du roi des sauvages, qui venait de prendre son bain et rentrait déjeuner. « Vraiment c'est un fléau, c'est à quitter la France ! » s'écria rageusement le bâtonnier qui passait à ce moment.

Cependant la femme du notaire attachait des yeux écarquillés sur la fausse souveraine. « Je ne peux pas vous dire comme Mme Blandais m'agace en regardant ces gens-là comme cela, dit le bâtonnier au président. Je voudrais pouvoir lui donner une gifle. C'est comme cela qu'on donne de l'importance à cette canaille qui naturellement ne demande qu'à ce que l'on s'occupe d'elle. Dites donc à son mari de l'avertir que c'est ridicule ; moi je ne sors plus avec eux s'ils ont l'air de faire attention aux déguisés. »

Quant à la venue de la Princesse de Luxembourg, dont l'équipage, le jour où elle avait apporté des fruits, s'était arrêté devant l'hôtel, elle n'avait pas échappé au groupe de la femme du notaire, du bâtonnier et du premier président, déjà depuis quelque temps fort agitées de savoir si c'était une marquise authentique et non une aventurière que cette Mme de Villeparisis qu'on traitait avec tant d'égards, desquels toutes ces dames brûlaient d'apprendre qu'elle était indigne. Quand Mme de Villeparisis traversait le hall, la femme du premier président, qui flairait partout des irrégulières, levait son nez de sur son ouvrage et la regardait d'une façon qui faisait mourir de rire ses amies. « Oh ! moi, vous savez, disait-elle avec orgueil, je commence toujours par croire le mal. Je ne consens à admettre qu'une femme est vraiment mariée que quand on m'a sorti les extraits de naissance et les actes notariés. Du reste, n'ayez crainte, je vais procéder à ma petite enquête. »

Et chaque jour toutes ces dames accouraient en riant. « Nous venons aux nouvelles. » Mais le soir de la visite de la Princesse de Luxembourg, la femme du Premier mit un doigt sur sa bouche. « Il y a du nouveau. » — « Oh ! elle est extraordinaire, Mme Poncin ! je n'ai jamais vu... mais dites, qu'y a-t-il ? » — « Hé bien, il y a qu'une femme aux cheveux jaunes, avec un pied de rouge sur la figure, une voiture qui sentait l'horizontale d'une lieue, et comme n'en ont que ces demoiselles, est venue tantôt pour voir la prétendue marquise. » — « Ouil you uouil ! patatras ! Voyez-vous ça ! mais c'est cette dame que nous avons vue, vous vous rappelez, bâtonnier, nous avons bien trouvé qu'elle marquait très mal, mais nous ne savions pas qu'elle était venue pour la Marquise. Une femme avec un nègre, n'est-ce pas ? » — « C'est cela même. » — « Ah ! vous m'en direz tant. Vous ne savez pas son nom ? » — « Si, j'ai fait semblant de me tromper, j'ai pris la carte, elle a comme nom de guerre la Princesse de Luxembourg ! Avais-je raison de me méfier ! C'est agréable d'avoir ici une promiscuité avec cette espèce de Baronne d'Ange. » Le bâtonnier cita Mathurin Régnier et *Macette*[44] au premier Président.

Il ne faut, d'ailleurs, pas croire que ce malentendu fut momentané comme ceux qui se forment au deuxième acte d'un vaudeville pour se dissiper au dernier. Mme de Luxembourg, nièce du roi d'Angleterre et de l'empereur d'Autriche, et Mme de Villeparisis, parurent toujours quand la première venait chercher la seconde pour se promener en voiture, deux drôlesses de l'espèce de celles dont on se gare difficilement dans les villes d'eaux. Les trois quarts des hommes du faubourg Saint-Germain passent aux yeux d'une bonne partie de la bourgeoisie pour des décavés crapuleux (qu'ils sont d'ailleurs quelquefois individuellement) et que, par conséquent, personne ne reçoit. La bourgeoisie est trop honnête en cela, car leurs tares ne les empêcheraient nullement d'être reçus avec la plus grande faveur là où elle ne le sera jamais. Et eux s'imaginent tellement que la bourgeoisie le sait qu'ils affectent une simplicité en ce qui les concerne, un dénigrement pour leurs amis particulièrement « à la côte [45] », qui achève le malentendu. Si par hasard un homme du grand monde est en rapports avec la petite bourgeoisie parce qu'il se trouve, étant extrêmement riche, avoir la présidence des plus importantes sociétés financières, la bourgeoisie qui voit enfin un noble digne d'être grand bourgeois, jurerait qu'il ne fraye pas avec le marquis joueur et ruiné qu'elle croit d'autant plus dénué de relations qu'il est plus aimable. Et elle n'en revient pas quand le duc, président du conseil d'administration de la colossale Affaire, donne pour femme à son fils, la fille du marquis joueur, mais dont le nom est le plus ancien de France, de même qu'un souverain fera plutôt épouser à son fils la fille d'un roi détrôné que d'un président de la république en fonctions. C'est dire que les deux mondes ont l'un de l'autre une vue aussi chimérique que les habitants d'une plage située à une des extrémités de la baie de Balbec, ont de la plage située à l'autre extrémité : de Rivebelle on voit un peu Marcouville l'Orgueilleuse ; mais cela même trompe, car on croit qu'on est vu de Marcouville d'où au contraire les splendeurs de Rivebelle sont en grande partie invisibles.

Le médecin de Balbec appelé pour un accès de fièvre que j'avais eu, ayant estimé que je ne devrais pas rester toute la journée au bord de la mer, en plein soleil, par les grandes chaleurs, et rédigé à mon usage quelques ordonnances pharmaceutiques, ma grand-mère prit les ordonnances avec un respect apparent où je reconnus tout de suite sa ferme décision de n'en faire exécuter aucune, mais tint compte du conseil en matière d'hygiène et accepta l'offre de Mme de Villeparisis de nous faire faire quelques promenades en voiture[46]. J'allais et je venais, jusqu'à l'heure du déjeuner, de ma chambre à celle de ma grand-mère. Elle ne donnait pas directement sur la mer comme la mienne mais prenait jour de trois côtés différents : sur un coin de la digue, sur une cour et sur la campagne et était meublée autrement, avec des fauteuils brodés de filigranes métalliques et de fleurs roses d'où semblait émaner l'agréable et fraîche odeur qu'on trouvait en entrant. Et à cette heure où des rayons venus d'exposi-tions, et comme d'heures différentes, brisaient les angles du mur, à côté d'un reflet de la plage, mettaient sur la commode un reposoir diapré comme les fleurs du sentier, suspendaient à la paroi les ailes repliées, tremblantes et tièdes d'une clarté prête à reprendre son vol, chauffaient comme un bain un carré de tapis provincial devant la fenêtre de la courette que le soleil festonnait comme une vigne, ajoutaient au charme et à la complexité de la décoration mobilière en semblant exfolier la soie fleurie des fauteuils et détacher leur passementerie, cette chambre que je traversais un moment avant de m'habiller pour la promenade, avait l'air d'un prisme où se décomposaient les couleurs de la lumière du dehors, d'une ruche où les sucs de la journée que j'allais goûter étaient dissociés, épars, enivrants et visibles, d'un jardin de l'espérance qui se dissolvait en une palpitation de rayons d'argent et de pétales de rose. Mais avant tout j'avais ouvert mes rideaux dans l'impatience de savoir quelle était la Mer qui jouait ce matin-là au bord du rivage, comme une Néréide. Car chacune de ces Mers ne restait jamais plus d'un jour. Le lendemain il y en avait une autre qui parfois lui ressemblait. Mais je ne vis jamais deux fois la même.

Il y en avait qui étaient d'une beauté si rare qu'en les apercevant mon plaisir était encore accru par la surprise. Par quel privilège, un matin plutôt qu'un autre, la fenêtre en s'entr'ouvrant découvrit-elle à mes yeux émerveillés la nymphe Glaukonomè[47], dont la beauté paresseuse et qui respirait mollement, avait la transparence d'une vaporeuse émeraude à travers laquelle je voyais affluer les éléments pondérables qui la coloraient ? Elle faisait jouer le soleil avec un sourire alangui par une brume invisible qui n'était qu'un espace vide réservé autour de sa surface translucide rendue ainsi plus abrégée et plus saisissante, comme ces déesses que le sculpteur détache sur le reste du bloc qu'il ne daigne pas dégrossir. Telle, dans sa couleur unique, elle nous invitait à la promenade sur ces routes grossières et terriennes, d'où, installés dans la calèche de Mme de Villeparisis, nous apercevions tout le jour, et sans jamais l'atteindre, la fraîcheur de sa molle palpitation.

Mme de Villeparisis faisait atteler de bonne heure, pour que nous eussions le temps d'aller soit jusqu'à Saint-Mars-le-Vêtu, soit jusqu'aux rochers de Quette-holme ou à quelque autre but d'excursion qui, pour une voiture assez lente, était fort lointain et demandait toute la journée. Dans ma joie de la longue promenade que nous allions entreprendre, je fredonnais quelque air récemment écouté, et je faisais les cent pas en attendant que Mme de Villeparisis fût prête. Si c'était dimanche, sa voiture n'était pas seule devant l'hôtel ; plusieurs fiacres loués attendaient non seulement les personnes qui étaient invitées au château de Féterne cher Mme de Cambremer, mais celles qui plutôt que de rester là comme des enfants punis, décla-raient que le dimanche était un jour assommant à Balbec et partaient dès après déjeuner se cacher

dans une plage voisine ou visiter quelque site. Et
même souvent quand on demandait à Mme Blandais si
elle avait été chez les Cambremer, elle répondait
péremptoirement : « Non, nous étions aux cascades
du Bec », comme si c'était là la seule raison pour
laquelle elle n'avait pas passé la journée à Féterne. Et
le bâtonnier disait charitablement : « Je vous envie,
j'aurais bien changé avec vous, c'est autrement intéressant. »

À côté des voitures, devant le porche où j'attendais,
était planté comme un arbrisseau d'une espèce rare un
jeune chasseur qui ne frappait pas moins les yeux par
l'harmonie singulière de ses cheveux colorés, que par
son épiderme de plante. À l'intérieur, dans le hall qui
correspondait au narthex ou église des catéchumènes,
des églises romanes, et où les personnes qui n'habitaient pas l'hôtel avaient le droit de passer, les
camarades du groom « extérieur » ne travaillaient pas
beaucoup plus que lui mais exécutaient du moins
quelques mouvements. Il est probable que le matin ils
aidaient au nettoyage. Mais l'après-midi ils restaient là
seulement comme des choristes qui, même quand ils
ne servent à rien, demeurent en scène pour ajouter à la
figuration. Le Directeur général, celui qui me faisait si
peur, comptait augmenter considérablement leur
nombre l'année suivante, car il « voyait grand ». Et sa
décision affligeait beaucoup le Directeur de l'hôtel,
lequel trouvait que tous ces enfants n'étaient que des
« faiseurs d'embarras », entendant par là qu'ils
embarrassaient le passage et ne servaient à rien. Du
moins, entre le déjeuner et le dîner, entre les sorties et
les rentrées des clients, remplissaient-ils le vide de
l'action, comme ces élèves de Mme de Maintenon qui
sous le costume de jeunes Israélites, font intermède
chaque fois qu'Esther ou Joad s'en vont. Mais le
chasseur du dehors, aux nuances précieuses, à la taille
élancée et frêle, non loin duquel j'attendais que la
Marquise descendît, gardait une immobilité à laquelle
s'ajoutait de la mélancolie, car ses frères aînés avaient
quitté l'hôtel pour des destinées plus brillantes et il se

sentait isolé sur cette terre étrangère. Enfin Mme de Villeparisis arrivait. S'occuper de sa voiture et l'y faire monter eût peut-être dû faire partie des fonctions du chasseur. Mais il savait d'une part qu'une personne qui amène ses gens avec soi se fait servir par eux et d'habitude donne peu de pourboires dans un hôtel, d'autre part[48], que les nobles de l'ancien faubourg Saint-Germain agissent de même. Mme de Villeparisis appartenait à la fois à ces deux catégories[49]. Le chasseur arborescent en concluait qu'il n'avait rien à attendre de la Marquise et laissant le maître d'hôtel et la femme de chambre de celle-ci, l'installer avec ses affaires, il rêvait tristement au sort envié de ses frères et conservait son immobilité végétale.

Nous partions; quelque temps après avoir contourné la station du chemin de fer nous entrions dans une route campagnarde qui me devint bientôt aussi familière que celles de Combray, depuis le coude où elle s'amorçait entre des clos charmants jusqu'au tournant où nous la quittions et qui avait de chaque côté des terres labourées. Au milieu d'elles, on voyait çà et là un pommier, privé il est vrai de ses fleurs et ne portant plus qu'un bouquet de pistils, mais qui suffisait à m'enchanter parce que je reconnaissais ces feuilles inimitables dont la large étendue, comme le tapis d'estrade d'une fête nuptiale maintenant terminée avait été tout récemment foulée par la traîne de satin blanc des fleurs rougissantes.

Combien de fois à Paris dans le mois de mai de l'année suivante, il m'arriva d'acheter une branche de pommier chez le fleuriste et de passer ensuite la nuit devant ces fleurs où s'épanouissait la même essence crémeuse qui poudrait encore de son écume les bourgeons de feuilles et entre les blanches corolles desquelles il semblait que ce fût le marchand qui par générosité envers moi, par goût inventif aussi et contraste ingénieux eût ajouté de chaque côté, en surplus, un seyant bouton rose; je les regardais, je les faisais poser sous ma lampe — si longtemps que j'étais souvent encore là quand l'aurore leur apportait la même rougeur qu'elle devait faire en même temps à Balbec — et je cherchais à les reporter sur cette route par l'imagination, à les multiplier, à les étendre dans le cadre préparé, sur la toile toute prête, de ces clos dont je savais le dessin par cœur et que j'aurais tant voulu, qu'un jour je devais, revoir, au moment où, avec la verve ravissante du génie, le printemps couvre leur canevas de ses couleurs.

Avant de monter en voiture j'avais composé le tableau de mer que j'allais chercher, que j'espérais voir avec le « soleil rayonnant », et qu'à Balbec je n'apercevais que trop morcelé entre tant d'enclaves vulgaires et que mon rêve n'admettait pas, de baigneurs, de cabines, de yachts de plaisance. Mais quand la voiture de Mme de Villeparisis étant parvenue en haut d'une côte, j'apercevais la mer entre les feuillages des arbres, alors sans doute de si loin disparaissaient ces détails contemporains qui l'avaient mise comme en dehors de la nature et de l'histoire, et je pouvais en regardant les flots m'efforcer de penser que c'était les mêmes que Leconte de Lisle nous peint dans *L'Orestie* [50] quand « tel qu'un vol d'oiseaux carnassiers dans l'aurore », les guerriers chevelus de l'héroïque Hellas « de cent mille avirons battaient le flot sonore ». Mais en revanche je n'étais plus assez près de la mer qui ne me semblait pas vivante, mais figée, je ne sentais plus de puissance sous ses couleurs étendues comme celles d'une peinture entre les feuilles où elle apparaissait aussi inconsistante que le ciel, et seulement plus foncée que lui.

Mme de Villeparisis voyant que j'aimais les églises me promettait que nous irions voir une fois l'une, une fois l'autre, et surtout celle de Carqueville « toute cachée sous son vieux lierre », dit-elle avec un mouvement de la main qui semblait envelopper avec goût la façade absente dans un feuillage invisible et délicat. Mme de Villeparisis avait souvent, avec ce petit geste descriptif, un mot juste pour définir le charme et la particularité d'un monument, évitant toujours les termes techniques, mais ne pouvant dissimuler qu'elle

savait très bien les choses dont elle parlait. Elle
semblait chercher à s'en excuser sur ce qu'un des
châteaux de son père, et où elle avait été élevée, étant
situé dans une région où il y avait des églises du même
style qu'autour de Balbec, il eût été honteux qu'elle
n'eût pas pris le goût de l'architecture, ce château
étant d'ailleurs le plus bel exemplaire de celle de la
Renaissance. Mais comme il était aussi un vrai musée,
comme d'autre part Chopin et Liszt y avaient joué,
Lamartine récité des vers, tous les artistes connus de
tout un siècle écrit des pensées, des mélodies, fait des
croquis sur l'album familial, Mme de Villeparisis ne
donnait, par grâce, bonne éducation, modestie réelle,
ou manque d'esprit philosophique, que cette origine
purement matérielle à sa connaissance de tous les arts,
et finissait par avoir l'air de considérer la peinture, la
musique, la littérature et la philosophie comme l'apanage d'une jeune fille élevée de la façon la plus
aristocratique dans un monument classé et illustre. On
aurait dit qu'il n'y avait pas pour elle d'autres tableaux
que ceux dont on a hérité. Elle fut contente que ma
grand-mère aimât un collier qu'elle portait et qui
dépassait de sa robe. Il était dans le portrait d'une
bisaïeule à elle, par Titien, et qui n'était jamais sorti
de la famille. Comme cela on était sûr que c'était un
vrai. Elle ne voulait pas entendre parler des tableaux
achetés on ne sait comment par un Crésus, elle était
d'avance persuadée qu'ils étaient faux et n'avait aucun
désir de les voir. Nous savions qu'elle-même faisait
des aquarelles de fleurs, et ma grand-mère qui les avait
entendu vanter lui en parla. Mme de Villeparisis
changea de conversation par modestie, mais sans
montrer plus d'étonnement ni de plaisir qu'une artiste
suffisamment connue à qui les compliments n'apprennent rien. Elle se contenta de dire que c'était un passe-
temps charmant parce que si les fleurs nées du pinceau
n'étaient pas fameuses, du moins les peindre vous
faisait vivre dans la société des fleurs naturelles, de la
beauté desquelles, surtout quand on était obligé de les
regarder de plus près pour les imiter, on ne se lassait

pas. Mais à Balbec Mme de Villeparisis se donnait congé pour laisser reposer ses yeux.

Nous fûmes étonnés, ma grand-mère et moi, de voir combien elle était plus « libérale » que même la plus grande partie de la bourgeoisie. Elle s'étonnait qu'on fût scandalisé des expulsions des jésuites, disant que cela s'était toujours fait, même sous la monarchie, même en Espagne. Elle défendait la République à laquelle elle ne reprochait son anticléricalisme que dans cette mesure : « Je trouverais tout aussi mauvais qu'on m'empêchât d'aller à la messe si j'en ai envie que d'être forcée d'y aller, si je ne le veux pas », lançant même certains mots comme : « Oh ! la noblesse aujourd'hui, qu'est-ce que c'est ! » « Pour moi, un homme qui ne travaille pas, ce n'est rien », peut-être seulement parce qu'elle sentait ce qu'ils prenaient de piquant, de savoureux, de mémorable dans sa bouche.

En entendant souvent exprimer avec franchise des opinions avancées — pas jusqu'au socialisme cependant qui était la bête noire de Mme de Villeparisis — précisément par une de ces personnes en considération de l'esprit desquelles, notre scrupuleuse et timide impartialité se refuse à condamner les idées des conservateurs, nous n'étions pas loin, ma grand-mère et moi, de croire qu'en notre agréable compagne se trouvaient la mesure et le modèle de la vérité en toutes choses. Nous la croyions sur parole tandis qu'elle jugeait ses Titiens, la colonnade de son château, l'esprit de conversation de Louis-Philippe. Mais — comme ces érudits qui émerveillent quand on les met sur la peinture égyptienne et les inscriptions étrusques, et qui parlent d'une façon si banale des œuvres modernes que nous nous demandons si nous n'avons pas surfait l'intérêt des sciences où ils sont versés, puisque n'y apparaît pas cette même médiocrité qu'ils ont pourtant dû y apporter aussi bien que dans leurs niaises études sur Baudelaire — Mme de Villeparisis, interrogée par moi sur Chateaubriand, sur Balzac, sur Victor Hugo, tous reçus jadis par ses parents et entrevus par elle-même, riait de mon admiration, racontait sur eux des traits piquants comme elle venait de faire sur des grands seigneurs ou des hommes politiques, et jugeait sévèrement ces écrivains, précisément parce qu'ils avaient manqué de cette modestie, de cet effacement de soi, de cet art sobre qui se contente d'un seul trait juste et n'appuie pas, qui fuit plus que tout le ridicule de la grandiloquence, de cet à-propos, de ces qualités de modération de jugement et de simplicité, auxquelles on lui avait appris qu'atteint la vraie valeur ; on voyait qu'elle n'hésitait pas à leur préférer des hommes qui, peut-être, en effet, avaient eu, à cause d'elles, l'avantage sur un Balzac, un Hugo, un Vigny, dans un salon, une académie, un conseil des ministres, Molé, Fontanes, Vitrolles, Bersot, Pasquier, Lebrun, Salvandy ou Daru[51]. « C'est comme les romans de Stendhal pour qui vous aviez l'air d'avoir de l'admiration. Vous l'auriez beaucoup étonné en lui parlant sur ce ton. Mon père qui le voyait chez M. Mérimée — un homme de talent, au moins celui-là — m'a souvent dit que Beyle (c'était son nom) était d'une vulgarité affreuse, mais spirituel dans un dîner, et ne s'en faisant pas accroire pour ses livres. Du reste, vous avez pu voir vous-même par quel haussement d'épaules il a répondu aux éloges outrés de M. de Balzac[52]. En cela du moins il était homme de bonne compagnie. »

Elle avait de tous ces grands hommes des autographes, et semblait, se prévalant des relations particulières que sa famille avait eues avec eux, penser que son jugement à leur égard était plus juste que celui de jeunes gens qui comme moi n'avaient pas pu les fréquenter. « Je crois que je peux en parler, car ils venaient chez mon père ; et comme disait M. Sainte-Beuve[53] qui avait bien de l'esprit, il faut croire sur ceux qui les ont vus de près et ont pu juger plus exactement de ce qu'ils valaient. »

Parfois, comme la voiture gravissait une route montante entre des terres labourées, rendant les champs plus réels, leur ajoutant une marque d'authen-

ticité, comme la précieuse fleurette dont certains
maîtres anciens signaient leurs tableaux, quelques
bleuets hésitants pareils à ceux de Combray suivaient
notre voiture. Bientôt nos chevaux les distançaient,
mais après quelques pas, nous en apercevions un autre
qui en nous attendant avait piqué devant nous dans
l'herbe son étoile bleue ; plusieurs s'enhardissaient
jusqu'à venir se poser au bord de la route et c'était
toute une nébuleuse qui se formait avec mes souvenirs
lointains et les fleurs apprivoisées.

Nous redescendions la côte ; alors nous croisions, la
montant à pied, à bicyclette, en carriole ou en voiture,
quelqu'une de ces créatures — fleurs de la belle
journée, mais qui ne sont pas comme les fleurs des
champs, car chacune recèle quelque chose qui n'est
pas dans une autre et qui empêchera que nous
puissions contenter avec ses pareilles le désir qu'elle a
fait naître en nous —, quelque fille de ferme poussant
sa vache ou à demi couchée sur une charrette, quelque
fille de boutiquier en promenade, quelque élégante
demoiselle assise sur le strapontin d'un landau, en face
de ses parents. Certes Bloch, m'avait ouvert une ère
nouvelle et avait changé pour moi la valeur de la vie, le
jour où il m'avait appris que les rêves que j'avais
promenés solitairement du côté de Méséglise quand je
souhaitais que passât une paysanne que je prendrais
dans mes bras, n'étaient pas une chimère qui ne
correspondait à rien d'extérieur à moi, mais que toutes
les filles qu'on rencontrait, villageoises ou demoiselles, étaient toutes prêtes à en exaucer de pareils. Et
dussé-je, maintenant que j'étais souffrant et ne sortais
pas seul, ne jamais pouvoir faire l'amour avec elles,
j'étais tout de même heureux comme un enfant né
dans une prison ou dans un hôpital et qui ayant cru
longtemps que l'organisme humain ne peut digérer
que du pain sec et des médicaments, a appris tout d'un
coup que les pêches, les abricots, le raisin, ne sont pas
une simple parure de la campagne, mais des aliments
délicieux et assimilables. Même si son geôlier ou son
garde-malade ne lui permettent pas de cueillir ces

beaux fruits, le monde cependant lui paraît meilleur et
l'existence plus clémente. Car un désir nous semble
plus beau, nous nous appuyons à lui avec plus de
confiance quand nous savons qu'en dehors de nous la
réalité s'y conforme, même si pour nous il n'est pas
réalisable. Et nous pensons avec plus de joie à une vie
où — à condition que nous écartions pour un instant
de notre pensée le petit obstacle accidentel et particulier qui nous empêche personnellement de le faire —,
nous pouvons nous imaginer l'assouvissant. Pour les
belles filles qui passaient, du jour où j'avais su que
leurs joues pouvaient être embrassées, j'étais devenu
curieux de leur âme. Et l'univers m'avait paru plus
intéressant.

La voiture de Mme de Villeparisis allait vite. À
peine avais-je le temps de voir la fillette qui venait
dans notre direction ; et pourtant — comme la beauté
des êtres n'est pas comme celle des choses, et que nous
sentons qu'elle est celle d'une créature unique,
consciente et volontaire — dès que son individualité,
âme vague, volonté inconnue de moi, se peignait en
une petite image prodigieusement réduite, mais
complète, au fond de son regard distrait, aussitôt
mystérieuse réplique des pollens tout préparés pour
les pistils, je sentais saillir en moi l'embryon aussi
vague, aussi minuscule, du désir de ne pas laisser
passer cette fille, sans que sa pensée prît conscience de
ma personne, sans que j'empêchasse ses désirs d'aller
à quelqu'un d'autre, sans que je vinsse me fixer dans
sa rêverie et saisir son cœur. Cependant notre voiture
s'éloignait, la belle fille était déjà derrière nous et
comme elle ne possédait de moi aucune des notions
qui constituent une personne, ses yeux qui m'avaient à
peine vu, m'avaient déjà oublié. Était-ce parce que je
ne l'avais qu'entr'aperçue que je l'avais trouvée si
belle ? Peut-être. D'abord, l'impossibilité de s'arrêter
auprès d'une femme, le risque de ne pas la retrouver
un autre jour lui donnent brusquement le même
charme qu'à un pays la maladie ou la pauvreté qui
nous empêchent de le visiter, ou qu'aux jours si ternes

qui nous restaient à vivre, le combat où nous succomberons sans doute. De sorte que s'il n'y avait pas l'habitude, la vie devrait paraître délicieuse à des êtres qui seraient à chaque heure menacés de mourir, — c'est-à-dire à tous les hommes. Puis si l'imagination est entraînée par le désir de ce que nous ne pouvons posséder, son essor n'est pas limité par une réalité complètement perçue dans ces rencontres où les charmes de la passante sont généralement en relation directe avec la rapidité du passage. Pour peu que la nuit tombe et que la voiture aille vite, à la campagne, dans une ville, il n'y a pas un torse féminin, mutilé comme un marbre antique par la vitesse qui nous entraîne et le crépuscule qui le noie, qui ne tire sur notre cœur, à chaque coin de route, du fond de chaque boutique, les flèches de la Beauté, de la Beauté dont on serait parfois tenté de se demander si elle est en ce monde autre chose que la partie de complément qu'ajoute à une passante fragmentaire et fugitive notre imagination surexcitée par le regret.

Si j'avais pu descendre parler à la fille que nous croisions, peut-être eussé-je été désillusionné par quelque défaut de sa peau que de la voiture je n'avais pas distingué. (Et alors tout effort pour pénétrer dans sa vie m'eût semblé soudain impossible. Car la beauté est une suite d'hypothèses que rétrécit la laideur en barrant la route que nous voyions déjà s'ouvrir sur l'inconnu.) Peut-être un seul mot qu'elle eût dit, un sourire, m'eussent fourni une clef, un chiffre inattendus, pour lire l'expression de sa figure et de sa démarche, qui seraient aussitôt devenues banales. C'est possible, car je n'ai jamais rencontré dans la vie de filles aussi désirables que les jours où j'étais avec quelque grave personne que malgré les mille prétextes que j'inventais, je ne pouvais quitter : quelques années après celle où j'allai pour la première fois à Balbec, faisant à Paris une course en voiture avec un ami de mon père et ayant aperçu une femme qui marchait vite dans la nuit, je pensai qu'il était déraisonnable de perdre pour une raison de convenances, ma part de bonheur dans la seule vie qu'il y ait sans doute, et sautant à terre sans m'excuser, je me mis à la recherche de l'inconnue, la perdis au carrefour de deux rues, la retrouvai dans une troisième, et me trouvai enfin, tout essoufflé, sous un réverbère, en face de la vieille Mme Verdurin que j'évitais partout et qui heureuse et surprise s'écria : « Oh ! comme c'est aimable d'avoir couru pour me dire bonjour ! »

Cette année-là à Balbec au moment de ces rencontres, j'assurais à ma grand-mère, à Mme de Villeparisis qu'à cause d'un grand mal de tête il valait mieux que je rentrasse seul à pied. Elles refusaient de me laisser descendre. Et j'ajoutais la belle fille (bien plus difficile à retrouver que ne l'est un monument, car elle était anonyme et mobile) à la collection de toutes celles que je me promettais de voir de près. Une pourtant se trouva repasser sous mes yeux, dans des conditions telles que je crus que je pourrais la connaître comme je voudrais. C'était une laitière qui vint d'une ferme apporter un supplément de crème à l'hôtel. Je pensai qu'elle m'avait aussi reconnu et elle me regardait, en effet, avec une attention qui n'était peut-être causée que par l'étonnement que lui causait la mienne. Or le lendemain, jour où je m'étais reposé toute la matinée quand Françoise vint ouvrir les rideaux vers midi, elle me remit une lettre qui avait été déposée pour moi à l'hôtel. Je ne connaissais personne à Balbec. Je ne doutai pas que la lettre ne fût de la laitière. Hélas, elle n'était que de Bergotte qui, de passage, avait essayé de me voir, mais ayant su que je dormais, m'avait laissé un mot charmant pour lequel le liftman avait fait une enveloppe que j'avais crue écrite par la laitière. J'étais affreusement déçu, et l'idée qu'il était plus difficile et plus flatteur d'avoir une lettre de Bergotte, ne me consolait en rien qu'elle ne fût pas de la laitière. Cette fille-là même, je ne la retrouvai pas plus que celles que j'apercevais seulement de la voiture de Mme de Villeparisis. La vue et la perte de toutes accroissaient l'état d'agitation où je vivais, et je trouvais quelque sagesse aux philosophes qui nous recommandent de borner nos désirs (si toutefois ils veulent parler du désir des êtres, car c'est le seul qui puisse laisser de l'anxiété, s'appliquant à de l'inconnu conscient. Supposer que la philosophie veut parler du désir des richesses serait trop absurde). Pourtant j'étais disposé à juger cette sagesse incomplète, car je me disais que ces rencontres me faisaient trouver encore plus beau un monde qui fait ainsi croître sur toutes les routes campagnardes des fleurs à la fois singulières et communes, trésors fugitifs de la journée, aubaines de la promenade, dont des circonstances contingentes qui ne se reproduiraient peut-être pas toujours m'avaient seules empêché de profiter, et qui donnent un goût nouveau à la vie.

Mais peut-être, en espérant qu'un jour, plus libre, je pourrais trouver sur d'autres routes de semblables filles, je commençais déjà à fausser ce qu'a d'exclusivement individuel le désir de vivre auprès d'une femme qu'on a trouvée jolie, et du seul fait que j'admettais la possibilité de le faire naître artificiellement, j'en avais implicitement reconnu l'illusion.

Le jour que Mme de Villeparisis nous mena à Carqueville où était cette église couverte de lierre dont elle avait parlé et qui, bâtie sur un tertre, domine le village, la rivière qui le traverse et qui a conservé son petit pont du Moyen Âge, ma grand-mère, pensant que je serais content d'être seul pour regarder le monument, proposa à son amie d'aller goûter chez le pâtissier, sur la place qu'on apercevait distinctement et qui sous sa patine dorée était comme une autre partie d'un objet tout entier ancien. Il fut convenu que j'irais les y retrouver. Dans le bloc de verdure devant lequel on me laissa, il fallait pour reconnaître une église faire un effort qui me fît serrer de plus près l'idée d'église ; en effet, comme il arrive aux élèves qui saisissent plus complètement le sens d'une phrase quand on les oblige par la version ou par le thème à la dévêtir des formes auxquelles ils sont accoutumés, cette idée d'église dont je n'avais guère besoin d'habitude devant des clochers qui se faisaient reconnaître d'eux-mêmes, j'étais obligé d'y faire perpétuellement appel pour ne pas oublier, ici que le cintre de cette touffe de lierre était celui d'une verrière ogivale, là, que la saillie des feuilles était due au relief d'un chapiteau. Mais alors un peu de vent soufflait, faisait frémir le porche mobile que parcouraient des remous propagés et tremblants comme une clarté ; les feuilles déferlaient les unes contre les autres ; et frissonnante, la façade végétale entraînait avec elle les piliers onduleux, caressés et fuyants.

Comme je quittais l'église, je vis devant le vieux pont des filles du village qui sans doute parce que c'était un dimanche se tenaient attifées, interpellant les garçons qui passaient. Moins bien vêtue que les autres, mais semblant les dominer par quelque ascendant — car elle répondait à peine à ce qu'elles lui disaient — l'air plus grave et plus volontaire, il y en avait une grande qui assise à demi sur le rebord du pont, laissant pendre ses jambes, avait devant elle un petit pot plein de poissons qu'elle venait probablement de pêcher. Elle avait un teint bruni, des yeux doux, mais un regard dédaigneux de ce qui l'entourait, un nez petit, d'une forme fine et charmante. Mes regards se posaient sur sa peau, et mes lèvres à la rigueur pouvaient croire qu'elles avaient suivi mes regards. Mais ce n'est pas seulement son corps que j'aurais voulu atteindre, c'était aussi la personne qui vivait en lui et avec laquelle il n'est qu'une sorte d'attouchement, qui est d'attirer son attention, qu'une sorte de pénétration, y éveiller une idée.

Et cet être intérieur de la belle pêcheuse, semblait m'être clos encore, je doutais si j'y étais entré, même après que j'eus aperçu ma propre image se refléter furtivement dans le miroir de son regard, suivant un indice de réfraction qui m'était aussi inconnu que si je me fusse placé dans le champ visuel d'une biche. Mais de même qu'il ne m'eût pas suffi que mes lèvres prissent du plaisir sur les siennes mais leur en donnassent, de même j'aurais voulu que l'idée de moi qui entrerait en cet être, qui s'y accrocherait, n'amenât pas à moi seulement son attention, mais son admiration, son désir, et le forçât à garder mon souvenir jusqu'au jour où je pourrais la retrouver. Cependant, j'apercevais à quelques pas la place où devait m'attendre la voiture de Mme de Villeparisis. Je n'avais qu'un instant ; et déjà je sentais que les filles commençaient à rire de me voir ainsi arrêté. J'avais cinq francs dans ma poche. Je les en sortis, et avant d'expliquer à la belle fille la commission dont je la chargeais, pour avoir plus de chance qu'elle m'écoutât je tins un instant la pièce devant ses yeux : « Puisque vous avez l'air d'être du pays, dis-je à la pêcheuse, est-ce que vous auriez la bonté de faire une petite course pour moi ? Il faudrait aller devant un pâtissier qui est, paraît-il, sur une place, mais je ne sais pas où c'est, et où une voiture m'attend. Attendez !… pour ne pas confondre vous demanderez si c'est la voiture de la Marquise de Villeparisis. Du reste vous verrez bien, elle a deux chevaux. » C'était cela que je voulais qu'elle sût pour prendre une grande idée de moi. Mais quand j'eus prononcé les mots « Marquise » et « deux chevaux », soudain j'éprouvai un grand apaisement. Je sentis que la pêcheuse se souviendrait de moi et se dissiper, avec mon effroi de ne pouvoir la retrouver, une partie de mon désir de la retrouver. Il me semblait que je venais de toucher sa personne avec des lèvres invisibles et que je lui avais plu. Et cette prise de force de son esprit, cette possession immatérielle, lui avait ôté de son mystère autant que fait la possession physique.

Nous descendîmes sur Hudimesnil ; tout d'un coup je fus rempli de ce bonheur profond que je n'avais pas souvent ressenti depuis Combray, un bonheur analogue à celui que m'avaient donné, entre autres, les clochers de Martinville. Mais cette fois il resta incomplet. Je venais d'apercevoir, en retrait de la route en dos d'âne que nous suivions, trois arbres qui devaient servir d'entrée à une allée couverte et formaient un dessin que je ne voyais pas pour la première fois, je ne pouvais arriver à reconnaître le lieu dont ils étaient

comme détachés mais je sentais qu'il m'avait été
familier autrefois ; de sorte que, mon esprit ayant
trébuché entre quelque année lointaine et le moment
présent, les environs de Balbec vacillèrent et je me
demandai si toute cette promenade n'était pas une
fiction, Balbec, un endroit où je n'étais jamais allé que
par l'imagination, Mme de Villeparisis, un personnage
de roman et les trois vieux arbres la réalité qu'on
retrouve en levant les yeux de dessus le livre qu'on
était en train de lire et qui vous décrivait un milieu
dans lequel on avait fini par se croire effectivement
transporté.

Je regardais les trois arbres, je les voyais bien, mais
mon esprit sentait qu'ils recouvraient quelque chose
sur quoi il n'avait pas prise, comme sur ces objets
placés trop loin dont nos doigts, allongés au bout de
notre bras tendu, effleurent seulement par instant
l'enveloppe sans arriver à rien saisir. Alors on se
repose un moment pour jeter le bras en avant d'un
élan plus fort et tâcher d'atteindre plus loin. Mais
pour que mon esprit pût ainsi se rassembler, prendre
son élan, il m'eût fallu être seul. Que j'aurais voulu
pouvoir m'écarter comme je faisais dans les promenades du côté de Guermantes quand je m'isolais de
mes parents ! Il me semblait même que j'aurais dû le
faire. Je reconnaissais ce genre de plaisir qui requiert,
il est vrai, un certain travail de la pensée sur elle-
même, mais à côté duquel les agréments de la
nonchalance qui vous fait renoncer à lui, semblent
bien médiocres. Ce plaisir, dont l'objet n'était que
pressenti, que j'avais à créer moi-même, je ne l'éprouvais que de rares fois, mais à chacune d'elles il me
semblait que les choses qui s'étaient passées dans
l'intervalle n'avaient guère d'importance et qu'en
m'attachant à sa seule réalité je pourrais commencer
enfin une vraie vie. Je mis un instant ma main devant
mes yeux pour pouvoir les fermer sans que Mme de
Villeparisis s'en aperçût. Je restai sans penser à rien,
puis de ma pensée ramassée, ressaisie avec plus de
force, je bondis plus avant dans la direction des

arbres, ou plutôt dans cette direction intérieure au bout de laquelle je les voyais en moi-même. Je sentis de nouveau derrière eux le même objet connu mais vague et que je ne pus ramener à moi. Cependant tous trois, au fur et à mesure que la voiture avançait, je les voyais s'approcher. Où les avais-je déjà regardés ? Il n'y avait aucun lieu autour de Combray, où une allée s'ouvrît ainsi. Le site qu'ils me rappelaient il n'y avait pas de place pour lui davantage dans la campagne allemande où j'étais allé, une année avec ma grand-mère prendre les eaux. Fallait-il croire qu'ils venaient d'années déjà si lointaines de ma vie que le paysage qui les entourait avait été entièrement aboli dans ma mémoire et que comme ces pages qu'on est tout d'un coup ému de retrouver dans un ouvrage qu'on s'imaginait n'avoir jamais lu, ils surnageaient seuls du livre oublié de ma première enfance ? N'appartenaient-ils au contraire qu'à ces paysages du rêve, toujours les mêmes, du moins pour moi chez qui leur aspect étrange n'était que l'objectivation dans mon sommeil de l'effort que je faisais pendant la veille soit pour atteindre le mystère dans un lieu derrière l'apparence duquel je le pressentais, comme cela m'était arrivé si souvent du côté de Guermantes, soit pour essayer de le réintroduire dans un lieu que j'avais désiré connaître et qui du jour où je l'avais connu m'avait paru tout superficiel, comme Balbec ? N'étaient-ils qu'une image toute nouvelle détachée d'un rêve de la nuit précédente mais déjà si effacée qu'elle me semblait venir de beaucoup plus loin ? Ou bien ne les avais-je jamais vus et cachaient-ils derrière eux comme tels arbres, telle touffe d'herbe, que j'avais vus du côté de Guermantes, un sens aussi obscur, aussi difficile à saisir qu'un passé lointain de sorte que, sollicité par eux d'approfondir une pensée, je croyais avoir à reconnaître un souvenir ? Ou encore ne cachaient-ils même pas de pensée et était-ce une fatigue de ma vision qui me les faisait voir doubles dans le temps comme on voit quelquefois double dans l'espace ? Je ne savais. Cependant ils venaient vers moi ; peut-être apparition mythique, ronde de sorcières ou de nornes[54] qui me proposait ses oracles. Je crus plutôt que c'étaient des fantômes du passé, de chers compagnons de mon enfance, des amis disparus qui invoquaient nos communs souvenirs. Comme des ombres ils semblaient me demander de les emmener avec moi, de les rendre à la vie. Dans leur gesticulation naïve et passionnée je reconnaissais le regret impuissant d'un être aimé qui a perdu l'usage de la parole, sent qu'il ne pourra nous dire ce qu'il veut et que nous ne savons pas deviner. Bientôt à un croisement de route, la voiture les abandonna. Elle m'entraînait loin de ce que je croyais seul vrai, de ce qui m'eût rendu vraiment heureux, elle ressemblait à ma vie.

Je vis les arbres s'éloigner en agitant leurs bras désespérés, semblant me dire : ce que tu n'apprends pas de nous aujourd'hui tu ne le sauras jamais. Si tu nous laisses retomber au fond de ce chemin d'où nous cherchions à nous hisser jusqu'à toi, toute une partie de toi-même que nous t'apportions tombera pour jamais au néant. En effet, si dans la suite je retrouvai le genre de plaisir et d'inquiétude que je venais de sentir encore une fois, et si un soir — trop tard, mais pour toujours — je m'attachai à lui, de ces arbres eux-mêmes en revanche, je ne sus jamais ce qu'ils avaient voulu m'apporter ni où je les avais vus. Et quand, la voiture ayant bifurqué, je leur tournai le dos et cessai de les voir, tandis que Mme de Villeparisis me demandait pourquoi j'avais l'air rêveur, j'étais triste comme si je venais de perdre un ami, de mourir à moi-même, de renier un mort ou de méconnaître un dieu.

Il fallait songer au retour. Mme de Villeparisis qui avait un certain sens de la nature, plus froid que celui de ma grand-mère mais qui sait reconnaître, même en dehors des musées et des demeures aristocratiques, la beauté simple et majestueuse de certaines choses anciennes, disait au cocher de prendre la vieille route de Balbec, peu fréquentée, mais plantée de vieux ormes qui nous semblaient admirables.

Une fois que nous connûmes cette vieille route,

pour changer, nous revînmes, à moins que nous ne
l'eussions prise à l'aller, par une autre qui traversait
les bois de Chantereine et de Canteloup. L'invisibilité
des innombrables oiseaux qui s'y répondaient tout à
côté de nous dans les arbres donnait la même impression de repos qu'on a les yeux fermés. Enchaîné à mon
strapontin comme Prométhée sur son rocher, j'écoutais mes Océanides[55]. Et, quand par hasard, j'apercevais l'un de ces oiseaux qui passait d'une feuille sous
une autre, il y avait si peu de lien apparent entre lui et
ces chants, que je ne croyais pas voir la cause de ceux-
ci dans ce petit corps sautillant, étonné et sans regard.

Cette route était pareille à bien d'autres de ce genre
qu'on rencontre en France, montant en pente assez
raide, puis redescendant sur une grande longueur. Au
moment même, je ne lui trouvais pas un grand
charme, j'étais seulement content de rentrer. Mais elle
devint pour moi dans la suite une cause de joies en
restant dans ma mémoire comme une amorce où
toutes les routes semblables sur lesquelles je passerais
plus tard au cours d'une promenade ou d'un voyage
s'embrancheraient aussitôt sans solution de continuité
et pourraient grâce à elle, communiquer immédiatement avec mon cœur. Car dès que la voiture ou
l'automobile s'engagerait dans une de ces routes qui
auraient l'air d'être la continuation de celle que j'avais
parcourue avec Mme de Villeparisis, ce à quoi ma
conscience actuelle se trouverait immédiatement
appuyée comme à mon passé le plus récent, ce serait
(toutes les années intermédiaires se trouvant abolies)
les impressions que j'avais eues par ces fins d'après-
midi-là, en promenade près de Balbec, quand les
feuilles sentaient bon, que la brume s'élevait et qu'au
delà du prochain village, on apercevait entre les arbres
le coucher du soleil comme s'il avait été quelque
localité suivante, forestière, distante et qu'on n'attein-
dra pas le soir même. Raccordées à celles que j'éprouvais maintenant dans un autre pays, sur une route
semblable, s'entourant de toutes les sensations accessoires de libre respiration, de curiosité, d'indolence,

d'appétit, de gaieté, qui leur étaient communes, excluant toutes les autres, ces impressions se renforceraient, prendraient la consistance d'un type particulier de plaisir, et presque d'un cadre d'existence que j'avais d'ailleurs rarement l'occasion de retrouver, mais dans lequel le réveil des souvenirs mettait au milieu de la réalité matériellement perçue une part assez grande de réalité évoquée, songée, insaisissable, pour me donner, au milieu de ces régions où je passais, plus qu'un sentiment esthétique, un désir fugitif mais exalté, d'y vivre désormais pour toujours. Que de fois pour avoir simplement senti une odeur de feuillée, être assis sur un strapontin en face de Mme de Villeparisis, croiser la Princesse de Luxembourg qui lui envoyait des bonjours de sa voiture, rentrer dîner au Grand-Hôtel, ne m'est-il pas apparu comme un de ces bonheurs ineffables que ni le présent ni l'avenir ne peuvent nous rendre et qu'on ne goûte qu'une fois dans la vie !

Souvent le jour était tombé avant que nous fussions de retour. Timidement je citais à Mme de Villeparisis en lui montrant la lune dans le ciel, quelque belle expression de Chateaubriand ou de Vigny ou de Victor Hugo : « Elle répandait ce vieux secret de mélancolie » ou « pleurant comme Diane au bord de ses fontaines » ou « L'ombre était nuptiale, auguste et solennelle [56]. » — « Et vous trouvez cela beau ? me demandait-elle, génial, comme vous dites ? Je vous dirai que je suis toujours étonnée de voir qu'on prend maintenant très au sérieux des choses que les amis de ces messieurs, tout en rendant pleine justice à leurs qualités, étaient les premiers à plaisanter. On ne prodiguait pas le nom de génie comme aujourd'hui, où si vous dites à un écrivain qu'il n'a que du talent il prend cela pour une injure. Vous me citez une grande phrase de M. de Chateaubriand sur le clair de lune. Vous allez voir que j'ai mes raisons pour y être réfractaire. M. de Chateaubriand venait bien souvent chez mon père. Il était du reste agréable quand on était seul parce qu'alors il était simple et amusant, mais, dès qu'il y avait du monde il se mettait à poser et devenait ridicule ; devant mon père, il prétendait avoir jeté sa démission à la face du roi[57] et dirigé le conclave, oubliant que mon père avait été chargé par lui de supplier le roi de le reprendre et l'avait entendu faire sur l'élection du pape les pronostics les plus insensés. Il fallait entendre sur ce fameux conclave M. de Blacas, qui était un autre homme que M. de Chateaubriand[58]. Quant aux phrases de celui-ci sur le clair de lune elles étaient tout simplement devenues une charge à la maison. Chaque fois qu'il faisait clair de lune autour du château, s'il y avait quelque invité nouveau, on lui conseillait d'emmener M. de Chateaubriand prendre l'air après le dîner. Quand ils revenaient, mon père ne manquait pas de prendre à part l'invité : " M. de Chateaubriand a été bien éloquent ? " — " Oh ! oui. " — " Il vous a parlé de clair de lune. " — " Oui, comment savez-vous ? " — " Attendez, ne vous a-t-il pas dit ", et il lui citait la phrase. " Oui, mais par quel mystère ? " — " Et il vous a parlé même du clair de lune dans la campagne romaine. " — " Mais vous êtes sorcier. " Mon père n'était pas sorcier, mais M. de Chateaubriand se contentait de servir toujours un même morceau tout préparé. »

Au nom de Vigny elle se mit à rire. « Celui qui disait : " Je suis le Comte Alfred de Vigny. " On est comte ou on n'est pas comte, ça n'a aucune espèce d'importance. » Et peut-être trouvait-elle que cela en avait tout de même un peu, car elle ajoutait : « D'abord je ne suis pas sûre qu'il le fût et il était en tous cas de très petite souche, ce monsieur qui a parlé dans ses vers de son " cimier de gentilhomme[59] ". Comme c'est de bon goût et comme c'est intéressant pour le lecteur ! C'est comme Musset, simple bourgeois de Paris, qui disait emphatiquement : " L'épervier d'or dont mon casque est armé[60]. " Jamais un vrai grand seigneur ne dit de ces choses-là. Au moins Musset avait du talent comme poète. Mais à part *Cinq-Mars* je n'ai jamais rien pu lire de M. de Vigny, l'ennui

me fait tomber le livre des mains. M. Molé[61], qui avait
autant d'esprit et de tact que M. de Vigny en avait
peu, l'a arrangé de belle façon en le recevant à
l'Académie. Comment, vous ne connaissez pas son
discours ? C'est un chef-d'œuvre de malice et d'impertinence. » Elle reprochait à Balzac qu'elle s'étonnait
de voir admiré par ses neveux, d'avoir prétendu
peindre une société « où il n'était pas reçu », et dont il
a raconté mille invraisemblances. Quant à Victor
Hugo, elle nous disait que M. de Bouillon, son père,
qui avait des camarades dans la jeunesse romantique,
était entré grâce à eux à la première d'*Hernani* mais
qu'il n'avait pu rester jusqu'au bout, tant il avait
trouvé ridicules les vers de cet écrivain doué mais
exagéré et qui n'a reçu le titre de grand poète qu'en
vertu d'un marché fait, et comme récompense de
l'indulgence intéressée qu'il a professée pour les
dangereuses divagations des socialistes[62].

Nous apercevions déjà l'hôtel, ses lumières si hos-
tiles le premier soir, à l'arrivée, maintenant protectrices et douces, annonciatrices du foyer. Et quand la
voiture arrivait près de la porte, le concierge, les
grooms, le lift, empressés, naïfs, vaguement inquiets
de notre retard, massés sur les degrés à nous attendre,
étaient, devenus familiers, de ces êtres qui changent
tant de fois au cours de notre vie, comme nous
changeons nous-mêmes, mais dans lesquels au
moment où ils sont pour un temps le miroir de nos
habitudes, nous trouvons de la douceur à nous sentir
fidèlement et amicalement reflétés. Nous les préférons
à des amis que nous n'avons pas vus depuis longtemps, car ils contiennent davantage de ce que nous
sommes actuellement. Seul « le chasseur » exposé au
soleil dans la journée, avait été rentré pour ne pas
supporter la rigueur du soir, et emmailloté de lai-
nages, lesquels, joints à l'éplorement orangé de sa
chevelure, et à la fleur curieusement rose de ses joues,
faisaient, au milieu du hall vitré, penser à une plante
de serre qu'on protège contre le froid. Nous descendions de voiture, aidés par beaucoup plus de servi-

teurs qu'il n'était nécessaire, mais ils sentaient l'importance de la scène et se croyaient obligés d'y jouer un rôle. J'étais affamé. Aussi, souvent, pour ne pas retarder le moment de dîner, je ne remontais pas dans la chambre qui avait fini par devenir si réellement mienne que revoir les grands rideaux violets et les bibliothèques basses, c'était me retrouver seul avec ce moi-même dont les choses, comme les gens, m'offraient l'image, et nous attendions tous ensemble dans le hall que le maître d'hôtel vînt nous dire que nous étions servis. C'était encore l'occasion pour nous d'écouter Mme de Villeparisis. « Nous abusons de vous », disait ma grand-mère. « Mais comment, je suis ravie, cela m'enchante », répondait son amie avec un sourire câlin, en filant les sons, sur un ton mélodieux qui contrastait avec sa simplicité coutumière.

C'est qu'en effet dans ces moments-là elle n'était pas naturelle, elle se souvenait de son éducation, des façons aristocratiques avec lesquelles une grande dame doit montrer à des bourgeois qu'elle est heureuse de se trouver avec eux, qu'elle est sans morgue. Et le seul manque de véritable politesse qu'il y eût en elle était dans l'excès de ses politesses ; car on y reconnaissait ce pli professionnel d'une dame du faubourg Saint-Germain, laquelle, voyant toujours dans certains bourgeois, les mécontents qu'elle est destinée à faire certains jours, profite avidement de toutes les occasions où il lui est possible, dans le livre de comptes de son amabilité avec eux, de prendre l'avance d'un solde créditeur, qui lui permettra prochainement d'inscrire à son débit, le dîner ou le raout où elle ne les invitera pas. Ainsi, ayant agi jadis sur elle une fois pour toutes, et ignorant que maintenant les circonstances étaient autres, les personnes différentes, et qu'à Paris elle souhaiterait de nous voir chez elle souvent, le génie de sa caste poussait avec une ardeur fiévreuse Mme de Villeparisis et comme si le temps qui lui était concédé pour être aimable était court, à multiplier avec nous, pendant que nous étions à Balbec, les envois de roses et de melons, les prêts de livres, les promenades en voiture et les effusions verbales. Et par là — tout autant que la splendeur aveuglante de la plage, que le flamboiement multicolore et les lueurs sous-océaniques des chambres, tout autant même que les leçons d'équitation par lesquelles des fils de commerçants étaient déifiés comme Alexandre de Macédoine — les amabilités quotidiennes de Mme de Villeparisis et aussi la facilité momentanée, estivale, avec laquelle ma grand-mère les acceptait, sont restées dans mon souvenir, comme caractéristiques de la vie de bains de mer. « Donnez donc vos manteaux pour qu'on les remonte. » Ma grand-mère les passait au directeur, et à cause de ses gentillesses pour moi, j'étais désolé de ce manque d'égards dont il paraissait souffrir. « Je crois que ce monsieur est froissé, disait la Marquise. Il se croit probablement trop grand seigneur pour prendre vos châles. Je me rappelle le Duc de Nemours[63] quand j'étais encore bien petite, entrant chez mon père qui habitait le dernier étage de l'hôtel Bouillon, avec un gros paquet sous le bras, des lettres et des journaux. Je crois voir le Prince dans son habit bleu sous l'encadrement de notre porte qui avait de jolies boiseries, je crois que c'est Bagard[64] qui faisait cela, vous savez ces fines baguettes si souples que l'ébéniste parfois leur faisait former des petites coques, et des fleurs, comme des rubans qui nouent un bouquet. " Tenez, Cyrus, dit-il à mon père, voilà ce que votre concierge m'a donné pour vous. Il m'a dit : 'Puisque vous allez chez M. le Comte, ce n'est pas la peine que je monte les étages, mais prenez garde de ne pas gâter la ficelle.' " Maintenant que vous avez donné vos affaires, asseyez-vous, tenez, mettez-vous là », disait-elle à ma grand-mère en lui prenant la main. « Oh ! si cela vous est égal, pas dans ce fauteuil. Il est trop petit pour deux, mais trop grand pour moi seule, j'y serais mal. » — « Vous me faites penser, car c'était tout à fait le même, à un fauteuil que j'ai eu longtemps mais que j'ai fini par ne pas pouvoir garder parce qu'il avait été donné à ma mère par la malheureuse Duchesse de

Praslin. Ma mère, qui était pourtant la personne la plus simple du monde, mais qui avait encore des idées qui viennent d'un autre temps et que déjà je ne comprenais pas très bien, n'avait pas d'abord voulu se laisser présenter à Mme de Praslin qui n'était que Mlle Sebastiani, tandis que celle-ci, parce qu'elle était duchesse, trouvait que ce n'était pas à elle à se faire présenter. Et par le fait, ajoutait Mme de Villeparisis oubliant qu'elle ne comprenait pas ce genre de nuances, n'eût-elle été que Mme de Choiseul que sa prétention aurait pu se soutenir. Les Choiseul sont tout ce qu'il y a de plus grand, ils sortent d'une sœur du roi Louis le Gros, ils étaient de vrais souverains en Bassigny[65]. J'admets que nous l'emportons par les alliances et l'illustration, mais l'ancienneté est presque la même. Il était résulté de cette question de préséance des incidents comiques, comme un déjeuner qui fut servi en retard de plus d'une grande heure que mit l'une de ces dames à accepter de se laisser présenter. Elles étaient malgré cela devenues de grandes amies et elle avait donné à ma mère un fauteuil du genre de celui-ci et où, comme vous venez de faire, chacun refusait de s'asseoir. Un jour ma mère entend une voiture dans la cour de son hôtel. Elle demande à un petit domestique qui c'est. " C'est madame la Duchesse de La Rochefoucauld, madame la Comtesse. " — " Ah ! bien, je la recevrai. " Au bout d'un quart d'heure, personne : " Hé bien, madame la Duchesse de La Rochefoucauld ? où est-elle donc ? " — " Elle est dans l'escalier, a souffle, madame la Comtesse ", répond le petit domestique qui arrivait depuis peu de la campagne où ma mère avait la bonne habitude de les prendre. Elle les avait souvent vus naître. C'est comme cela qu'on a chez soi de braves gens. Et c'est le premier des luxes. En effet, la Duchesse de La Rochefoucauld montait difficilement, étant énorme, si énorme que quand elle entra ma mère eut un instant d'inquiétude en se demandant où elle pourrait la placer. À ce moment le meuble donné par Mme de Praslin frappa ses yeux : " Prenez donc la

peine de vous asseoir ", dit ma mère en le lui
avançant. Et la Duchesse le remplit jusqu'aux bords.
Elle était, malgré cette importance, restée assez agréable. " Elle fait encore un certain effet quand elle
entre ", disait un de nos amis. " Elle en fait surtout
quand elle sort ", répondit ma mère qui avait le mot
plus leste qu'il ne serait de mise aujourd'hui. Chez
Mme de La Rochefoucauld même, on ne se gênait pas
pour plaisanter devant elle, qui en riait la première,
ses amples proportions. " Mais est-ce que vous êtes
seul ? " demanda un jour à M. de La Rochefoucauld
ma mère qui venait faire visite à la Duchesse et qui,
reçue à l'entrée par le mari, n'avait pas aperçu sa
femme qui était dans une baie du fond. " Est-ce que
Mme de La Rochefoucauld n'est pas là ? je ne la vois
pas. " — " Comme vous êtes aimable ! " répondit le
Duc qui avait un des jugements les plus faux que j'aie
jamais connus mais ne manquait pas d'un certain
esprit. »

Après le dîner, quand j'étais remonté avec ma
grand-mère, je lui disais que les qualités qui nous
charmaient chez Mme de Villeparisis, le tact, la
finesse, la discrétion, l'effacement de soi-même
n'étaient peut-être pas bien précieuses puisque ceux
qui les possédèrent au plus haut degré ne furent que
des Molé et des Loménie [66], et que si leur absence peut
rendre les relations quotidiennes désagréables, elle n'a
pas empêché de devenir Chateaubriand, Vigny, Hugo,
Balzac, des vaniteux qui n'avaient pas de jugement,
qu'il était facile de railler, comme Bloch... Mais au
nom de Bloch ma grand-mère se récriait. Et elle me
vantait Mme de Villeparisis. Comme on dit que c'est
l'intérêt de l'espèce qui guide en amour les préférences
de chacun, et pour que l'enfant soit constitué de la
façon la plus normale, fait rechercher les femmes
maigres aux hommes gras et les grasses aux maigres,
de même c'était obscurément les exigences de mon
bonheur menacé par le nervosisme, par mon penchant
maladif à la tristesse, à l'isolement, qui lui faisaient
donner le premier rang aux qualités de pondération et

de jugement, particulières non seulement à Mme de Villeparisis mais à une société où je pourrais trouver une distraction, un apaisement, une société pareille à celle où l'on vit fleurir l'esprit d'un Doudan, d'un M. de Rémusat, pour ne pas dire d'une Beausergent, d'un Joubert[67], d'une Sévigné, esprit qui met plus de bonheur, plus de dignité dans la vie que les raffinements opposés, lesquels ont conduit un Baudelaire, un Poe, un Verlaine, un Rimbaud, à des souffrances, à une déconsidération dont ma grand-mère ne voulait pas pour son petit-fils. Je l'interrompais pour l'embrasser et lui demandais si elle avait remarqué telle phrase que Mme de Villeparisis avait dite et dans laquelle se marquait la femme qui tenait plus à sa naissance qu'elle ne l'avouait. Ainsi soumettais-je à ma grand-mère mes impressions car je ne savais jamais le degré d'estime dû à quelqu'un que quand elle me l'avait indiqué. Chaque soir je venais lui apporter les croquis que j'avais pris dans la journée d'après tous ces êtres inexistants qui n'étaient pas elle. Une fois je lui dis : « Sans toi je ne pourrai pas vivre. » — « Mais il ne faut pas, me répondit-elle d'une voix troublée. Il faut nous faire un cœur plus dur que ça. Sans cela que deviendrais-tu si je partais en voyage ? J'espère au contraire que tu serais très raisonnable et très heureux. » — « Je saurais être raisonnable si tu partais pour quelques jours, mais je compterais les heures. » — « Mais si je partais pour des mois... (à cette seule idée mon cœur se serrait), pour des années... pour... » Nous nous taisions tous les deux. Nous n'osions pas nous regarder. Pourtant je souffrais plus de son angoisse que de la mienne. Aussi je m'approchai de la fenêtre et distinctement je lui dis en détournant les yeux : « Tu sais comme je suis un être d'habitudes. Les premiers jours où je viens d'être séparé des gens que j'aime le plus, je suis malheureux. Mais tout en les aimant toujours autant, je m'accoutume, ma vie devient calme, douce ; je supporterais d'être séparé d'eux, des mois, des années... » Je dus me taire et regarder tout à fait par la fenêtre. Ma grand-mère

sortit un instant de la chambre. Mais le lendemain je
me mis à parler de philosophie, sur le ton le plus
indifférent, en m'arrangeant cependant pour que ma
grand-mère fît attention à mes paroles, je dis que
c'était curieux, qu'après les dernières découvertes de
la science, le matérialisme semblait ruiné, et que le
plus probable était encore l'éternité des âmes et leur
future réunion.

Mme de Villeparisis nous prévint que bientôt elle ne
pourrait nous voir aussi souvent. Un jeune neveu qui
préparait Saumur, actuellement en garnison dans le
voisinage, à Doncières, devait venir passer auprès
d'elle un congé de quelques semaines et elle lui
donnerait beaucoup de son temps. Au cours de nos
promenades, elle nous avait vanté sa grande intelligence, surtout son bon cœur ; déjà je me figurais qu'il
allait se prendre de sympathie pour moi, que je serais
son ami préféré, et quand, avant son arrivée, sa tante
laissa entendre à ma grand-mère qu'il était malheureusement tombé dans les griffes d'une mauvaise femme
dont il était fou et qui ne le lâcherait pas, comme
j'étais persuadé que ce genre d'amour finissait fatale-
ment par l'aliénation mentale, le crime et le suicide,
pensant au temps si court qui était réservé à notre
amitié, déjà si grande dans mon cœur sans que je
l'eusse encore vu, je pleurai sur elle et sur les malheurs
qui l'attendaient comme sur un être cher dont on vient
de nous apprendre qu'il est gravement atteint et que
ses jours sont comptés.

Une après-midi de grande chaleur j'étais dans la
salle à manger de l'hôtel qu'on avait laissée à demi
dans l'obscurité pour la protéger du soleil en tirant des
rideaux qu'il jaunissait et qui par leurs interstices
laissaient clignoter le bleu de la mer, quand dans la
travée centrale qui allait de la plage à la route, je vis,
grand, mince, le cou dégagé, la tête haute et fièrement
portée, passer un jeune homme aux yeux pénétrants et
dont la peau était aussi blonde et les cheveux aussi
dorés que s'ils avaient absorbé tous les rayons du
soleil. Vêtu d'une étoffe souple et blanchâtre comme

je n'aurais jamais cru qu'un homme eût osé en porter,
et dont la minceur n'évoquait pas moins que le frais de
la salle à manger, la chaleur et le beau temps du
dehors, il marchait vite. Ses yeux, de l'un desquels
tombait à tout moment un monocle, étaient de la
couleur de la mer. Chacun le regarda curieusement
passer, on savait que ce jeune Marquis de Saint-Loup-
en-Bray était célèbre pour son élégance. Tous les
journaux avaient décrit le costume dans lequel il avait
récemment servi de témoin au jeune Duc d'Uzès, dans
un duel. Il semblait que la qualité si particulière de ses
cheveux, de ses yeux, de sa peau, de sa tournure, qui
l'eussent distingué au milieu d'une foule comme un
filon précieux d'opale azurée et lumineuse, engainé
dans une matière grossière, devait correspondre à une
vie différente de celle des autres hommes. Et en
conséquence quand, avant la liaison dont Mme de
Villeparisis se plaignait, les plus jolies femmes du
grand monde se l'étaient disputé, sa présence, dans
une plage par exemple, à côté de la beauté en renom à
laquelle il faisait la cour, ne la mettait pas seulement
tout à fait en vedette, mais attirait les regards autant
sur lui que sur elle. À cause de son « chic », de son
impertinence de jeune « lion », à cause de son extraordinaire beauté surtout, certains lui trouvaient même
un air efféminé, mais sans le lui reprocher car on
savait combien il était viril et qu'il aimait passionnément les femmes. C'était ce neveu de Mme de
Villeparisis duquel elle nous avait parlé. Je fus ravi de
penser que j'allais le connaître pendant quelques
semaines et sûr qu'il me donnerait toute son affection.
Il traversa rapidement l'hôtel dans toute sa largeur,
semblant poursuivre son monocle qui voltigeait
devant lui comme un papillon. Il venait de la plage, et
la mer qui remplissait jusqu'à mi-hauteur le vitrage du
hall lui faisait un fond sur lequel il se détachait en
pied, comme dans certains portraits où des peintres
prétendent sans tricher en rien sur l'observation la
plus exacte de la vie actuelle, mais en choisissant pour
leur modèle un cadre approprié, pelouse de polo, de

golf, champ de courses, pont de yacht, donner un équivalent moderne de ces toiles où les primitifs faisaient apparaître la figure humaine au premier plan d'un paysage. Une voiture à deux chevaux l'attendait devant la porte ; et tandis que son monocle reprenait ses ébats sur la route ensoleillée, avec l'élégance et la maîtrise qu'un grand pianiste trouve le moyen de montrer dans le trait le plus simple, où il ne semblait pas possible qu'il sût se montrer supérieur à un exécutant de deuxième ordre, le neveu de Mme de Villeparisis prenant les guides que lui passa le cocher, s'assit à côté de lui et tout en décachetant une lettre que le directeur de l'hôtel lui remit, fit partir les bêtes.

Quelle déception j'éprouvai les jours suivants quand, chaque fois que je le rencontrai dehors ou dans l'hôtel — le col haut, équilibrant perpétuellement les mouvements de ses membres autour de son monocle fugitif et dansant qui semblait leur centre de gravité — je pus me rendre compte qu'il ne cherchait pas à se rapprocher de nous et vis qu'il ne nous saluait pas quoiqu'il ne pût ignorer que nous étions les amis de sa tante. Et me rappelant l'amabilité que m'avaient témoignée Mme de Villeparisis et avant elle, M. de Norpois, je pensais que peut-être ils n'étaient que des nobles pour rire et qu'un article secret des lois qui gouvernent l'aristocratie doit y permettre peut-être aux femmes et à certains diplomates de manquer, dans leurs rapports avec les roturiers, et pour une raison qui m'échappait, à la morgue que devait au contraire pratiquer impitoyablement un jeune marquis. Mon intelligence aurait pu me dire le contraire. Mais la caractéristique de l'âge ridicule que je traversais — âge nullement ingrat, très fécond — est qu'on n'y consulte pas l'intelligence et que les moindres attributs des êtres semblent faire partie indivisible de leur personnalité. Tout entouré de monstres et de dieux, on ne connaît guère le calme. Il n'y a presque pas un des gestes qu'on a faits alors qu'on ne voudrait plus tard pouvoir abolir. Mais ce qu'on devrait regretter au contraire, c'est de ne plus posséder la spontanéité qui nous les faisait accomplir. Plus tard on voit les choses d'une façon plus pratique, en pleine conformité avec le reste de la société, mais l'adolescence est le seul temps où l'on ait appris quelque chose.

Cette insolence que je devinais chez M. de Saint-Loup, et tout ce qu'elle impliquait de dureté naturelle, se trouva vérifiée par son attitude chaque fois qu'il passait à côté de nous, le corps aussi inflexiblement élancé, la tête toujours aussi haute, le regard impassible, ce n'est pas assez dire, aussi implacable, dépouillé de ce vague respect qu'on a pour les droits d'autres créatures, même si elles ne connaissent pas votre tante et qui faisait que je n'étais pas tout à fait le même devant une vieille dame que devant un bec de gaz. Ces manières glacées étaient aussi loin des lettres charmantes que je l'imaginais encore il y a quelques jours, m'écrivant pour me dire sa sympathie, qu'est loin de l'enthousiasme de la Chambre et du peuple qu'il s'est représenté en train de soulever par un discours inoubliable, la situation médiocre, obscure, de l'imaginatif qui après avoir ainsi rêvassé tout seul, pour son compte, à haute voix, se retrouve, les acclamations imaginaires une fois apaisées, Gros-Jean comme devant. Quand Mme de Villeparisis sans doute pour tâcher d'effacer la mauvaise impression que nous avaient causée ces dehors révélateurs d'une nature orgueilleuse et méchante nous reparla de l'inépuisable bonté de son petit-neveu (il était le fils d'une de ses nièces et était un peu plus âgé que moi) j'admirai comme dans le monde, au mépris de toute vérité, on prête des qualités de cœur à ceux qui l'ont si sec, fussent-ils d'ailleurs aimables avec des gens brillants qui font partie de leur milieu. Mme de Villeparisis ajouta elle-même, quoique indirectement, une confirmation aux traits essentiels, déjà certains pour moi de la nature de son neveu, un jour où je les rencontrai tous deux dans un chemin si étroit qu'elle ne put faire autrement que de me présenter à lui. Il sembla ne pas entendre qu'on lui nommait quelqu'un, aucun muscle de son visage ne bougea ; ses yeux où ne brilla pas la plus faible lueur de sympathie humaine, montrèrent seulement dans l'insensibilité, dans l'inanité du regard, une exagération à défaut de laquelle, rien ne les eût différenciés de miroirs sans vie. Puis fixant sur moi ces yeux durs comme s'il eût voulu se renseigner sur moi, avant de me rendre mon salut, par un brusque déclenchement qui sembla plutôt dû à un réflexe musculaire qu'à un acte de volonté, mettant entre lui et moi le plus grand intervalle possible, allongea le bras dans toute sa longueur, et me tendit la main, à distance. Je crus qu'il s'agissait au moins d'un duel, quand le lendemain il me fit passer sa carte. Mais il ne me parla que de littérature, déclara après une longue causerie qu'il avait une envie extrême de me voir plusieurs heures chaque jour. Il n'avait pas, durant cette visite, fait preuve seulement d'un goût très ardent pour les choses de l'esprit, il m'avait témoigné une sympathie qui allait fort peu avec le salut de la veille. Quand je lui eus vu refaire chaque fois qu'on lui présentait quelqu'un, je compris que c'était une simple habitude mondaine particulière à une certaine partie de sa famille et à laquelle sa mère qui tenait à ce qu'il fût admirablement bien élevé, avait plié son corps ; il faisait ces saluts-là sans y penser plus qu'à ses beaux vêtements, à ses beaux cheveux ; c'était une chose dénuée de la signification morale que je lui avais donnée d'abord, une chose purement apprise, comme cette autre habitude qu'il avait aussi de se faire présenter immédiatement aux parents de quelqu'un qu'il connaissait, et qui était devenue chez lui si instinctive, que me voyant le lendemain de notre rencontre, il fonça sur moi et, sans me dire bonjour, me demanda de le nommer à ma grand-mère qui était auprès de moi, avec la même rapidité fébrile que si cette requête eût été due à quelque instinct défensif, comme le geste de parer un coup ou de fermer les yeux devant un jet d'eau bouillante et sans le préservatif duquel[68] il y eût un péril à demeurer une seconde de plus.

Les premiers rites d'exorcisme une fois accomplis, comme une fée hargneuse dépouille sa première apparence et se pare de grâces enchanteresses, je vis cet être dédaigneux devenir le plus aimable, le plus prévenant jeune homme que j'eusse jamais rencontré. « Bon, me dis-je, je me suis déjà trompé sur lui, j'avais été victime d'un mirage, mais je n'ai triomphé du premier que pour tomber dans un second, car c'est un grand seigneur féru de noblesse et cherchant à le dissimuler. » Or, toute la charmante éducation, toute l'amabilité de Saint-Loup devaient, en effet, au bout de peu de temps me laisser voir un autre être mais bien différent de celui que je soupçonnais.

Ce jeune homme qui avait l'air d'un aristocrate et d'un sportsman dédaigneux n'avait d'estime et de curiosité que pour les choses de l'esprit, surtout pour ces manifestations modernistes de la littérature et de l'art qui semblaient si ridicules à sa tante ; il était imbu d'autre part de ce qu'elle appelait les déclamations socialistes, rempli du plus profond mépris pour sa caste, et passait des heures à étudier Nietzsche et Proudhon. C'était un de ces « intellectuels » prompts à l'admiration qui s'enferment dans un livre, soucieux seulement de haute pensée. Même chez Saint-Loup l'expression de cette tendance très abstraite et qui l'éloignait tant de mes préoccupations habituelles, tout en me paraissant touchante m'ennuyait un peu. Je peux dire que, quand je sus bien qui avait été son père, les jours où je venais de lire des Mémoires tout nourris d'anecdotes sur ce fameux Comte de Marsantes en qui se résume l'élégance si spéciale d'une époque déjà lointaine, l'esprit empli de rêveries, désireux d'avoir des précisions sur la vie qu'avait menée M. de Marsantes, j'enrageais que Robert de Saint-Loup au lieu de se contenter d'être le fils de son père, au lieu d'être capable de me guider dans le roman démodé qu'avait été l'existence de celui-ci, se fût élevé jusqu'à l'amour de Nietzsche et de Proudhon. Son père n'eût pas partagé mes regrets. Il était lui-même un homme intelligent, excédant les bornes de sa vie d'homme du monde. Il n'avait guère eu le temps de connaître son fils, mais avait souhaité qu'il valût mieux que lui. Et je crois bien que contrairement au reste de la famille, il l'eût admiré, se fût réjoui qu'il délaissât ce qui avait fait ses minces divertissements pour d'austères méditations, et sans en rien dire, dans sa modestie de grand seigneur spirituel, eût lu en cachette les auteurs favoris de son fils pour apprécier de combien Robert lui était supérieur.

Il y avait, du reste, cette chose assez triste, c'est que si M. de Marsantes, à l'esprit fort ouvert, eût apprécié un fils si différent de lui, Robert de Saint-Loup parce qu'il était de ceux qui croient que le mérite est attaché à certaines formes d'art et de vie, avait un souvenir affectueux mais un peu méprisant d'un père qui s'était occupé toute sa vie de chasse et de course, avait bâillé à Wagner et raffolé d'Offenbach. Saint-Loup n'était pas assez intelligent pour comprendre que la valeur intellectuelle n'a rien à voir avec l'adhésion à une certaine formule esthétique, et il avait pour l' « intellectualité » de M. de Marsantes, un peu le même genre de dédain qu'auraient pu avoir pour Boieldieu ou pour Labiche, un fils Boieldieu ou un fils Labiche qui eussent été des adeptes de la littérature la plus symboliste et de la musique la plus compliquée. « J'ai très peu connu mon père, disait Robert. Il paraît que c'était un homme exquis. Son désastre a été la déplorable époque où il a vécu. Être né dans le faubourg Saint-Germain et avoir vécu à l'époque de la *Belle Hélène*, cela fait cataclysme dans une existence. Peut-être, petit bourgeois fanatique du " Ring [69] ", eût-il donné tout autre chose. On me dit même qu'il aimait la littérature. Mais on ne peut pas savoir, puisque ce qu'il entendait par littérature, se compose d'œuvres périmées. » Et pour ce qui était de moi, si je trouvais Saint-Loup un peu sérieux, lui ne comprenait pas que je ne le fusse pas davantage. Ne jugeant chaque chose qu'au poids d'intelligence qu'elle contient, ne percevant pas les enchantements d'imagination que me donnaient certaines qu'il jugeait fri-

voles, il s'étonnait que moi — moi à qui il s'imaginait
être tellement inférieur — je pusse m'y intéresser.

Dès les premiers jours Saint-Loup fit la conquête de
ma grand-mère non seulement par la bonté incessante
qu'il s'ingéniait à nous témoigner à tous deux, mais
par le naturel qu'il y mettait comme en toutes choses.
Or, le naturel — sans doute parce que, sous l'art de
l'homme, il laisse sentir la nature — était la qualité
que ma grand-mère préférait à toutes, tant dans les
jardins où elle n'aimait pas qu'il y eût, comme dans
celui de Combray, de plates-bandes trop régulières,
qu'en cuisine où elle détestait ces « pièces montées »
dans lesquelles on reconnaît à peine les aliments qui
ont servi à les faire, ou dans l'interprétation pianisti-
que qu'elle ne voulait pas trop fignolée, trop léchée,
ayant même eu pour les notes accrochées, pour les
fausses notes, de Rubinstein, une complaisance particulière. Ce naturel elle le goûtait jusque dans les
vêtements de Saint-Loup, d'une élégance souple sans
rien de « gommeux » ni de « compassé », sans raideur
et sans empois. Elle prisait davantage encore ce jeune
homme riche dans la façon négligente et libre qu'il
avait de vivre dans le luxe sans « sentir l'argent », sans
airs importants ; elle retrouvait même le charme de ce
naturel dans l'incapacité que Saint-Loup avait gardée
— et qui généralement disparaît avec l'enfance en
même temps que certaines particularités physiologi-
ques de cet âge — d'empêcher son visage de refléter
une émotion. Quelque chose qu'il désirait par exemple
et sur quoi il n'avait pas compté, ne fût-ce qu'un
compliment, faisait se dégager en lui un plaisir si
brusque, si brûlant, si volatil, si expansif, qu'il lui
était impossible de le contenir et de le cacher ; une
grimace de plaisir s'emparait irrésistiblement de son
visage ; la peau trop fine de ses joues laissait transpa-
raître une vive rougeur, ses yeux reflétaient la confusion et la joie ; et ma grand-mère était infiniment
sensible à cette gracieuse apparence de franchise et
d'innocence, laquelle d'ailleurs chez Saint-Loup, au
moins à l'époque où je me liai avec lui, ne trompait

pas. Mais j'ai connu un autre être et il y en a beaucoup, chez lequel la sincérité physiologique de cet incarnat passager n'excluait nullement la duplicité morale ; bien souvent il prouve seulement la vivacité avec laquelle ressentent le plaisir jusqu'à être désarmées devant lui et à être forcées de le confesser aux autres, des natures capables des plus viles fourberies. Mais où ma grand-mère adorait surtout le naturel de Saint-Loup, c'était dans sa façon d'avouer sans aucun détour la sympathie qu'il avait pour moi, et pour l'expression de laquelle il avait de ces mots comme elle n'eût pas pu en trouver elle-même, disait-elle, de plus justes et vraiment aimants, des mots qu'eussent contresignés « Sévigné et Beausergent » ; il ne se gênait pas pour plaisanter mes défauts — qu'il avait démêlés avec une finesse dont elle était amusée — mais comme elle-même aurait fait, avec tendresse, exaltant au contraire mes qualités avec une chaleur, un abandon qui ne connaissait pas les réserves et la froideur grâce auxquelles les jeunes gens de son âge croient généralement se donner de l'importance. Et il montrait à prévenir mes moindres malaises, à remettre des couvertures sur mes jambes si le temps fraîchissait sans que je m'en fusse aperçu, à s'arranger sans le dire à rester le soir avec moi plus tard, s'il me sentait triste ou mal disposé, une vigilance que, du point de vue de ma santé pour laquelle plus d'endurcissement eût peut-être été préférable, ma grand-mère trouvait presque excessive, mais qui, comme preuve d'affection pour moi la touchait profondément.

Il fut bien vite convenu entre lui et moi que nous étions devenus de grands amis pour toujours, et il disait « notre amitié » comme s'il eût parlé de quelque chose d'important et de délicieux qui eût existé en dehors de nous-mêmes et qu'il appela bientôt — en mettant à part son amour pour sa maîtresse — la meilleure joie de sa vie. Ces paroles me causaient une sorte de tristesse, et j'étais embarrassé pour y répondre, car je n'éprouvais à me trouver, à causer avec lui — et sans doute c'eût été de même avec tout autre —

rien de ce bonheur qu'il m'était au contraire possible de ressentir quand j'étais sans compagnon. Seul, quelquefois, je sentais affluer du fond de moi quelqu'une de ces impressions qui me donnaient un bien-être délicieux. Mais dès que j'étais avec quelqu'un, dès que je parlais à un ami, mon esprit faisait volte-face, c'était vers cet interlocuteur et non vers moi-même qu'il dirigeait ses pensées et quand elles suivaient ce sens inverse, elles ne me procuraient aucun plaisir. Une fois que j'avais quitté Saint-Loup, je mettais, à l'aide de mots, une sorte d'ordre dans les minutes confuses que j'avais passées avec lui ; je me disais que j'avais un bon ami, qu'un bon ami est une chose rare et je goûtais, à me sentir entouré de biens difficiles à acquérir, ce qui était justement l'opposé du plaisir qui m'était naturel, l'opposé du plaisir d'avoir extrait de moi-même et amené à la lumière quelque chose qui y était caché dans la pénombre. Si j'avais passé deux ou trois heures à causer avec Robert de Saint-Loup et qu'il eût admiré ce que je lui avais dit, j'éprouvais une sorte de remords, de regret, de fatigue de ne pas être resté seul et prêt enfin à travailler. Mais je me disais qu'on n'est pas intelligent que pour soi-même, que les plus grands ont désiré d'être appréciés, que je ne pouvais pas considérer comme perdues des heures où j'avais bâti une haute idée de moi dans l'esprit de mon ami, je me persuadais facilement que je devais en être heureux et je souhaitais d'autant plus vivement que ce bonheur ne me fût jamais enlevé que je ne l'avais pas ressenti. On craint plus que de tous les autres la disparition des biens restés en dehors de nous parce que notre cœur ne s'en est pas emparé. Je me sentais capable d'exercer les vertus de l'amitié mieux que beaucoup (parce que je ferais toujours passer le bien de mes amis avant ces intérêts personnels auxquels d'autres sont attachés et qui ne comptaient pas pour moi), mais non pas de connaître la joie par un sentiment qui au lieu d'accroître les différences qu'il y avait entre mon âme et celles des autres — comme il y en a entre les âmes de chacun de nous — les effacerait.

En revanche par moments ma pensée démêlait en
Saint-Loup un être plus général que lui-même, le
« noble », et qui comme un esprit intérieur mouvait
ses membres, ordonnait ses gestes et ses actions ;
alors, à ces moments-là, quoique près de lui j'étais seul
comme je l'eusse été devant un paysage dont j'aurais
compris l'harmonie. Il n'était plus qu'un objet que ma
rêverie cherchait à approfondir. À retrouver toujours
en lui cet être antérieur, séculaire, cet aristocrate que
Robert aspirait justement à ne pas être, j'éprouvais
une vive joie, mais d'intelligence, non d'amitié. Dans
l'agilité morale et physique qui donnait tant de grâce à
son amabilité, dans l'aisance avec laquelle il offrait sa
voiture à ma grand-mère et l'y faisait monter, dans son
adresse à sauter du siège quand il avait peur que
j'eusse froid, pour jeter son propre manteau sur mes
épaules, je ne sentais pas seulement la souplesse
héréditaire des grands chasseurs qu'avaient été depuis
des générations les ancêtres de ce jeune homme qui ne
prétendait qu'à l'intellectualité, leur dédain de la
richesse qui, subsistant chez lui à côté du goût qu'il
avait d'elle rien que pour pouvoir mieux fêter ses
amis, lui faisait mettre si négligemment son luxe à
leurs pieds ; j'y sentais surtout la certitude ou l'illusion
qu'avaient eues ces grands seigneurs d'être « plus que
les autres » grâce à quoi ils n'avaient pu léguer à Saint-
Loup ce désir de montrer qu'on est « autant que les
autres », cette peur de paraître trop empressé, qui lui
était en effet vraiment inconnue et qui enlaidit de tant
de raideur et de gaucherie la plus sincère amabilité
plébéienne. Quelquefois je me reprochais de prendre
ainsi plaisir à considérer mon ami comme une œuvre
d'art, c'est-à-dire à regarder le jeu de toutes les parties
de son être comme harmonieusement réglé par une
idée générale à laquelle elles étaient suspendues mais
qu'il ne connaissait pas et qui par conséquent n'ajoutait rien à ses qualités propres, à cette valeur personnelle d'intelligence et de moralité à quoi il attachait
tant de prix.
    Et pourtant elle était, dans une certaine mesure,

leur condition. C'est parce qu'il était un gentilhomme que cette activité mentale, ces aspirations socialistes, qui lui faisaient rechercher de jeunes étudiants prétentieux et mal mis, avaient chez lui quelque chose de vraiment pur et désintéressé qu'elles n'avaient pas chez eux. Se croyant l'héritier d'une caste ignorante et égoïste il cherchait sincèrement à ce qu'ils lui pardonnassent ces origines aristocratiques qui exerçaient sur eux au contraire une séduction et à cause desquelles ils le recherchaient, tout en simulant à son égard la froideur et même l'insolence. Il était ainsi amené à faire des avances à des gens dont mes parents, fidèles à la sociologie de Combray, eussent été stupéfaits qu'il ne se détournât pas. Un jour que nous étions assis sur le sable, Saint-Loup et moi, nous entendîmes d'une tente de toile contre laquelle nous étions, sortir des imprécations contre le fourmillement d'Israélites qui infestait Balbec. « On ne peut faire deux pas sans en rencontrer, disait la voix. Je ne suis pas par principe irréductiblement hostile à la nationalité juive, mais ici il y a pléthore. On n'entend que : " Dis donc, Apraham, chai fu Chakop ". On se croirait rue d'Aboukir. » L'homme qui tonnait ainsi contre Israël sortit enfin de la tente, nous levâmes les yeux sur cet antisémite. C'était mon camarade Bloch[70]. Saint-Loup me demanda immédiatement de rappeler à celui-ci qu'ils s'étaient rencontrés au Concours général où Bloch avait eu le prix d'honneur, puis dans une Université populaire[71].

Tout au plus souriais-je parfois de retrouver chez Robert les leçons des jésuites dans la gêne que la peur de froisser faisait naître en lui, chaque fois que quelqu'un de ses amis intellectuels commettait une erreur mondaine, faisait une chose ridicule, à laquelle, lui, Saint-Loup, n'attachait aucune importance, mais dont il sentait que l'autre aurait rougi si l'on s'en était aperçu. Et c'était Robert qui rougissait comme si ç'avait été lui le coupable, par exemple le jour où Bloch lui promettant d'aller le voir à l'hôtel, ajouta : « Comme je ne peux pas supporter d'attendre parmi le

faux chic de ces grands caravansérails, et que les
tziganes me feraient trouver mal, dites au " laïft " de
les faire taire et de vous prévenir de suite. » Personnellement, je ne tenais pas beaucoup à ce que Bloch vînt à
l'hôtel. Il était à Balbec, non pas seul, malheureusement, mais avec ses sœurs qui y avaient elles-mêmes
beaucoup de parents et d'amis. Or, cette colonie juive
était plus pittoresque qu'agréable. Il en était de Balbec
comme de certains pays, la Russie ou la Roumanie, où
les cours de géographie nous enseignent que la
population israélite n'y jouit point de la même faveur
et n'y est pas parvenue au même degré d'assimilation
qu'à Paris par exemple. Toujours ensemble, sans
mélange d'aucun autre élément, quand les cousines et
les oncles de Bloch, ou leurs coreligionnaires mâles ou
femelles se rendaient au Casino, les unes pour le
« bal », les autres bifurquant vers le baccara, ils
formaient un cortège homogène en soi et entièrement
dissemblable des gens qui les regardaient passer et les
retrouvaient là tous les ans sans jamais échanger un
salut avec eux, que ce fût la société des Cambremer, le
clan du premier président, ou des grands et petits
bourgeois, ou même de simples grainetiers de Paris,
dont les filles, belles, fières, moqueuses et françaises
comme les statues de Reims, n'auraient pas voulu se
mêler à cette horde de fillasses mal élevées, poussant le
souci des modes de « bains de mer » jusqu'à toujours
avoir l'air de revenir de pêcher la crevette ou d'être en
train de danser le tango. Quant aux hommes, malgré
l'éclat des smokings et des souliers vernis, l'exagération de leur type faisait penser à ces recherches dites
« intelligentes » des peintres qui ayant à illustrer les
Évangiles ou les Mille et Une Nuits, pensent au pays
où la scène se passe et donnent à saint Pierre ou à Ali-
Baba précisément la figure qu'avait le plus gros
« ponte » de Balbec. Bloch me présenta ses sœurs,
auxquelles il fermait le bec avec la dernière brusquerie
et qui riaient aux éclats des moindres boutades de leur
frère, leur admiration et leur idole. De sorte qu'il est
probable que ce milieu devait renfermer comme tout

autre, peut-être plus que tout autre, beaucoup d'agréments, de qualités et de vertus. Mais pour les
éprouver, il eût fallu y pénétrer. Or, il ne plaisait pas,
le sentait, voyait là la preuve d'un antisémitisme
contre lequel il faisait front en une phalange compacte
et close où personne d'ailleurs ne songeait à se frayer
un chemin.

Pour ce qui est de « laïft », cela avait d'autant
moins lieu de me surprendre que quelques jours
auparavant, Bloch m'ayant demandé pourquoi j'étais
venu à Balbec (il lui semblait, au contraire, tout
naturel que lui-même y fût) et si c'était « dans l'espoir
de faire de belles connaissances », comme je lui avais
dit que ce voyage répondait à un de mes plus anciens
désirs, moins profond pourtant que celui d'aller à
Venise, il avait répondu : « Oui, naturellement, pour
boire des sorbets avec les belles madames, tout en
faisant semblant de lire les *Stones of Venaïce*, de Lord
John Ruskin, sombre raseur et l'un des plus barbi-
fiants bonshommes qui soient[72]. » Bloch croyait donc
évidemment qu'en Angleterre, non seulement tous les
individus du sexe mâle sont lords, mais encore que la
lettre *i* s'y prononce toujours *aï*. Quant à Saint-Loup,
il trouvait cette faute de prononciation d'autant moins
grave qu'il y voyait surtout un manque de ces notions
presque mondaines que mon nouvel ami méprisait
autant qu'il les possédait. Mais la peur que Bloch,
apprenant un jour qu'on dit Venice et que Ruskin
n'était pas lord, crût rétrospectivement que Robert
l'avait trouvé ridicule, fit que ce dernier se sentit
coupable comme s'il avait manqué de l'indulgence
dont il débordait et que la rougeur qui colorerait sans
doute un jour le visage de Bloch à la découverte de son
erreur, il la sentit par anticipation et réversibilité
monter au sien. Car il pensait bien que Bloch attachait
plus d'importance que lui à cette faute. Ce que Bloch
prouva quelque temps après, un jour qu'il m'entendit
prononcer « lift », en interrompant : « Ah ! on dit
lift. » Et d'un ton sec et hautain : « Cela n'a d'ailleurs
aucune espèce d'importance. » Phrase analogue à un

réflexe, la même chez tous les hommes qui ont de l'amour-propre, dans les plus graves circonstances aussi bien que dans les plus infimes ; dénonçant alors aussi bien que dans celle-ci combien importante paraît la chose en question à celui qui la déclare sans importance ; phrase tragique parfois qui la première de toutes s'échappe si navrante alors, des lèvres de tout homme un peu fier à qui on vient d'enlever la dernière espérance à laquelle il se raccrochait, en lui refusant un service : « Ah ! bien, cela n'a aucune espèce d'importance, je m'arrangerai autrement », l'autre arrangement vers lequel il est sans aucune espèce d'importance d'être rejeté étant quelquefois le suicide.

Puis Bloch me dit des choses fort gentilles. Il avait certainement envie d'être très aimable avec moi. Pourtant, il me demanda : « Est-ce par goût de t'élever vers la noblesse — une noblesse très à côté du reste, mais tu es demeuré naïf — que tu fréquentes de Saint-Loup-en-Bray ? Tu dois être en train de traverser une jolie crise de snobisme. Dis-moi, es-tu snob ? Oui, n'est-ce pas ? » Ce n'est pas que son désir d'amabilité eût brusquement changé. Mais ce qu'on appelle en un français assez incorrect « la mauvaise éducation » était son défaut, par conséquent le défaut dont il ne s'apercevait pas, à plus forte raison dont il ne crût pas que les autres pussent être choqués. Dans l'humanité, la fréquence des vertus identiques pour tous, n'est pas plus merveilleuse que la multiplicité des défauts particuliers à chacun. Sans doute, ce n'est pas le bon sens qui est « la chose du monde la plus répandue », c'est la bonté. Dans les coins les plus lointains, les plus perdus, on s'émerveille de la voir fleurir d'elle-même, comme dans un vallon écarté un coquelicot pareil à ceux du reste du monde, lui qui ne les a jamais vus, et n'a jamais connu que le vent qui fait frissonner parfois son rouge chaperon solitaire. Même si cette bonté, paralysée par l'intérêt, ne s'exerce pas, elle existe pourtant, et chaque fois qu'aucun mobile égoïste ne l'empêche de le faire, par exemple, pendant la lecture d'un roman ou d'un journal, elle s'épanouit, se tourne, même dans le cœur de celui qui, assassin dans la vie, reste tendre comme amateur de feuilletons, vers le faible, vers le juste et le persécuté. Mais la variété des défauts n'est pas moins admirable que la similitude des vertus[73]. La personne la plus parfaite a un certain défaut qui choque ou qui met en rage. L'une est d'une belle intelligence, voit tout d'un point de vue élevé, ne dit jamais de mal de personne, mais oublie dans sa poche les lettres les plus importantes qu'elle vous a demandé elle-même de lui confier, et vous fait manquer ensuite un rendez-vous capital, sans vous faire d'excuses, avec un sourire, parce qu'elle met sa fierté à ne jamais savoir l'heure. Un autre a tant de finesse, de douceur, de procédés délicats, qu'il ne vous dit jamais de vous-même que les choses qui peuvent vous rendre heureux, mais vous sentez qu'il en tait, qu'il en ensevelit dans son cœur, où elles aigrissent, de toutes différentes, et le plaisir qu'il a à vous voir lui est si cher qu'il vous ferait crever de fatigue plutôt que de vous quitter. Un troisième a plus de sincérité, mais la pousse jusqu'à tenir à ce que vous sachiez, quand vous vous êtes excusé sur votre état de santé de ne pas être allé le voir, que vous avez été vu vous rendant au théâtre et qu'on vous a trouvé bonne mine, ou qu'il n'a pu profiter entièrement de la démarche que vous avez faite pour lui, que d'ailleurs déjà trois autres lui ont proposé de faire et dont il ne vous est ainsi que légèrement obligé. Dans les deux circonstances, l'ami précédent aurait fait semblant d'ignorer que vous étiez allé au théâtre et que d'autres personnes eussent pu lui rendre le même service. Quant à ce dernier ami, il éprouve le besoin de répéter ou de révéler à quelqu'un ce qui peut le plus vous contrarier, est ravi de sa franchise et vous dit avec force : « Je suis comme cela. » Tandis que d'autres vous agacent par leur curiosité exagérée, ou leur incuriosité si absolue que vous pouvez leur parler des événements les plus sensationnels sans qu'ils sachent de quoi il s'agit ; que d'autres encore restent des mois

à vous répondre si votre lettre a trait à un fait qui
concerne vous et non eux, ou bien s'ils vous disent
qu'ils vont venir vous demander quelque chose et que
vous n'osiez pas sortir de peur de les manquer, ne
viennent pas et vous laissent attendre des semaines
parce que n'ayant pas reçu de vous la réponse que leur
lettre ne demandait nullement, ils avaient cru vous
avoir fâché. Et certains, consultant leur désir et non le
vôtre, vous parlent sans vous laisser placer un mot s'ils
sont gais et ont envie de vous voir, quelque travail
urgent que vous ayez à faire ; mais, s'ils se sentent
fatigués par le temps, ou de mauvaise humeur, vous
ne pouvez pas tirer d'eux une parole, ils opposent à
vos efforts une inerte langueur et ne prennent pas plus
la peine de répondre, même par monosyllabes, à ce
que vous dites que s'ils ne vous avaient pas entendus.
Chacun de nos amis a tellement ses défauts que pour
continuer à l'aimer nous sommes obligés d'essayer de
nous consoler d'eux — en pensant à son talent, à sa
bonté, à sa tendresse, — ou plutôt de ne pas en tenir
compte en déployant pour cela toute notre bonne
volonté. Malheureusement notre complaisante obsti-
nation à ne pas voir le défaut de notre ami est surpassé
par celle qu'il met à s'y adonner à cause de son
aveuglement ou de celui qu'il prête aux autres. Car il
ne le voit pas ou croit qu'on ne le voit pas. Comme le
risque de déplaire vient surtout de la difficulté d'apprécier ce qui passe ou non inaperçu, on devrait au
moins, par prudence, ne jamais parler de soi, parce
que c'est un sujet où on peut être sûr que la vue des
autres et la nôtre propre ne concordent jamais. Si on a
autant de surprises qu'à visiter une maison d'apparence quelconque dont l'intérieur est rempli de trésors, de pinces-monseigneur et de cadavres quand on
découvre la vraie vie des autres, l'univers réel sous
l'univers apparent, on n'en éprouve pas moins si, au
lieu de l'image qu'on s'était faite de soi-même grâce à
ce que chacun nous en disait, on apprend par le
langage qu'ils tiennent à notre égard en notre absence,
quelle image entièrement différente ils portaient en

eux de nous et de notre vie. De sorte que chaque fois
que nous avons parlé de nous, nous pouvons être sûrs
que nos inoffensives et prudentes paroles, écoutées
avec une politesse apparente et une hypocrite appro-
bation ont donné lieu aux commentaires les plus
exaspérés ou les plus joyeux, en tous cas les moins
favorables. Le moins que nous risquions est d'agacer
par la disproportion qu'il y a entre notre idée de nous-
mêmes et nos paroles, disproportion qui rend généralement les propos des gens sur eux aussi risibles que
ces chantonnements des faux amateurs de musique
qui éprouvent le besoin de fredonner un air qu'ils
aiment en compensant l'insuffisance de leur murmure
inarticulé par une mimique énergique et un air
d'admiration que ce qu'ils nous font entendre ne
justifie pas. Et à la mauvaise habitude de parler de soi
et de ses défauts, il faut ajouter comme faisant bloc
avec elle, cette autre de dénoncer chez les autres des
défauts précisément analogues à ceux qu'on a. Or,
c'est toujours de ces défauts-là qu'on parle, comme si
c'était une manière de parler de soi, détournée, et qui
joint au plaisir de s'absoudre celui d'avouer. D'ailleurs
il semble que notre attention, toujours attirée sur ce
qui nous caractérise, le remarque plus que toute autre
chose chez les autres. Un myope dit d'un autre :
« Mais il peut à peine ouvrir les yeux » ; un poitrinaire
a des doutes sur l'intégrité pulmonaire du plus solide ;
un malpropre ne parle que des bains que les autres ne
prennent pas ; un malodorant prétend qu'on sent
mauvais ; un mari trompé voit partout des maris
trompés ; une femme légère des femmes légères ; le
snob des snobs. Et puis chaque vice comme chaque
profession, exige et développe un savoir spécial qu'on
n'est pas fâché d'étaler. L'inverti dépiste les invertis,
le couturier invité dans le monde n'a pas encore causé
avec vous qu'il a déjà apprécié l'étoffe de votre
vêtement et que ses doigts brûlent d'en palper les
qualités, et si après quelques instants de conversation
vous demandiez sa vraie opinion sur vous à un
odontalgiste, il vous dirait le nombre de vos mauvaises

dents. Rien ne lui paraît plus important, et à vous qui avez remarqué les siennes, plus ridicule. Et ce n'est pas seulement quand nous parlons de nous que nous croyons les autres aveugles ; nous agissons comme s'ils l'étaient. Pour chacun de nous, un dieu spécial est là qui lui cache ou lui promet l'invisibilité de son défaut, de même qu'il ferme les yeux et les narines aux gens qui ne se lavent pas sur la raie de crasse qu'ils portent aux oreilles et l'odeur de transpiration qu'ils gardent au creux des bras et les persuade qu'ils peuvent impunément promener l'une et l'autre dans le monde qui ne s'apercevra de rien. Et ceux qui portent ou donnent en présent de fausses perles s'imaginent qu'on les prendra pour des vraies. Bloch était mal élevé, névropathe, snob et appartenant à une famille peu estimée, supportait comme au fond des mers les incalculables pressions que faisaient peser sur lui non seulement les chrétiens de la surface mais les couches superposées des castes juives supérieures à la sienne, chacune accablant de son mépris celle qui lui était immédiatement inférieure. Percer jusqu'à l'air libre en s'élevant de famille juive en famille juive eût demandé à Bloch plusieurs milliers d'années. Il valait mieux chercher à se frayer une issue d'un autre côté.

Quand Bloch me parla de la crise de snobisme que je devais traverser et me demanda de lui avouer que j'étais snob, j'aurais pu lui répondre : « Si je l'étais, je ne te fréquenterais pas. » Je lui dis seulement qu'il était peu aimable. Alors il voulut s'excuser mais selon le mode qui est justement celui de l'homme mal élevé, lequel est trop heureux, en revenant sur ses paroles, de trouver une occasion de les aggraver. « Pardonne-moi, me disait-il maintenant chaque fois qu'il me rencontrait, je t'ai chagriné, torturé, j'ai été méchant à plaisir. Et pourtant — l'homme en général et ton ami en particulier est un si singulier animal — tu ne peux imaginer, moi qui te taquine si cruellement, la tendresse que j'ai pour toi. Elle va souvent, quand je pense à toi, jusqu'aux larmes. » Et il fit entendre un sanglot.

Ce qui m'étonnait plus chez Bloch que ses mauvaises manières, c'était combien la qualité de sa
conversation était inégale. Ce garçon si difficile qui
des écrivains les plus en vogue disait : « C'est un
sombre idiot, c'est tout à fait un imbécile », par
moments racontait avec une grande gaieté des anecdotes qui n'avaient rien de drôle et citait comme
« quelqu'un de vraiment curieux », tel homme entièrement médiocre. Cette double balance pour juger de
l'esprit, de la valeur, de l'intérêt des êtres, ne laissa
pas de m'étonner jusqu'au jour où je connus M. Bloch
père.

Je n'avais pas cru que nous serions jamais admis à le
connaître, car Bloch fils avait mal parlé de moi à Saint-
Loup et de Saint-Loup à moi. Il avait notamment dit à
Robert que j'étais (toujours), affreusement snob. « Si,
si, il est enchanté de connaître M. LLLLegrandin »,
dit-il. Cette manière de détacher un mot était chez
Bloch le signe à la fois de l'ironie et de la littérature.
Saint-Loup qui n'avait jamais entendu le nom de
Legrandin s'étonna : « Mais qui est-ce ? » « — Oh !
c'est quelqu'un de *très bien* », répondit Bloch en riant
et en mettant frileusement ses mains dans les poches
de son veston, persuadé qu'il était en ce moment en
train de contempler le pittoresque aspect d'un extraordinaire gentilhomme provincial auprès de quoi ceux
de Barbey d'Aurevilly n'étaient rien. Il se consolait de
ne pas savoir peindre M. Legrandin en lui donnant
plusieurs L et en savourant ce nom comme un vin de
derrière les fagots. Mais ces jouissances subjectives
restaient inconnues aux autres. S'il dit à Saint-Loup
du mal de moi, d'autre part il ne m'en dit pas moins de
Saint-Loup. Nous avions connu le détail de ces
médisances chacun dès le lendemain, non que nous
nous les fussions répétées l'un à l'autre, ce qui nous
eût semblé très coupable, mais paraissait si naturel et
presque si inévitable à Bloch que dans son inquiétude,
et tenant pour certain qu'il ne ferait qu'apprendre à
l'un ou à l'autre ce qu'ils allaient savoir, il préféra
prendre les devants, et emmenant Saint-Loup à part

lui avoua qu'il avait dit du mal de lui, exprès, pour
que cela lui fût redit, lui jura « par le Kroniôn Zeus,
gardien des serments [74] », qu'il l'aimait, qu'il donnerait sa vie pour lui et essuya une larme. Le même jour,
il s'arrangea pour me voir seul, me fit sa confession,
déclara qu'il avait agi dans mon intérêt parce qu'il
croyait qu'un certain genre de relations mondaines
m'était néfaste et que je « valais mieux que cela ».
Puis, me prenant la main avec un attendrissement
d'ivrogne, bien que son ivresse fût purement nerveuse : « Crois-moi, dit-il, et que la noire Kèr me
saisisse à l'instant et me fasse franchir les portes
d'Hadès, odieux aux hommes, si hier en pensant à toi,
à Combray, à ma tendresse infinie pour toi, à telles
après-midi en classe que tu ne te rappelles même pas,
je n'ai pas sangloté toute la nuit. Oui, toute la nuit, je
te le jure, et hélas, je le sais car je connais les âmes, tu
ne me croiras pas. » Je ne le croyais pas, en effet, et à
ces paroles que je sentais inventées à l'instant même et
au fur et à mesure qu'il parlait, son serment « par la
Kèr » n'ajoutait pas un grand poids, le culte hellénique étant chez Bloch purement littéraire. D'ailleurs
dès qu'il commençait à s'attendrir et désirait qu'on
s'attendrît sur un fait faux, il disait : « Je te le jure »,
plus encore pour la volupté hystérique de mentir que
dans l'intérêt de faire croire qu'il disait la vérité. Je ne
croyais pas ce qu'il me disait, mais je ne lui en voulais
pas, car je tenais de ma mère et de ma grand-mère
d'être incapable de rancune, même contre de bien plus
grands coupables, et de ne jamais condamner personne.

Ce n'était du reste pas absolument un mauvais
garçon que Bloch, il pouvait avoir de grandes gentillesses. Et depuis que la race de Combray, la race d'où
sortaient des êtres absolument intacts comme ma
grand-mère et ma mère, semble presque éteinte,
comme je n'ai plus guère le choix qu'entre d'honnêtes
brutes, insensibles et loyales, et chez qui le simple son
de la voix montre bien vite qu'ils ne se soucient en rien
de votre vie — et une autre espèce d'hommes qui tant

qu'ils sont auprès de vous, vous comprennent, vous chérissent, s'attendrissent jusqu'à pleurer, prennent leur revanche quelques heures plus tard en faisant une cruelle plaisanterie sur vous, mais vous reviennent, toujours aussi compréhensifs, aussi charmants, aussi momentanément assimilés à vous-même, je crois que c'est cette dernière sorte d'hommes dont je préfère, sinon la valeur morale, du moins la société.

« Tu ne peux t'imaginer ma douleur quand je pense à toi, reprit Bloch. Au fond, c'est un côté assez juif chez moi », ajouta-t-il ironiquement et rétrécissant sa prunelle comme s'il s'agissait de doser au microscope une quantité infinitésimale de « sang juif » et comme aurait pu le dire mais ne l'eût pas dit un grand seigneur français qui parmi ses ancêtres tous chrétiens eût pourtant compté Samuel Bernard ou plus anciennement encore la Sainte Vierge de qui prétendent descendre, dit-on, les Lévy, « qui reparaît. J'aime assez, ajouta-t-il, faire ainsi dans mes sentiments la part assez mince, d'ailleurs, qui peut tenir à mes origines juives ». Il prononça cette phrase parce que cela lui paraissait à la fois spirituel et brave de dire la vérité sur sa race, vérité que par la même occasion il s'arrangeait à atténuer singulièrement, comme les avares qui se décident à acquitter leurs dettes, mais n'ont le courage d'en payer que la moitié. Ce genre de fraude qui consiste à avoir l'audace de proclamer la vérité, mais en y mêlant, pour une bonne part, des mensonges qui la falsifient est plus répandu qu'on ne pense et même chez ceux qui ne le pratiquent pas habituellement, certaines crises dans la vie, notamment celles où une liaison amoureuse est en jeu, leur donnent l'occasion de s'y livrer.

Toutes ces diatribes confidentielles de Bloch à Saint-Loup contre moi, à moi contre Saint-Loup finirent par une invitation à dîner. Je ne suis pas bien sûr qu'il ne fît pas d'abord une tentative pour avoir Saint-Loup seul. La vraisemblance rend cette tentative probable, le succès ne la couronna pas, car ce fut à moi et à Saint-Loup que Bloch dit un jour : « Cher

maître, et vous, cavalier aimé d'Arès, de Saint-Loup-
en-Bray, dompteur de chevaux, puisque je vous ai
rencontrés sur le rivage d'Amphitrite[75], résonnant
d'écume, près des tentes des Menier[76] aux nefs
rapides, voulez-vous tous deux venir dîner un jour de
la semaine chez mon illustre père au cœur irréprocha-
ble ? » Il nous adressait cette invitation parce qu'il
avait le désir de se lier plus étroitement avec Saint-
Loup qui le ferait, espérait-il, pénétrer dans des
milieux aristocratiques. Formé par moi, pour moi, ce
souhait eût paru à Bloch la marque du plus hideux
snobisme, bien conforme à l'opinion qu'il avait de tout
un côté de ma nature qu'il ne jugeait pas, jusqu'ici du
moins, le principal ; mais le même souhait, de sa part,
lui semblait la preuve d'une belle curiosité de son
intelligence désireuse de certains dépaysements
sociaux où il pouvait peut-être trouver quelque utilité
littéraire. M. Bloch père quand son fils lui avait dit
qu'il amènerait dîner un de ses amis, dont il avait
décliné sur un ton de satisfaction sarcastique le titre et
le nom : « Le Marquis de Saint-Loup-en-Bray », avait
éprouvé une commotion violente. « Le Marquis de
Saint-Loup-en-Bray ! Ah ! bougre ! » s'était-il écrié,
usant du juron qui était chez lui la marque la plus forte
de la déférence sociale. Et il avait jeté sur son fils,
capable de s'être fait de telles relations, un regard
admiratif qui signifiait : « Il est vraiment étonnant. Ce
prodige est-il mon enfant ? » et qui causa autant de
plaisir à mon camarade que si cinquante francs avaient
été ajoutés à sa pension mensuelle. Car Bloch était mal
à l'aise chez lui et sentait que son père le traitait de
dévoyé parce qu'il vivait dans l'admiration de Leconte
de Lisle, Heredia et autres « bohèmes[77] ». Mais des
relations avec Saint-Loup-en-Bray dont le père avait
été président du Canal de Suez ! (ah ! bougre !), c'était
un résultat « indiscutable ». On regretta d'autant plus
d'avoir laissé à Paris, par crainte de l'abîmer, le
stéréoscope. Seul, M. Bloch, le père, avait l'art ou du
moins le droit de s'en servir. Il ne le faisait du reste
que rarement, à bon escient, les jours où il y avait gala

et domestiques mâles en extra. De sorte que de ces séances de stéréoscope émanaient pour ceux qui y assistaient comme une distinction, une faveur de privilégiés, et pour le maître de maison qui les donnait un prestige analogue à celui que le talent confère et qui n'aurait pas pu être plus grand, si les vues avaient été prises par M. Bloch lui-même et l'appareil, de son invention. « Vous n'étiez pas invité hier chez Salomon ? » disait-on dans la famille. « Non, je n'étais pas des élus ! Qu'est-ce qu'il y avait ? » — « Un grand tralala, le stéréoscope, toute la boutique. » — « Ah ! s'il y avait le stéréoscope, je regrette, car il paraît que Salomon est extraordinaire quand il le montre. » « Que veux-tu, dit M. Bloch à son fils, il ne faut pas lui donner tout à la fois, comme cela il lui restera quelque chose à désirer. » Il avait bien pensé dans sa tendresse paternelle et pour émouvoir son fils à faire venir l'instrument. Mais le « temps matériel » manquait, ou plutôt on avait cru qu'il manquerait ; mais nous dûmes faire remettre le dîner parce que Saint-Loup ne put se déplacer, attendant un oncle qui allait venir passer quarante-huit heures auprès de Mme de Villeparisis[78]. Comme, très adonné aux exercices physiques, surtout aux longues marches, c'était en grande partie à pied, en couchant la nuit dans les fermes, que cet oncle devait faire la route, depuis le château où il était en villégiature, le moment où il arriverait à Balbec était assez incertain. Et Saint-Loup n'osant bouger me chargea même d'aller porter à Incarville, où était le bureau télégraphique, la dépêche que mon ami envoyait quotidiennement à sa maîtresse. L'oncle qu'on attendait s'appelait Palamède, d'un prénom qu'il avait hérité des princes de Sicile ses ancêtres. Et plus tard quand je retrouvai dans mes lectures historiques, appartenant à tel podestat ou tel prince de l'Église, ce prénom même, belle médaille de la Renaissance — d'aucuns disaient un véritable antique — toujours restée dans la famille, ayant glissé de descendant en descendant depuis le cabinet du Vatican jusqu'à l'oncle de mon ami, j'éprouvai le

plaisir réservé à ceux qui ne pouvant faute d'argent
constituer un médaillier, une pinacothèque, recherchent les vieux noms (noms de localités, documen-
taires et pittoresques comme une carte ancienne, une
vue cavalière, une enseigne ou un coutumier, noms de
baptême où résonne et s'entend, dans les belles finales
françaises, le défaut de langue, l'intonation d'une
vulgarité ethnique, la prononciation vicieuse selon
lesquels nos ancêtres faisaient subir aux mots latins et
saxons des mutilations durables, devenues plus tard
les augustes législatrices des grammaires) et en somme
grâce à ces collections de sonorités anciennes se
donnent à eux-mêmes des concerts, à la façon de ceux
qui acquièrent des violes de gambe et des violes
d'amour pour jouer de la musique d'autrefois sur des
instruments anciens. Saint-Loup me dit que même
dans la société aristocratique la plus fermée, son oncle
Palamède se distinguait encore comme particulièrement difficile d'accès, dédaigneux, entiché de sa
noblesse, formant, avec la femme de son frère et
quelques autres personnes choisies, ce qu'on appelait
le cercle des Phénix. Là même il était si redouté pour
ses insolences qu'autrefois il était arrivé que des gens
du monde qui désiraient le connaître et s'étaient
adressés à son propre frère, avaient essuyé un refus.
« Non, ne me demandez pas de vous présenter à mon
frère Palamède. Ma femme, nous tous, nous nous y
attellerions, que nous ne pourrions pas. Ou bien vous
risqueriez qu'il ne soit pas aimable et je ne le voudrais
pas. » Au Jockey, il avait avec quelques amis désigné
deux cents membres qu'ils ne se laisseraient jamais
présenter. Et chez le Comte de Paris il était connu
sous le sobriquet du « Prince » à cause de son élégance
et de sa fierté.

Saint-Loup me parla de la jeunesse, depuis longtemps passée, de son oncle. Il amenait tous les jours
des femmes dans une garçonnière qu'il avait en
commun avec deux de ses amis, beaux comme lui, ce
qui faisait qu'on les appelait « les trois Grâces ». « Un
jour, un des hommes qui est aujourd'hui des plus en

vue dans le faubourg Saint-Germain, comme eût dit
Balzac, mais qui dans une première période assez
fâcheuse montrait des goûts bizarres, avait demandé à
mon oncle de venir dans cette garçonnière. Mais à
peine arrivé ce ne fut pas aux femmes, mais à mon
oncle Palamède, qu'il se mit à faire une déclaration.
Mon oncle fit semblant de ne pas comprendre,
emmena sous un prétexte ses deux amis, ils revinrent,
prirent le coupable, le déshabillèrent, le frappèrent
jusqu'au sang, et par un froid de dix degrés au-dessous
de zéro le jetèrent à coups de pieds dehors où il fut
trouvé à demi mort si bien que la justice fit une
enquête à laquelle le malheureux eut toute la peine du
monde à la faire renoncer. Mon oncle ne se livrerait
plus aujourd'hui à une exécution aussi cruelle et tu
n'imagines pas le nombre d'hommes du peuple, lui si
hautain avec les gens du monde, qu'il prend en
affection, qu'il protège, quitte à être payé d'ingrati-
tude. Ce sera un domestique qui l'aura servi dans un
hôtel et qu'il placera à Paris, ou un paysan à qui il fera
apprendre un métier. C'est même le côté assez gentil
qu'il y a chez lui, par contraste avec le côté mondain. »
Saint-Loup appartenait, en effet, à ce genre de jeunes
gens du monde situés à une altitude où on a pu faire
pousser ces expressions : « Ce qu'il a même d'assez
gentil chez lui, son côté assez gentil », semences assez
précieuses, produisant très vite une manière de conce-
voir les choses dans laquelle on se compte pour rien, et
le « peuple » pour tout ; en somme tout le contraire de
l'orgueil plébéien. « Il paraît qu'on ne peut se figurer
comme il donnait le ton, comme il faisait la loi à toute
la société dans sa jeunesse. Pour lui en toute circonstance il faisait ce qui lui paraissait le plus agréable, le
plus commode, mais aussitôt c'était imité par les
snobs. S'il avait eu soif au théâtre et s'était fait
apporter à boire dans le fond de sa loge, les petits
salons qu'il y avait derrière chacune se remplissaient,
la semaine suivante, de rafraîchissements. Un été très
pluvieux où il avait un peu de rhumatisme il s'était
commandé un pardessus d'une vigogne souple mais

chaude qui ne sert guère que pour faire des couvertures de voyage et dont il avait respecté les raies bleues
et orange. Les grands tailleurs se virent commander
aussitôt par leurs clients des pardessus bleus et
frangés, à longs poils. Si pour une raison quelconque il
désirait ôter tout caractère de solennité à un dîner dans
un château où il passait une journée, et pour marquer
cette nuance n'avait pas apporté d'habit et s'était mis à
table avec le veston de l'après-midi, la mode devenait
de dîner à la campagne en veston. Que pour manger
un gâteau il se servît, au lieu de sa cuiller, d'une
fourchette ou d'un couvert de son invention
commandé par lui à un orfèvre, ou de ses doigts, il
n'était plus permis de faire autrement. Il avait eu envie
de réentendre certains quatuors de Beethoven (car
avec toutes ses idées saugrenues il est loin d'être bête,
et est fort doué) et avait fait venir des artistes pour les
jouer chaque semaine, pour lui et quelques amis. La
grande élégance fut cette année-là de donner des
réunions peu nombreuses où on entendait de la
musique de chambre. Je crois d'ailleurs qu'il ne s'est
pas ennuyé dans la vie. Beau comme il a été, il a dû en
avoir des femmes ! Je ne pourrais pas vous dire
d'ailleurs exactement lesquelles, parce qu'il est très
discret. Mais je sais qu'il a bien trompé ma pauvre
tante. Ce qui n'empêche pas qu'il était délicieux avec
elle, qu'elle l'adorait, et qu'il l'a pleurée pendant des
années. Quand il est à Paris, il va encore au cimetière
presque chaque jour. »

Le lendemain matin du jour où Robert m'avait ainsi
parlé de son oncle tout en l'attendant, vainement du
reste, comme je passais seul devant le casino en
rentrant à l'hôtel, j'eus la sensation d'être regardé par
quelqu'un qui n'était pas loin de moi. Je tournai la tête
et j'aperçus un homme d'une quarantaine d'années,
très grand et assez gros, avec des moustaches très
noires, et qui, tout en frappant nerveusement son
pantalon avec une badine, fixait sur moi des yeux
dilatés par l'attention. Par moments, ils étaient percés
en tous sens par des regards d'une extrême activité

comme en ont seuls devant une personne qu'ils ne
connaissent pas des hommes à qui, pour un motif
quelconque, elle inspire des pensées qui ne viendraient pas à tout autre — par exemple des fous ou des
espions. Il lança sur moi une suprême œillade à la fois
hardie, prudente, rapide et profonde, comme un
dernier coup que l'on tire au moment de prendre la
fuite, et après avoir regardé tout autour de lui, prenant
soudain un air distrait et hautain, par un brusque
revirement de toute sa personne il se tourna vers une
affiche dans la lecture de laquelle il s'absorba, en
fredonnant un air et en arrangeant la rose mousseuse
qui pendait à sa boutonnière. Il sortit de sa poche un
calepin sur lequel il eut l'air de prendre en note le titre
du spectacle annoncé, tira deux ou trois fois sa
montre, abaissa sur ses yeux un canotier de paille
noire dont il prolongea le rebord avec sa main mise en
visière comme pour voir si quelqu'un n'arrivait pas, fit
le geste de mécontentement par lequel on croit faire
voir qu'on a assez d'attendre, mais qu'on ne fait jamais
quand on attend réellement, puis rejetant en arrière
son chapeau et laissant voir une brosse coupée ras qui
admettait cependant de chaque côté d'assez longues
ailes de pigeon ondulées, il exhala le souffle bruyant
des personnes qui ont non pas trop chaud mais le désir
de montrer qu'elles ont trop chaud. J'eus l'idée d'un
escroc d'hôtel qui, nous ayant peut-être déjà remarqués les jours précédents, ma grand-mère et moi, et
préparant quelque mauvais coup, venait de s'apercevoir que je l'avais surpris pendant qu'il m'épiait ; pour
me donner le change, peut-être cherchait-il seulement, par sa nouvelle attitude, à exprimer la distraction et le détachement, mais c'était avec une exagération si agressive que son but semblait au moins autant
que de dissiper les soupçons que j'avais dû avoir, de
venger une humiliation qu'à mon insu je lui eusse
infligée, de me donner l'idée non pas tant qu'il ne
m'avait pas vu, que celle que j'étais un objet de trop
petite importance pour attirer son attention. Il cam-
brait sa taille d'un air de bravade, pinçait les lèvres,

relevait ses moustaches et dans son regard ajustait
quelque chose d'indifférent, de dur, de presque
insultant. Si bien que la singularité de son expression
me le faisait prendre tantôt pour un voleur, et tantôt
pour un aliéné. Pourtant sa mise extrêmement soignée
était beaucoup plus grave et beaucoup plus simple que
celles de tous les baigneurs que je voyais à Balbec, et
rassurante pour mon veston si souvent humilié par la
blancheur éclatante et banale de leurs costumes de
plage. Mais ma grand-mère venait à ma rencontre,
nous fîmes un tour ensemble et je l'attendais, une
heure après, devant l'hôtel où elle était rentrée un
instant, quand je vis sortir Mme de Villeparisis avec
Robert de Saint-Loup et l'inconnu qui m'avait regardé
si fixement devant le casino. Avec la rapidité d'un
éclair son regard me traversa ainsi qu'au moment où je
l'avais aperçu, et revint, comme s'il ne m'avait pas vu,
se ranger, un peu bas, devant ses yeux, émoussé,
comme le regard neutre qui feint de ne rien voir au-
dehors et n'est capable de rien lire au-dedans, le
regard qui exprime seulement la satisfaction de sentir
autour de soi les cils qu'il écarte de sa rondeur béate,
le regard dévot et confit qu'ont certains hypocrites, le
regard fat qu'ont certains sots. Je vis qu'il avait changé
de costume. Celui qu'il portait était encore plus
sombre ; et sans doute c'est que la véritable élégance
est moins loin de la simplicité que la fausse ; mais il y
avait autre chose : d'un peu près on sentait que si la
couleur était presque entièrement absente de ces
vêtements, ce n'était pas parce que celui qui l'en avait
bannie y était indifférent, mais plutôt parce que pour
une raison quelconque il se l'interdisait. Et la sobriété
qu'ils laissaient paraître semblait de celles qui viennent de l'obéissance à un régime, plutôt que du
manque de gourmandise. Un filet de vert sombre
s'harmonisait, dans le tissu du pantalon, à la rayure
des chaussettes avec un raffinement qui décelait la
vivacité d'un goût maté partout ailleurs et à qui cette
seule concession avait été faite par tolérance, tandis
qu'une tache rouge sur la cravate était imperceptible

comme une liberté qu'on n'ose prendre. « Comment allez-vous ? Je vous présente mon neveu, le Baron de Guermantes », me dit Mme de Villeparisis, pendant que l'inconnu, sans me regarder, grommelant un vague : « Charmé » qu'il fit suivre de : « heue, heue, heue », pour donner à son amabilité quelque chose de forcé, et repliant le petit doigt, l'index et le pouce, me tendait le troisième doigt et l'annulaire, dépourvus de toute bague, que je serrai sous son gant de Suède ; puis sans avoir levé les yeux sur moi il se détourna vers Mme de Villeparisis. « Mon Dieu, est-ce que je perds la tête ? dit celle-ci, voilà que je t'appelle le Baron de Guermantes. Je vous présente le Baron de Charlus. Après tout l'erreur n'est pas si grande, ajouta-t-elle, tu es bien un Guermantes tout de même. »

Cependant ma grand-mère sortait, nous fîmes route ensemble. L'oncle de Saint-Loup ne m'honora non seulement pas d'une parole mais même d'un regard. S'il dévisageait les inconnus (et pendant cette courte promenade il lança deux ou trois fois son terrible et profond regard en coup de sonde sur des gens insignifiants et de la plus modeste extraction qui passaient), en revanche il ne regardait à aucun moment, si j'en jugeais par moi, les personnes qu'il connaissait, — comme un policier en mission secrète mais qui tient ses amis en dehors de sa surveillance professionnelle. Les laissant causer ensemble, ma grand-mère, Mme de Villeparisis et lui, je retins Saint-Loup en arrière : « Dites-moi, ai-je bien entendu ? Madame de Villeparisis a dit à votre oncle qu'il était un Guermantes. » — « Mais oui, naturellement, c'est Palamède de Guermantes. » — « Mais des mêmes Guermantes qui ont un château près de Combray et qui prétendent descendre de Geneviève de Brabant ? » — « Mais absolument : mon oncle qui est on ne peut plus héraldique vous répondrait que notre *cri*, notre cri de guerre qui devint ensuite Passavant, était d'abord Combraysis, dit-il en riant pour ne pas avoir l'air de tirer vanité de cette prérogative du cri qu'avaient seules les maisons quasi souveraines, les

grands chefs des bandes. Il est le frère du possesseur
actuel du château. » Ainsi s'apparentait et de tout
près, aux Germantes, cette Mme de Villeparisis, restée
si longtemps pour moi la dame qui m'avait donné une
boîte de chocolat tenue par un canard, quand j'étais
petit, plus éloignée alors du côté de Guermantes que si
elle avait été enfermée dans le côté de Méséglise,
moins brillante, moins haut située par moi que
l'opticien de Combray, et qui maintenant subissait
brusquement une de ces hausses fantastiques, paral-
lèles aux dépréciations non moins imprévues d'autres
objets que nous possédons, lesquelles — les unes
comme les autres — introduisent dans notre adolescence et dans les parties de notre vie où persiste un
peu de notre adolescence, des changements aussi
nombreux que les métamorphoses d'Ovide. « Est-ce
qu'il n'y a pas dans ce château tous les bustes des
anciens seigneurs de Guermantes ? » — « Oui, c'est
un beau spectacle, dit ironiquement Saint-Loup.
Entre nous, je trouve toutes ces choses-là un peu
falotes. Mais il y a à Guermantes, ce qui est un peu
plus intéressant ! un portrait bien touchant de ma
tante par Carrière. C'est beau comme du Whistler ou
du Vélasquez, ajouta Saint-Loup qui dans son zèle de
néophyte ne gardait pas toujours exactement l'échelle
des grandeurs[79]. Il y a aussi d'émouvantes peintures
de Gustave Moreau. Ma tante est la nièce de votre
amie madame de Villeparisis, elle a été élevée par elle,
et a épousé son cousin qui était neveu aussi de ma
tante Villeparisis, le duc de Guermantes actuel. » —
« Et alors qu'est votre oncle[80] ? » — « Il porte le titre
de Baron de Charlus. Régulièrement, quand mon
grand-oncle est mort, mon oncle Palamède aurait dû
prendre le titre de Prince des Laumes, qui était celui
de son frère avant qu'il devînt Duc de Guermantes,
car dans cette famille-là ils changent de nom comme
de chemise. Mais mon oncle a sur tout cela des idées
particulières. Et comme il trouve qu'on abuse un peu
des duchés italiens, grandesses espagnoles, etc., et
bien qu'il eût le choix entre quatre ou cinq titres de

prince il a gardé celui de Baron de Charlus, par
protestation et avec une apparente simplicité où il y a
beaucoup d'orgueil. " Aujourd'hui, dit-il, tout le
monde est prince, il faut pourtant bien avoir quelque
chose qui vous distingue ; je prendrai un titre de
prince quand je voudrai voyager incognito. " Il n'y a
pas selon lui de titre plus ancien que celui de Baron de
Charlus ; pour vous prouver qu'il est antérieur à celui
des Montmorency, qui se disaient faussement les
premiers barons de France, alors qu'ils l'étaient
seulement de l'Ile-de-France où était leur fief, mon
oncle vous donnera des explications pendant des
heures et avec plaisir parce que quoiqu'il soit très fin,
très doué, il trouve cela un sujet de conversation tout à
fait vivant, dit Saint-Loup avec un sourire. Mais
comme je ne suis pas comme lui, vous n'allez pas me
faire parler généalogie, je ne sais rien de plus assommant, de plus périmé, vraiment l'existence est trop
courte. » Je reconnaissais maintenant dans le regard
dur qui m'avait fait retourner tout à l'heure près du
casino celui que j'avais vu fixé sur moi à Tansonville
au moment où Mme Swann avait appelé Gilberte.
« Mais parmi les nombreuses maîtresses que vous me
disiez qu'avait eues votre oncle, M. de Charlus, est-ce
qu'il n'y avait pas Mme Swann ? » — « Oh ! pas du
tout ! C'est-à-dire qu'il est un grand ami de Swann et
l'a toujours beaucoup soutenu. Mais on n'a jamais dit
qu'il fût l'amant de sa femme. Vous causeriez beaucoup d'étonnement dans le monde, si vous aviez l'air
de croire cela. » Je n'osai lui répondre qu'on en aurait
éprouvé bien plus à Combray, si j'avais eu l'air de ne
pas le croire.

Ma grand-mère fut enchantée de M. de Charlus.
Sans doute il attachait une extrême importance à
toutes les questions de naissance et de situation
mondaine, et ma grand-mère l'avait remarqué, mais
sans rien de cette sévérité où entrent d'habitude une
secrète envie et l'irritation de voir un autre se réjouir
d'avantages qu'on voudrait et qu'on ne peut posséder.
Comme au contraire ma grand-mère contente de son

sort et ne regrettant nullement de ne pas vivre dans une société plus brillante, ne se servait que de son intelligence pour observer les travers de M. de Charlus, elle parlait de l'oncle de Saint-Loup avec cette bienveillance détachée, souriante, presque sympathique, par laquelle nous récompensons l'objet de notre observation désintéressée du plaisir qu'elle nous procure, et d'autant plus que cette fois l'objet était un personnage dont elle trouvait que les prétentions sinon légitimes, du moins pittoresques, le faisaient assez vivement trancher sur les personnes qu'elle avait généralement l'occasion de voir. Mais c'était surtout en faveur de l'intelligence et de la sensibilité qu'on devinait extrêmement vives chez M. de Charlus, au contraire de tant de gens du monde dont se moquait Saint-Loup, que ma grand-mère lui avait si aisément pardonné son préjugé aristocratique. Celui-ci n'avait pourtant pas été sacrifié par l'oncle, comme par le neveu, à des qualités supérieures. M. de Charlus l'avait plutôt concilié avec elles. Possédant comme descendant des Ducs de Nemours et des Princes de Lamballe[81], des archives, des meubles, des tapisseries, des portraits faits pour ses aïeux par Raphaël, par Vélasquez, par Boucher, pouvant dire justement qu'il visitait un musée et une incomparable bibliothèque, rien qu'en parcourant ses souvenirs de famille, il plaçait au contraire au rang d'où son neveu l'avait fait déchoir, tout l'héritage de l'aristocratie. Peut-être aussi, moins idéologue que Saint-Loup, se payant moins de mots, plus réaliste observateur des hommes, ne voulait-il pas négliger un élément essentiel de prestige à leurs yeux et qui, s'il donnait à son imagination des jouissances désintéressées pouvait être souvent pour son activité utilitaire un adjuvant puissamment efficace. Le débat reste ouvert entre les hommes de cette sorte et ceux qui obéissent à l'idéal intérieur qui les pousse à se défaire de ces avantages pour chercher uniquement à le réaliser, semblables en cela aux peintres, aux écrivains qui renoncent leur virtuosité, aux peuples artistes qui se modernisent,

aux peuples guerriers prenant l'initiative du désarme-
ment universel, aux gouvernements absolus qui se
font démocratiques et abrogent de dures lois, bien
souvent sans que la réalité récompense leur noble
effort ; car les uns perdent leur talent, les autres leur
prédominance séculaire ; le pacifisme multiplie quelquefois les guerres et l'indulgence la criminalité. Si les
efforts de sincérité et d'émancipation de Saint-Loup
ne pouvaient être trouvés que très nobles, à juger par
le résultat extérieur, il était permis de se féliciter qu'ils
eussent fait défaut chez M. de Charlus, lequel avait
fait transporter chez lui une grande partie des admirables boiseries de l'hôtel Guermantes au lieu de les
échanger comme son neveu contre un mobilier
modern style, des Lebourg et des Guillaumin[82]. Il
n'en était pas moins vrai que l'idéal de M. de Charlus
était fort factice, et si cette épithète peut être rapprochée du mot idéal, tout autant mondain qu'artistique.
À quelques femmes de grande beauté et de rare
culture dont les aïeules avaient été deux siècles plus tôt
mêlées à toute la gloire et à toute l'élégance de l'ancien
régime, il trouvait une distinction qui le faisait
pouvoir se plaire seulement avec elles et sans doute
l'admiration qu'il leur avait vouée était sincère, mais
de nombreuses réminiscences d'histoire et d'art évoquées par leurs noms y entraient pour une grande
part, comme des souvenirs de l'Antiquité sont une des
raisons du plaisir qu'un lettré trouve à lire une ode
d'Horace peut-être inférieure à des poèmes de nos
jours qui laisseraient ce même lettré indifférent.
Chacune de ces femmes à côté d'une jolie bourgeoise
était pour lui ce qu'est à une toile contemporaine
représentant une route ou une noce, ces tableaux
anciens dont on sait l'histoire, depuis le Pape ou le Roi
qui les commandèrent, en passant par tels personnages auprès de qui leur présence, par don, achat,
prise ou héritage nous rappelle quelque événement ou
tout au moins quelque alliance d'un intérêt historique,
par conséquent des connaissances que nous avons
acquises, leur donne une nouvelle utilité, augmente le

sentiment de la richesse des possessions de notre mémoire ou de notre érudition. M. de Charlus se félicitait qu'un préjugé analogue au sien en empêchant ces quelques grandes dames de frayer avec des femmes d'un sang moins pur, les offrît à son culte intactes, dans leur noblesse inaltérée, comme telle façade du XVIIIᵉ siècle soutenue par ses colonnes plates de marbre rose et à laquelle les temps nouveaux n'ont rien changé.

M. de Charlus célébrait la véritable *noblesse* d'esprit et de cœur de ces femmes, jouant ainsi sur le mot par une équivoque qui le trompait lui-même et où résidait le mensonge de cette conception bâtarde, de cet ambigu d'aristocratie, de générosité et d'art, mais aussi sa séduction, dangereuse pour des êtres comme ma grand-mère à qui le préjugé plus grossier mais plus innocent d'un noble qui ne regarde qu'aux quartiers et ne se soucie pas du reste, eût semblé trop ridicule, mais qui était sans défense dès que quelque chose se présentait sous les dehors d'une supériorité spirituelle, au point qu'elle trouvait les princes enviables par-dessus tous les hommes, parce qu'ils purent avoir un La Bruyère, un Fénelon comme précepteurs.

Devant le Grand-Hôtel, les trois Guermantes nous quittèrent ; ils allaient déjeuner chez la Princesse de Luxembourg. Au moment où ma grand-mère disait au revoir à Mme de Villeparisis et Saint-Loup à ma grand-mère, M. de Charlus qui jusque-là ne m'avait pas adressé la parole, fit quelques pas en arrière et arrivé à côté de moi : « Je prendrai le thé ce soir après dîner dans l'appartement de ma tante Villeparisis, me dit-il. J'espère que vous me ferez le plaisir de venir avec Madame votre grand-mère. » Et il rejoignit la Marquise.

Quoique ce fût dimanche, il n'y avait pas plus de fiacres devant l'hôtel qu'au commencement de la saison. La femme du notaire en particulier trouvait que c'était faire bien des frais que de louer chaque fois une voiture pour ne pas aller chez les Cambremer, et elle se contentait de rester dans sa chambre. « Est-ce

que Mme Blandais est souffrante ? demandait-on au
notaire, on ne l'a pas vue aujourd'hui. » — « Elle a un
peu mal à la tête, la chaleur, cet orage. Il lui suffit d'un
rien ; mais je crois que vous la verrez ce soir. Je lui ai
conseillé de descendre. Cela ne peut lui faire que du
bien. »

J'avais pensé qu'en nous invitant ainsi chez sa tante,
que je ne doutais pas qu'il eût prévenue, M. de
Charlus eût voulu réparer l'impolitesse qu'il m'avait
témoignée pendant la promenade du matin. Mais
quand arrivé dans le salon de Mme de Villeparisis je
voulus saluer le neveu de celle-ci, j'eus beau tourner
autour de lui qui, d'une voix aiguë, racontait une
histoire assez malveillante pour un de ses parents, je
ne pus pas attraper son regard ; je me décidai à lui dire
bonjour et assez fort, pour l'avertir de ma présence,
mais je compris qu'il l'avait remarquée, car avant
même qu'aucun mot ne fût sorti de mes lèvres, au
moment où je m'inclinais je vis ses deux doigts tendus
pour que je les serrasse, sans qu'il eût tourné les yeux
ou interrompu la conversation. Il m'avait évidemment
vu, sans le laisser paraître, et je m'aperçus alors que
ses yeux qui n'étaient jamais fixés sur l'interlocuteur,
se promenaient perpétuellement dans toutes les direc-
tions, comme ceux de certains animaux effrayés, ou
ceux de ces marchands en plein air qui tandis qu'ils
débitent leur boniment et exhibent leur marchandise
illicite, scrutent, sans pourtant tourner la tête, les
différents points de l'horizon par où pourrait venir la
police. Cependant j'étais un peu étonné de voir que
Mme de Villeparisis heureuse de nous voir venir, ne
semblait pas s'y être attendue, je le fus plus encore
d'entendre M. de Charlus dire à ma grand-mère :
« Ah ! c'est une très bonne idée que vous avez eue de
venir, c'est charmant, n'est-ce pas, ma tante ? » Sans
doute avait-il remarqué la surprise de celle-ci à notre
entrée et pensait-il en homme habitué à donner le ton,
le « la », qu'il lui suffirait pour changer cette surprise
en joie d'indiquer qu'il en éprouvait lui-même, que
c'était bien le sentiment que notre venue devait

exciter. En quoi il calculait bien, car Mme de Villeparisis qui comptait fort son neveu et savait combien il était difficile de lui plaire, parut soudain avoir trouvé à ma grand-mère de nouvelles qualités et ne cessa de lui faire fête. Mais je ne pouvais comprendre que M. de Charlus eût oublié en quelques heures l'invitation si brève, mais en apparence si intentionnelle, si prémédi-tée qu'il m'avait adressée le matin même et qu'il appelât « bonne idée » de ma grand-mère, une idée qui était toute de lui. Avec un scrupule de précision que je gardai jusqu'à l'âge où je compris que ce n'est pas en la lui demandant qu'on apprend la vérité sur l'intention qu'un homme a eue et que le risque d'un malentendu qui passera probablement inaperçu est moindre que celui d'une naïve insistance : « Mais, Monsieur, lui dis-je, vous vous rappelez bien, n'est-ce pas, que c'est vous qui m'avez demandé que nous vinssions ce soir ? » Aucun mouvement, aucun son ne trahit que M. de Charlus eût entendu ma question. Ce que voyant je la répétai comme les diplomates ou ces jeunes gens brouillés qui mettent une bonne volonté inlassable et vaine à obtenir des éclaircissements que l'adversaire est décidé à ne pas donner. M. de Charlus ne me répondit pas davantage. Il me sembla voir flotter sur ses lèvres le sourire de ceux qui de très haut jugent les caractères et les éducations.

Puisqu'il refusait toute explication, j'essayai de m'en donner une, et je n'arrivai qu'à hésiter entre plusieurs dont aucune pouvait n'être la bonne. Peut-être ne se rappelait-il pas, ou peut-être c'était moi qui avais mal compris ce qu'il avait dit le matin... Plus probablement par orgueil ne voulait-il pas paraître avoir cherché à attirer des gens qu'il dédaignait, et préférait-il rejeter sur eux l'initiative de leur venue. Mais alors, s'il nous dédaignait, pourquoi avait-il tenu à ce que nous vinssions ou plutôt à ce que ma grand-mère vînt, car de nous deux ce fut à elle seule qu'il adressa la parole pendant cette soirée et pas une seule fois à moi. Causant avec la plus grande animation avec elle ainsi qu'avec Mme de Villeparisis, caché en quelque sorte derrière elles, comme il eût été au fond d'une loge, il se contentait seulement, détournant par moments le regard investigateur de ses yeux pénétrants, de l'attacher sur ma figure, avec le même sérieux, le même air de préoccupation, que si elle eût été un manuscrit difficile à déchiffrer.

Sans doute, s'il n'avait pas eu ces yeux, le visage de M. de Charlus était semblable à celui de beaucoup de beaux hommes. Et quand Saint-Loup en me parlant d'autres Guermantes me dit plus tard : « Dame ils n'ont pas cet air de race, de grand seigneur jusqu'au bout des ongles, qu'a mon oncle Palamède », en confirmant que l'air de race et la distinction aristocratiques n'étaient rien de mystérieux et de nouveau, mais consistaient en des éléments que j'avais reconnus sans difficulté et sans éprouver d'impression particulière, je devais sentir se dissiper une de mes illusions. Mais ce visage, auquel une légère couche de poudre donnait un peu l'aspect d'un visage de théâtre, M. de Charlus avait beau en fermer hermétiquement l'expression, les yeux étaient comme une lézarde, comme une meurtrière que seule il n'avait pu boucher et par laquelle, selon le point où on était placé par rapport à lui, on se sentait brusquement croisé du reflet de quelque engin intérieur qui semblait n'avoir rien de rassurant, même pour celui qui, sans en être absolument maître, le porterait en soi, à l'état d'équilibre instable et toujours sur le point d'éclater ; et l'expression circonspecte et incessamment inquiète de ces yeux, avec toute la fatigue qui, autour d'eux, jusqu'à un cerne descendu très bas, en résultait pour le visage, si bien composé et arrangé qu'il fût, faisait penser à quelque incognito, à quelque déguisement d'un homme puissant en danger, ou seulement d'un individu dangereux, mais tragique. J'aurais voulu deviner quel était ce secret que ne portaient pas en eux les autres hommes et qui m'avait déjà rendu si énigmatique le regard de M. de Charlus quand je l'avais vu le matin près du casino. Mais avec ce que je savais maintenant de sa parenté, je ne pouvais plus croire ni que ce fût celui d'un voleur, ni, d'après ce que j'entendais de sa conversation, que ce fût celui d'un fou. S'il était si froid avec moi, alors qu'il était tellement aimable avec ma grand-mère, cela ne tenait peut-être pas à une antipathie personnelle, car d'une manière générale, autant il était bienveillant pour les femmes, des défauts de qui il parlait sans se départir, habituellement, d'une grande indulgence, autant il avait à l'égard des hommes, et particulièrement des jeunes gens, une haine d'une violence qui rappelait celle de certains misogynes pour les femmes. De deux ou trois « gigolos » qui étaient de la famille ou de l'intimité de Saint-Loup et dont celui-ci cita par hasard le nom, M. de Charlus dit avec une expression presque féroce qui tranchait sur sa froideur habituelle : « Ce sont de petites canailles. » Je compris que ce qu'il reprochait surtout aux jeunes gens d'aujourd'hui, c'était d'être trop efféminés. « Ce sont de vraies femmes », disait-il avec mépris. Mais quelle vie n'eût pas semblé efféminée auprès de celle qu'il voulait que menât un homme et qu'il ne trouvait jamais assez énergique et virile ? (Lui-même dans ses voyages à pied, après des heures de course, se jetait brûlant dans des rivières glacées.) Il n'admettait même pas qu'un homme portât une seule bague. Mais ce parti de virilité ne l'empêchait pas d'avoir des qualités de sensibilité des plus fines. À Mme de Villeparisis qui le priait de décrire pour ma grand-mère un château où avait séjourné Mme de Sévigné, ajoutant qu'elle voyait un peu de littérature dans ce désespoir d'être séparée de cette ennuyeuse Mme de Grignan : « Rien au contraire, répondit-il, ne me semble plus vrai. C'était du reste une époque où ces sentiments-là étaient bien compris. L'habitant du Monomotapa de La Fontaine, courant chez son ami qui lui est apparu un peu triste pendant son sommeil, le pigeon trouvant que le plus grand des maux est l'absence de l'autre pigeon [83], vous semblent peut-être, ma tante, aussi exagérés que Mme de Sévigné ne pouvant pas attendre le moment où elle sera seule avec sa fille. C'est si beau ce qu'elle

dit quand elle la quitte : " Cette séparation me fait une
douleur à l'âme que je sens comme un mal du corps.
Dans l'absence on est libéral des heures. On avance
dans un temps auquel on aspire [84]. " » Ma grand-mère
était ravie d'entendre parler de ces Lettres exactement
de la façon qu'elle eût fait. Elle s'étonnait qu'un
homme pût les comprendre si bien. Elle trouvait à
M. de Charlus des délicatesses, une sensibilité féminines. Nous nous dîmes plus tard quand nous fûmes
seuls et parlâmes tous les deux de lui, qu'il avait dû
subir l'influence profonde d'une femme, sa mère, ou
plus tard sa fille s'il avait des enfants. Moi je pensai :
« Une maîtresse », en me reportant à l'influence que
celle de Saint-Loup me semblait avoir eue sur lui et
qui me permettait de me rendre compte à quel point
les femmes avec lesquelles ils vivent affinent les
hommes. « Une fois près de sa fille, elle n'avait
probablement rien à lui dire », répondit Mme de
Villeparisis. — « Certainement si ; fût-ce de ce qu'elle
appelait " choses si légères qu'il n'y a que vous et moi
qui les remarquions [85] ". Et en tout cas, elle était près
d'elle. Et La Bruyère nous dit que c'est tout : " Être
près des gens qu'on aime, leur parler, ne leur parler
point, tout est égal [86]. " Il a raison ; c'est le seul
bonheur, ajouta M. de Charlus d'une voix mélancolique ; et ce bonheur-là, hélas, la vie est si mal arrangée
qu'on le goûte bien rarement ; Mme de Sévigné a été
en somme moins à plaindre que d'autres. Elle a passé
une grande partie de sa vie auprès de ce qu'elle
aimait. » — « Tu oublies que ce n'était pas de
l'amour, c'était de sa fille qu'il s'agissait. » — « Mais
l'important dans la vie n'est pas ce qu'on aime, reprit-
il d'un ton compétent, péremptoire et presque tran-
chant, c'est d'aimer. Ce que ressentait Mme de
Sévigné pour sa fille peut prétendre beaucoup plus
justement ressembler à la passion que Racine a
dépeinte dans *Andromaque* ou dans *Phèdre*, que les
banales relations que le jeune Sévigné avait avec ses
maîtresses. De même, l'amour de tel mystique pour
son Dieu. Les démarcations trop étroites que nous

traçons autour de l'amour viennent seulement de notre grande ignorance de la vie. » — « Tu aimes beaucoup *Andromaque* et *Phèdre ?* » demanda Saint-Loup à son oncle, sur un ton légèrement dédaigneux. — « Il y a plus de vérité dans une tragédie de Racine que dans tous les drames de Monsieur Victor Hugo », répondit M. de Charlus. « C'est tout de même effrayant, le monde, me dit Saint-Loup à l'oreille. Préférer Racine à Victor, c'est quand même quelque chose d'énorme ! » Il était sincèrement attristé des paroles de son oncle, mais le plaisir de dire « quand même » et surtout « énorme » le consolait.

Dans ces réflexions sur la tristesse qu'il y a à vivre loin de ce qu'on aime (qui devaient amener ma grand-mère à me dire que le neveu de Mme de Villeparisis comprenait autrement bien certaines œuvres que sa tante, et surtout avait quelque chose qui le mettait bien au-dessus de la plupart des gens de club), M. de Charlus ne laissait pas seulement paraître une finesse de sentiment que montrent en effet rarement les hommes ; sa voix elle-même, pareille à certaines voix de contralto en qui on n'a pas assez cultivé le médium et dont le chant semble le duo alterné d'un jeune homme et d'une femme, se posait au moment où il exprimait ces pensées si délicates, sur des notes hautes, prenait une douceur imprévue et semblait contenir des chœurs de fiancées, de sœurs, qui répandaient leur tendresse. Mais la nichée de jeunes filles que M. de Charlus, avec son horreur de tout efféminement, aurait été si navré, d'avoir l'air d'abriter ainsi dans sa voix, ne s'y bornait pas à l'interprétation, à la modulation, des morceaux de sentiment. Souvent, tandis que causait M. de Charlus, on entendait leur rire aigu et frais de pensionnaires ou de coquettes ajuster leur prochain avec des malices de bonnes langues et de fines mouches.

Il raconta qu'une demeure qui avait appartenu à sa famille, où Marie-Antoinette avait couché, dont le parc était de Lenôtre, appartenait maintenant aux riches financiers Israël, qui l'avaient achetée. « Israël, du moins c'est le nom que portent ces gens, qui me semble un terme générique, ethnique, plutôt qu'un nom propre. On ne sait pas, peut-être que ce genre de personnes ne portent pas de noms et sont seulement désignées par la collectivité à laquelle elles appartiennent. Cela ne fait rien ! Avoir été la demeure des Guermantes et appartenir aux Israël !!! s'écria-t-il. Cela fait penser à cette chambre du château de Blois où le gardien qui le faisait visiter me dit : " C'est ici que Marie Stuart faisait sa prière ; et c'est là maintenant où ce que je mets mes balais. " Naturellement je ne veux rien savoir de cette demeure qui s'est déshonorée, pas plus que de ma cousine Clara de Chimay qui a quitté son mari. Mais je conserve la photographie de la première encore intacte, comme celle de la Princesse quand ses grands yeux n'avaient encore de regards que pour mon cousin. La photographie acquiert un peu de la dignité qui lui manque quand elle cesse d'être une reproduction du réel et nous montre des choses qui n'existent plus. Je pourrai vous en donner une, puisque ce genre d'architecture vous intéresse », dit-il à ma grand-mère. À ce moment, apercevant que le mouchoir brodé qu'il avait dans sa poche laissait dépasser des lisérés de couleur, il le rentra vivement avec la mine effarouchée d'une femme pudibonde mais point innocente dissimulant des appas que, par un excès de scrupule, elle juge indécents. « Imaginez-vous, reprit-il, que ces gens ont commencé par détruire le parc de Lenôtre, ce qui est aussi coupable que de lacérer un tableau de Poussin. Pour cela, ces Israël devraient être en prison. Il est vrai, ajouta-t-il en souriant après un moment de silence, qu'il y a sans doute tant d'autres choses pour lesquelles ils devraient y être ! En tous cas vous vous imaginez l'effet que produit devant ces architectures un jardin anglais. » — « Mais la maison est du même style que le Petit Trianon, dit Mme de Villeparisis, et Marie-Antoinette y a bien fait faire un jardin anglais. » — « Qui dépare tout de même la façade de Gabriel, répondit M. de Charlus. Évidemment ce serait main-

tenant une sauvagerie que de détruire le Hameau[87].
Mais quel que soit l'esprit du jour, je doute tout de
même qu'à cet égard une fantaisie de Mme Israël ait le
même prestige que le souvenir de la Reine. » Cependant ma grand-mère m'avait fait signe de monter me
coucher, malgré l'insistance de Saint-Loup qui, à ma
grande honte, avait fait allusion devant M. de Charlus
à la tristesse que j'éprouvais souvent le soir avant de
m'endormir et que son oncle devait trouver quelque
chose de bien peu viril. Je tardai encore quelques
instants, puis m'en allai, et fus bien étonné quand un
peu après, ayant entendu frapper à la porte de ma
chambre, et ayant demandé qui était là, j'entendis la
voix de M. de Charlus qui disait d'un ton sec : « C'est
Charlus. Puis-je entrer, Monsieur ? Monsieur, reprit-
il du même ton une fois qu'il eut refermé la porte,
mon neveu racontait tout à l'heure que vous étiez un
peu ennuyé avant de vous endormir, et d'autre part
que vous admiriez les livres de Bergotte. Comme j'en
ai dans ma malle un que vous ne connaissez probablement pas, je vous l'apporte pour vous aider à passer
ces moments où vous ne vous sentez pas heureux. » Je
remerciai M. de Charlus avec émotion et lui dis que
j'avais au contraire eu peur que ce que Saint-Loup lui
avait dit de mon malaise à l'approche de la nuit, m'eût
fait paraître à ses yeux plus stupide encore que je
n'étais. « Mais non, répondit-il avec un accent plus
doux. Vous n'avez peut-être pas de mérite personnel,
si peu d'êtres en ont ! Mais pour un temps du moins
vous avez la jeunesse et c'est toujours une séduction.
D'ailleurs, Monsieur, la plus grande des sottises, c'est
de trouver ridicules ou blâmables les sentiments qu'on
n'éprouve pas. J'aime la nuit et vous me dites que
vous la redoutez ; j'aime sentir les roses et j'ai un ami à
qui leur odeur donne la fièvre. Croyez-vous que je
pense pour cela qu'il vaut moins que moi ? Je m'ef-
force de tout comprendre et je me garde de rien
condamner. En somme, ne vous plaignez pas trop, je
ne dirai pas que ces tristesses ne sont pas pénibles, je
sais ce qu'on peut souffrir pour des choses que les

autres ne comprendraient pas. Mais du moins vous avez bien placé votre affection dans votre grand-mère. Vous la voyez beaucoup. Et puis c'est une tendresse permise, je veux dire une tendresse payée de retour. Il y en a tant dont on ne peut pas dire cela ! » Il marchait de long en large dans la chambre, regardant un objet, en soulevant un autre. J'avais l'impression qu'il avait quelque chose à m'annoncer et ne trouvait pas en quels termes le faire. « J'ai un autre volume de Bergotte ici, je vais vous le chercher », ajouta-t-il, et il sonna. Un groom vint au bout d'un moment. « Allez me chercher votre maître d'hôtel. Il n'y a que lui ici qui soit capable de faire une commission intelligemment », dit M. de Charlus avec hauteur. « Monsieur Aimé, Monsieur ? » demanda le groom. — « Je ne sais pas son nom, mais si, je me rappelle que je l'ai entendu appeler Aimé. Allez vite, je suis pressé. » — « Il va être tout de suite ici, Monsieur, je l'ai justement vu en bas », répondit le groom qui voulait avoir l'air au courant. Un certain temps se passa. Le groom revint. « Monsieur, monsieur Aimé est couché. Mais je peux faire la commission. » — « Non, vous n'avez qu'à le faire lever. » — « Monsieur, je ne peux pas, il ne couche pas là. » — « Alors, laissez-nous tranquilles. » — « Mais, Monsieur, dis-je, le groom parti, vous êtes trop bon, un seul volume de Bergotte me suffira. » — « C'est ce qui me semble, après tout. » M. de Charlus marchait. Quelques minutes se passèrent ainsi, puis, après quelques instants d'hésitation et se reprenant à plusieurs fois, il pivota sur lui-même et de sa voix redevenue cinglante, il me jeta : « Bonsoir, Monsieur » et partit.

Après tous les sentiments élevés que je lui avais entendu exprimer ce soir-là, le lendemain qui était le jour de son départ, sur la plage, dans la matinée, au moment où j'allais prendre mon bain, comme M. de Charlus s'était approché de moi pour m'avertir que ma grand-mère m'attendait aussitôt que je serais sorti de l'eau, je fus bien étonné de l'entendre me dire, en me pinçant le cou, avec une familiarité et un rire vulgaires : « Mais on s'en fiche bien de sa vieille grand-mère, hein ? petite fripouille ! » — « Comment monsieur, je l'adore !... » — « Monsieur, me dit-il en s'éloignant d'un pas et avec un air glacial, vous êtes encore jeune, vous devriez en profiter pour apprendre deux choses, la première, c'est de vous abstenir d'exprimer des sentiments trop naturels pour n'être pas sous-entendus ; la seconde c'est de ne pas partir en guerre pour répondre aux choses qu'on vous dit avant d'avoir pénétré leur signification. Si vous aviez pris cette précaution, il y a un instant, vous vous seriez évité d'avoir l'air de parler à tort et à travers comme un sourd et d'ajouter par là un second ridicule à celui d'avoir des ancres brodées sur votre costume de bain. Je vous ai prêté un livre de Bergotte dont j'ai besoin. Faites-le-moi rapporter dans une heure par ce maître d'hôtel au prénom risible et mal porté, qui je suppose n'est pas couché à cette heure-ci. Vous me faites apercevoir que je vous ai parlé trop tôt hier soir des séductions de la jeunesse, je vous aurais rendu meilleur service en vous signalant son étourderie, ses inconséquences et son incompréhension. J'espère, Monsieur, que cette petite douche ne vous sera pas moins salutaire que votre bain. Mais ne restez pas ainsi immobile, car vous pourriez prendre froid. Bonsoir, Monsieur. »

Sans doute eut-il regret de ces paroles, car quelque temps après je reçus — dans une reliure de maroquin sur le plat de laquelle avait été encastrée une plaque de cuir incisé qui représentait en demi-relief une branche de myosotis — le livre qu'il m'avait prêté et que je lui avais fait remettre, non par Aimé qui se trouvait « de sortie », mais par le liftier.

Une fois M. de Charlus parti, nous pûmes enfin, Robert et moi, aller dîner chez Bloch. Or, je compris pendant cette petite fête, que les histoires trop facilement trouvées drôles par notre camarade étaient des histoires de M. Bloch père, et que l'homme « tout à fait curieux » était toujours un de ses amis qu'il jugeait de cette façon. Il y a un certain nombre de gens qu'on admire dans son enfance, un père plus spirituel que le reste de la famille, un professeur qui bénéficie à nos yeux de la métaphysique qu'il nous révèle, un camarade plus avancé que nous (ce que Bloch avait été pour moi) qui méprise le Musset de *L'Espoir en Dieu* quand nous l'aimons encore[88], et quand nous en serons venus au père Leconte ou à Claudel ne s'extasiera plus que sur

> À Saint-Blaise, à la Zuecca,
> Vous étiez, vous étiez bien aise...

en y ajoutant :

> Padoue est un fort bel endroit
> Où de très grands docteurs en droit...
> Mais j'aime mieux la polenta...
> ... Passe dans son domino noir
> La Toppatelle.

et de toutes les « Nuits » ne retient que :

> Au Havre, devant l'Atlantique,
> À Venise, à l'affreux Lido,
> Où vient sur l'herbe d'un tombeau
> Mourir la pâle Adriatique.

Or, de quelqu'un qu'on admire de confiance, on recueille, on cite avec admiration, des choses très inférieures à celles que livré à son propre génie on refuserait avec sévérité, de même qu'un écrivain utilise dans un roman sous prétexte qu'ils sont vrais, des « mots », des personnages, qui dans l'ensemble vivant font au contraire poids mort, partie médiocre. Les portraits de Saint-Simon écrits par lui sans qu'il s'admire sans doute, sont admirables, les traits qu'il cite comme charmants de gens d'esprit qu'il a connus, sont restés médiocres ou devenus incompréhensibles. Il eût dédaigné d'inventer ce qu'il rapporte comme si fin ou si coloré de Mme Cornuel[89] ou de Louis XIV, fait qui du reste est à noter chez bien d'autres et

comporte diverses interprétations dont il suffit en ce
moment de retenir celle-ci : c'est que dans l'état
d'esprit où l'on « observe » on est très au-dessous du
niveau où l'on se trouve quand on crée.

Il y avait donc enclavé en mon camarade Bloch, un
père Bloch, qui retardait de quarante ans sur son fils,
débitait des anecdotes saugrenues, et en riait autant au
fond de mon ami, que ne faisait le père Bloch extérieur
et véritable, puisque au rire que ce dernier lâchait non
sans répéter deux ou trois fois le dernier mot, pour
que son public goûtât bien l'histoire, s'ajoutait le rire
bruyant par lequel le fils ne manquait pas à table de
saluer les histoires de son père. C'est ainsi qu'après
avoir dit les choses les plus intelligentes, Bloch jeune,
manifestant l'apport qu'il avait reçu de sa famille,
nous racontait pour la trentième fois, quelques-uns
des mots que le père Bloch sortait seulement (en
même temps que sa redingote) les jours solennels où
Bloch jeune amenait quelqu'un qu'il valait la peine
d'éblouir : un de ses professeurs, un « copain » qui
avait tous les prix, ou, ce soir-là, Saint-Loup et moi.
Par exemple : « Un critique militaire très fort, qui
avait savamment déduit avec preuves à l'appui pour
quelles raisons infaillibles dans la guerre russo-japonaise, les Japonais seraient battus et les Russes
vainqueurs [90] », ou bien : « C'est un homme éminent
qui passe pour un grand financier dans les milieux
politiques et pour un grand politique dans les milieux
financiers. » Ces histoires étaient interchangeables
avec une du Baron de Rothschild et une de Sir Rufus
Israël, personnages mis en scène d'une manière équivoque qui pouvait donner à entendre que M. Bloch les
avait personnellement connus.

J'y fus moi-même pris et à la manière dont
M. Bloch père parla de Bergotte, je crus aussi que
c'était un de ses vieux amis. Or, tous les gens célèbres,
M. Bloch ne les connaissait que « sans les connaître »,
pour les avoir vus de loin au théâtre, sur les boulevards. Il s'imaginait du reste que sa propre figure, son
nom, sa personnalité ne leur étaient pas inconnus et

qu'en l'apercevant, ils étaient souvent obligés de retenir une furtive envie de le saluer. Les gens du monde, parce qu'ils connaissent les gens de talent, d'original[91], qu'ils les reçoivent à dîner, ne les comprennent pas mieux pour cela. Mais quand on a un peu vécu dans le monde, la sottise de ses habitants vous fait trop souhaiter de vivre, trop supposer d'intelligence, dans les milieux obscurs où l'on ne connaît que « sans connaître ». J'allais m'en rendre compte en parlant de Bergotte. M. Bloch n'était pas le seul qui eût des succès chez lui. Mon camarade en avait davantage encore auprès de ses sœurs qu'il ne cessait d'interpeller sur un ton bougon, en enfonçant sa tête dans son assiette ; il les faisait ainsi rire aux larmes. Elles avaient d'ailleurs adopté la langue de leur frère qu'elles parlaient couramment, comme si elle eût été obligatoire et la seule dont pussent user des personnes intelligentes. Quand nous arrivâmes, l'aînée dit à une de ses cadettes : « Va prévenir notre père prudent et notre mère vénérable. » — « Chiennes, leur dit Bloch, je vous présente le cavalier Saint-Loup, aux javelots rapides qui est venu pour quelques jours de Doncières aux demeures de pierre polie, féconde en chevaux. » Comme il était aussi vulgaire que lettré, le discours se terminait d'habitude par quelque plaisanterie moins homérique : « Voyons, fermez un peu plus vos peplos aux belles agrafes, qu'est-ce que c'est que ce chichi-là ? Après tout c'est pas mon père[92] ! » Et les demoiselles Bloch s'écroulaient dans une tempête de rires. Je dis à leur frère combien de joies il m'avait données en me recommandant la lecture de Bergotte dont j'avais adoré les livres.

M. Bloch père qui ne connaissait Bergotte que de loin, et la vie de Bergotte que par les racontars du parterre, avait une manière tout aussi indirecte de prendre connaissance de ses œuvres, à l'aide de jugements d'apparence littéraire. Il vivait dans le monde des à peu près, où l'on salue dans le vide, où l'on juge dans le faux. L'inexactitude, l'incompétence, n'y diminuent pas l'assurance, au contraire. C'est le miracle bienfaisant de l'amour-propre que peu de gens pouvant avoir les relations brillantes et les connaissances profondes, ceux auxquels elles font défaut se croient encore les mieux partagés parce que l'optique des gradins sociaux fait que tout rang semble le meilleur à celui qui l'occupe et qui voit moins favorisés que lui, mal lotis, à plaindre, les plus grands qu'il nomme et calomnie sans les connaître, juge et dédaigne sans les comprendre. Même dans les cas où la multiplication des faibles avantages personnels par l'amour-propre ne suffirait pas à assurer à chacun la dose de bonheur, supérieure à celle accordée aux autres, qui lui est nécessaire, l'envie est là pour combler la différence. Il est vrai que si l'envie s'exprime en phrases dédaigneuses, il faut traduire : « Je ne veux pas le connaître » par « je ne peux pas le connaître ». C'est le sens intellectuel. Mais le sens passionné est bien : « Je ne veux pas le connaître. » On sait que cela n'est pas vrai, mais on ne le dit pas cependant par simple artifice, on le dit parce qu'on éprouve ainsi, et cela suffit pour supprimer la distance, c'est-à-dire pour le bonheur.

L'égocentrisme permettant de la sorte à chaque humain de voir l'univers étagé au-dessous de lui qui est roi, M. Bloch se donnait le luxe d'en être un impitoyable quand le matin en prenant son chocolat, voyant la signature de Bergotte au bas d'un article dans le journal à peine entr'ouvert, il lui accordait dédaigneusement une audience écourtée, prononçait sa sentence, et s'octroyait le confortable plaisir de répéter entre chaque gorgée du breuvage bouillant : « Ce Bergotte est devenu illisible. Ce que cet animal-là peut être embêtant. C'est à se désabonner. Comme c'est emberlificoté ! quelle tartine ! » Et il reprenait une beurrée.

Cette importance illusoire de M. Bloch père était d'ailleurs étendue un peu au-delà du cercle de sa propre perception. D'abord ses enfants le considéraient comme un homme supérieur. Les enfants ont toujours une tendance soit à déprécier, soit à exalter leurs parents, et pour un bon fils, son père est toujours le meilleur des pères, en dehors même de toutes raisons objectives de l'admirer. Or celles-ci ne manquaient pas absolument pour M. Bloch, lequel était instruit, fin, affectueux pour les siens. Dans la famille la plus proche, on se plaisait d'autant plus avec lui que si dans la « société », on juge les gens d'après un étalon d'ailleurs absurde et selon des règles fausses mais fixes, par comparaison avec la totalité des autres gens élégants, en revanche dans le morcellement de la vie bourgeoise, les dîners, les soirées de famille tournent autour de personnes qu'on déclare agréables, amusantes, et qui dans le monde ne tiendraient pas l'affiche deux soirs. Enfin, dans ce milieu où les grandeurs factices de l'aristocratie n'existent pas, on les remplace par des distinctions plus folles encore. C'est ainsi que pour sa famille et jusqu'à un degré de parenté fort éloigné, une prétendue ressemblance dans la façon de porter la moustache et dans le haut du nez faisait qu'on appelait M. Bloch un « faux Duc d'Aumale ». (Dans le monde des « chasseurs » de cercle, l'un qui porte sa casquette de travers et sa vareuse très serrée de manière à se donner l'air, croit-il, d'un officier étranger, n'est-il pas une manière de personnage pour ses camarades ?)

La ressemblance était des plus vagues, mais on eût dit que ce fût un titre. On répétait : « Bloch ? lequel ? le Duc d'Aumale ? » Comme on dit : La Princesse Murat ? laquelle ? la Reine (de Naples[93]) ? » Un certain nombre d'autres infimes indices achevaient de lui donner aux yeux du cousinage une prétendue distinction. N'allant pas jusqu'à avoir une voiture, M. Bloch louait à certains jours une victoria découverte à deux chevaux de la Compagnie et traversait le Bois de Boulogne, mollement étendu de travers, deux doigts sur la tempe, deux autres sous le menton et si les gens qui ne le connaissaient pas le trouvaient à cause de cela « faiseur d'embarras », on était persuadé dans la famille que pour le chic, l'oncle Salomon aurait pu en remontrer à Gramont-Caderousse[94]. Il était de ces

personnes qui quand elles meurent et à cause d'une
table commune avec le rédacteur en chef de cette
feuille, dans un restaurant des boulevards, sont quali-
fiées de « physionomie bien connue des Parisiens »,
par la Chronique mondaine du *Radical*[95]. M. Bloch
nous dit à Saint-Loup et à moi que Bergotte savait si
bien pourquoi lui M. Bloch ne le saluait pas que dès
qu'il l'apercevait au théâtre ou au cercle, il fuyait son
regard. Saint-Loup rougit, car il réfléchit que ce cercle
ne pouvait pas être le Jockey dont son père avait été
président. D'autre part ce devait être un cercle
relativement fermé, car M. Bloch avait dit que
Bergotte n'y serait plus reçu aujourd'hui. Aussi est-ce
en tremblant de « sous-estimer l'adversaire » que
Saint-Loup demanda si ce cercle était le cercle de la
rue Royale[96], lequel était jugé « déclassant » par la
famille de Saint-Loup et où il savait qu'étaient reçus
certains israélites. « Non, répondit M. Bloch d'un air
négligent, fier et honteux, c'est un petit cercle, mais
beaucoup plus agréable, le Cercle des Ganaches. On y
juge sévèrement la galerie. » — « Est-ce que Sir Rufus
Israël n'en est pas président ? » demanda Bloch fils à
son père, pour lui fournir l'occasion d'un mensonge
honorable et sans se douter que ce financier n'avait pas
le même prestige aux yeux de Saint-Loup qu'aux
siens. En réalité, il y avait au Cercle des Ganaches non
point Sir Rufus Israël, mais un de ses employés. Mais
comme il était fort bien avec son patron, il avait à sa
disposition des cartes du grand financier, et en
donnait une à M. Bloch quand celui-ci partait en
voyage sur une ligne dont Sir Rufus était administra-
teur, ce qui faisait dire au père Bloch : « Je vais passer
au cercle demander une recommandation de Sir
Rufus. » Et la carte lui permettait d'éblouir les chefs
de train. Les demoiselles Bloch furent plus intéressées
par Bergotte et revenant à lui au lieu de poursuivre sur
les « Ganaches », la cadette demanda à son frère du
ton le plus sérieux du monde, car elle croyait qu'il
n'existait pas au monde pour désigner les gens de
talent d'autres expressions que celles qu'il employait :

« Est-ce un coco vraiment étonnant, ce Bergotte ? Est-il de la catégorie des grands bonshommes, des cocos comme Villiers ou Catulle [97] ? » — « Je l'ai rencontré à plusieurs générales, dit M. Nissim Bernard. Il est gauche, c'est une espèce de Schlemihl. » Cette allusion au conte de Chamisso n'avait rien de bien grave, mais l'épithète de Schlemihl faisait partie de ce dialecte mi-allemand, mi-juif [98], dont l'emploi ravissait M. Bloch dans l'intimité, mais qu'il trouvait vulgaire et déplacé devant des étrangers. Aussi jeta-t-il un regard sévère sur son oncle. « Il a du talent », dit Bloch. « Ah ! » fit gravement sa sœur comme pour dire que dans ces conditions j'étais excusable. « Tous les écrivains ont du talent », dit avec mépris M. Bloch père. « Il paraît même, dit son fils en levant sa fourchette et en plissant ses yeux d'un air diaboliquement ironique, qu'il va se présenter à l'Académie. » — « Allons donc ! il n'a pas un bagage suffisant, répondit M. Bloch le père qui ne semblait pas avoir pour l'Académie le mépris de son fils et de ses filles. Il n'a pas le calibre nécessaire. » — « D'ailleurs l'Académie est un salon et Bergotte ne jouit d'aucune surface », déclara l'oncle à héritage de Mme Bloch, personnage inoffensif et doux dont le nom de Bernard eût peut-être à lui seul éveillé les dons de diagnostic de mon grand-père, mais eût paru insuffisamment en harmonie avec un visage qui semblait rapporté du palais de Darius et reconstitué par Mme Dieulafoy si, choisi par quelque amateur désireux de donner un couronnement oriental à cette figure de Suse, ce prénom de Nissim n'avait fait planer au-dessus d'elle les ailes de quelque taureau androcéphale de Khorsabad [99]. Mais M. Bloch ne cessait d'insulter son oncle, soit qu'il fût excité par la bonhomie sans défense de son souffre-douleur soit que la villa étant payée par M. Nissim Bernard, le bénéficiaire voulût montrer qu'il gardait son indépendance et surtout qu'il ne cherchait pas par des cajoleries à s'assurer l'héritage à venir du richard. Celui-ci était surtout froissé qu'on le traitât si grossièrement devant le maître d'hôtel. Il murmura une

phrase inintelligible où on distinguait seulement :
« Quand les Meschorès sont là. » Meschorès désigne
dans la Bible le serviteur de Dieu. Entre eux les Bloch
s'en servaient pour désigner les domestiques et en
étaient toujours égayés parce que leur certitude de
n'être compris ni des chrétiens ni des domestiques
eux-mêmes, exaltait chez M. Nissim Bernard et
M. Bloch leur double particularisme de « maîtres » et
de « juifs ». Mais cette dernière cause de satisfaction
en devenait une de mécontentement quand il y avait
du monde. Alors M. Bloch entendant son oncle dire
« Meschorès » trouvait qu'il laissait trop paraître son
côté oriental, de même qu'une cocotte qui invite de ses
amies avec des gens comme il faut, est irritée si elles
font allusion à leur métier de cocotte, ou emploient
des mots malsonnants. Aussi, bien loin que la prière
de son oncle produisît quelque effet sur M. Bloch,
celui-ci, hors de lui, ne put plus se contenir. Il ne
perdit plus une occasion d'invectiver le malheureux
oncle.

    « Naturellement, quand il y a quelque bêtise prud-
hommesque à dire, on peut être sûr que vous ne la
ratez pas. Vous seriez le premier à lui lécher les pieds
s'il était là », cria M. Bloch tandis que M. Nissim
Bernard attristé inclinait vers son assiette la barbe
annelée du roi Sargon. Mon camarade depuis qu'il
portait la sienne qu'il avait aussi crépue et bleutée
ressemblait beaucoup à son grand-oncle. « Comment,
vous êtes le fils du Marquis de Marsantes ? mais je l'ai
très bien connu », dit à Saint-Loup M. Nissim Bernard. Je crus qu'il voulait dire « connu » au sens où le
père de Bloch disait qu'il connaissait Bergotte, c'est-à-
dire de vue. Mais il ajouta : « Votre père était un de
mes bons amis. » Cependant Bloch était devenu
excessivement rouge, son père avait l'air profondément contrarié, les demoiselles Bloch riaient en
s'étouffant. C'est que chez M. Nissim Bernard le goût
de l'ostentation, contenu chez M. Bloch le père et chez
ses enfants, avait engendré l'habitude du mensonge
perpétuel. Par exemple, en voyage, à l'hôtel, M. Nis-

sim Bernard comme aurait pu faire M. Bloch le père,
se faisait apporter tous ses journaux par son valet de
chambre dans la salle à manger, au milieu du déjeuner, quand tout le monde était réuni pour qu'on vît
bien qu'il voyageait avec un valet de chambre. Mais
aux gens avec qui il se liait dans l'hôtel, l'oncle disait
ce que le neveu n'eût jamais fait, qu'il était sénateur. Il
avait beau être certain qu'on apprendrait un jour que
le titre était usurpé, il ne pouvait au moment même
résister au besoin de se le donner. M. Bloch souffrait
beaucoup des mensonges de son oncle et de tous les
ennuis qu'ils lui causaient. « Ne faites pas attention, il
est extrêmement blagueur », dit-il à mi-voix à Saint-
Loup qui n'en fut que plus intéressé, étant très
curieux de la psychologie des menteurs [100]. « Plus
menteur encore que l'Ithakèsien Odysseus
qu'Athénè [101] appelait pourtant le plus menteur des
hommes », compléta notre camarade Bloch. « Ah !
par exemple ! s'écria M. Nissim Bernard, si je m'attendais à dîner avec le fils de mon ami ! Mais j'ai à
Paris chez moi, une photographie de votre père et
combien de lettres de lui. Il m'appelait toujours « mon
oncle », on n'a jamais su pourquoi. C'était un homme
charmant, étincelant. Je me rappelle un dîner chez
moi, à Nice, où il y avait Sardou, Labiche, Augier... »
— « Molière, Racine, Corneille », continua ironiquement M. Bloch le père, dont le fils acheva l'énuméra-
tion en ajoutant : « Plaute, Ménandre, Kalidasa [102]. »
M. Nissim Bernard, blessé, arrêta brusquement son
récit et, se privant ascétiquement d'un grand plaisir,
resta muet jusqu'à la fin du dîner. « Saint-Loup au
casque d'airain, dit Bloch, reprenez un peu de ce
canard aux cuisses lourdes de graisse sur lesquelles
l'illustre sacrificateur des volailles a répandu de nombreuses libations de vin rouge. » D'habitude, après
avoir sorti de derrière les fagots pour un camarade de
marque les histoires sur Sir Rufus Israël et autres,
M. Bloch sentant qu'il avait touché son fils jusqu'à
l'attendrissement, se retirait pour ne pas se « galvau-
der » aux yeux du « potache ». Cependant s'il y avait

une raison tout à fait capitale, comme quand son fils
par exemple fut reçu à l'agrégation, M. Bloch ajoutait
à la série habituelle des anecdotes cette réflexion
ironique qu'il réservait plutôt pour ses amis personnels et que Bloch jeune fut extrêmement fier de voir
débiter pour ses amis à lui : « Le gouvernement a été
impardonnable. Il n'a pas consulté M. Coquelin [103] !
M. Coquelin a fait savoir qu'il était mécontent. »
(M. Bloch se piquait d'être réactionnaire et méprisant
pour les gens de théâtre.)

Mais les demoiselles Bloch et leur frère rougirent
jusqu'aux oreilles tant ils furent impressionnés quand
Bloch père pour se montrer royal jusqu'au bout envers
les deux « labadens [104] » de son fils, donna l'ordre
d'apporter du champagne et annonça négligemment
que pour nous « régaler », il avait fait prendre trois
fauteuils pour la représentation qu'une troupe
d'opéra-comique donnait le soir même au Casino. Il
regrettait de n'avoir pu avoir de loge. Elles étaient
toutes prises. D'ailleurs il les avait souvent expérimen-
tées, on était mieux à l'orchestre. Seulement, si le
défaut de son fils, c'est-à-dire ce que son fils croyait
invisible aux autres, était la grossièreté, celui du père
était l'avarice. Aussi, c'est dans une carafe qu'il fit
servir sous le nom de champagne un petit vin mous-
seux et sous celui de fauteuils d'orchestre il avait fait
prendre des parterres qui coûtaient moitié moins,
miraculeusement persuadé par l'intervention divine
de son défaut que ni à table, ni au théâtre (où toutes
les loges étaient vides) on ne s'apercevrait de la
différence. Quand M. Bloch nous eut laissé tremper
nos lèvres dans des coupes plates que son fils décorait
du nom de « cratères aux flancs profondément creu-
sés », il nous fit admirer un tableau qu'il aimait tant
qu'il l'apportait avec lui à Balbec. Il nous dit que
c'était un Rubens. Saint-Loup lui demanda naïvement
s'il était signé. M. Bloch répondit en rougissant qu'il
avait fait couper la signature à cause du cadre, ce qui
n'avait pas d'importance, puisqu'il ne voulait pas le
vendre. Puis il nous congédia rapidement pour se

plonger dans le *Journal officiel* dont les numéros
encombraient la maison et dont la lecture lui était
rendue nécessaire, nous dit-il, « par sa situation
parlementaire », sur la nature exacte de laquelle il ne
nous fournit pas de lumières. « Je prends un foulard,
nous dit Bloch, car Zéphyros et Boréas se disputent à
qui mieux mieux la mer poissonneuse, et pour peu que
nous nous attardions après le spectacle, nous ne
rentrerons qu'aux premières lueurs d'Eôs aux doigts
de pourpre. À propos, demanda-t-il à Saint-Loup,
quand nous fûmes dehors, et je tremblai car je
compris bien vite que c'était de M. de Charlus que
Bloch parlait sur ce ton ironique : quel était cet
excellent fantoche en costume sombre que je vous ai
vu promener avant-hier matin sur la plage ? » —
« C'est mon oncle », répondit Saint-Loup piqué.
Malheureusement, une « gaffe » était bien loin de
paraître à Bloch chose à éviter. Il se tordit de rire :
« Tous mes compliments, j'aurais dû le deviner, il a
un excellent chic, et une impayable bobine de gaga de
la plus haute lignée. » — « Vous vous trompez du tout
au tout, il est très intelligent », riposta Saint-Loup
furieux. « Je le regrette, car alors il est moins complet. J'aimerais du reste beaucoup le connaître car
je suis sûr que j'écrirais des machines adéquates sur
des bonshommes comme ça. Celui-là, à voir passer,
est crevant. Mais je négligerais le côté caricatural, au
fond assez méprisable pour un artiste épris de la
beauté plastique des phrases, de la binette qui,
excusez-moi, m'a fait gondoler un bon moment, et je
mettrais en relief le côté aristocratique de votre oncle,
qui en somme fait un effet bœuf, et la première
rigolade passée, frappe par un très grand style. Mais,
dit-il, en s'adressan⸀ cette fois à moi, il y a une chose,
dans un tout autre ordre d'idées, sur laquelle je veux
t'interroger, et chaque fois que nous sommes ensemble, quelque dieu, bienheureux habitant de l'Olympe,
me fait oublier totalement de te demander ce renseignement qui eût pu m'être déjà et me sera sûrement
fort utile. Quelle est donc cette belle personne avec

laquelle je t'ai rencontré au Jardin d'Acclimatation et qui était accompagnée d'un monsieur que je crois connaître de vue et d'une jeune fille à la longue chevelure ? » J'avais bien vu que Mme Swann ne se rappelait pas le nom de Bloch, puisqu'elle m'en avait dit un autre et avait qualifié mon camarade d'attaché à un ministère où je n'avais jamais pensé depuis à m'informer s'il était entré. Mais comment Bloch qui, à ce qu'elle m'avait dit alors, s'était fait présenter à elle pouvait-il ignorer son nom ? J'étais si étonné que je restai un moment sans répondre. « En tous cas, tous mes compliments, me dit-il, tu n'as pas dû t'embêter avec elle. Je l'avais rencontrée quelques jours auparavant dans le train de Ceinture. Elle voulut bien dénouer la sienne en faveur de ton serviteur, je n'ai jamais passé de si bons moments et nous allions prendre toutes dispositions pour nous revoir quand une personne qu'elle connaissait eut le mauvais goût de monter à l'avant-dernière station. » Le silence que je gardai ne parut pas plaire à Bloch. « J'espérais, me dit-il, connaître grâce à toi son adresse et aller goûter chez elle plusieurs fois par semaine les plaisirs d'Éros, chers aux dieux, mais je n'insiste pas puisque tu poses pour la discrétion à l'égard d'une professionnelle qui s'est donnée à moi trois fois de suite et de la manière la plus raffinée entre Paris et le Point-du-Jour. Je la retrouverai bien un soir ou l'autre. »

J'allai voir Bloch à la suite de ce dîner, il me rendit ma visite, mais j'étais sorti et il fut aperçu, me demandant, par Françoise, laquelle par hasard bien qu'il fût venu à Combray ne l'avait jamais vu jusque-là. De sorte qu'elle savait seulement qu'un « des Monsieur » que je connaissais était passé pour me voir, elle ignorait « à quel effet », vêtu d'une manière quelconque et qui ne lui avait pas fait grande impression. Or j'avais beau savoir que certaines idées sociales de Françoise me resteraient toujours impénétrables, qui reposaient peut-être en partie sur des confusions entre des mots, des noms qu'elle avait pris une fois, et à jamais, les uns pour les autres, je ne pus m'empêcher, moi qui avais depuis longtemps renoncé à me poser des questions dans ces cas-là, de chercher, vainement d'ailleurs, ce que le nom de Bloch pouvait représenter d'immense pour Françoise. Car à peine lui eus-je dit que ce jeune homme qu'elle avait aperçu était M. Bloch, elle recula de quelques pas tant furent grandes sa stupeur et sa déception. « Comment, c'est cela, M. Bloch ! » s'écria-t-elle d'un air atterré comme si un personnage aussi prestigieux eût dû posséder une apparence qui « fît connaître » immédiatement qu'on se trouvait en présence d'un grand de la terre, et à la façon de quelqu'un qui trouve qu'un personnage historique n'est pas à la hauteur de sa réputation, elle répétait, d'un ton impressionné et où on sentait pour l'avenir les germes d'un scepticisme universel : « Comment, c'est ça M. Bloch ! Ah ! vraiment on ne dirait pas. À voir. » Elle avait l'air de m'en garder rancune comme si je lui eusse jamais « surfait » Bloch. Et pourtant elle eut la bonté d'ajouter : « Hé bien, tout M. Bloch qu'il est, Monsieur peut dire qu'il est aussi bien que lui. »

Elle eut bientôt, à l'égard de Saint-Loup qu'elle adorait une désillusion d'un autre genre, et d'une moindre durée : elle apprit qu'il était républicain. Or bien qu'en parlant par exemple de la reine de Portugal, elle dît avec cet irrespect qui dans le peuple est le respect suprême « Amélie, la sœur à Philippe [105] », Françoise était royaliste. Mais surtout un marquis, un marquis qui l'avait éblouie, et qui était pour la République, ne lui paraissait plus vrai. Elle en marquait la même mauvaise humeur que si je lui eusse donné une boîte qu'elle eût crue d'or, de laquelle elle m'eût remercié avec effusion et qu'ensuite un bijoutier lui eût révélé être en plaqué. Elle retira aussitôt son estime à Saint-Loup, mais bientôt après la lui rendit, ayant réfléchi qu'il ne pouvait pas, étant le Marquis de Saint-Loup, être républicain, qu'il faisait seulement semblant, par intérêt, car avec le gouvernement qu'on avait, cela pouvait lui rapporter gros. De ce jour sa froideur envers lui, son dépit contre moi cessèrent. Et quand elle parlait de Saint-Loup, elle disait : « C'est un hypocrite », avec un large et bon sourire qui faisait bien comprendre qu'elle le « considérait » de nouveau autant qu'au premier jour et qu'elle lui avait pardonné.

Or la sincérité et le désintéressement de Saint-Loup étaient au contraire absolus et c'était cette grande pureté morale qui, ne pouvant se satisfaire entièrement dans un sentiment égoïste comme l'amour, ne rencontrant pas d'autre part en lui l'impossibilité qui existait par exemple en moi de trouver sa nourriture spirituelle autre part qu'en soi-même, le rendait vraiment capable, autant que moi incapable, d'amitié.

Françoise ne se trompait pas moins sur Saint-Loup quand elle disait qu'il avait l'air comme ça de ne pas dédaigner le peuple, mais que ce n'était pas vrai, et qu'il n'y avait qu'à le voir quand il était en colère après son cocher. Il était arrivé en effet quelquefois à Robert de le gronder avec une certaine rudesse, qui prouvait chez lui moins le sentiment de la différence que de l'égalité entre les classes. « Mais, me dit-il en réponse aux reproches que je lui faisais d'avoir traité un peu durement ce cocher, pourquoi affecterais-je de lui parler poliment ? N'est-il pas mon égal ? N'est-il pas aussi près de moi que mes oncles ou mes cousins ? Vous avez l'air de trouver que je devrais le traiter avec égards, comme un inférieur ! Vous parlez comme un aristocrate », ajouta-t-il avec dédain.

En effet, s'il y avait une classe contre laquelle il eût de la prévention et de la partialité, c'était l'aristocratie, et jusqu'à croire aussi difficilement à la supériorité d'un homme du monde, qu'il croyait facilement à celle d'un homme du peuple. Comme je lui parlais de la Princesse de Luxembourg que j'avais rencontrée avec sa tante : « Une carpe, me dit-il, comme toutes ses pareilles. C'est d'ailleurs un peu ma cousine. » Ayant un préjugé contre les gens qui le fréquentaient, il allait rarement dans le monde, et l'attitude méprisante ou hostile qu'il y prenait, augmentait encore chez tous ses proches parents le chagrin de sa liaison avec une

femme « de théâtre », liaison qu'ils accusaient de lui
être fatale et notamment d'avoir développé chez lui cet
esprit de dénigrement, ce mauvais esprit, de l'avoir
« dévoyé », en attendant qu'il se « déclassât » complètement. Aussi, bien des hommes légers du faubourg
Saint-Germain étaient-ils sans pitié quand ils parlaient
de la maîtresse de Robert. « Les grues font leur
métier, disait-on, elles valent autant que d'autres ;
mais celle-là, non ! Nous ne lui pardonnerons pas !
Elle a fait trop de mal à quelqu'un que nous aimons. »
Certes, il n'était pas le premier qui eût un fil à la patte.
Mais les autres s'amusaient en hommes du monde,
continuaient à penser en hommes du monde sur la
politique, sur tout. Lui, sa famille le trouvait « aigri ».
Elle ne se rendait pas compte que pour bien des jeunes
gens du monde — lesquels sans cela resteraient
incultes d'esprit, rudes dans leurs amitiés, sans douceur et sans goût — c'est bien souvent leur maîtresse
qui est leur vrai maître et les liaisons de ce genre la
seule école de morale où ils soient initiés à une culture
supérieure, où ils apprennent le prix des connaissances désintéressées. Même dans le bas peuple (qui
au point de vue de la grossièreté ressemble si souvent
au grand monde), la femme, plus sensible, plus fine,
plus oisive, a la curiosité de certaines délicatesses,
respecte certaines beautés de sentiment et d'art que,
ne les comprît-elle pas, elle place pourtant au-dessus
de ce qui semblait le plus désirable à l'homme,
l'argent, la situation. Or, qu'il s'agisse de la maîtresse
d'un jeune clubman comme Saint-Loup ou d'un jeune
ouvrier (les électriciens par exemple comptent aujour-
d'hui dans les rangs de la Chevalerie véritable), son
amant a pour elle trop d'admiration et de respect pour
ne pas les étendre à ce qu'elle-même respecte et
admire ; et pour lui l'échelle des valeurs s'en trouve
renversée. À cause de son sexe même elle est faible,
elle a des troubles nerveux, inexplicables, qui chez un
homme, et même chez une autre femme, chez une
femme dont il est neveu ou cousin auraient fait sourire
ce jeune homme robuste. Mais il ne peut voir souffrir

celle qu'il aime. Le jeune noble qui comme Saint-Loup a une maîtresse, prend l'habitude, quand il va dîner avec elle au cabaret d'avoir dans sa poche le valérianate dont elle peut avoir besoin, d'enjoindre au garçon, avec force et sans ironie, de faire attention à fermer les portes sans bruit, à ne pas mettre de mousse humide sur la table, afin d'éviter à son amie ces malaises que pour sa part il n'a jamais ressentis, qui composent pour lui un monde occulte à la réalité duquel elle lui a appris à croire, malaises qu'il plaint maintenant sans avoir besoin pour cela de les connaî-tre, qu'il plaindra même quand ce sera d'autres qu'elle qui les ressentiront. La maîtresse de Saint-Loup — comme les premiers moines du Moyen Âge, à la chrétienté — lui avait enseigné la pitié envers les animaux car elle en avait la passion, ne se déplaçant jamais sans son chien, ses serins, ses perroquets ; Saint-Loup veillait sur eux avec des soins maternels et traitait de brutes les gens qui ne sont pas bons avec les bêtes. D'autre part, une actrice, ou soi-disant telle, comme celle qui vivait avec lui — qu'elle fût intelli-gente ou non, ce que j'ignorais — en lui faisant trouver ennuyeuse la société des femmes du monde et considérer comme une corvée l'obligation d'aller dans une soirée, l'avait préservé du snobisme et guéri de la frivolité. Si grâce à elle les relations mondaines tenaient moins de place dans la vie de son jeune amant, en revanche, tandis que s'il avait été un simple homme de salon, la vanité ou l'intérêt auraient dirigé ses amitiés comme la rudesse les aurait empreintes, sa maîtresse lui avait appris à y mettre de la noblesse et du raffinement. Avec son instinct de femme et appréciant plus chez les hommes certaines qualités de sensibilité que son amant eût peut-être sans elle méconnues ou plaisantées, elle avait toujours vite fait de distinguer entre les autres celui des amis de Saint-Loup qui avait pour lui une affection vraie, et de le préférer. Elle savait le forcer à éprouver pour celui-là de la reconnaissance, à la lui témoigner, à remarquer les choses qui lui faisaient plaisir, celles qui lui faisaient de la peine. Et bientôt Saint-Loup, sans plus avoir besoin qu'elle l'avertît, commença à se soucier de tout cela, et à Balbec où elle n'était pas, pour moi qu'elle n'avait jamais vu et dont il ne lui avait même peut-être pas encore parlé dans ses lettres, de lui-même il fermait la fenêtre d'une voiture où j'étais, emportait les fleurs qui me faisaient mal, et quand il eut à dire au revoir à la fois à plusieurs personnes, à son départ s'arrangea à les quitter un peu plus tôt afin de rester seul et en dernier avec moi, de mettre cette différence entre elles et moi, de me traiter autrement que les autres. Sa maîtresse avait ouvert son esprit à l'invisible, elle avait mis du sérieux dans sa vie, des délicatesses dans son cœur, mais tout cela échappait à la famille en larmes qui répétait : « Cette gueuse le tuera, et en attendant elle le déshonore. » Il est vrai qu'il avait fini de tirer d'elle tout le bien qu'elle pouvait lui faire ; et maintenant elle était cause seulement qu'il souffrait sans cesse, car elle l'avait pris en horreur et le torturait. Elle avait commencé, un beau jour, à le trouver bête et ridicule parce que les amis qu'elle avait parmi de jeunes auteurs et acteurs lui avaient assuré qu'il l'était, et elle répétait à son tour ce qu'ils avaient dit avec cette passion, cette absence de réserves qu'on montre chaque fois qu'on reçoit du dehors et qu'on adopte des opinions ou des usages qu'on ignorait entièrement. Elle professait volontiers, comme ces comédiens, qu'entre elle et Saint-Loup le fossé était infranchissable, parce qu'ils étaient d'une autre race, qu'elle était une intellectuelle et que lui, quoi qu'il prétendît, était, de naissance, un ennemi de l'intelligence. Cette vue lui semblait profonde et elle en cherchait la vérification dans les paroles les plus insignifiantes, les moindres gestes de son amant. Mais quand les mêmes amis l'eurent en outre convaincue qu'elle détruisait dans une compagnie aussi peu faite pour elle les grandes espérances qu'elle avait, disaient-ils, données, que son amant finirait par déteindre sur elle, qu'à vivre avec lui, elle gâchait son avenir d'artiste, à son mépris pour Saint-Loup s'ajouta la même haine que s'il s'était obstiné à vouloir lui inoculer une maladie mortelle. Elle le voyait le moins possible tout en reculant encore le moment d'une rupture définitive, laquelle me paraissait à moi bien peu vraisemblable. Saint-Loup faisait pour elle de tels sacrifices que, à moins qu'elle fût ravissante (mais il n'avait jamais voulu me montrer sa photographie, me disant : « D'abord ce n'est pas une beauté et puis elle vient mal en photographie, ce sont des instantanés que j'ai faits moi-même avec mon Kodak et ils vous donneraient une fausse idée d'elle »), il semblait difficile qu'elle trouvât un second homme qui en consentît de semblables. Je ne songeais pas qu'une certaine toquade de se faire un nom, même quand on n'a pas de talent, que l'estime, rien que l'estime privée, de personnes qui vous imposent, peuvent (ce n'était peut-être du reste pas le cas pour la maîtresse de Saint-Loup) être même pour une petite cocotte des motifs plus déterminants que le plaisir de gagner de l'argent. Saint-Loup qui sans bien comprendre ce qui se passait dans la pensée de sa maîtresse, ne la croyait pas complètement sincère ni dans les reproches injustes ni dans les promesses d'amour éternel, avait pourtant à certains moments le sentiment qu'elle romprait quand elle le pourrait, et à cause de cela, mû sans doute par l'instinct de conservation de son amour, plus clairvoyant peut-être que Saint-Loup n'était lui-même, usant d'ailleurs d'une habileté pratique qui se conciliait chez lui avec les plus grands et les plus aveugles élans du cœur, il s'était refusé à lui constituer un capital, avait emprunté un argent énorme pour qu'elle ne manquât de rien, mais ne le lui remettait qu'au jour le jour. Et sans doute, au cas où elle eût vraiment songé à le quitter, attendait-elle froidement d'avoir « fait sa pelote », ce qui avec les sommes données par Saint-Loup demanderait sans doute un temps fort court, mais tout de même concédé en supplément pour prolonger le bonheur de mon nouvel ami — ou son malheur.

Cette période dramatique de leur liaison — et qui

était arrivée maintenant à son point le plus aigu, le plus cruel pour Saint-Loup, car elle lui avait défendu de rester à Paris où sa présence l'exaspérait et l'avait forcé de prendre son congé à Balbec, à côté de sa garnison — avait commencé un soir chez une tante de Saint-Loup, lequel avait obtenu d'elle que son amie viendrait pour de nombreux invités dire des fragments d'une pièce symboliste qu'elle avait jouée une fois sur une scène d'avant-garde et pour laquelle elle lui avait fait partager l'admiration qu'elle éprouvait elle-même.

Mais quand elle était apparue, un grand lys à la main, dans un costume copié de l' « Ancilla Domini [106] » et qu'elle avait persuadé à Robert être une véritable « vision d'art », son entrée avait été accueillie dans cette assemblée d'hommes de cercle et de duchesses par des sourires que le ton monotone de la psalmodie, la bizarrerie de certains mots, leur fréquente répétition avaient changés en fous rires, d'abord étouffés, puis si irrésistibles que la pauvre récitante n'avait pu continuer. Le lendemain, la tante de Saint-Loup avait été unanimement blâmée d'avoir laissé paraître chez elle une artiste aussi grotesque. Un duc bien connu ne lui cacha pas qu'elle n'avait à s'en prendre qu'à elle-même si elle se faisait critiquer : « Que diable aussi, on ne nous sort pas des numéros de cette force-là ! Si encore cette femme avait du talent, mais elle n'en a et n'en aura jamais aucun. Sapristi ! Paris n'est pas si bête qu'on veut bien le dire. La société n'est pas composée que d'imbéciles. Cette petite demoiselle a évidemment cru étonner Paris. Mais Paris est plus difficile à étonner que cela, et il y a tout de même des affaires qu'on ne nous fera pas avaler. »

Quant à l'artiste, elle sortit en disant à Saint-Loup : « Chez quelles dindes, chez quelles garces sans éducation, chez quels goujats m'as-tu fourvoyée ? J'aime mieux te le dire, il n'y en avait pas un, des hommes présents, qui ne m'eût fait de l'œil, du pied, et c'est parce que j'ai repoussé leurs avances qu'ils ont cherché à se venger. »

Paroles qui avaient changé l'antipathie de Robert pour les gens du monde en une horreur autrement profonde et douloureuse et que lui inspiraient particulièrement ceux qui la méritaient le moins, des parents dévoués qui délégués par la famille avaient cherché à persuader à l'amie de Saint-Loup de rompre avec lui, démarche qu'elle lui présentait comme inspirée par leur amour pour elle. Robert quoiqu'il eût aussitôt cessé de les fréquenter pensait, quand il était loin de son amie comme maintenant, qu'eux ou d'autres, en profitaient pour revenir à la charge et avaient peut-être reçu ses faveurs. Et quand il parlait des viveurs qui trompent leurs amis, cherchent à corrompre les femmes, tâchent de les faire venir dans les maisons de passe, son visage respirait la souffrance et la haine. « Je les tuerais avec moins de remords qu'un chien qui est du moins une bête gentille, loyale et fidèle. En voilà qui méritent la guillotine, plus que des malheureux qui ont été conduits au crime par la misère et par la cruauté des riches. »

Il passait la plus grande partie de son temps à envoyer à sa maîtresse des lettres et des dépêches. Chaque fois que, tout en l'empêchant de venir à Paris, elle trouvait, à distance, le moyen d'avoir une brouille avec lui, je l'apprenais de sa figure décomposée. Comme sa maîtresse ne lui disait jamais ce qu'elle avait à lui reprocher, soupçonnant que, peut-être, si elle ne le le[107] lui disait pas, c'est qu'elle ne le savait pas et qu'elle avait simplement assez de lui, il aurait pourtant voulu avoir des explications, il lui écrivait : « Dis-moi ce que j'ai fait de mal. Je suis prêt à reconnaître mes torts », le chagrin qu'il éprouvait ayant pour effet de le persuader qu'il avait mal agi.

Mais elle lui faisait attendre indéfiniment des réponses d'ailleurs dénuées de sens. Aussi c'est presque toujours le front soucieux et bien souvent les mains vides que je voyais Saint-Loup revenir de la poste où seul de tout l'hôtel avec Françoise, il allait chercher ou porter lui-même ses lettres, lui par impatience d'amant, elle par méfiance de domestique.

(Les dépêches le forçaient à faire beaucoup plus de chemin.)

Quand, quelques jours après le dîner chez les Bloch ma grand-mère me dit d'un air joyeux que Saint-Loup venait de lui demander si avant qu'il quittât Balbec elle ne voulait pas qu'il la photographiât, et quand je vis qu'elle avait mis pour cela sa plus belle toilette et hésitait entre diverses coiffures, je me sentis un peu irrité de cet enfantillage qui m'étonnait tellement de sa part. J'en arrivais même à me demander si je ne m'étais pas trompé sur ma grand-mère, si je ne la plaçais pas trop haut, si elle était aussi détachée que j'avais toujours cru de ce qui concernait sa personne, si elle n'avait pas ce que je croyais lui être le plus étranger, de la coquetterie.

Malheureusement, ce mécontentement que me causaient le projet de séance photographique et surtout la satisfaction que ma grand-mère paraissait en ressentir, je le laissai suffisamment apercevoir pour que Françoise le remarquât et s'empressât involontairement de l'accroître en me tenant un discours sentimental et attendri auquel je ne voulus pas avoir l'air d'adhérer. « Oh ! Monsieur, cette pauvre Madame qui sera si heureuse qu'on tire son portrait, et qu'elle va même mettre le chapeau que sa vieille Françoise, elle lui a arrangé, il faut la laisser faire, Monsieur. » Je me convainquis que je n'étais pas cruel de me moquer de la sensibilité de Françoise, en me rappelant que ma mère et ma grand-mère, mes modèles en tout, le faisaient souvent aussi. Mais ma grand-mère s'apercevant que j'avais l'air ennuyé, me dit que si cette séance de pose pouvait me contrarier elle y renoncerait. Je ne le voulus pas, je l'assurai que je n'y voyais aucun inconvénient et la laissai se faire belle, mais crus faire preuve de pénétration et de force en lui disant quelques paroles ironiques et blessantes destinées à neutraliser le plaisir qu'elle semblait trouver à être photographiée, de sorte que si je fus contraint de voir le magnifique chapeau de ma grand-mère, je réussis du moins à faire disparaître de son visage cette expression joyeuse qui aurait dû me rendre heureux et qui, comme il arrive trop souvent tant que sont encore en vie les êtres que nous aimons le mieux, nous apparaît comme la manifestation exaspérante d'un travers mesquin plutôt que comme la forme précieuse du bonheur que nous voudrions tant leur procurer. Ma mauvaise humeur venait surtout de ce que cette semaine-là ma grand-mère avait paru me fuir et que je n'avais pu l'avoir un instant à moi, pas plus le jour que le soir. Quand je rentrais dans l'après-midi pour être un peu seul avec elle, on me disait qu'elle n'était pas là ; ou bien elle s'enfermait avec Françoise pour de longs conciliabules qu'il ne m'était pas permis de troubler. Et quand ayant passé la soirée dehors avec Saint-Loup je songeais pendant le trajet du retour au moment où j'allais pouvoir retrouver et embrasser ma grand-mère, j'avais beau attendre qu'elle frappât contre la cloison ces petits coups qui me diraient d'entrer lui dire bonsoir, je n'entendais rien ; je finissais par me coucher, lui en voulant un peu de ce qu'elle me privât, avec une indifférence si nouvelle de sa part, d'une joie sur laquelle j'avais tant compté, je restais encore, le cœur palpitant comme dans mon enfance, à écouter le mur qui restait muet, et je m'endormais dans les larmes.

*
*

Ce jour-là, comme les précédents, Saint-Loup avait été obligé d'aller à Doncières où en attendant qu'il y rentrât d'une manière définitive, on aurait toujours besoin de lui maintenant jusqu'à la fin de l'après-midi. Je regrettais qu'il ne fût pas à Balbec. J'avais vu descendre de voiture et entrer, les unes dans la salle de danse du Casino, les autres chez le glacier, des jeunes femmes qui, de loin, m'avaient paru ravissantes. J'étais dans une de ces périodes de la jeunesse, dépourvues d'un amour particulier, vacantes, où partout — comme un amoureux, la femme dont il est

épris — on désire, on cherche, on voit la Beauté.
Qu'un seul trait réel — le peu qu'on distingue d'une
femme vue de loin, ou de dos — nous permette de
projeter la Beauté devant nous, nous nous figurons
l'avoir reconnue, notre cœur bat, nous pressons le pas,
et nous resterons toujours à demi persuadés que c'était
elle, pourvu que la femme ait disparu : ce n'est que si
nous pouvons la rattraper que nous comprenons notre
erreur.

D'ailleurs, de plus en plus souffrant, j'étais tenté de
surfaire les plaisirs les plus simples à cause des
difficultés mêmes qu'il y avait pour moi à les atteindre. Des femmes élégantes, je croyais en apercevoir
partout, parce que j'étais trop fatigué si c'était sur la
plage, trop timide si c'était au Casino ou dans une
pâtisserie, pour les approcher nulle part. Pourtant, si
je devais bientôt mourir, j'aurais aimé savoir comment
étaient faites de près, en réalité, les plus jolies jeunes
filles que la vie pût offrir, quand même c'eût été un
autre que moi, ou même personne, qui dût profiter de
cette offre (je ne me rendais pas compte, en effet, qu'il
y avait un désir de possession à l'origine de ma
curiosité). J'aurais osé entrer dans la salle de bal, si
Saint-Loup avait été avec moi. Seul, je restai simplement devant le Grand-Hôtel à attendre le moment
d'aller retrouver ma grand-mère, quand, presque
encore à l'extrémité de la digue où elles faisaient
mouvoir une tache singulière, je vis s'avancer cinq ou
six fillettes, aussi différentes, par l'aspect et par les
façons, de toutes les personnes auxquelles on était
accoutumé à Balbec, qu'aurait pu l'être, débarquée on
ne sait d'où, une bande de mouettes qui exécute à pas
comptés sur la plage — les retardataires rattrapant les
autres en voletant — une promenade dont le but
semble aussi obscur aux baigneurs qu'elles ne paraissent pas voir, que clairement déterminé pour leur
esprit d'oiseaux.

Une de ces inconnues poussait devant elle, de la
main, sa bicyclette ; deux autres tenaient des « clubs »
de golf ; et leur accoutrement tranchait sur celui des

autres jeunes filles de Balbec, parmi lesquelles quelques-unes il est vrai, se livraient aux sports, mais sans adopter pour cela une tenue spéciale.

C'était l'heure où dames et messieurs venaient tous les jours faire leur tour de digue, exposés aux feux impitoyables du face-à-main que fixait sur eux, comme s'ils eussent été porteurs de quelque tare qu'elle tenait à inspecter dans ses moindres détails, la femme du premier président, fièrement assise devant le kiosque de musique, au milieu de cette rangée de chaises redoutée où eux-mêmes tout à l'heure, d'acteurs devenus critiques, viendraient s'installer pour juger à leur tour ceux qui défileraient devant eux. Tous ces gens qui longeaient la digue en tanguant aussi fort que si elle avait été le pont d'un bateau (car ils ne savaient pas lever une jambe sans du même coup remuer le bras, tourner les yeux, remettre d'aplomb leurs épaules, compenser par un mouvement balancé du côté opposé le mouvement qu'ils venaient de faire de l'autre côté, et congestionner leur face) et qui, faisant semblant de ne pas voir, pour faire croire qu'ils ne se souciaient pas d'elles, mais regardant à la dérobée, pour ne pas risquer de les heurter, les personnes qui marchaient à leurs côtés ou venaient en sens inverse, butaient au contraire contre elles, s'accrochaient à elles, parce qu'ils avaient été réciproquement de leur part l'objet de la même attention secrète, cachée sous le même dédain apparent ; l'amour — par conséquent la crainte — de la foule étant un des plus puissants mobiles chez tous les hommes, soit qu'ils cherchent à plaire aux autres ou à les étonner, soit à leur montrer qu'ils les méprisent. Chez le solitaire la claustration même absolue et durant jusqu'à la fin de la vie, a souvent pour principe un amour déréglé de la foule qui l'emporte tellement sur tout autre sentiment, que, ne pouvant obtenir quand il sort l'admiration de la concierge, des passants, du cocher arrêté, il préfère n'être jamais vu d'eux, et pour cela renoncer à toute activité qui rendrait nécessaire de sortir.

Au milieu de tous ces gens dont quelques-uns

poursuivaient une pensée, mais en trahissaient alors la mobilité par une saccade de gestes, une divagation de regards, aussi peu harmonieuses que la circonspecte titubation de leurs voisins, les fillettes que j'avais aperçues, avec la maîtrise de gestes que donne un parfait assouplissement de son propre corps et un mépris sincère du reste de l'humanité, venaient droit devant elles, sans hésitation ni raideur, exécutant exactement les mouvements qu'elles voulaient, dans une pleine indépendance de chacun de leurs membres par rapport aux autres, la plus grande partie de leur corps gardant cette immobilité si remarquable chez les bonnes valseuses. Elles n'étaient plus loin de moi. Quoique chacune fût d'un type absolument différent des autres, elles avaient toutes de la beauté ; mais à vrai dire, je les voyais depuis si peu d'instants et sans oser les regarder fixement que je n'avais encore individualisé aucune d'elles. Sauf une, que son nez droit, sa peau brune mettaient en constraste au milieu des autres comme, dans quelque tableau de la Renaissance, un roi Mage de type arabe, elles ne m'étaient connues, l'une, que par une paire d'yeux durs, butés et rieurs ; une autre que par des joues où le rose avait cette teinte cuivrée qui évoque l'idée de géranium ; et même ces traits je n'avais encore indissolublement attaché aucun d'entre eux à l'une des jeunes filles plutôt qu'à l'autre ; et quand (selon l'ordre dans lequel se déroulait cet ensemble, merveilleux parce qu'y voisinaient les aspects les plus différents, que toutes les gammes de couleurs y étaient rapprochées, mais qui était confus comme une musique où je n'aurais pas su isoler et reconnaître au moment de leur passage les phrases, distinguées mais oubliées aussitôt après), je voyais émerger un ovale blanc, des yeux noirs, des yeux verts, je ne savais pas si c'était les mêmes qui m'avaient déjà apporté du charme tout à l'heure, je ne pouvais pas les rapporter à telle jeune fille que j'eusse séparée des autres et reconnue. Et cette absence, dans ma vision, des démarcations que j'établirais bientôt entre elles, propageait à travers leur groupe un flottement harmonieux, la translation continue d'une beauté fluide, collective et mobile.

Ce n'était peut-être pas, dans la vie, le hasard seul qui, pour réunir ces amies les avait toutes choisies si belles ; peut-être ces filles (dont l'attitude suffisait à révéler la nature hardie, frivole et dure), extrêmement sensibles à tout ridicule et à toute laideur, incapables de subir un attrait d'ordre intellectuel ou moral, s'étaient-elles naturellement trouvées, parmi les camarades de leur âge, éprouver de la répulsion pour toutes celles chez qui des dispositions pensives ou sensibles se trahissaient par de la timidité, de la gêne, de la gaucherie, par ce qu'elles devaient appeler « un genre antipathique », et les avaient-elles tenues à l'écart ; tandis qu'elles s'étaient liées au contraire avec d'autres vers qui les attirait un certain mélange de grâce, de souplesse et d'élégance physique, seule forme sous laquelle elles pussent se représenter la franchise d'un caractère séduisant et la promesse de bonnes heures à passer ensemble. Peut-être aussi la classe à laquelle elles appartenaient et que je n'aurais pu préciser, était-elle à ce point de son évolution où, soit grâce à l'enrichissement et au loisir, soit grâce aux habitudes nouvelles de sport, répandues même dans certains milieux populaires, et d'une culture physique à laquelle ne s'est pas encore ajoutée celle de l'intelligence, un milieu social pareil aux écoles de sculptures harmonieuses et fécondes qui ne recherchent pas encore l'expression tourmentée, produit naturellement, et en abondance, de beaux corps aux belles jambes, aux belles hanches, aux visages sains et reposés, avec un air d'agilité et de ruse. Et n'était-ce pas de nobles et calmes modèles de beauté humaine que je voyais là, devant la mer, comme des statues exposées au soleil sur un rivage de la Grèce ?

Telles que si, du sein de leur bande qui progressait le long de la digue comme une lumineuse comète, elles eussent jugé que la foule environnante était composée d'êtres d'une autre race et dont la souffrance même n'eût pu éveiller en elles un sentiment de solidarité, elles ne paraissaient pas la voir, forçaient les personnes arrêtées à s'écarter ainsi que sur le passage d'une machine qui eût été lâchée et dont il ne fallait pas attendre qu'elle évitât les piétons, et se contentaient tout au plus si quelque vieux monsieur dont elles n'admettaient pas l'existence et dont elles repoussaient le contact s'était enfui avec des mouvements craintifs ou furieux, mais précipités ou risibles, de se regarder entre elles en riant. Elles n'avaient à l'égard de ce qui n'était pas de leur groupe aucune affectation de mépris, leur mépris sincère suffisait. Mais elles ne pouvaient voir un obstacle sans s'amuser à le franchir en prenant leur élan ou à pieds joints, parce qu'elles étaient toutes remplies, exubérantes de cette jeunesse qu'on a si grand besoin de dépenser que même quand on est triste ou souffrant, obéissant plus aux nécessités de l'âge qu'à l'humeur de la journée, on ne laisse jamais passer une occasion de saut ou de glissade sans s'y livrer consciencieusement, interrompant, semant sa marche lente — comme Chopin la phrase la plus mélancolique — de gracieux détours où le caprice se mêle à la virtuosité. La femme d'un vieux banquier, après avoir hésité pour son mari entre diverses expositions, l'avait assis, sur un pliant, face à la digue, abrité du vent et du soleil par le kiosque des musiciens. Le voyant bien installé, elle venait de le quitter pour aller lui acheter un journal qu'elle lui lirait et qui le distrairait, petites absences pendant lesquelles elle le laissait seul et qu'elle ne prolongeait jamais au-delà de cinq minutes, ce qui lui semblait déjà bien long, mais qu'elle renouvelait assez fréquemment pour que le vieil époux à qui elle prodiguait à la fois et dissimulait ses soins eût l'impression qu'il était encore en état de vivre comme tout le monde et n'avait nul besoin de protection. La tribune des musiciens formait au-dessus de lui un tremplin naturel et tentant sur lequel sans une hésitation l'aînée de la petite bande se mit à courir ; et elle sauta par-dessus le vieillard épouvanté, dont la casquette marine fut effleurée par les pieds agiles, au grand amusement des autres jeunes filles, surtout de deux yeux verts dans une figure poupine qui exprimèrent pour cet acte une admiration et une gaieté où je crus discerner un peu de timidité, d'une timidité honteuse et fanfaronne, qui n'existait pas chez les autres. « C' pauvre vieux, i m' fait d' la peine, il a l'air à moitié crevé », dit l'une de ces filles d'une voix rogommeuse [108] et avec un accent à demi ironique. Elles firent quelques pas encore, puis s'arrêtèrent un moment au milieu du chemin sans s'occuper d'arrêter la circulation des passants, en un conciliabule, un agrégat de forme irrégulière, compact, insolite et piaillant, comme des oiseaux qui s'assemblent au moment de s'envoler ; puis elles reprirent leur lente promenade le long de la digue, au-dessus de la mer.

Maintenant, leurs traits charmants n'étaient plus indistincts et mêlés. Je les avais répartis et agglomérés (à défaut du nom de chacune, que j'ignorais) autour de la grande qui avait sauté par-dessus le vieux banquier ; de la petite qui détachait sur l'horizon de la mer ses joues bouffies et roses, ses yeux verts ; de celle au teint bruni, au nez droit, qui tranchait au milieu des autres [109] ; d'une autre, au visage blanc comme un œuf dans lequel un petit nez faisait un arc de cercle comme un bec de poussin, visage comme en ont certains très jeunes gens ; d'une autre encore, grande, couverte d'une pèlerine (qui lui donnait un aspect si pauvre et démentait tellement sa tournure élégante que l'explication qui se présentait à l'esprit était que cette jeune fille devait avoir des parents assez brillants et plaçant leur amour-propre assez au-dessus des baigneurs de Balbec et de l'élégance vestimentaire de leurs propres enfants pour qu'il leur fût absolument égal de la laisser se promener sur la digue dans une tenue que de petites gens eussent jugée trop modeste) ; d'une fille aux yeux brillants, rieurs, aux grosses joues mates, sous un « polo [110] » noir, enfoncé sur sa tête, qui poussait une bicyclette avec un dandinement de hanches si dégingandé, en employant des termes d'argot si voyous et criés si fort, quand je passai auprès d'elle (parmi lesquels je distinguai cependant la phrase fâcheuse de

« vivre sa vie ») qu'abandonnant l'hypothèse que la pèlerine de sa camarade m'avait fait échafauder, je conclus plutôt que toutes ces filles appartenaient à la population qui fréquente les vélodromes, et devaient être les très jeunes maîtresses de coureurs cyclistes. En tous cas, dans aucune de mes suppositions, ne figurait celle qu'elles eussent pu être vertueuses. À première vue — dans la manière dont elles se regardaient en riant, dans le regard insistant de celle aux joues mates — j'avais compris qu'elles ne l'étaient pas. D'ailleurs, ma grand-mère avait toujours veillé sur moi avec une délicatesse trop timorée pour que je ne crusse pas que l'ensemble des choses qu'on ne doit pas faire est indivisible et que des jeunes filles qui manquent de respect à la vieillesse fussent tout d'un coup arrêtées par des scrupules quand il s'agit de plaisirs plus tentateurs que de sauter par-dessus un octogénaire.

Individualisées maintenant, pourtant la réplique que se donnaient les uns aux autres leurs regards animés de suffisance et d'esprit de camaraderie, et dans lesquels se rallumaient d'instant en instant tantôt l'intérêt, tantôt l'insolente indifférence dont brillait chacune, selon qu'il s'agissait de ses amies ou des passants, cette conscience aussi de se connaître entre elles assez intimement pour se promener toujours ensemble, en faisant « bande à part », mettaient entre leurs corps indépendants et séparés, tandis qu'ils s'avançaient lentement, une liaison invisible, mais harmonieuse comme une même ombre chaude, une même atmosphère, faisant d'eux un tout aussi homogène en ses parties qu'il était différent de la foule au milieu de laquelle se déroulait lentement leur cortège.

Un instant, tandis que je passais à côté de la brune aux grosses joues qui poussait une bicyclette, je croisai ses regards obliques et rieurs, dirigés du fond de ce monde inhumain qui enfermait la vie de cette petite tribu, inaccessible inconnu où l'idée de ce que j'étais ne pouvait certainement ni parvenir, ni trouver place. Tout occupée à ce que disaient ses camarades, cette

jeune fille coiffée d'un polo qui descendait très bas sur
son front, m'avait-elle vu au moment où le rayon noir
émané de ses yeux m'avait rencontré ? Si elle m'avait
vu, qu'avais-je pu lui représenter ? Du sein de quel
univers me distinguait-elle ? Il m'eût été aussi difficile
de le dire, que lorsque certaines particularités nous
apparaissent grâce au télescope, dans un astre voisin,
il est malaisé de conclure d'elles que des humains y
habitent, qu'ils nous voient, et quelles idées cette vue
a pu éveiller en eux.

Si nous pensions que les yeux d'une telle fille ne
sont qu'une brillante rondelle de mica, nous ne serions
pas avides de connaître et d'unir à nous sa vie. Mais
nous sentons que ce qui luit dans ce disque réfléchis-
sant n'est pas dû uniquement à sa composition
matérielle ; que ce sont, inconnues de nous, les noires
ombres des idées que cet être se fait, relativement aux
gens et aux lieux qu'il connaît — pelouses des
hippodromes, sable des chemins où, pédalant à travers
champs et bois, m'eût entraîné cette petite péri [111],
plus séduisante pour moi que celle du paradis persan
— les ombres aussi de la maison où elle va rentrer, des
projets qu'elle forme ou qu'on a formés pour elle ; et
surtout que c'est elle, avec ses désirs, ses sympathies,
ses répulsions, son obscure et incessante volonté. Je
savais que je ne posséderais pas cette jeune cycliste, si
je ne possédais aussi ce qu'il y avait dans ses yeux. Et
c'était par conséquent toute sa vie qui m'inspirait du
désir ; désir douloureux, parce que je le sentais
irréalisable, mais enivrant, parce que ce qui avait été
jusque-là ma vie ayant brusquement cessé d'être ma
vie totale, n'étant plus qu'une petite partie de l'espace
étendu devant moi que je brûlais de couvrir, et qui
était fait de la vie de ces jeunes filles, m'offrait ce
prolongement, cette multiplication possible de soi-
même, qui est le bonheur. Et, sans doute, qu'il n'y eût
entre nous aucune habitude — comme aucune idée —
communes, devait me rendre plus difficile de me lier
avec elles et de leur plaire. Mais peut-être aussi c'était
grâce à ces différences, à la conscience qu'il n'entrait

pas dans la composition de la nature et des actions de ces filles, un seul élément que je connusse ou possédasse, que venait en moi de succéder à la satiété, la soif — pareille à celle dont brûle une terre altérée — d'une vie que mon âme, parce qu'elle n'en avait jamais reçu jusqu'ici une seule goutte, absorberait d'autant plus avidement, à longs traits, dans une plus parfaite imbibition.

J'avais tant regardé cette cycliste aux yeux brillants qu'elle parut s'en apercevoir et dit à la plus grande un mot que je n'entendis pas mais qui fit rire celle-ci. À vrai dire, cette brune n'était pas celle qui me plaisait le plus, justement parce qu'elle était brune, et que (depuis le jour où dans le petit raidillon de Tansonville, j'avais vu Gilberte), une jeune fille rousse à la peau dorée était restée pour moi l'idéal inaccessible. Mais Gilberte elle-même ne l'avais-je pas aimée surtout parce qu'elle m'était apparue nimbée par cette auréole d'être l'amie de Bergotte, d'aller visiter avec lui les cathédrales ? Et de la même façon ne pouvais-je me réjouir d'avoir vu cette brune me regarder (ce qui me faisait espérer qu'il me serait plus facile d'entrer en relations avec elle d'abord), car elle me présenterait aux autres, à l'impitoyable qui avait sauté par-dessus le vieillard, à la cruelle qui avait dit : « Il me fait de la peine, ce pauvre vieux », à toutes successivement, desquelles elle avait, d'ailleurs, le prestige d'être l'inséparable compagne. Et cependant, la supposition que je pourrais un jour être l'ami de telle ou telle de ces jeunes filles, que ces yeux dont les regards inconnus me frappaient parfois en jouant sur moi sans le savoir, comme un effet de soleil sur un mur, pourraient jamais par une alchimie miraculeuse laisser transpénétrer entre leurs parcelles ineffables l'idée de mon existence, quelque amitié pour ma personne, que moi-même je pourrais un jour prendre place entre elles, dans la théorie qu'elles déroulaient le long de la mer — cette supposition me paraissait enfermer en elle une contradiction aussi insoluble, que si devant quelque frise antique [112] ou quelque fresque figurant un cortège, j'avais cru possible, moi spectateur, de prendre place, aimé d'elles, entre les divines processionnaires.

Le bonheur de connaître ces jeunes filles était-il donc irréalisable ? Certes, ce n'eût pas été le premier de ce genre auquel j'eusse renoncé. Je n'avais qu'à me rappeler tant d'inconnues que, même à Balbec, la voiture s'éloignant à toute vitesse m'avait fait à jamais abandonner. Et même le plaisir que me donnait la petite bande, noble comme si elle était composée de vierges helléniques, venait de ce qu'elle avait quelque chose de la fuite des passantes sur la route. Cette fugacité des êtres qui ne sont pas connus de nous, qui nous forcent à démarrer de la vie habituelle où les femmes que nous fréquentons finissent par dévoiler leurs tares, nous met dans cet état de poursuite où rien n'arrête plus l'imagination. Or dépouiller d'elle nos plaisirs, c'est les réduire à eux-mêmes, à rien. Offertes chez une de ces entremetteuses que, par ailleurs, on a vu que je ne méprisais pas, retirées de l'élément qui leur donnait tant de nuances et de vague, ces jeunes filles m'eussent moins enchanté. Il faut que l'imagination, éveillée par l'incertitude de pouvoir atteindre son objet, crée un but qui nous cache l'autre, et en substituant au plaisir sensuel l'idée de pénétrer dans une vie, nous empêche de reconnaître ce plaisir, d'éprouver son goût véritable, de le restreindre à sa portée.

Il faut qu'entre nous et le poisson qui, si nous le voyions pour la première fois servi sur une table ne paraîtrait pas valoir les mille ruses et détours nécessaires pour nous emparer de lui, s'interpose, pendant les après-midi de pêche, le remous à la surface duquel viennent affleurer, sans que nous sachions bien ce que nous voulons en faire, le poli d'une chair, l'indécision d'une forme, dans la fluidité d'un transparent et mobile azur.

Ces jeunes filles bénéficiaient aussi de ce changement des proportions sociales caractéristique de la vie de bains de mer. Tous les avantages qui dans notre milieu habituel nous prolongent, nous agrandissent, se trouvent là devenus invisibles, en fait supprimés ; en revanche les êtres à qui on suppose indûment de tels avantages, ne s'avancent qu'amplifiés d'une étendue postiche. Elle rendait plus aisé que des inconnues, et ce jour-là ces jeunes filles, prissent à mes yeux une importance énorme, et impossible de leur faire connaître celle que je pouvais avoir.

Mais si la promenade de la petite bande avait pour elle de n'être qu'un extrait de la fuite innombrable de passantes, laquelle m'avait toujours troublé, cette fuite était ici ramenée à un mouvement tellement lent qu'il se rapprochait de l'immobilité. Or, précisément, que dans une phase aussi peu rapide, les visages non plus emportés dans un tourbillon, mais calmes et distincts, me parussent encore beaux, cela m'empêchait de croire, comme je l'avais fait si souvent quand m'emportait la voiture de Mme de Villeparisis, que, de plus près, si je me fusse arrêté un instant, tels détails, une peau grêlée, un défaut dans les ailes du nez, un regard benêt [113], la grimace du sourire, une vilaine taille, eussent remplacé dans le visage et dans le corps de la femme ceux que j'avais sans doute imaginés ; car il avait suffi d'une jolie ligne de corps, d'un teint frais entrevu, pour que de très bonne foi j'y eusse ajouté quelque ravissante épaule, quelque regard délicieux dont je portais toujours en moi le souvenir ou l'idée préconçue, ces déchiffrages rapides d'un être qu'on voit à la volée, nous exposant ainsi aux mêmes erreurs que ces lectures trop rapides où, sur une seule syllabe et sans prendre le temps d'identifier les autres, on met à la place du mot qui est écrit, un tout différent que nous fournit notre mémoire. Il ne pouvait en être ainsi maintenant. J'avais bien regardé leurs visages ; chacun d'eux je l'avais vu, non pas dans tous ses profils, et rarement de face, mais tout de même selon deux ou trois aspects assez différents pour que je pusse faire soit la rectification, soit la vérification et la « preuve » des différentes suppositions de lignes et de couleurs que hasarde la première vue, et pour voir subsister en eux, à travers les expressions successives, quelque chose d'inaltérablement matériel. Aussi, je pouvais me dire avec certitude que, ni à Paris, ni à Balbec, dans les hypothèses les plus favorables de ce qu'auraient pu être, même si j'avais pu rester à causer avec elles, les passantes qui avaient arrêté mes yeux, il n'y en avait jamais eu dont l'apparition, puis la disparition sans que je les eusse connues, m'eussent laissé plus de regrets que ne feraient celles-ci, m'eussent donné l'idée que leur amitié, pût être une telle ivresse. Ni parmi les actrices, ou les paysannes, ou les demoiselles de pensionnat religieux, je n'avais rien vu d'aussi beau, imprégné d'autant d'inconnu, aussi inestimablement précieux, aussi vraisemblablement inaccessible. Elles étaient, du bonheur inconnu et possible de la vie, un exemplaire si délicieux et en si parfait état, que c'était presque pour des raisons intellectuelles que j'étais désespéré, pour ne pas pouvoir faire[114] dans des conditions uniques, ne laissant aucune place à l'erreur possible, l'expérience de ce que nous offre de plus mystérieux la beauté qu'on désire et qu'on se console de ne posséder jamais en demandant du plaisir — comme Swann avait toujours refusé de faire, avant Odette — à des femmes qu'on n'a pas désirées, si bien qu'on meurt sans avoir jamais su ce qu'était cet autre plaisir. Sans doute, il se pouvait qu'il ne fût pas en réalité un plaisir inconnu, que de près son mystère se dissipât, qu'il ne fût qu'une projection, qu'un mirage du désir. Mais, dans ce cas, je ne pourrais m'en prendre qu'à la nécessité d'une loi de la nature — qui si elle s'appliquait à ces jeunes filles-ci, s'appliquerait à toutes — et non à la défectuosité de l'objet. Car il était celui que j'eusse choisi entre tous, me rendant bien compte, avec une satisfaction de botaniste, qu'il n'était pas possible de trouver réunies des espèces plus rares que celles de ces jeunes fleurs qui interrompaient en ce moment devant moi la ligne du flot de leur haie légère, pareille à un bosquet de roses de Pennsylvanie[115], ornement d'un jardin sur la falaise, entre lesquelles tient tout le trajet de l'océan parcouru par quelque steamer, si lent à glisser sur le trait horizontal et bleu qui va d'une tige à l'autre, qu'un papillon paresseux, attardé au fond de la corolle que la coque du navire a depuis longtemps dépassée, peut pour s'envoler en étant sûr d'arriver avant le vaisseau, attendre que rien qu'une seule parcelle azurée sépare encore la proue de celui-ci du premier pétale de la fleur vers laquelle il navigue.

Je rentrai parce que je devais aller dîner à Rivebelle avec Robert et que ma grand-mère exigeait qu'avant de partir, je m'étendisse ces soirs-là pendant une heure sur mon lit, sieste que le médecin de Balbec m'ordonna bientôt d'étendre à tous les autres soirs.

D'ailleurs, il n'y avait même pas besoin pour rentrer de quitter la digue et de pénétrer dans l'hôtel par le hall, c'est-à-dire par-derrière. En vertu d'une avance comparable à celle du samedi où à Combray on déjeunait une heure plus tôt, maintenant avec le plein de l'été les jours étaient devenus si longs que le soleil était encore haut dans le ciel, comme à une heure de goûter, quand on mettait le couvert pour le dîner au Grand-Hôtel de Balbec. Aussi les grandes fenêtres vitrées et à coulisses, restaient-elles ouvertes de plain-pied avec la digue. Je n'avais qu'à enjamber un mince cadre de bois pour me trouver dans la salle à manger que je quittais aussitôt pour prendre l'ascenseur.

En passant devant le bureau j'adressai un sourire au directeur et sans l'ombre de dégoût, en recueillis un dans sa figure que, depuis que j'étais à Balbec, mon attention compréhensive injectait et transformait peu à peu comme une préparation d'histoire naturelle. Ses traits m'étaient devenus courants, chargés d'un sens médiocre, mais intelligible comme une écriture qu'on lit et ne ressemblaient plus en rien à ces caractères bizarres, intolérables que son visage m'avait présentés ce premier jour où j'avais vu devant moi un personnage maintenant oublié, ou si je parvenais à l'évoquer méconnaissable, difficile à identifier avec la personnalité insignifiante et polie dont il n'était que la caricature, hideuse et sommaire. Sans la timidité ni la

tristesse du soir de mon arrivée, je sonnai le lift qui ne
restait plus silencieux pendant que je m'élevais à côté
de lui dans l'ascenseur, comme dans une cage thoraci-
que mobile qui se fût déplacée le long de la colonne
montante, mais me répétait : « Il y a plus autant de
monde comme il y a un mois. On va commencer à s'en
aller, les jours baissent. » Il disait cela, non que ce fût
vrai, mais parce qu'ayant un engagement pour une
partie plus chaude de la côte, il aurait voulu que nous
partissions tous le plus tôt possible afin que l'hôtel
fermât et qu'il eût quelques jours à lui, avant de
« rentrer » dans sa nouvelle place. « Rentrer » et
« nouvelle » n'étaient du reste pas des expressions
contradictoires car, pour le lift, « rentrer » était la
forme usuelle du verbe entrer. La seule chose qui
m'étonnât était qu'il condescendît à dire « place », car
il appartenait à ce prolétariat moderne qui désire
effacer dans le langage la trace du régime de la
domesticité. Du reste, au bout d'un instant, il m'apprit que dans la « situation » où il allait « rentrer », il
aurait une plus jolie « tunique » et un meilleur
« traitement » ; les mots « livrée » et « gages » lui
paraissaient désuets et inconvenants. Et comme par
une contradiction absurde, le vocabulaire a, malgré
tout, chez les « patrons », survécu à la conception de
l'inégalité, je comprenais toujours mal ce que me
disait le lift. Ainsi la seule chose qui m'intéressât était
de savoir si ma grand-mère était à l'hôtel. Or,
prévenant mes questions, le lift me disait : « Cette
dame vient de sortir de chez vous. » J'y étais toujours
pris, je croyais que c'était ma grand-mère. « Non,
cette dame qui est je crois employée chez vous. »
Comme dans l'ancien langage bourgeois qui devrait
bien être aboli, une cuisinière ne s'appelle pas une
employée, je pensais un instant : « Mais il se trompe,
nous ne possédons ni usine, ni employés. » Tout d'un
coup, je me rappelais que le nom d'employé est
comme le port de la moustache pour les garçons de
café, une satisfaction d'amour-propre donnée aux
domestiques et que cette dame qui venait de sortir

était Françoise (probablement en visite à la cafeterie ou en train de regarder coudre la femme de chambre de la dame belge), satisfaction qui ne suffisait pas encore au lift car il disait volontiers en s'apitoyant sur sa propre classe « chez l'ouvrier » ou « chez le petit » se servant du même singulier que Racine quand il dit : « le pauvre [116]... ». Mais d'habitude, car mon zèle et ma timidité du premier jour étaient loin, je ne parlais plus au lift. C'était lui maintenant qui restait sans recevoir de réponses dans la courte traversée dont il filait les nœuds à travers l'hôtel, évidé comme un jouet et qui déployait autour de nous, étage par étage, ses ramifications de couloirs dans les profondeurs desquels la lumière se veloutait, se dégradait, amincissait les portes de communication ou les degrés des escaliers intérieurs qu'elle convertissait en cette ambre dorée, inconsistante et mystérieuse comme un crépuscule, où Rembrandt découpe tantôt l'appui d'une fenêtre ou la manivelle d'un puits. Et à chaque étage une lueur d'or reflétée sur le tapis annonçait le coucher du soleil et la fenêtre des cabinets.

Je me demandais si les jeunes filles que je venais de voir habitaient Balbec et qui elles pouvaient être. Quand le désir est ainsi orienté vers une petite tribu humaine qu'il sélectionne, tout ce qui peut se rattacher à elle devient motif d'émotion, puis de rêverie. J'avais entendu une dame dire sur la digue : « C'est une amie de la petite Simonet » avec l'air de précision avantageuse, de quelqu'un qui explique : « C'est le camarade inséparable du petit La Rochefoucauld. » Et aussitôt on avait senti sur la figure de la personne à qui on apprenait cela une curiosité de mieux regarder la personne favorisée qui était « amie de la petite Simonet ». Un privilège assurément qui ne paraissait pas donné à tout le monde. Car l'aristocratie est une chose relative. Et il y a des petits trous pas chers où le fils d'un marchand de meubles est prince des élégances et règne sur une cour comme un jeune Prince de Galles. J'ai souvent cherché depuis à me rappeler comment avait résonné pour moi sur la plage, ce nom de

Simonet, encore incertain alors dans sa forme que j'avais mal distinguée, et aussi quant à sa signification, à la désignation par lui de telle personne ou peut-être de telle autre; en somme empreint de ce vague et de cette nouveauté si émouvants pour nous dans la suite, quand ce nom dont les lettres sont à chaque seconde plus profondément gravées en nous par notre attention incessante, est devenu (ce qui ne devait arriver pour moi, à l'égard de la petite Simonet que quelques années plus tard) le premier vocable que nous retrouvions (soit au moment du réveil, soit après un évanouissement), même avant la notion de l'heure qu'il est, du lieu où nous sommes, presque avant le mot « je », comme si l'être qu'il nomme était plus nous que nous-même, et si après quelques moments d'inconscience, la trêve qui expire avant toute autre est celle pendant laquelle on ne pensait pas à lui. Je ne sais pourquoi je me dis dès le premier jour que le nom de Simonet devait être celui d'une des jeunes filles; je ne cessai plus de me demander comment je pourrais connaître la famille Simonet; et cela par des gens qu'elle jugeât supérieurs à elle-même, ce qui ne devait pas être difficile si ce n'étaient que de petites grues du peuple, pour qu'elle ne pût avoir une idée dédaigneuse de moi. Car on ne peut avoir de connaissance parfaite, on ne peut pratiquer l'absorption complète de qui vous dédaigne, tant qu'on n'a pas vaincu ce dédain. Or, chaque fois que l'image de femmes si différentes pénètre en nous, à moins que l'oubli ou la concurrence d'autres images ne l'élimine, nous n'avons de repos que nous n'ayons converti ces étrangères en quelque chose qui soit pareil à nous, notre âme étant à cet égard douée du même genre de réaction et d'activité que notre organisme physique, lequel ne peut tolérer l'immixtion dans son sein d'un corps étranger sans qu'il s'exerce aussitôt à digérer et assimiler l'intrus. La petite Simonet devait être la plus jolie de toutes — celle, d'ailleurs, qui, me semblait-il, aurait pu devenir ma maîtresse, car elle était la seule qui à deux ou trois reprises détournant à demi la tête, avait paru prendre conscience de mon fixe regard. Je demandai au lift s'il ne connaissait pas à Balbec des Simonet. N'aimant pas à dire qu'il ignorait quelque chose, il répondit qu'il lui semblait avoir entendu causer de ce nom-là. Arrivé au dernier étage, je le priai de me faire apporter les dernières listes d'étrangers [117].

Je sortis de l'ascenseur, mais au lieu d'aller vers ma chambre je m'engageai plus avant dans le couloir, car à cette heure-là le valet de chambre de l'étage quoi-qu'il craignît les courants d'air, avait ouvert la fenêtre du bout laquelle regardait, au lieu de la mer, le côté de la colline et de la vallée, mais ne les laissait jamais voir, car ses vitres, d'un verre opaque, étaient le plus souvent fermées. Je m'arrêtai devant elle en une courte station et le temps de faire mes dévotions à la « vue » que pour une fois elle découvrait au-delà de la colline à laquelle était adossé l'hôtel et qui ne contenait qu'une maison posée à quelque distance mais à laquelle la perspective et la lumière du soir en lui conservant son volume donnaient une ciselure pré-cieuse et un écrin de velours comme à une de ces architectures en miniature, petit temple ou petite chapelle d'orfèvrerie et d'émaux qui servent de reli-quaires et qu'on n'expose qu'à de rares jours à la vénération des fidèles. Mais cet instant d'adoration avait déjà trop duré, car le valet de chambre qui tenait d'une main un trousseau de clefs et de l'autre me saluait en touchant sa calotte de sacristain, mais sans la soulever à cause de l'air pur et frais du soir, venait refermer comme ceux d'une châsse les deux battants de la croisée et dérobait à mon adoration le monument réduit et la relique d'or. J'entrai dans ma chambre. Au fur et à mesure que la saison s'avança, changea le tableau que j'y trouvais dans la fenêtre. D'abord il faisait grand jour, et sombre seulement s'il faisait mauvais temps ; alors, dans le verre glauque et qu'elle boursouflait de ses vagues rondes, la mer, sertie entre les montants de fer de ma croisée comme dans les plombs d'un vitrail, effilochait sur toute la profonde bordure rocheuse de la baie des triangles empennés

d'une immobile écume linéamentée avec la délicatesse
d'une plume ou d'un duvet dessinés par Pisanello [118],
et fixés par cet émail blanc, inaltérable et crémeux qui
figure une couche de neige dans les verreries de
Gallé [119].

Bientôt les jours diminuèrent et au moment où
j'entrais dans la chambre, le ciel violet semblait
stigmatisé par la figure raide, géométrique, passagère
et fulgurante du soleil (pareille à la représentation de
quelque signe miraculeux, de quelque apparition
mystique), s'inclinait vers la mer sur la charnière de
l'horizon comme un tableau religieux au-dessus du
maître-autel, tandis que les parties différentes du
couchant exposées dans les glaces des bibliothèques
basses en acajou qui couraient le long des murs et que
je rapportais par la pensée à la merveilleuse peinture
dont elles étaient détachées, semblaient comme ces
scènes différentes que quelque maître ancien exécuta
jadis pour une confrérie sur une châsse et dont on
exhibe à côté les uns des autres dans une salle de
musée les volets séparés que l'imagination seule du
visiteur remet à leur place sur les prédelles du retable.
Quelques semaines plus tard, quand je remontais, le
soleil était déjà couché. Pareille à celle que je voyais à
Combray au-dessus du Calvaire quand je rentrais de
promenade [120] et m'apprêtais à descendre avant le
dîner à la cuisine, une bande de ciel rouge au-dessus
de la mer, compacte et coupante comme de la gelée de
viande, puis bientôt sur la mer déjà froide et bleue
comme le poisson appelé mulet, le ciel du même rose
qu'un de ces saumons que nous nous ferions servir
tout à l'heure à Rivebelle, ravivaient le plaisir que
j'allais avoir à me mettre en habit pour partir dîner.
Sur la mer, tout près du rivage, essayaient de s'élever,
les unes par-dessus les autres, à étages de plus en plus
larges, des vapeurs d'un noir de suie mais aussi d'un
poli, d'une consistance d'agate, d'une pesanteur visible, si bien que les plus élevées penchant au-dessus de
la tige déformée et jusqu'en dehors du centre de
gravité de celles qui les avaient soutenues jusqu'ici,

semblaient sur le point d'entraîner cet échafaudage
déjà à demi-hauteur du ciel et de le précipiter dans la
mer. La vue d'un vaisseau qui s'éloignait comme un
voyageur de nuit me donnait cette même impression
que j'avais eue en wagon, d'être affranchi des nécessités du sommeil et de la claustration dans une chambre.
D'ailleurs je ne me sentais pas emprisonné dans celle
où j'étais puisque dans une heure j'allais la quitter
pour monter en voiture. Je me jetais sur mon lit ; et,
comme si j'avais été sur la couchette d'un des bateaux
que je voyais assez près de moi et que la nuit on
s'étonnerait de voir se déplacer lentement dans l'obscurité, comme des cygnes assombris et silencieux mais
qui ne dorment pas, j'étais de tous côtés entourés des
images de la mer.

Mais bien souvent ce n'était, en effet, que des
images ; j'oubliais que sous leur couleur se creusait le
triste vide de la plage, parcouru par le vent inquiet du
soir que j'avais si anxieusement ressenti à mon arrivée
à Balbec ; d'ailleurs, même dans ma chambre, tout
occupé des jeunes filles que j'avais vues passer, je
n'étais plus dans des dispositions assez calmes ni assez
désintéressées pour que pussent se produire en moi
des impressions vraiment profondes de beauté. L'attente du dîner à Rivebelle rendait mon humeur plus
frivole encore et ma pensée, habitant à ces moments-là
la surface de mon corps que j'allais habiller pour
tâcher de paraître le plus plaisant possible aux regards
féminins qui me dévisageraient dans le restaurant
illuminé, était incapable de mettre de la profondeur
derrière la couleur des choses. Et si, sous ma fenêtre,
le vol inlassable et doux des martinets et des hirondelles n'avait pas monté comme un jet d'eau, comme un
feu d'artifice de vie, unissant l'intervalle de ses hautes
fusées par la filée immobile et blanche de longs sillages
horizontaux, sans le miracle charmant de ce phénomène naturel et local qui rattachait à la réalité les
paysages que j'avais devant les yeux, j'aurais pu croire
qu'ils n'étaient qu'un choix, chaque jour renouvelé,
de peintures qu'on montrait arbitrairement dans l'en-

droit où je me trouvais et sans qu'elles eussent de rapport nécessaire avec lui. Une fois c'était une exposition d'estampes japonaises : à côté de la mince découpure du soleil rouge et rond comme la lune, un nuage jaune paraissait un lac contre lequel des glaives noirs se profilaient ainsi que les arbres de sa rive, une barre d'un rose tendre que je n'avais jamais revu depuis ma première boîte de couleurs s'enflait comme un fleuve sur les deux rives duquel des bateaux semblaient attendre à sec qu'on vînt les tirer pour les mettre à flot. Et avec le regard dédaigneux, ennuyé et frivole d'un amateur ou d'une femme parcourant, entre deux visites mondaines, une galerie, je me disais : « C'est curieux ce coucher de soleil, c'est différent, mais enfin j'en ai déjà vu d'aussi délicats, d'aussi étonnants que celui-ci. » J'avais plus de plaisir les soirs où un navire absorbé et fluidifié par l'horizon apparaissait tellement de la même couleur que lui, ainsi que dans une toile impressionniste [121], qu'il semblait aussi de la même matière, comme si on n'eût fait que découper son avant et les cordages en lesquels il s'était aminci et filigrané [122] dans le bleu vaporeux du ciel. Parfois l'océan emplissait presque toute ma fenêtre, surélevée qu'elle était par une bande de ciel bordée en haut seulement d'une ligne qui était du même bleu que celui de la mer, mais qu'à cause de cela je croyais être la mer encore et ne devant sa couleur différente qu'à un effet d'éclairage. Un autre jour, la mer n'était peinte que dans la partie basse de la fenêtre dont tout le reste était rempli de tant de nuages poussés les uns contre les autres par bandes horizontales, que les carreaux avaient l'air, par une préméditation ou une spécialité de l'artiste, de présenter une « étude de nuages », cependant que les différentes vitrines de la bibliothèque montrant des nuages semblables mais dans une autre partie de l'horizon et diversement colorés par la lumière, paraissaient offrir comme la répétition, chère à certains maîtres contemporains, d'un seul et même effet, pris toujours à des heures différentes mais qui maintenant avec l'immobilité de l'art pouvaient être tous vus ensemble dans une même pièce, exécutés au pastel et mis sous verre. Et parfois, sur le ciel et la mer uniformément gris, un peu de rose s'ajoutait avec un raffinement exquis, cependant qu'un petit papillon qui s'était endormi au bas de la fenêtre semblait apposer avec ses ailes au bas de cette « harmonie gris et rose [123] » dans le goût de celles de Whistler, la signature favorite du maître de Chelsea. Le rose même disparaissait, il n'y avait plus rien à regarder. Je me mettais debout un instant et avant de m'étendre de nouveau, je fermais les grands rideaux. Au-dessus d'eux, je voyais de mon lit la raie de clarté qui y restait encore, s'assombrissant, s'amincissant progressivement, mais c'est sans m'attrister et sans lui donner de regret que je laissais ainsi mourir au haut des rideaux l'heure où d'habitude j'étais à table, car je savais que ce jour-ci était d'une autre sorte que les autres, plus long comme ceux du pôle que la nuit interrompt seulement quelques minutes ; je savais que de la chrysalide de ce crépuscule se préparait à sortir, par une radieuse métamorphose, la lumière éclatante du restaurant de Rivebelle. Je me disais : « Il est temps » ; je m'étirais sur le lit, je me levais, j'achevais ma toilette ; et je trouvais du charme à ces instants inutiles, allégés de tout fardeau matériel, où tandis qu'en bas les autres dînaient, je n'employais les forces accumulées pendant l'inactivité de cette fin de journée qu'à sécher mon corps, à passer un smoking, à attacher ma cravate, à faire tous ces gestes que guidait déjà le plaisir attendu de revoir telle femme que j'avais remarquée la dernière fois à Rivebelle, qui avait paru me regarder, n'était peut-être sortie un instant de table que dans l'espoir que je la suivrais ; c'est avec joie que j'ajoutais à moi tous ces appâts pour me donner entier et dispos à une vie nouvelle, libre, sans souci, où j'appuierais mes hésitations au calme de Saint-Loup et choisirais entre les espèces de l'histoire naturelle et les provenances de tous les pays, celles qui, composant les plats inusités aussitôt commandés par mon ami, auraient tenté ma gourmandise ou mon imagination.

Et tout à la fin, les jours vinrent où je ne pouvais plus rentrer de la digue par la salle à manger ; ses vitres n'étaient plus ouvertes, car il faisait nuit dehors, et l'essaim des pauvres et des curieux attirés par le flamboiement qu'ils ne pouvaient atteindre pendait, en noires grappes morfondues par la bise, aux parois lumineuses et glissantes de la ruche de verre.

On frappa ; c'était Aimé qui avait tenu à m'apporter lui-même, les dernières listes d'étrangers [124].

Aimé, avant de se retirer, tint à me dire que Dreyfus était mille fois coupable [125]. « On saura tout, me dit-il, pas cette année, mais l'année prochaine : c'est un monsieur très lié dans l'état-major qui me l'a dit. » Je lui demandais si on ne se déciderait pas à tout découvrir tout de suite avant la fin de l'année. « Il a posé sa cigarette », continua Aimé en mimant la scène et en secouant la tête et l'index comme avait fait son client, voulant dire : il ne faut pas être trop exigeant. « Pas cette année, Aimé, qu'il m'a dit en me touchant l'épaule, ce n'est pas possible. Mais à Pâques, oui ! » Et Aimé me frappa légèrement sur l'épaule en me disant : « Vous voyez, je vous montre exactement comme il a fait », soit qu'il fût flatté de cette familiarité d'un grand personnage, soit pour que je pusse mieux apprécier en pleine connaissance de cause la valeur de l'argument et nos raisons d'espérer.

Ce ne fut pas sans un léger choc au cœur qu'à la première page de la liste des étrangers, j'aperçus les mots : « Simonet et famille ». J'avais en moi de vieilles rêveries qui dataient de mon enfance et où toute la tendresse qui était dans mon cœur, mais qui éprouvée par lui ne s'en distinguait pas, m'était apportée par un être aussi différent que possible de moi. Cet être, une fois de plus je le fabriquais, en utilisant pour cela le nom de Simonet et le souvenir de l'harmonie qui régnait entre les jeunes corps que j'avais vus se déployer sur la plage, en une procession sportive digne de l'antique et de Giotto. Je ne savais pas laquelle de ces jeunes filles étaient Mlle Simonet, si aucune d'elles s'appelait ainsi, mais je savais que j'étais aimé de Mlle Simonet et que j'allais grâce à Saint-Loup essayer de la connaître. Malheureusement, n'ayant obtenu qu'à cette condition une prolongation de congé, il était obligé de retourner tous les jours à Doncières : mais, pour le faire manquer à ses obligations militaires, j'avais cru pouvoir compter, plus encore que sur son amitié pour moi, sur cette même curiosité de naturaliste humain que si souvent — même sans avoir vu la personne dont on parlait et rien qu'à entendre dire qu'il y avait une jolie caissière chez un fruitier — j'avais eue de faire connaissance avec une nouvelle variété de la beauté féminine. Or, cette curiosité, c'est à tort que j'avais espéré l'exciter chez Saint-Loup en lui parlant de mes jeunes filles. Car elle était pour longtemps paralysée en lui par l'amour qu'il avait pour cette actrice dont il était l'amant. Et même l'eût-il légèrement ressentie qu'il l'eût réprimée, à cause d'une sorte de croyance superstitieuse que de sa propre fidélité pouvait dépendre celle de sa maîtresse. Aussi fut-ce sans qu'il m'eût promis de s'occuper activement de mes jeunes filles que nous partîmes dîner à Rivebelle.

Les premiers temps, quand nous y arrivions, le soleil venait de se coucher, mais il faisait encore clair ; dans le jardin du restaurant dont les lumières n'étaient pas encore allumées, la chaleur du jour tombait, se déposait, comme au fond d'un vase le long des parois duquel la gelée transparente et sombre de l'air semblait si consistante qu'un grand rosier appliqué au mur obscurci qu'il veinait de rose, avait l'air de l'arborisation qu'on voit au fond d'une pierre d'onyx. Bientôt ce ne fut qu'à la nuit que nous descendions de voiture, souvent même que nous partions de Balbec si le temps était mauvais et que nous eussions retardé le moment de faire atteler, dans l'espoir d'une accalmie. Mais ces jours-là, c'est sans tristesse que j'entendais le vent souffler, je savais qu'il ne signifiait pas l'abandon de mes projets, la réclusion dans une chambre, je savais que, dans la grande salle à manger du restaurant où nous entrerions au son de la musique des tziganes, les innombrables lampes triompheraient aisément de l'obscurité et du froid en leur appliquant leurs larges cautères d'or, et je montais gaiement à côté de Saint-Loup dans le coupé qui nous attendait sous l'averse. Depuis quelque temps, les paroles de Bergotte, se disant convaincu que malgré ce que je prétendais, j'étais fait pour goûter surtout les plaisirs de l'intelligence, m'avaient rendu au sujet de ce que je pourrais faire plus tard une espérance que décevait chaque jour l'ennui que j'éprouvais à me mettre devant une table à commencer une étude critique ou un roman. « Après tout, me disais-je, peut-être le plaisir qu'on a eu à l'écrire n'est-il pas le critérium infaillible de la valeur d'une belle page ; peut-être n'est-il qu'un état accessoire qui s'y surajoute souvent, mais dont le défaut ne peut préjuger contre elle. Peut-être certains chefs-d'œuvre ont-ils été composés en bâillant. » Ma grand-mère apaisait mes doutes en me disant que je travaillerais bien et avec joie si je me portais bien. Et, notre médecin ayant trouvé plus prudent de m'avertir des graves risques auxquels pouvait m'exposer mon état de santé, et m'ayant tracé toutes les précautions d'hygiène à suivre pour éviter un accident, je subordonnais tous les plaisirs au but que je jugeais infiniment plus important qu'eux, de devenir assez fort pour pouvoir réaliser l'œuvre que je portais peut-être en moi, j'exerçais sur moi-même depuis que j'étais à Balbec un contrôle minutieux et constant. On n'aurait pu me faire toucher à la tasse de café qui m'eût privé du sommeil de la nuit, nécessaire pour ne pas être fatigué le lendemain. Mais quand nous arrivions à Rivebelle, aussitôt — à cause de l'excitation d'un plaisir nouveau et me trouvant dans cette zone différente où l'exceptionnel nous fait entrer après avoir coupé le fil, patiemment tissé depuis tant de jours, qui nous conduisait vers la sagesse — comme s'il ne devait plus jamais y avoir de lendemain, ni de fins élevées à réaliser, disparaissait ce mécanisme précis de prudente hygiène qui fonctionnait pour les sauvegarder. Tandis qu'un valet de pied me demandait mon paletot, Saint-

Loup me disait : « Vous n'aurez pas froid ? Vous feriez peut-être mieux de le garder, il ne fait pas très chaud. » Je répondais : « Non, non », et peut-être je ne sentais pas le froid, mais en tous cas je ne savais plus la peur de tomber malade, la nécessité de ne pas mourir, l'importance de travailler. Je donnais mon paletot ; nous entrions dans la salle du restaurant aux sons de quelque marche guerrière jouée par les tziganes, nous nous avancions entre les rangées des tables servies comme dans un facile chemin de gloire, et, sentant l'ardeur joyeuse imprimée à notre corps par les rythmes de l'orchestre qui nous décernait ses honneurs militaires et ce triomphe immérité, nous la dissimulions sous une mine grave et glacée, sous une démarche pleine de lassitude, pour ne pas imiter ces gommeuses de café-concert qui, venant chanter sur un air belliqueux un couplet grivois, entrent en courant sur la scène avec la contenance martiale d'un général vainqueur.

À partir de ce moment-là, j'étais un homme nouveau, qui n'était plus le petit-fils de ma grand-mère et ne se souviendrait d'elle qu'en sortant, mais le frère momentané des garçons qui allaient nous servir.

La dose de bière, à plus forte raison de champagne, qu'à Balbec je n'aurais pas voulu atteindre en une semaine, alors pourtant qu'à ma conscience calme et lucide la saveur de ces breuvages représentât un plaisir clairement appréciable mais aisément sacrifié, je l'absorbais en une heure en y ajoutant quelques gouttes de porto, trop distrait pour pouvoir le goûter, et je donnais au violoniste qui venait de jouer, les deux « louis » que j'avais économisés depuis un mois en vue d'un achat que je ne me rappelais pas. Quelques-uns des garçons qui servaient, lâchés entre les tables, fuyaient à toute vitesse, ayant sur leurs paumes tendues un plat que cela semblait être le but de ce genre de courses de ne pas laisser choir. Et de fait, les soufflés au chocolat arrivaient à destination sans avoir été renversés, les pommes à l'anglaise, malgré le galop qui avait dû les secouer, rangées comme au départ autour de l'agneau de Pauillac. Je remarquai un de ces servants, très grand, emplumé de superbes cheveux noirs, la figure fardée d'un teint qui rappelait davantage certaines espèces d'oiseaux rares que l'espèce humaine et qui, courant sans trêve et, eût-on dit, sans but, d'un bout à l'autre de la salle, faisait penser à quelqu'un de ces « aras » qui remplissent les grandes volières des jardins zoologiques de leur ardent coloris et de leur incompréhensible agitation. Bientôt le spectacle s'ordonna, à mes yeux du moins, d'une façon plus noble et plus calme. Toute cette activité vertigineuse se fixait en une calme harmonie. Je regardais les tables rondes dont l'assemblée innombrable emplissait le restaurant, comme autant de planètes, telles que celles-ci sont figurées dans les tableaux allégoriques d'autrefois. D'ailleurs, une force d'attraction irrésistible s'exerçait entre ces astres divers et à chaque table les dîneurs n'avaient d'yeux que pour les tables où ils n'étaient pas, exception faite pour quelque riche amphitryon, lequel, ayant réussi à amener un écrivain célèbre, s'évertuait à tirer de lui, grâce aux vertus de la table tournante, des propos insignifiants dont les dames s'émerveillaient. L'harmonie de ces tables astrales n'empêchait pas l'incessante révolution des servants innombrables, lesquels, parce qu'au lieu d'être assis, comme les dîneurs, ils étaient debout, évoluaient dans une zone supérieure. Sans doute l'un courait porter des hors-d'œuvre, changer le vin, ajouter des verres. Mais malgré ces raisons particulières, leur course perpétuelle entre les tables rondes finissait par dégager la loi de sa circulation vertigineuse et réglée. Assises derrière un massif de fleurs, deux horribles caissières, occupées à des calculs sans fin semblaient deux magiciennes occupées à prévoir par des calculs astrologiques les bouleversements qui pouvaient parfois se produire dans cette voûte céleste conçue selon la science du Moyen Age.

Et je plaignais un peu tous les dîneurs parce que je sentais que pour eux les tables rondes n'étaient pas des planètes et qu'ils n'avaient pas pratiqué dans les choses un sectionnement qui nous débarrasse de leur apparence coutumière et nous permet d'apercevoir des analogies. Ils pensaient qu'ils dînaient avec telle ou telle personne, que le repas coûterait à peu près tant et qu'ils recommenceraient le lendemain. Et ils paraissaient absolument insensibles au déroulement d'un cortège de jeunes commis qui, probablement n'ayant pas à ce moment de besogne urgente, portaient processionnellement des pains dans des paniers. Quelques-uns, trop jeunes, abrutis par les taloches que leur donnaient en passant les maîtres d'hôtel fixaient mélancoliquement leurs yeux sur un rêve lointain et n'étaient consolés que si quelque client de l'hôtel de Balbec où ils avaient jadis été employés, les reconnaissant, leur adressait la parole et leur disait personnellement d'emporter le champagne qui n'était pas buvable, ce qui les remplissait d'orgueil.

J'entendais le grondement de mes nerfs dans lesquels il y avait du bien-être, indépendant des objets extérieurs qui peuvent en donner et que le moindre déplacement que j'occasionnais à mon corps, à mon attention, suffisait à me faire éprouver, comme à un œil fermé une légère compression donne la sensation de la couleur. J'avais déjà bu beaucoup de porto, et si je demandais à en prendre encore, c'était moins en vue du bien-être que les verres nouveaux m'apporteraient que par l'effet du bien-être produit par les verres précédents. Je laissais la musique conduire elle-même mon plaisir sur chaque note où, docilement, il venait alors se poser. Si, pareil à ces industries chimiques grâce auxquelles sont débités en grandes quantités, des corps qui ne se rencontrent dans la nature que d'une façon accidentelle et fort rarement, ce restaurant de Rivebelle réunissait en un même moment, plus de femmes au fond desquelles me sollicitaient des perspectives de bonheur que le hasard des promenades ou des voyages ne m'en eût fait rencontrer en une année, d'autre part, cette musique que nous entendions — arrangements de valses, d'opérettes allemandes, de chansons de cafés-concerts, toutes

nouvelles pour moi — était elle-même comme un lieu
de plaisir aérien superposé à l'autre et plus grisant que
lui. Car chaque motif, particulier comme une femme,
ne réservaît pas, comme elle eût fait, pour quelque
privilégié le secret de volupté qu'il recélait : il me le
proposait, me reluquait, venait à moi d'une allure
capricieuse ou canaille, m'accostait, me caressait,
comme si j'étais devenu tout d'un coup plus séduisant,
plus puissant ou plus riche ; je leur trouvais bien, à ces
airs, quelque chose de cruel ; c'est que tout sentiment
désintéressé de la beauté, tout reflet de l'intelligence
leur était inconnu ; pour eux le plaisir physique existe
seul. Et ils sont l'enfer le plus impitoyable, le plus
dépourvu d'issues pour le malheureux jaloux à qui ils
présentent ce plaisir — ce plaisir que la femme aimée
goûte avec un autre — comme la seule chose qui existe
au monde pour celle qui le remplit tout entier. Mais
tandis que je répétais à mi-voix les notes de cet air, et
lui rendais son baiser, la volupté à lui spéciale qu'il me
faisait éprouver me devint si chère que j'aurais quitté
mes parents pour suivre le motif dans le monde
singulier qu'il construisait dans l'invisible, en lignes
tour à tour pleines de langueur et de vivacité. Quoiqu'un tel plaisir ne soit pas d'une sorte qui donne plus
de valeur à l'être auquel il s'ajoute, car il n'est perçu
que de lui seul, et quoique, chaque fois que dans notre
vie, nous avons déplu à une femme qui nous a aperçu,
elle ignorât si à ce moment-là nous possédions ou non
cette félicité intérieure et subjective qui, par conséquent, n'eût rien changé au jugement qu'elle porta sur
nous, je me sentais plus puissant, presque irrésistible.
Il me semblait que mon amour n'était plus quelque
chose de déplaisant et dont on pouvait sourire mais
avait précisément la beauté touchante, la séduction de
cette musique, semblable elle-même à un milieu
sympathique où celle que j'aimais et moi nous nous
serions rencontrés, soudain devenus intimes.

Le restaurant n'était pas fréquenté seulement par
des demi-mondaines, mais aussi par des gens du
monde le plus élégant, qui y venaient goûter vers cinq

heures ou y donnaient de grands dîners. Les goûters avaient lieu dans une longue galerie vitrée, étroite, en forme de couloir qui, allant du vestibule à la salle à manger, longeait sur un côté le jardin, duquel elle n'était séparée, en exceptant quelques colonnes de pierre, que par le vitrage qu'on ouvrait ici ou là. Il en résultait outre de nombreux courants d'air, des coups de soleil brusques, intermittents, un éclairage éblouissant [126], empêchant presque de distinguer les goûteuses, ce qui faisait que, quand elles étaient là, empilées deux tables par deux tables dans toute la longueur de l'étroit goulot, comme elles chatoyaient à tous les mouvements qu'elles faisaient pour boire leur thé ou se saluer entre elles, on aurait dit un réservoir, une nasse où le pêcheur a entassé les éclatants poissons qu'il a pris, lesquels à moitié hors de l'eau et baignés de rayons miroitent aux regards en leur éclat changeant.

Quelques heures plus tard, pendant le dîner qui, lui, était naturellement servi dans la salle à manger, on allumait les lumières, bien qu'il fît encore clair dehors, de sorte qu'on voyait devant soi, dans le jardin, à côté de pavillons éclairés par le crépuscule et qui semblaient les pâles spectres du soir, des charmilles dont la glauque verdure était traversée par les derniers rayons et qui de la pièce éclairée par les lampes où on dînait, apparaissaient au-delà du vitrage — non plus, comme on aurait dit des dames qui goûtaient à la fin de l'après-midi le long du couloir bleuâtre et or, dans un filet étincelant et humide — mais comme les végétations d'un pâle et vert aquarium géant à la lumière surnaturelle. On se levait de table ; et si les convives pendant le repas, tout en passant leur temps à regarder, à reconnaître, à se faire nommer les convives du dîner voisin, avaient été retenus dans une cohésion parfaite autour de leur propre table, la force attractive qui les faisait graviter autour de leur amphitryon d'un soir perdait de sa puissance, au moment où pour prendre le café ils se rendaient dans ce même couloir qui avait servi aux goûters ; il arrivait souvent

qu'au moment du passage tel dîner en marche aban-
donnât l'un ou plusieurs de ses corpuscules, qui ayant
subi trop fortement l'attraction du dîner rival se
détachaient un instant du leur, où ils étaient remplacés
par des messieurs ou des dames qui étaient venus
saluer des amis, avant de rejoindre [127], en disant : « Il
faut que je me sauve retrouver M. X... dont je suis ce
soir l'invité. » Et pendant un instant, on aurait dit de
deux bouquets séparés qui auraient interchangé quelques-unes de leurs fleurs. Puis le couloir lui-même se
vidait. Souvent, comme il faisait, même après dîner,
encore un peu jour, on n'allumait pas ce long corridor,
et côtoyé par les arbres qui se penchaient au-dehors de
l'autre côté du vitrage, il avait l'air d'une allée dans un
jardin boisé et ténébreux. Parfois, dans l'ombre, une
dîneuse s'y attardait. En le traversant pour sortir, j'y
distinguai un soir, assise au milieu d'un groupe
inconnu, la belle Princesse de Luxembourg. Je me
découvris sans m'arrêter. Elle me reconnut, inclina la
tête en souriant ; très au-dessus de ce salut, émanant
de ce mouvement même, s'élevèrent mélodieusement
quelques paroles à mon adresse, qui devaient être un
bonsoir un peu long, non pour que je m'arrêtasse,
mais seulement pour compléter le salut, pour en faire
un salut parlé. Mais les paroles restèrent si indistinctes
et le son que seul je perçus se prolongea si doucement
et me sembla si musical, que ce fut comme si dans la
ramure assombrie des arbres, un rossignol se fût mis à
chanter. Si par hasard pour finir la soirée avec telle
bande d'amis à lui que nous avions rencontrée, Saint-
Loup décidait de se rendre au Casino d'une plage
voisine, et partant avec eux, s'il me mettait seul dans
une voiture, je recommandais au cocher d'aller à toute
vitesse, afin que fussent moins longs les instants que je
passerais sans avoir l'aide de personne pour me
dispenser de fournir moi-même à ma sensibilité — en
faisant machine en arrière et en sortant de la passivité
où j'étais pris comme dans un engrenage — ces
modifications que depuis mon arrivée à Rivebelle je
recevais des autres. Le choc possible avec une voiture

venant en sens inverse dans ces sentiers où il n'y avait
de place que pour une seule et où il faisait nuit noire,
l'instabilité du sol souvent éboulé de la falaise, la
proximité de son versant à pic sur la mer, rien de tout
cela ne trouvait en moi le petit effort qui eût été
nécessaire pour amener la représentation et la crainte
du danger jusqu'à ma raison. C'est que, pas plus que
ce n'est le désir de devenir célèbre, mais l'habitude
d'être laborieux qui nous permet de produire une
œuvre, ce n'est l'allégresse du moment présent, mais
les sages réflexions du passé, qui nous aident à
préserver le futur. Or, si déjà en arrivant à Rivebelle,
j'avais jeté loin de moi ces béquilles du raisonnement,
du contrôle de soi-même qui aident notre infirmité à
suivre le droit chemin, et me trouvais en proie à une
sorte d'ataxie morale, l'alcool, en tendant exception-
nellement mes nerfs, avait donné aux minutes actuel-
les, une qualité, un charme, qui n'avaient pas eu pour
effet de me rendre plus apte ni même plus résolu à les
défendre ; car en me les faisant préférer mille fois au
reste de ma vie, mon exaltation les en isolait ; j'étais
enfermé dans le présent, comme les héros, comme les
ivrognes ; momentanément éclipsé, mon passé ne
projetait plus devant moi cette ombre de lui-même
que nous appelons notre avenir ; plaçant le but de ma
vie, non plus dans la réalisation des rêves de ce passé,
mais dans la félicité de la minute présente, je ne voyais
pas plus loin qu'elle. De sorte que par une contradiction qui n'était qu'apparente, c'est au moment où
j'éprouvais un plaisir exceptionnel, où je sentais que
ma vie pouvait être heureuse, où elle aurait dû avoir à
mes yeux plus de prix, c'est à ce moment que, délivré
des soucis qu'elle avait pu m'inspirer jusque-là, je la
livrais sans hésitation au hasard d'un accident. Je ne
faisais, du reste, en somme, que concentrer dans une
soirée, l'incurie qui pour les autres hommes est diluée
dans leur existence entière où journellement ils affron-
tent sans nécessité le risque d'un voyage en mer, d'une
promenade en aéroplane ou en automobile quand les
attend à la maison l'être que leur mort briserait ou

quand est encore lié à la fragilité de leur cerveau le
livre dont la prochaine mise au jour est la seule raison
de leur vie. Et de même dans le restaurant de
Rivebelle, les soirs où nous y restions, si quelqu'un
était venu dans l'intention de me tuer, comme je ne
voyais plus que dans un lointain sans réalité ma grand-
mère, ma vie à venir, mes livres à composer, comme
j'adhérais tout entier à l'odeur de la femme qui était à
la table voisine, à la politesse des maîtres d'hôtel, au
contour de la valse qu'on jouait, que j'étais collé à la
sensation présente, n'ayant pas plus d'extension
qu'elle ni d'autre but que de ne pas en être séparé, je
serais mort contre elle, je me serais laissé massacrer
sans offrir de défense, sans bouger, abeille engourdie
par la fumée du tabac, qui n'a plus le souci de
préserver la provision de ses efforts accumulés et
l'espoir de sa ruche.

Je dois du reste dire que cette insignifiance où
tombaient les choses les plus graves, par contraste
avec la violence de mon exaltation finissait par
comprendre même Mlle Simonet et ses amies. L'entreprise de les connaître me semblait maintenant facile
mais indifférente, car ma sensation présente seule,
grâce à son extraordinaire puissance, à la joie que
provoquaient ses moindres modifications et même sa
simple continuité, avait de l'importance pour moi ;
tout le reste, parents, travail, plaisirs, jeunes filles de
Balbec, ne pesait pas plus qu'un flocon d'écume dans
un grand vent qui ne le laisse pas se poser, n'existait
plus que relativement à cette puissance intérieure :
l'ivresse réalise pour quelques heures l'idéalisme subjectif, le phénoménisme pur [128] ; tout n'est plus qu'apparences et n'existe plus qu'en fonction de notre
sublime nous-même. Ce n'est pas, du reste, qu'un
amour véritable, si nous en avons un, ne puisse
subsister dans un semblable état. Mais nous sentons si
bien, comme dans un milieu nouveau, que des
pressions inconnues ont changé les dimensions de ce
sentiment que nous ne pouvons pas le considérer
pareillement. Ce même amour, nous le retrouvons

bien, mais déplacé, ne pesant plus sur nous, satisfait de la sensation que lui accorde le présent et qui nous suffit, car de ce qui n'est pas actuel nous ne nous soucions pas. Malheureusement, le coefficient qui change ainsi les valeurs ne les change que dans cette heure d'ivresse. Les personnes qui n'avaient plus d'importance et sur lesquelles nous soufflions comme sur des bulles de savon reprendront le lendemain leur densité ; il faudra essayer de nouveau de se remettre aux travaux qui ne signifiaient plus rien. Chose plus grave encore, cette mathématique du lendemain, la même que celle d'hier et avec les problèmes de laquelle nous nous retrouverons inexorablement aux prises, c'est celle qui nous régit même pendant ces heures-là, sauf pour nous-même. S'il se trouve près de nous une femme vertueuse ou hostile, cette chose si difficile la veille — à savoir que nous arrivions à lui plaire — nous semble maintenant un million de fois plus aisée sans l'être devenue en rien, car ce n'est qu'à nos propres yeux, à nos propres yeux intérieurs que nous avons changé. Et elle est aussi mécontente à l'instant même que nous nous soyons permis une familiarité que nous le serons le lendemain d'avoir donné cent francs au chasseur et, pour la même raison qui pour nous a été seulement retardée : l'absence d'ivresse.

Je ne connaissais aucune des femmes qui étaient à Rivebelle, et qui parce qu'elles faisaient partie de mon ivresse comme les reflets font partie du miroir, me paraissaient mille fois plus désirables que la de moins en moins existante Mlle Simonet. Une jeune blonde, seule, à l'air triste, sous son chapeau de paille piqué de fleurs des champs me regarda un instant d'un air rêveur et me parut agréable. Puis ce fut le tour d'une autre, puis d'une troisième ; enfin d'une brune au teint éclatant. Presque toutes étaient connues, à défaut de moi, par Saint-Loup.

Avant qu'il eût fait la connaissance de sa maîtresse actuelle, il avait en effet tellement vécu dans le monde restreint de la noce, que de toutes les femmes qui dînaient ces soirs-là à Rivebelle et dont beaucoup s'y

trouvaient par hasard, étant venues au bord de la mer,
certaines pour retrouver leur amant, d'autres pour
tâcher d'en trouver un, il n'y en avait guère qu'il ne
connût pour avoir passé — lui-même ou tel de ses amis
— au moins une nuit avec elles. Il ne les saluait pas si
elles étaient avec un homme, et elles, tout en le
regardant plus qu'un autre parce que l'indifférence
qu'on lui savait pour toute femme qui n'était pas son
actrice, lui donnait aux yeux de celles-ci un prestige
singulier, elles avaient l'air de ne pas le connaître. Et
l'une chuchotait : « C'est le petit Saint-Loup. Il paraît
qu'il aime toujours sa grue. C'est la grande amour.
Quel joli garçon ! Moi je le trouve épatant ; et quel
chic ! Il y a tout de même des femmes qui ont une
sacrée veine. Et un chic type en tout. Je l'ai bien
connu quand j'étais avec d'Orléans. C'était les deux
inséparables. Il en faisait une noce à ce moment-là !
Mais ce n'est plus ça ; il ne lui fait pas de queues. Ah !
elle peut dire qu'elle en a une chance. Et je me
demande qu'est-ce qu'il peut lui trouver. Il faut qu'il
soit tout de même une fameuse truffe [129]. Elle a des
pieds comme des bateaux, des moustaches à l'américaine et des dessous sales ! Je crois qu'une petite
ouvrière ne voudrait pas de ses pantalons. Regardez-
moi un peu quels yeux il a, on se jetterait au feu pour
un homme comme ça. Tiens, tais-toi, il m'a reconnue,
il rit, oh ! il me connaissait bien. On n'a qu'à lui parler
de moi. » Entre elles et lui je surprenais un regard
d'intelligence. J'aurais voulu qu'il me présentât à ces
femmes, pouvoir leur demander un rendez-vous et
qu'elles me l'accordassent, même si je n'avais pas pu
l'accepter. Car sans cela leur visage resterait éternelle-
ment dépourvu dans ma mémoire, de cette partie de
lui-même — et comme si elle était cachée par un voile
— qui varie avec toutes les femmes, que nous ne
pouvons imaginer chez l'une quand nous ne l'y avons
pas vue, et qui apparaît seulement dans le regard qui
s'adresse à nous et qui acquiesce à notre désir et nous
promet qu'il sera satisfait. Et pourtant même aussi
réduit, leur visage était pour moi bien plus que celui

des femmes que j'aurais su vertueuses et ne me
semblait pas comme le leur, plat, sans dessous,
composé d'une pièce unique et sans épaisseur. Sans
doute, il n'était pas pour moi ce qu'il devait être pour
Saint-Loup qui par la mémoire, sous l'indifférence,
pour lui transparente, des traits immobiles qui affectaient de ne pas le connaître ou sous la banalité du
même salut que l'on eût adressé aussi bien à tout
autre, se rappelait, voyait entre des cheveux défaits,
une bouche pâmée et des yeux mi-clos, tout un tableau
silencieux comme ceux que les peintres, pour tromper
le gros des visiteurs, revêtent d'une toile décente.
Certes, pour moi au contraire qui sentais que rien de
mon être n'avait pénétré en telle ou telle de ces
femmes et n'y serait emporté dans les routes inconnues qu'elle suivrait pendant sa vie, ces visages
restaient fermés. Mais c'était déjà assez de savoir
qu'ils s'ouvraient pour qu'ils me semblassent d'un
prix que je ne leur aurais pas trouvé s'ils n'avaient été
que de belles médailles, au lieu de médaillons sous
lesquels se cachaient des souvenirs d'amour. Quant à
Robert, tenant à peine en place quand il était assis,
dissimulant sous un sourire d'homme de cour l'avidité
d'agir en homme de guerre, à le bien regarder, je me
rendais compte combien l'ossature énergique de son
visage triangulaire devait être la même que celle de ses
ancêtres, plus faite pour un ardent archer que pour un
lettré délicat. Sous la peau fine, la construction hardie,
l'architecture féodale apparaissaient. Sa tête faisait
penser à ces tours d'antique donjon dont les créneaux
inutilisés restent visibles, mais qu'on a aménagées
intérieurement en bibliothèque.

En rentrant à Balbec, de telle de ces inconnues à qui
il m'avait présenté je me redisais sans m'arrêter une
seconde et pourtant sans presque m'en apercevoir :
« Quelle femme délicieuse ! » comme on chante un
refrain. Certes, ces paroles étaient plutôt dictées par
des dispositions nerveuses que par un jugement
durable. Il n'en est pas moins vrai que si j'eusse eu
mille francs sur moi et qu'il y eût encore des bijoutiers

d'ouverts à cette heure-là, j'eusse acheté une bague à l'inconnue. Quand les heures de notre vie se déroulent ainsi que des plans trop différents, on se trouve donner trop de soi pour des personnes diverses qui le lendemain vous semblent sans intérêt. Mais on se sent responsable de ce qu'on leur a dit la veille et on veut y faire honneur.

Comme, ces soirs-là, je rentrais tard, je retrouvais avec plaisir dans ma chambre qui n'était plus hostile le lit où le jour de mon arrivée, j'avais cru qu'il me serait toujours impossible de me reposer et où maintenant mes membres si las cherchaient un soutien; de sorte que successivement mes cuisses, mes hanches, mes épaules tâchaient d'adhérer en tous leurs points aux draps qui enveloppaient le matelas, comme si ma fatigue, pareille à un sculpteur, avait voulu prendre un moulage total d'un corps humain. Mais je ne pouvais m'endormir, je sentais approcher le matin; le calme, la bonne santé n'étaient plus en moi. Dans ma détresse, il me semblait que jamais je ne les retrouverais plus. Il m'eût fallu dormir longtemps pour les rejoindre. Or, me fussé-je assoupi, que de toutes façons je serais réveillé deux heures après par le concert symphonique. Tout à coup je m'endormais, je tombais dans ce sommeil lourd où se dévoilent pour nous le retour à la jeunesse, la reprise des années passées, des sentiments perdus, la désincarnation, la transmigration des âmes, l'évocation des morts, les illusions de la folie, la régression vers les règnes les plus élémentaires de la nature (car on dit que nous voyons souvent des animaux en rêve, mais on oublie que presque toujours nous y sommes nous-même un animal, privé de cette raison qui projette sur les choses une clarté de certitude; nous n'y offrons au contraire au spectacle de la vie qu'une vision douteuse et à chaque minute anéantie par l'oubli, la réalité précédente s'évanouissant devant celle qui lui succède, comme une projection de lanterne magique devant la suivante quand on a changé le verre), tous ces mystères que nous croyons ne pas connaître et auxquels nous sommes en réalité initiés presque toutes les nuits ainsi qu'à l'autre grand mystère de l'anéantissement et de la résurrection. Rendue plus vagabonde par la digestion difficile du dîner de Rivebelle, l'illumination successive et errante de zones assombries de mon passé faisait de moi un être dont le suprême bonheur eût été de rencontrer Legrandin avec lequel je venais de causer en rêve.

Puis, même ma propre vie m'était entièrement cachée par un décor nouveau, comme celui planté tout au bord du plateau et devant lequel [130], pendant que, derrière, on procède aux changements de tableaux, des acteurs donnent un divertissement. Celui où je tenais alors mon rôle était dans le goût des contes orientaux, je n'y savais rien de mon passé ni de moi-même, à cause de cet extrême rapprochement d'un décor interposé ; je n'étais qu'un personnage qui recevais la bastonnade et subissais des châtiments variés pour une faute que je n'apercevais pas mais qui était d'avoir bu trop de porto. Tout à coup je m'éveillais, je m'apercevais qu'a la faveur d'un long sommeil, je n'avais pas entendu le concert symphonique. C'était déjà l'après-midi ; je m'en assurais à ma montre, après quelques efforts pour me redresser, efforts infructueux d'abord et interrompus par des chutes sur l'oreiller, mais de ces chutes courtes qui suivent le sommeil comme les autres ivresses, que ce soit le vin qui les procure, ou une convalescence ; du reste avant même d'avoir regardé l'heure j'étais certain que midi était passé. Hier soir, je n'étais plus qu'un être vidé, sans poids, et comme il faut avoir été couché pour être capable de s'asseoir et avoir dormi pour l'être de se taire, je ne pouvais cesser de remuer ni de parler, je n'avais plus de consistance, de centre de gravité, j'étais lancé, il me semblait que j'aurais pu continuer ma morne course jusque dans la lune. Or, si en dormant mes yeux n'avaient pas vu l'heure, mon corps avait su la calculer, il avait mesuré le temps non pas sur un cadran superficiellement figuré, mais par la pesée progressive de toutes mes forces refaites que comme une puissante horloge il avait cran par cran, laissé descendre de mon cerveau dans le reste de mon corps où elles entassaient maintenant jusqu'au-dessus de mes genoux l'abondance intacte de leurs provisions. S'il est vrai que la mer ait été autrefois notre milieu vital où il faille replonger notre sang pour retrouver nos forces, il en est de même de l'oubli, du néant mental ; on semble alors absent du temps pendant quelques heures ; mais les forces qui se sont rangées pendant ce temps-là sans être dépensées le mesurent par leur quantité aussi exactement que les poids de l'horloge ou les croulants monticules du sablier. On ne sort pas, d'ailleurs, plus aisément d'un tel sommeil que de la veille prolongée, tant toutes choses tendent à durer et s'il est vrai que certains narcotiques font dormir, dormir longtemps est un narcotique plus puissant encore, après lequel on a bien de la peine à se réveiller. Pareil à un matelot qui voit bien le quai où amarrer sa barque, secouée cependant encore par les flots, j'avais bien l'idée de regarder l'heure et de me lever, mais mon corps était à tout instant rejeté dans le sommeil ; l'atterrissage était difficile, et avant de me mettre debout pour atteindre ma montre et confronter son heure avec celle qu'indiquait la richesse de matériaux dont disposaient mes jambes rompues, je retombais encore deux ou trois fois sur mon oreiller.

Enfin je voyais clairement : « Deux heures de l'après-midi ! », je sonnais, mais aussitôt je rentrais dans un sommeil qui cette fois devait être infiniment plus long, si j'en jugeais par le repos et la vision d'une immense nuit dépassée, que je trouvais au réveil. Pourtant comme celui-ci était causé par l'entrée de Françoise, entrée qu'avait elle-même motivée mon coup de sonnette, ce nouveau sommeil qui me paraissait avoir dû être plus long que l'autre et avait amené en moi tant de bien-être et d'oubli, n'avait duré qu'une demi-minute.

Ma grand-mère ouvrait la porte de ma chambre, je lui posais quelques questions sur la famille Legrandin.

Ce n'est pas assez de dire que j'avais rejoint le calme et la santé, car c'était plus qu'une simple distance qui les avait la veille séparés de moi, j'avais eu toute la nuit à lutter contre un flot contraire, et puis je ne me retrouvais pas seulement auprès d'eux, ils étaient rentrés en moi. À des points précis et encore un peu douloureux de ma tête vide et qui serait un jour brisée, laissant mes idées s'échapper à jamais, celles-ci avaient une fois encore repris leur place, et retrouvé cette existence dont hélas jusqu'ici elles n'avaient pas su profiter.

Une fois de plus j'avais échappé à l'impossibilité de dormir, au déluge, au naufrage des crises nerveuses. Je ne craignais plus du tout ce qui me menaçait la veille au soir quand j'étais démuni de repos. Une nouvelle vie s'ouvrait devant moi ; sans faire un seul mouvement, car j'étais encore brisé quoique déjà dispos, je goûtais ma fatigue avec allégresse ; elle avait isolé et rompu les os de mes jambes, de mes bras, que je sentais assemblés devant moi, prêts à se rejoindre, et que j'allais relever rien qu'en chantant comme l'architecte de la fable[131].

Tout à coup je me rappelai la jeune blonde à l'air triste que j'avais vue à Rivebelle et qui m'avait regardé un instant. Pendant toute la soirée, bien d'autres m'avaient semblé agréables, maintenant elle venait seule de s'élever du fond de mon souvenir. Il me semblait qu'elle m'avait remarqué, je m'attendais à ce qu'un des garçons de Rivebelle vînt me dire un mot de sa part. Saint-Loup ne la connaissait pas et croyait qu'elle était comme il faut. Il serait bien difficile de la voir, de la voir sans cesse. Mais j'étais prêt à tout pour cela, je ne pensais plus qu'à elle. La philosophie parle souvent d'actes libres et d'actes nécessaires. Peut-être n'en est-il pas de plus complètement subi par nous, que celui qui en vertu d'une force ascensionnelle comprimée pendant l'action, fait, une fois notre pensée au repos, remonter ainsi un souvenir jusque-là nivelé avec les autres par la force oppressive de la distraction, et le fait s'élancer, parce qu'à notre insu il contenait plus que les autres un charme dont nous ne nous apercevons que vingt-quatre heures après [132]. Et peut-être n'y a-t-il pas non plus d'acte aussi libre, car il est encore dépourvu de l'habitude de cette sorte de manie mentale qui, dans l'amour, favorise la renaissance exclusive de l'image d'une certaine personne.

Ce jour-là était justement le lendemain de celui où j'avais vu défiler devant la mer le beau cortège de jeunes filles. J'interrogeai à leur sujet plusieurs clients de l'hôtel qui venaient presque tous les ans à Balbec. Ils ne purent me renseigner. Plus tard une photographie m'expliqua pourquoi. Qui eût pu reconnaître maintenant en elles, à peine mais déjà sorties d'un âge où on change si complètement, telle masse amorphe et délicieuse, encore tout enfantine, de petites filles que, quelques années seulement auparavant, on pouvait voir assises en cercle sur le sable, autour d'une tente : sorte de blanche et vague constellation où l'on n'eût distingué deux yeux plus brillants que les autres, un malicieux visage, des cheveux blonds, que pour les reperdre et les confondre bien vite au sein de la nébuleuse indistincte et lactée ?

Sans doute, en ces années-là encore si peu éloignées, ce n'était pas, comme la veille dans leur première apparition devant moi, la vision du groupe, mais le groupe lui-même qui manquait de netteté. Alors, ces enfants trop jeunes étaient encore à ce degré élémentaire de formation où la personnalité n'a pas mis son sceau sur chaque visage. Comme ces organismes primitifs où l'individu n'existe guère par lui-même, est plutôt constitué par le polypier que par chacun des polypes [133] qui le composent, elles restaient pressées les unes contre les autres. Parfois l'une faisait tomber sa voisine, et alors un fou rire qui semblait la seule manifestation de leur vie personnelle, les agitait toutes à la fois, effaçant, confondant ces visages indécis et grimaçants dans la gelée d'une seule grappe scintillatrice et tremblante. Dans une photographie ancienne qu'elles devaient me donner un jour, et que j'ai gardée, leur troupe enfantine offre déjà le même

nombre de figurantes, que plus tard leur cortège
féminin ; on y sent qu'elles devaient déjà faire sur la
plage une tache singulière qui forçait à les regarder
mais on ne peut les y reconnaître individuellement [134]
que par le raisonnement, en laissant le champ libre à
toutes les transformations possibles pendant la jeunesse jusqu'à la limite où ces formes reconstituées
empiéteraient sur une autre individualité qu'il faut
identifier aussi et dont le beau visage, à cause de la
concomitance d'une grande taille et de cheveux frisés,
a chance d'avoir été jadis ce ratatinement de grimace
rabougrie présenté par la carte-album ; et la distance
parcourue en peu de temps par les caractères physiques de chacune de ces jeunes filles faisant d'eux un
critérium fort vague, et d'autre part ce qu'elles avaient
de commun et comme de collectif étant dès lors fort
marqué, il arrivait parfois à leurs meilleures amies de
les prendre l'une pour l'autre sur cette photographie,
si bien que le doute ne pouvait finalement être tranché
que par tel accessoire de toilette que l'une était
certaine d'avoir porté, à l'exclusion des autres. Depuis
ces jours si différents de celui où je venais de les voir
sur la digue, si différents et pourtant si proches, elles
se laissaient encore aller au rire comme je m'en étais
rendu compte la veille, mais à un rire qui n'était plus
celui, intermittent et presque automatique de l'enfance, détente spasmodique qui autrefois faisait à tous
moments faire un plongeon à ces têtes, comme les
blocs de vairons dans la Vivonne se dispersaient et
disparaissaient pour se reformer un instant après ;
leurs physionomies maintenant étaient devenues maîtresses d'elles-mêmes, leurs yeux étaient fixés sur le
but qu'ils poursuivaient ; et il avait fallu hier l'indécision et le tremblé de ma perception première pour
confondre indistinctement, comme l'avaient fait l'hila-
rité ancienne et la vieille photographie, les sporades [135]
aujourd'hui individualisées et désunies du pâle madré-
pore.

Sans doute bien des fois, au passage de jolies jeunes
filles, je m'étais fait la promesse de les revoir.

D'habitude, elles ne reparaissent pas ; d'ailleurs la mémoire qui oublie vite leur existence, retrouverait difficilement leurs traits ; nos yeux ne les reconnaî- traient peut-être pas, et déjà nous avons vu passer de nouvelles jeunes filles que nous ne reverrons pas non plus. Mais d'autres fois, et c'est ainsi que cela devait arriver pour la petite bande insolente, le hasard les ramène avec insistance devant nous. Il nous paraît alors beau, car nous discernons en lui, comme un commencement d'organisation, d'effort, pour compo- ser notre vie ; et il nous rend facile, inévitable, et quelquefois — après des interruptions qui ont pu faire espérer de cesser de nous souvenir — cruelle, la fidélité à des images à la possession desquelles nous nous croirons plus tard avoir été prédestinés, et que sans lui nous aurions pu, tout au début, oublier, comme tant d'autres, si aisément.

Bientôt le séjour de Saint-Loup toucha à sa fin. Je n'avais pas revu ces jeunes filles sur la plage. Il restait trop peu l'après-midi à Balbec pour pouvoir s'occuper d'elles et tâcher de faire, à mon intention, leur connaissance. Le soir il était plus libre et continuait à m'emmener souvent à Rivebelle. Il y a dans ces restaurants, comme dans les jardins publics et les trains, des gens enfermés dans une apparence ordi- naire et dont le nom nous étonne, si l'ayant par hasard demandé, nous découvrons qu'ils sont non l'inoffensif premier venu que nous supposions, mais rien de moins que le ministre ou le duc dont nous avons si souvent entendu parler. Déjà deux ou trois fois dans le restaurant de Rivebelle, nous avions, Saint-Loup et moi, vu venir s'asseoir à une table quand tout le monde commençait à partir un homme de grande taille, très musclé, aux traits réguliers, à la barbe grisonnante, mais de qui le regard songeur restait fixé avec application dans le vide. Un soir que nous demandions au patron qui était ce dîneur obscur, isolé et retardataire : « Comment, vous ne connaissiez pas le célèbre peintre Elstir ? » nous dit-il. Swann avait une fois prononcé son nom devant moi, j'avais entièrement oublié à quel propos ; mais l'omission d'un souvenir, comme celle d'un membre de phrase dans une lecture, favorise parfois non l'incertitude, mais l'éclosion d'une certitude prématurée. « C'est un ami de Swann, et un artiste très connu, de grande valeur », dis-je à Saint-Loup. Aussitôt passa sur lui et sur moi, comme un frisson, la pensée qu'Elstir était un grand artiste, un homme célèbre, puis, que nous confondant avec les autres dîneurs, il ne se doutait pas de l'exaltation où nous jetait l'idée de son talent. Sans doute, qu'il ignorât notre admiration et que nous connaissions Swann, ne nous eût pas été pénible si nous n'avions pas été aux bains de mer. Mais, attardés à un âge où l'enthousiasme ne peut rester silencieux, et transportés dans une vie où l'incognito semble étouffant, nous écrivîmes une lettre signée de nos noms, où nous dévoilions à Elstir dans les deux dîneurs assis à quelques pas de lui deux amateurs passionnés de son talent, deux amis de son grand ami Swann et où nous demandions à lui présenter nos hommages. Un garçon se chargea de porter cette missive à l'homme célèbre.

Célèbre, Elstir ne l'était peut-être pas encore à cette époque tout à fait autant que le prétendait le patron de l'établissement, et qu'il le fut d'ailleurs bien peu d'années plus tard. Mais il avait été un des premiers à habiter ce restaurant alors que ce n'était encore qu'une sorte de ferme et à y amener une colonie d'artistes (qui avaient du reste tous émigré ailleurs dès que la ferme où l'on mangeait en plein air sous un simple auvent, était devenue un centre élégant ; Elstir lui-même ne revenait en ce moment à Rivebelle qu'à cause d'une absence de sa femme avec laquelle il habitait non loin de là). Mais un grand talent, même quand il n'est pas encore reconnu, provoque nécessairement quelques phénomènes d'admiration, tels que le patron de la ferme avait été à même d'en distinguer dans les questions de plus d'une Anglaise de passage, avide de renseignements sur la vie que menait Elstir, ou dans le nombre de lettres que celui-ci recevait de l'étranger.

Alors le patron avait remarqué davantage qu'Elstir n'aimait pas être dérangé pendant qu'il travaillait, qu'il se relevait la nuit pour emmener un petit modèle poser nu au bord de la mer, quand il y avait clair de lune, et il s'était dit que tant de fatigues n'étaient pas perdues, ni l'admiration des touristes, injustifiée, quand il avait dans un tableau d'Elstir reconnu une croix de bois qui était plantée à l'entrée de Rivebelle. « C'est bien elle, répétait-il avec stupéfaction. Il y a les quatre morceaux ! Ah ! aussi, il s'en donne une peine ! »

Et il ne savait pas si un petit « lever de soleil sur la mer » qu'Elstir lui avait donné, ne valait pas une fortune.

Nous le vîmes lire notre lettre, la remettre dans sa poche, continuer à dîner, commencer à demander ses affaires, se lever pour partir, et nous étions tellement sûrs de l'avoir choqué par notre démarche que nous eussions souhaité maintenant (tout autant que nous l'avions redouté) de partir sans avoir été remarqués par lui. Nous ne pensions pas un seul instant à une chose qui aurait dû pourtant nous sembler la plus importante, c'est que notre enthousiasme pour Elstir, de la sincérité duquel nous n'aurions pas permis qu'on doutât et dont nous aurions pu, en effet, donner comme témoignage notre respiration entrecoupée par l'attente, notre désir de faire n'importe quoi de difficile ou d'héroïque pour le grand homme, n'était pas, comme nous nous le figurions, de l'admiration, puisque nous n'avions jamais rien vu d'Elstir ; notre sentiment pouvait avoir pour objet l'idée creuse de « un grand artiste », non pas une œuvre qui nous était inconnue. C'était tout au plus de l'admiration à vide, le cadre nerveux, l'armature sentimentale d'une admiration sans contenu, c'est-à-dire quelque chose d'aussi indissolublement attaché à l'enfance que certains organes qui n'existent plus chez l'homme adulte ; nous étions encore des enfants. Elstir cependant allait arriver à la porte, quand tout à coup il fit un crochet et vint à nous. J'étais transporté d'une délicieuse épou-

vante comme je n'aurais pu en éprouver quelques
années plus tard, parce que, en même temps que l'âge
diminue la capacité, l'habitude du monde ôte toute
idée de provoquer d'aussi étranges occasions, de
ressentir ce genre d'émotions.

Dans les quelques mots qu'Elstir vint nous dire en
s'asseyant à notre table, il ne me répondit jamais, les
diverses fois où je lui parlai de Swann. Je commençai à
croire qu'il ne le connaissait pas. Il ne m'en demanda
pas moins d'aller le voir à son atelier de Balbec,
invitation qu'il n'adressa pas à Saint-Loup, et que me
valurent, ce que n'aurait peut-être pas fait la recommandation de Swann si Elstir eût été lié avec lui (car la
part des sentiments désintéressés est plus grande
qu'on ne croit dans la vie des hommes), quelques
paroles qui lui firent penser que j'aimais les arts. Il
prodigua pour moi une amabilité, qui était aussi
supérieure à celle de Saint-Loup que celle-ci à l'affabi-
lité d'un petit bourgeois. À côté de celle d'un grand
artiste, l'amabilité d'un grand seigneur, si charmante
soit-elle, a l'air d'un jeu d'acteur, d'une simulation.
Saint-Loup cherchait à plaire, Elstir aimait à donner,
à se donner. Tout ce qu'il possédait, idées, œuvres, et
le reste qu'il comptait pour bien moins, il l'eût donné
avec joie à quelqu'un qui l'eût compris. Mais faute
d'une société supportable il vivait dans un isolement,
avec une sauvagerie que les gens du monde appelaient
de la pose et de la mauvaise éducation, les pouvoirs
publics un mauvais esprit, ses voisins de la folie, sa
famille de l'égoïsme et de l'orgueil.

Et sans doute les premiers temps avait-il pensé,
dans la solitude même, avec plaisir que, par le moyen
de ses œuvres, il s'adressait à distance, il donnait une
plus haute idée de lui, à ceux qui l'avaient méconnu ou
froissé. Peut-être alors vécut-il seul, non par indifférence, mais pas amour des autres, et, comme j'avais
renoncé à Gilberte pour lui réapparaître un jour sous
des couleurs plus aimables, destinait-il son œuvre à
certains, comme un retour vers eux, où sans le revoir
lui-même, on l'aimerait, on l'admirerait, on s'entre-

tiendrait de lui ; un renoncement n'est pas toujours total dès le début, quand nous le décidons avec notre âme ancienne et avant que par réaction il n'ait agi sur nous, qu'il s'agisse du renoncement d'un malade, d'un moine, d'un artiste, d'un héros. Mais s'il avait voulu produire en vue de quelques personnes, en produisant, il avait vécu pour lui-même, loin de la société à laquelle il était devenu indifférent ; la pratique de la solitude lui en avait donné l'amour comme il arrive pour toute grande chose que nous avons crainte d'abord, parce que nous la savions incompatible avec de plus petites auxquelles nous tenions et dont elle nous prive moins qu'elle ne nous détache. Avant de la connaître, toute notre préoccupation est de savoir dans quelle mesure nous pourrons la concilier avec certains plaisirs qui cessent d'en être dès que nous l'avons connue.

Elstir ne resta pas longtemps à causer avec nous. Je me promettais d'aller à son atelier dans les deux ou trois jours suivants, mais le lendemain de cette soirée comme j'avais accompagné ma grand-mère tout au bout de la digue vers les falaises de Canapville, en revenant, au coin d'une des petites rues qui débouchent, perpendiculairement, sur la plage, nous croisâmes une jeune fille qui, tête basse comme un animal qu'on fait rentrer malgré lui dans l'étable, et tenant des clubs de golf, marchait devant une personne autoritaire, vraisemblablement son « anglaise », ou celle d'une de ses amies, laquelle ressemblait au portrait de *Jeffries* par Hogarth [136], le teint rouge comme si sa boisson favorite avait été plutôt le gin que le thé, et prolongeant par le croc noir d'un reste de chique une moustache grise, mais bien fournie. La fillette qui la précédait, ressemblait à celle de la petite bande qui, sous un polo noir, avait dans un visage immobile et joufflu des yeux rieurs. Or, celle qui rentrait en ce moment avait aussi un polo noir, mais elle me semblait encore plus jolie que l'autre, la ligne de son nez était plus droite, à la base, l'aile en était plus large et plus charnue. Puis l'autre m'était apparue

comme une fière jeune fille pâle, celle-ci comme une
enfant domptée et de teint rose. Pourtant, comme elle
poussait une bicyclette pareille et comme elle portait
les mêmes gants de renne, je conclus que les différences tenaient peut-être à la façon dont j'étais placé et
aux circonstances, car il était peu probable qu'il y eût
à Balbec, une seconde jeune fille, de visage malgré
tout si semblable, et qui dans son accoutrement réunît
les mêmes particularités. Elle jeta dans ma direction
un regard rapide ; les jours suivants, quand je revis la
petite bande sur la plage, et même plus tard quand je
connus toutes les jeunes filles qui la composaient, je
n'eus jamais la certitude absolue qu'aucune d'elles —
même celle qui de toutes lui ressemblait le plus, la
jeune fille à la bicyclette — fût bien celle que j'avais
vue ce soir-là au bout de la plage, au coin de la rue,
jeune fille qui n'était guère, mais était tout de même
un peu différente de celle que j'avais remarquée dans
le cortège.

À partir de cet après-midi-là, moi, qui les jours
précédents avais surtout pensé à la grande, ce fut celle
aux clubs de golf, présumée être Mlle Simonet qui
recommença à me préoccuper. Au milieu des autres,
elle s'arrêtait souvent, forçant ses amies qui semblaient la respecter beaucoup, à interrompre aussi leur
marche. C'est ainsi, faisant halte, les yeux brillants
sous son « polo » que je la revois encore maintenant,
silhouettée sur l'écran que lui fait, au fond, la mer, et
séparée de moi par un espace transparent et azuré, le
temps écoulé depuis lors, première image, toute mince
dans mon souvenir, désirée, poursuivie, puis oubliée,
puis retrouvée, d'un visage que j'ai souvent depuis
projeté dans le passé pour pouvoir me dire d'une jeune
fille qui était dans ma chambre : « C'est elle ! »

Mais c'est peut-être encore celle au teint de géranium, aux yeux verts, que j'aurais le plus désiré
connaître. Quelle que fût, d'ailleurs, tel jour donné,
celle que je préférais apercevoir, les autres, sans celle-
là, suffisaient à m'émouvoir ; mon désir, même se
portant une fois plutôt sur l'une, une fois plutôt sur

l'autre, continuait — comme le premier jour, ma confuse vision — à les réunir, à faire d'elles le petit monde à part animé d'une vie commune qu'elles avaient, sans doute, d'ailleurs, la prétention de constituer ; j'eusse pénétré, en devenant l'ami de l'une d'elles — comme un païen raffiné ou un chrétien scrupuleux chez les barbares — dans une société rajeunissante où régnaient la santé, l'inconscience, la volupté, la cruauté, l'inintellectualité et la joie.

Ma grand-mère, à qui j'avais raconté mon entrevue avec Elstir et qui se réjouissait de tout le profit intellectuel que je pouvais tirer de son amitié, trouvait absurde et peu gentil que je ne fusse pas encore allé lui faire une visite. Mais je ne pensais qu'à la petite bande, et incertain de l'heure où ces jeunes filles passeraient sur la digue, je n'osais pas m'éloigner. Ma grand-mère s'étonnait aussi de mon élégance, car je m'étais soudain souvenu de costumes que j'avais jusqu'ici laissés au fond de la malle. J'en mettais chaque jour un différent et j'avais même écrit à Paris pour me faire envoyer de nouveaux chapeaux et de nouvelles cravates.

C'est un grand charme ajouté à la vie dans une station balnéaire comme était Balbec, si le visage d'une jolie fille, une marchande de coquillages, de gâteaux ou de fleurs, peint en vives couleurs dans notre pensée, est quotidiennement pour nous dès le matin le but de chacune de ces journées oisives et lumineuses qu'on passe sur la plage. Elles sont alors, et par là, bien que désœuvrées, alertes comme des journées de travail, aiguillées, aimantées, soulevées légèrement vers un instant prochain, celui où tout en achetant des sablés, des roses, des ammonites, on se délectera à voir sur un visage féminin, les couleurs étalées aussi purement que sur une fleur. Mais au moins, ces petites marchandes, d'abord on peut leur parler, ce qui évite d'avoir à construire avec l'imagination les autres côtés que ceux que nous fournit la simple perception visuelle, et à recréer leur vie, à s'exagérer son charme, comme devant un portrait ;

surtout, justement parce qu'on leur parle, on peut apprendre où, à quelles heures on peut les retrouver. Or il n'en était nullement ainsi pour moi en ce qui concernait les jeunes filles de la petite bande. Leurs habitudes m'étant inconnues, quand certains jours je ne les apercevais pas, ignorant la cause de leur absence, je cherchais si celle-ci était quelque chose de fixe, si on ne les voyait que tous les deux jours, ou quand il faisait tel temps, ou s'il y avait des jours où on ne les voyait jamais. Je me figurais d'avance ami avec elles et leur disant : « Mais vous n'étiez pas là tel jour ? » — « Ah ! oui, c'est parce que c'était un samedi, le samedi nous ne venons jamais parce que... » Encore si c'était aussi simple que de savoir que le triste samedi il est inutile de s'acharner, qu'on pourrait parcourir la plage en tous sens, s'asseoir à la devanture du pâtissier, faire semblant de manger un éclair, entrer chez le marchand de curiosités, attendre l'heure du bain, le concert, l'arrivée de la marée, le coucher du soleil, la nuit, sans voir la petite bande désirée. Mais le jour fatal ne revenait peut-être pas une fois par semaine. Il ne tombait peut-être pas forcément un samedi. Peut-être certaines conditions atmosphériques influaient-elles sur lui ou lui étaient-elles entièrement étrangères. Combien d'observations patientes mais non point sereines, il faut recueillir sur les mouvements en apparence irréguliers de ces mondes inconnus avant de pouvoir être sûr qu'on ne s'est pas laissé abuser par des coïncidences, que nos prévisions ne seront pas trompées, avant de dégager les lois certaines, acquises au prix d'expériences cruelles, de cette astronomie passionnée. Me rappelant que je ne les avais pas vues le même jour qu'aujourd'hui, je me disais qu'elles ne viendraient pas, qu'il était inutile de rester sur la plage. Et justement je les apercevais. En revanche, un jour où, autant que j'avais pu supposer que des lois réglaient le retour de ces constellations j'avais calculé devoir être un jour faste, elles ne venaient pas. Mais à cette première incertitude si je les verrais ou non le jour

même venait s'en ajouter une plus grave, si je les
reverrais jamais, car j'ignorais en somme si elles ne
devaient pas partir pour l'Amérique ou rentrer à Paris.
Cela suffisait pour me faire commencer à les aimer.
On peut avoir du goût pour une personne. Mais pour
déchaîner cette tristesse, ce sentiment de l'irréparable,
ces angoisses, qui préparent l'amour, il faut — et il est
peut-être ainsi, plutôt que ne l'est une personne,
l'objet même que cherche anxieusement à étreindre la
passion — le risque d'une impossibilité. Ainsi agis-
saient déjà ces influences qui se répètent au cours
d'amours successives, pouvant du reste se produire,
mais alors plutôt dans l'existence des grandes villes, au
sujet d'ouvrières dont on ne sait pas les jours de congé
et qu'on s'effraye de ne pas avoir vues à la sortie de
l'atelier, ou du moins qui se renouvelèrent au cours
des miennes. Peut-être sont-elles inséparables de
l'amour ; peut-être tout ce qui fut une particularité du
premier vient-il s'ajouter aux suivants par souvenir,
suggestion, habitude, et à travers les périodes successives de notre vie, donne à ses aspects différents un
caractère général.

Je prenais tous les prétextes pour aller sur la plage
aux heures où j'espérais pouvoir les rencontrer. Les
ayant aperçues une fois pendant notre déjeuner je n'y
arrivais plus qu'en retard, attendant indéfiniment sur
la digue qu'elles y passassent ; restant le peu de temps
que j'étais assis dans la salle à manger à interroger des
yeux l'azur du vitrage ; me levant bien avant le dessert
pour ne pas les manquer dans le cas où elles se fussent
promenées à une autre heure et m'irritant contre ma
grand-mère, inconsciemment méchante, quand elle
me faisait rester avec elle au-delà de l'heure qui me
semblait propice. Je tâchais de prolonger l'horizon en
mettant ma chaise de travers ; si par hasard j'apercevais n'importe laquelle des jeunes filles, comme elles
participaient [137] toutes à la même essence spéciale,
c'était comme si j'avais vu projeté en face de moi dans
une hallucination mobile et diabolique un peu du rêve
ennemi et pourtant passionnément convoité qui, l'ins-

tant d'avant encore, n'existait, y stagnant d'ailleurs d'une façon permanente, que dans mon cerveau.

Je n'en aimais aucune les aimant toutes, et pourtant leur rencontre possible était pour mes journées le seul élément délicieux, faisait seule naître en moi de ces espoirs où on briserait tous les obstacles, espoirs souvent suivis de rage, si je ne les avais pas vues. En ce moment, ces jeunes filles éclipsaient pour moi ma grand-mère ; un voyage m'eût tout de suite souri si ç'avait été pour aller dans un lieu où elles dussent se trouver. C'était à elles que ma pensée s'était agréablement suspendue quand je croyais penser à autre chose ou à rien. Mais quand, même ne le sachant pas, je pensais à elles, plus inconsciemment encore, elles, c'était pour moi les ondulations montueuses et bleues de la mer, le profil d'un défilé devant la mer. C'était la mer que j'espérais retrouver, si j'allais dans quelques villes où elles seraient. L'amour le plus exclusif pour une personne est toujours l'amour d'autre chose [138].

Ma grand-mère [139] me témoignait, parce que maintenant je m'intéressais extrêmement au golf et au tennis et laissais échapper l'occasion de regarder travailler et entendre discourir un artiste qu'elle savait des plus grands, un mépris qui me semblait procéder de vues un peu étroites. J'avais autrefois entrevu aux Champs-Élysées et je m'étais mieux rendu compte depuis, qu'en étant amoureux d'une femme nous projetons simplement en elle un état de notre âme ; que par conséquent l'important n'est pas la valeur de la femme mais la profondeur de l'état ; et que les émotions qu'une jeune fille médiocre nous donne peuvent nous permettre de faire monter à notre conscience des parties plus intimes de nous-même, plus personnelles, plus lointaines, plus essentielles, que ne ferait le plaisir que nous donne la conversation d'un homme supérieur ou même la contemplation admirative de ses œuvres.

Je dus finir par obéir à ma grand-mère avec d'autant plus d'ennui qu'Elstir habitait assez loin de la digue, dans une des avenues les plus nouvelles de Balbec. La chaleur du jour m'obligea à prendre le tramway qui passait par la rue de la Plage, et je m'efforçais, pour penser que j'étais dans l'antique royaume des Cimmériens, dans la patrie peut-être du roi Mark ou sur l'emplacement de la forêt de Brocéliande, de ne pas regarder le luxe de pacotille des constructions qui se développaient devant moi et entre lesquelles la villa d'Elstir était peut-être la plus somptueusement laide, louée malgré cela par lui, parce que de toutes celles qui existaient à Balbec, c'était la seule qui pouvait lui offrir un vaste atelier.

C'est aussi en détournant les yeux que je traversai le jardin qui avait une pelouse — en plus petit comme chez n'importe quel bourgeois dans la banlieue de Paris —, une petite statuette de galant jardinier, des boules de verre où l'on se regardait, des bordures de bégonias et une petite tonnelle sous laquelle des rocking-chairs étaient allongés devant une table de fer. Mais après tous ces abords empreints de laideur citadine, je ne fis plus attention aux moulures chocolat des plinthes quand je fus dans l'atelier ; je me sentis parfaitement heureux, car par toutes les études qui étaient autour de moi, je sentais la possibilité de m'élever à une connaissance poétique, féconde en joies, de maintes formes que je n'avais pas isolées jusque-là du spectacle total de la réalité. Et l'atelier d'Elstir m'apparut comme le laboratoire d'une sorte de nouvelle création du monde, où, du chaos que sont toutes choses que nous voyons, il avait tiré, en les peignant sur divers rectangles de toile qui étaient posés dans tous les sens, ici une vague de la mer écrasant avec colère sur le sable son écume lilas, là un jeune homme en coutil blanc accoudé sur le pont d'un bateau. Le veston du jeune homme et la vague éclaboussante avaient pris une dignité nouvelle du fait qu'ils continuaient à être, encore que dépourvus de ce en quoi ils passaient pour consister, la vague ne pouvant plus mouiller, ni le veston habiller personne.

Au moment où j'entrai, le créateur était en train

d'achever, avec le pinceau qu'il tenait dans sa main, la forme du soleil à son coucher.

Les stores étaient clos de presque tous les côtés, l'atelier était assez frais, et, sauf à un endroit où le grand jour apposait au mur sa décoration éclatante et passagère, obscur ; seule était ouverte une petite fenêtre rectangulaire encadrée de chèvrefeuilles qui, après une bande de jardin, donnait sur une avenue ; de sorte que l'atmosphère de la plus grande partie de l'atelier était sombre, transparente et compacte dans sa masse, mais humide et brillante aux cassures où la sertissait la lumière, comme un bloc de cristal de roche dont une face déjà taillée et polie, çà et là, luit comme un miroir et s'irise. Tandis qu'Elstir, sur ma prière continuait à peindre, je circulais dans ce clair-obscur, m'arrêtant devant un tableau puis devant un autre.

Le plus grand nombre de ceux qui m'entouraient, n'étaient pas ce que j'aurais le plus aimé voir de lui, les peintures appartenant à ses première et deuxième manières, comme disaient une revue d'Art anglaise qui traînait sur la table du salon du Grand-Hôtel, la manière mythologique et celle où il avait subi l'influence du Japon, toutes deux admirablement représentées, disait-on, dans la collection de Mme de Guermantes. Naturellement, ce qu'il avait dans son atelier, ce n'était guère que des marines prises ici, à Balbec. Mais j'y pouvais discerner que le charme de chacune consistait en une sorte de métamorphose des choses représentées, analogue à celle qu'en poésie on nomme métaphore et que si Dieu le Père avait créé les choses en les nommant, c'est en leur ôtant leur nom, ou en leur en donnant un autre qu'Elstir les recréait. Les noms qui désignent les choses répondent toujours à une notion de l'intelligence, étrangère à nos impressions véritables, et qui nous force à éliminer d'elles tout ce qui ne se rapporte pas à cette notion.

Parfois à ma fenêtre, dans l'hôtel de Balbec, le matin quand Françoise défaisait les couvertures qui cachaient la lumière, le soir quand j'attendais le moment de partir avec Saint-Loup, il m'était arrivé grâce à un effet de soleil, de prendre une partie plus sombre de la mer pour une côte éloignée, ou de regarder avec joie une zone bleue et fluide sans savoir si elle appartenait à la mer ou au ciel. Bien vite mon intelligence rétablissait entre les éléments la séparation que mon impression avait abolie. C'est ainsi qu'il m'arrivait à Paris, dans ma chambre, d'entendre une dispute, presque une émeute, jusqu'à ce que j'eusse rapporté à sa cause, par exemple une voiture dont le roulement approchait, ce bruit dont j'éliminais alors ces vociférations aiguës et discordantes que mon oreille avait réellement entendues, mais que mon intelligence savait que des roues ne produisaient pas. Mais les rares moments où l'on voit la nature telle qu'elle est, poétiquement, c'était de ceux-là qu'était faite l'œuvre d'Elstir[140]. Une de ses métaphores les plus fréquentes dans les marines qu'il avait près de lui en ce moment était justement celle qui comparant la terre à la mer, supprimait entre elles toute démarcation. C'était cette comparaison, tacitement et inlassablement répétée dans une même toile qui y introduisait cette multiforme et puissante unité, cause, parfois non clairement aperçue par eux, de l'enthousiasme qu'excitait chez certains amateurs la peinture d'Elstir.

C'est par exemple à une métaphore de ce genre — dans un tableau, représentant le port de Carquethuit, tableau qu'il avait terminé depuis peu de jours et que je regardai longuement — qu'Elstir avait préparé l'esprit du spectateur en n'employant pour la petite ville que des termes marins, et que des termes urbains pour la mer. Soit que les maisons cachassent une partie du port, un bassin de calfatage ou peut-être la mer même s'enfonçant en golfe dans les terres ainsi que cela arrivait constamment dans ce pays de Balbec, de l'autre côté de la pointe avancée où était construite la ville, les toits étaient dépassés (comme ils l'eussent été par des cheminées ou par des clochers) par des mâts, lesquels avaient l'air de faire des vaisseaux auxquels ils appartenaient, quelque chose de citadin, de construit sur terre, impression qu'augmentaient

d'autres bateaux, demeurés le long de la jetée, mais en
rangs si pressés que les hommes y causaient d'un
bâtiment à l'autre sans qu'on pût distinguer leur
séparation et l'interstice de l'eau, et ainsi cette flottille
de pêche avait moins l'air d'appartenir à la mer que,
par exemple, les églises de Criquebec qui, au loin,
entourées d'eau de tous côtés parce qu'on les voyait
sans la ville, dans un poudroiement de soleil et de
vagues, semblaient sortir des eaux, soufflées en albâtre
ou en écume et, enfermées dans la ceinture d'un arc-
en-ciel versicolore, former un tableau irréel et mystique. Dans le premier plan de la plage, le peintre avait
su habituer les yeux à ne pas reconnaître de frontière
fixe, de démarcation absolue, entre la terre et l'océan.
Des hommes qui poussaient des bateaux à la mer,
couraient aussi bien dans les flots que sur le sable,
lequel, mouillé, réfléchissait déjà les coques comme
s'il avait été de l'eau. La mer elle-même ne montait
pas régulièrement, mais suivait les accidents de la
grève, que la perspective déchiquetait encore davantage, si bien qu'un navire en pleine mer, à demi caché
par les ouvrages avancés de l'arsenal, semblait voguer
au milieu de la ville ; des femmes qui ramassaient des
crevettes dans les rochers, avaient l'air, parce qu'elles
étaient entourées d'eau et à cause de la dépression qui,
après la barrière circulaire des roches, abaissait la
plage (des deux côtés les plus rapprochés des terres) au
niveau de la mer, d'être dans une grotte marine
surplombée de barques et de vagues, ouverte et
protégée au milieu des flots écartés miraculeusement.
Si tout le tableau donnait cette impression des ports où
la mer entre dans la terre, où la terre est déjà marine,
et la population amphibie, la force de l'élément marin
éclatait partout ; et, près des rochers, à l'entrée de la
jetée, où la mer était agitée, on sentait aux efforts des
matelots et à l'obliquité des barques couchées à angle
aigu devant la calme verticalité de l'entrepôt, de
l'église, des maisons de la ville, où les uns rentraient,
d'où les autres partaient pour la pêche, qu'ils trot-
taient rudement sur l'eau comme sur un animal

fougueux et rapide dont les soubresauts, sans leur adresse, les eussent jetés à terre. Une bande de promeneurs sortait gaiement en une barque secouée comme une carriole ; un matelot joyeux, mais attentif aussi, la gouvernait comme avec des guides, menait la voile fougueuse, chacun se tenait bien à sa place pour ne pas faire trop de poids d'un côté et ne pas verser, et on courait ainsi par les champs ensoleillés, dans les sites ombreux, dégringolant les pentes. C'était une belle matinée malgré l'orage qu'il avait fait. Et même on sentait encore les puissantes actions qu'avait à neutraliser le bel équilibre des barques immobiles, jouissant du soleil et de la fraîcheur, dans les parties où la mer était si calme que les reflets avaient presque plus de solidité et de réalité que les coques vaporisées par un effet de soleil et que la perspective faisait s'enjamber les unes les autres. Ou plutôt on n'aurait pas dit d'autres parties de la mer. Car entre ces parties, il y avait autant de différence qu'entre l'une d'elles et l'église sortant des eaux, et les bateaux derrière la ville. L'intelligence faisait ensuite un même élément de ce qui était, ici noir dans un effet d'orage, plus loin tout d'une couleur avec le ciel et aussi verni que lui, et là si blanc de soleil, de brume et d'écume, si compact, si terrien, si circonvenu de maisons, qu'on pensait à quelque chaussée de pierres ou à un champ de neige, sur lequel on était effrayé de voir un navire s'élever en pente raide et à sec comme une voiture qui s'ébroue en sortant d'un gué, mais qu'au bout d'un moment, en y voyant sur l'étendue haute et inégale du plateau solide, des bateaux titubants, on comprenait, identique en tous ces aspects divers, être encore la mer.

Bien qu'on dise avec raison qu'il n'y a pas de progrès, pas de découvertes en art, mais seulement dans les sciences, et que chaque artiste recommençant pour son compte un effort individuel ne peut y être aidé ni entravé par les efforts de tout autre, il faut pourtant reconnaître, que dans la mesure où l'art met en lumière certaines lois, une fois qu'une industrie les a vulgarisées, l'art antérieur perd rétrospectivement un peu de son originalité. Depuis les débuts d'Elstir, nous avons connu ce qu'on appelle « d'admirables » photographies de paysages et de villes. Si on cherche à préciser ce que les amateurs désignent dans ce cas par cette épithète, on verra qu'elle s'applique d'ordinaire à quelque image singulière d'une chose connue, image différente de celles que nous avons l'habitude de voir, singulière et pourtant vraie et qui à cause de cela est pour nous doublement saisissante parce qu'elle nous étonne, nous fait sortir de nos habitudes, et tout à la fois nous fait rentrer en nous-même en nous rappelant une impression. Par exemple telle de ces photographies « magnifiques », illustrera une loi de la perspective, nous montrera telle cathédrale que nous avons l'habitude de voir au milieu de la ville, prise au contraire d'un point choisi d'où elle aura l'air trente fois plus haute que les maisons et faisant éperon au bord du fleuve d'où elle est en réalité distante. Or, l'effort d'Elstir de ne pas exposer les choses telles qu'il savait qu'elles étaient mais selon ces illusions optiques dont notre vision première est faite, l'avait précisément amené à mettre en lumière certaines de ces lois de perspective, plus frappantes alors, car l'art était le premier à les dévoiler. Un fleuve, à cause du tournant de son cours, un golfe, à cause du rapprochement apparent des falaises, avaient l'air de creuser au milieu de la plaine ou des montagnes un lac absolument fermé de toutes parts. Dans un tableau pris de Balbec par une torride journée d'été, un rentrant de la mer semblait, enfermé dans des murailles de granit rose, n'être pas la mer, laquelle commençait plus loin. La continuité de l'océan n'était suggérée que par des mouettes qui, tournoyant sur ce qui semblait au spectateur de la pierre, humaient au contraire l'humidité du flot. D'autres lois se dégageaient de cette même toile comme, au pied des immenses falaises, la grâce lilliputienne des voiles blanches sur le miroir bleu où elles semblaient des papillons endormis, et certains contrastes entre la profondeur des ombres et la pâleur de la lumière. Ces jeux des ombres, que la photographie a banalisés aussi, avaient intéressé Elstir au point qu'il s'était complu autrefois à peindre de véritables mirages, où un château coiffé d'une tour apparaissait comme un château complètement circulaire prolongé d'une tour à son faîte, et en bas d'une tour inverse, soit que la pureté extraordinaire d'un beau temps donnât à l'ombre qui se reflétait dans l'eau la dureté et l'éclat de la pierre, soit que les brumes du matin rendissent la pierre aussi vaporeuse que l'ombre. De même au-delà de la mer, derrière une rangée de bois une autre mer commençait, rosée par le coucher du soleil et qui était le ciel. La lumière inventant comme de nouveaux solides, poussait la coque du bateau qu'elle frappait, en retrait de celle qui était dans l'ombre, et disposait comme les degrés d'un escalier de cristal sur la surface matériellement plane, mais brisée par l'éclairage, de la mer au matin. Un fleuve qui passe sous les ponts d'une ville était pris d'un point de vue tel qu'il apparaissait entièrement disloqué, étalé ici en lac, aminci là en filet, rompu ailleurs par l'interposition d'une colline couronnée de bois où le citadin va le soir respirer la fraîcheur du soir ; et le rythme même de cette ville bouleversée n'était assuré que par la verticale inflexible des clochers qui ne montaient pas, mais plutôt, selon le fil à plomb de la pesanteur marquant la cadence comme dans une marche triomphale, semblaient tenir en suspens au-dessous d'eux toute la masse plus confuse des maisons étagées dans la brume, le long du fleuve écrasé et décousu. Et (comme les premières œuvres d'Elstir dataient de l'époque où on agrémentait les paysages par la présence d'un personnage) sur la falaise ou dans la montagne, le chemin, cette partie à demi humaine de la nature, subissait comme le fleuve ou l'océan les éclipses de la perspective. Et soit qu'une arête montagneuse, ou la brume d'une cascade, ou la mer, empêchât de suivre la continuité de la route, visible pour le promeneur mais non pour nous, le petit personnage humain en habits démodés perdu dans ces

solitudes semblait souvent arrêté devant un abîme, le
sentier qu'il suivait finissant là, tandis que, trois cents
mètres plus haut dans ces bois de sapins, c'est d'un œil
attendri et d'un cœur rassuré que nous voyions
reparaître la mince blancheur de son sable hospitalier
au pas du voyageur, mais dont le versant de la
montagne nous avait dérobé, contournant la cascade
ou le golfe, les lacets intermédiaires.

L'effort qu'Elstir faisait pour se dépouiller en
présence de la réalité de toutes les notions de son
intelligence était d'autant plus admirable que cet
homme qui, avant de peindre, se faisait ignorant,
oubliait tout par probité, car ce qu'on sait n'est pas à
soi, avait justement une intelligence exceptionnelle-
ment cultivée. Comme je lui avouais la déception que
j'avais eue devant l'église de Balbec : « Comment, me
dit-il, vous avez été déçu par ce porche, mais c'est la
plus belle Bible historiée que le peuple ait jamais pu
lire. Cette Vierge et tous les bas-reliefs qui racontent
sa vie, c'est l'expression la plus tendre, la plus inspirée
de ce long poème d'adoration et de louanges que le
Moyen Age déroulera à la gloire de la Madone. Si vous
saviez, à côté de l'exactitude la plus minutieuse à
traduire le texte saint, quelles trouvailles de délicatesse a eues le vieux sculpteur, que de profondes
pensées, quelle délicieuse poésie [141] !

L'idée de ce grand voile dans lequel les Anges
portent le corps de la Vierge, trop sacré pour qu'ils
osent le toucher directement (je lui dis que le même
sujet était traité à Saint-André-des-Champs [142] ; il avait
vu des photographies du porche de cette dernière
église, mais me fit remarquer que l'empressement de
ces petits paysans qui courent tous à la fois autour de
la Vierge était autre chose que la gravité des deux
grands anges presque italiens, si élancés, si doux) ;
l'ange qui emporte l'âme de la Vierge pour la réunir à
son corps ; dans la rencontre de la Vierge et d'Élisa-
beth, le geste de cette dernière qui touche le sein de
Marie et s'émerveille de le sentir gonflé ; et le bras
bandé de la sage-femme qui n'avait pas voulu croire,

sans toucher, à l'Immaculée Conception ; et la ceinture jetée par la Vierge à saint Thomas pour lui donner
la preuve de sa résurrection ; ce voile, aussi, que la
Vierge arrache de son sein pour en voiler la nudité de
son fils d'un côté de qui l'Église recueille le sang, la
liqueur de l'Eucharistie, tandis que, de l'autre, la
Synagogue dont le règne est fini, a les yeux bandés,
tient un sceptre à demi brisé et laisse échapper avec sa
couronne qui lui tombe de la tête, les tables de
l'ancienne Loi ; et l'époux qui aidant, à l'heure du
Jugement dernier, sa jeune femme à sortir du tombeau
lui appuie la main contre son propre cœur pour la
rassurer et lui prouver qu'il bat vraiment, est-ce aussi
assez chouette comme idée, assez trouvé ? et l'ange qui
emporte le soleil et la lune devenus inutiles puisqu'il
est dit que la Lumière de la Croix sera sept fois plus
puissante que celle des astres ; et celui qui trempe sa
main dans l'eau du bain de Jésus pour voir si elle est
assez chaude ; et celui qui sort des nuées pour poser sa
couronne sur le front de la Vierge ; et tous ceux qui
penchés du haut du ciel, entre les balustres de la
Jérusalem céleste, lèvent les bras d'épouvante ou de
joie à la vue des supplices des méchants et du bonheur
des élus ! Car c'est tous les cercles du ciel, tout un
gigantesque poème théologique et symbolique que
vous avez là. C'est fou, c'est divin, c'est mille fois
supérieur à tout ce que vous verrez en Italie où
d'ailleurs ce tympan a été littéralement copié par des
sculpteurs de bien moins de génie. Parce que, vous
comprenez, tout ça c'est une question de génie. Il n'y
a pas eu d'époque où tout le monde a du génie, tout ça
c'est des blagues, ça serait plus fort que l'âge d'or. Le
type qui a sculpté cette façade-là, croyez bien qu'il
était aussi fort, qu'il avait des idées aussi profondes
que les gens de maintenant que vous admirez le plus.
Je vous montrerais cela, si nous y allions ensemble. Il
y a certaines paroles de l'office de l'Assomption qui
ont été traduites avec une subtilité qu'un Redon n'a
pas égalée [143]. »

Cette vaste vision céleste dont il me parlait, ce

gigantesque poème théologique que je comprenais
avoir été écrit là, pourtant quand mes yeux pleins de
désirs s'étaient ouverts devant la façade, ce n'est pas
eux que j'avais vus. Je lui parlai de ces grandes statues
de saints qui montées sur ces échasses forment une
sorte d'avenue. « Elle part des fonds des âges pour
aboutir à Jésus-Christ, me dit-il. Ce sont d'un côté, ses
ancêtres selon l'esprit, de l'autre, les Rois de Juda, ses
ancêtres selon la chair. Tous les siècles sont là. Et si
vous aviez mieux regardé ce qui vous a paru des
échasses, vous auriez pu nommer ceux qui étaient
perchés. Car sous les pieds de Moïse vous auriez
reconnu le veau d'or, sous les pieds d'Abraham, le
bélier, sous ceux de Joseph, le démon conseillant la
femme de Putiphar. »

Je lui dis aussi que je m'étais attendu à trouver un
monument presque persan et que ç'avait sans doute
été là une des causes de mon mécompte. « Mais non,
me répondit-il, il y a beaucoup de vrai. Certaines
parties sont tout orientales ; un chapiteau reproduit si
exactement un sujet persan, que la persistance des
traditions orientales ne suffit pas à l'expliquer. Le
sculpteur a dû copier quelque coffret apporté par des
navigateurs. » Et en effet il devait me montrer plus
tard la photographie d'un chapiteau où je vis des
dragons quasi chinois qui se dévoraient, mais à Balbec
ce petit morceau de sculpture avait passé pour moi
inaperçu dans l'ensemble du monument qui ne ressemblait pas à ce que m'avaient montré ces mots :
« église presque persane ».

Les joies intellectuelles que je goûtais dans cet
atelier ne m'empêchaient nullement de sentir, quoiqu'ils nous entourassent comme malgré nous, les
tièdes glacis, la pénombre étincelante de la pièce, et au
bout de la petite fenêtre encadrée de chèvrefeuilles,
dans l'avenue toute rustique, la résistante sécheresse
de la terre brûlée de soleil que voilait seulement la
transparence de l'éloignement et de l'ombre des
arbres. Peut-être l'inconscient bien-être que me causait ce jour d'été venait-il agrandir comme un affluent

la joie que me causait la vue du « Port de Carquethuit ».

J'avais cru Elstir modeste mais je compris que je
m'étais trompé, en voyant son visage se nuancer de
tristesse quand dans une phrase de remerciement je
prononçai le mot de gloire. Ceux qui croient leurs
œuvres durables — et c'était le cas pour Elstir —
prennent l'habitude de les situer dans une époque où
eux-mêmes ne seront plus que poussière. Et ainsi en
les forçant à réfléchir au néant, l'idée de la gloire les
attriste parce qu'elle est inséparable de l'idée de la
mort. Je changeai de conversation pour dissiper ce
nuage d'orgueilleuse mélancolie dont j'avais sans le
vouloir chargé le front d'Elstir. « On m'avait
conseillé, lui dis-je en pensant à la conversation que
nous avions eue avec Legrandin à Combray et sur
laquelle j'étais content d'avoir son avis, de ne pas aller
en Bretagne, parce que c'était malsain pour un esprit
déjà porté au rêve. » — « Mais non, me répondit-il,
quand un esprit est porté au rêve, il ne faut pas l'en
tenir écarté, le lui rationner. Tant que vous détourne-
rez votre esprit de ses rêves, il ne les connaîtra pas ;
vous serez le jouet de mille apparences parce que vous
n'en aurez pas compris la nature. Si un peu de rêve est
dangereux, ce qui en guérit, ce n'est pas moins de
rêve, mais plus de rêve, mais tout le rêve. Il importe
qu'on connaisse entièrement ses rêves pour n'en plus
souffrir ; il y a une certaine séparation du rêve et de la
vie qu'il est si souvent utile de faire que je me
demande si on ne devrait pas à tout hasard la pratiquer
préventivement, comme certains chirurgiens prétendent qu'il faudrait, pour éviter la possibilité d'une
appendicite future, enlever l'appendice chez tous les
enfants. »

Elstir et moi nous étions allés jusqu'au fond de
l'atelier, devant la fenêtre qui donnait derrière le
jardin sur une étroite avenue de traverse, presque un
petit chemin rustique. Nous étions venus là pour
respirer l'air rafraîchi de l'après-midi plus avancé. Je
me croyais bien loin des jeunes filles de la petite

bande, et c'est en sacrifiant pour une fois l'espérance de les voir, que j'avais fini par obéir à la prière de ma grand-mère et aller voir Elstir. Car où se trouve ce qu'on cherche on ne le sait pas, et on fuit souvent pendant bien longtemps le lieu où, pour d'autres raisons, chacun nous invite. Mais nous ne soupçonnons pas que nous y verrions justement l'être auquel nous pensons. Je regardais vaguement le chemin campagnard qui extérieur à l'atelier, passait tout près de lui mais n'appartenait pas à Elstir. Tout à coup y apparut, le suivant à pas rapides, la jeune cycliste [144] de la petite bande avec, sur ses cheveux noirs, son polo abaissé vers ses grosses joues, ses yeux gais et un peu insistants ; et dans ce sentier fortuné miraculeusement rempli de douces promesses, je la vis sous les arbres, adresser à Elstir un salut souriant d'amie, arc-en-ciel qui unit pour moi notre monde terraqué à des régions que j'avais jugées jusque-là inaccessibles. Elle s'approcha même pour tendre la main au peintre, sans s'arrêter, et je vis qu'elle avait un petit grain de beauté au menton. « Vous connaissez cette jeune fille, Monsieur ? » dis-je à Elstir, comprenant qu'il pourrait me présenter à elle, l'inviter chez lui. Et cet atelier paisible avec son horizon rural s'était rempli d'un surcroît délicieux comme il arrive d'une maison où un enfant se plaisait déjà et où il apprend que, en plus, de par la générosité qu'ont les belles choses et les nobles gens à accroître indéfiniment leurs dons, se prépare pour lui un magnifique goûter. Elstir me dit qu'elle s'appelait Albertine Simonet et me nomma aussi ses autres amies que je lui décrivis avec assez d'exactitude pour qu'il n'eût guère d'hésitation. J'avais commis à l'égard de leur situation sociale une erreur, mais pas dans le même sens que d'habitude à Balbec. J'y prenais facilement pour des princes des fils de boutiquiers montant à cheval. Cette fois, j'avais situé dans un milieu interlope des filles d'une petite bourgeoisie fort riche, du monde de l'industrie et des affaires. C'était celui qui, de prime abord m'intéressait le moins, n'ayant pour moi le mystère ni du peuple, ni

d'une société comme celle des Guermantes. Et sans
doute si un prestige préalable qu'elles ne perdraient
plus ne leur avait été conféré, devant mes yeux
éblouis, par la vacuité éclatante de la vie de plage, je
ne serais peut-être pas arrivé à lutter victorieusement
contre l'idée qu'elles étaient les filles de gros négo-
ciants. Je ne pus qu'admirer combien la bourgeoisie
française était un atelier merveilleux de la sculpture la
plus généreuse et la plus variée. Que de types
imprévus, quelle invention dans le caractère des
visages, quelle décision, quelle fraîcheur, quelle naï-
veté dans les traits ! Les vieux bourgeois avares d'où
étaient issues ces Dianes et ces nymphes me semblaient les plus grands des statuaires. Avant que
j'eusse eu le temps de m'apercevoir de la métamorphose sociale de ces jeunes filles, et tant ces découvertes d'une erreur, ces modifications de la notion
qu'on a d'une personne ont l'instantanéité d'une
réaction chimique, s'était déjà installée derrière le
visage d'un genre si voyou de ces jeunes filles que
j'avais prises pour des maîtresses de coureurs
cyclistes, de champions de boxe, l'idée qu'elles pouvaient très bien être liées avec la famille de tel notaire
que nous connaissions. Je ne savais guère ce qu'était
Albertine Simonet. Elle ignorait certes ce qu'elle
devait être un jour pour moi. Même ce nom de
Simonet que j'avais déjà entendu sur la plage, si on
m'avait demandé de l'écrire je l'aurais orthographié
avec deux n, ne me doutant pas de l'importance que
cette famille attachait à n'en posséder qu'un seul. Au
fur et à mesure que l'on descend dans l'échelle sociale,
le snobisme s'accroche à des riens qui ne sont peut-
être pas plus nuls que les distinctions de l'aristocratie,
mais qui plus obscurs, plus particuliers à chacun,
surprennent davantage. Peut-être y avait-il eu des
Simonnet qui avaient fait de mauvaises affaires, ou pis
encore. Toujours est-il que les Simonet s'étaient,
paraît-il, toujours irrités comme d'une calomnie
quand on doublait leur n. Ils avaient d'être les seuls
Simonet avec un n au lieu de deux, autant de fierté

peut-être que les Montmorency d'être les premiers barons de France. Je demandai à Elstir si ces jeunes filles habitaient Balbec, il me répondit oui pour certaines d'entre elles. La villa de l'une était précisément située tout au bout de la plage, là où commencent les falaises de Canapville. Comme cette jeune fille était une grande amie d'Albertine Simonet, ce me fut une raison de plus de croire que c'était bien cette dernière que j'avais rencontrée, quand j'étais avec ma grand-mère. Certes il y avait tant de ces petites rues perpendiculaires à la plage où elles faisaient un angle pareil, que je n'aurais pu spécifier exactement lequel c'était. On voudrait avoir un souvenir exact mais au moment même la vision a été trouble. Pourtant qu'Albertine et cette jeune fille entrant chez son amie fussent une seule et même personne, c'était pratiquement une certitude. Malgré cela, tandis que les innombrables images que m'a présentées dans la suite la brune joueuse de golf, si différentes qu'elles soient les unes des autres, se superposent (parce que je sais qu'elles lui appartiennent toutes), et que si je remonte le fil de mes souvenirs, je peux, sous le couvert de cette identité et comme dans un chemin de communication intérieure, repasser par toutes ces images sans sortir d'une même personne, en revanche, si je veux remonter jusqu'à la jeune fille que je croisai le jour où j'étais avec ma grand-mère, il me faut ressortir à l'air libre. Je suis persuadé que c'est Albertine que je retrouve, la même que celle qui s'arrêtait souvent, au milieu de ses amies, dans sa promenade, dépassant l'horizon de la mer ; mais toutes ces images restent séparées de cette autre parce que je ne peux pas lui conférer rétrospectivement une identité qu'elle n'avait pas pour moi au moment où elle a frappé mes yeux ; quoi que puisse m'assurer le calcul des probabilités, cette jeune fille aux grosses joues qui me regarda si hardiment au coin de la petite rue et de la plage et par qui je crois que j'aurais pu être aimé, au sens strict du mot revoir, je ne l'ai jamais revue.

Mon hésitation entre les diverses jeunes filles de la

petite bande, lesquelles gardaient toutes un peu du charme collectif qui m'avait d'abord troublé, s'ajouta-t-elle aussi à ces causes pour me laisser plus tard, même au temps de mon plus grand — de mon second — amour pour Albertine, une sorte de liberté intermittente, et bien brève, de ne l'aimer pas ? Pour avoir erré entre toutes ses amies avant de se porter définitivement sur elle, mon amour garda parfois entre lui et l'image d'Albertine un certain « jeu » qui lui permettait comme un éclairage mal adapté de se poser sur d'autres avant de revenir s'appliquer à elle ; le rapport entre le mal que je ressentais au cœur et le souvenir d'Albertine ne me semblait pas nécessaire, j'aurais peut-être pu le coordonner avec l'image d'une autre personne. Ce qui me permettait, l'éclair d'un instant, de faire évanouir la réalité, non pas seulement la réalité extérieure comme dans mon amour pour Gilberte (que j'avais reconnu pour un état intérieur où je tirais de moi seul la qualité particulière, le caractère spécial de l'être que j'aimais, tout ce qui le rendait indispensable à mon bonheur) mais même la réalité intérieure et purement subjective.

« Il n'y a pas de jour qu'une ou l'autre d'entre elles ne passe devant l'atelier et n'entre me faire un bout de visite », me dit Elstir, me désespérant aussi par la pensée que si j'avais été le voir aussitôt que ma grand-mère m'avait demandé de le faire, j'eusse probablement depuis longtemps déjà fait la connaissance d'Albertine.

Elle s'était éloignée ; de l'atelier on ne la voyait plus. Je pensai qu'elle était allée rejoindre ses amies sur la digue. Si j'avais pu m'y trouver avec Elstir, j'eusse fait leur connaissance. J'inventai mille prétextes pour qu'il consentît à venir faire un tour de plage avec moi. Je n'avais plus le même calme qu'avant l'apparition de la jeune fille dans le cadre de la petite fenêtre si charmante jusque-là sous ses chèvrefeuilles et maintenant bien vide. Elstir me causa une joie mêlée de torture en me disant qu'il ferait quelques pas avec moi, mais qu'il était obligé de terminer d'abord le

morceau qu'il était en train de peindre. C'était des
fleurs, mais pas de celles dont j'eusse mieux aimer lui
commander le portrait que celui d'une personne, afin
d'apprendre par la révélation de son génie ce que
j'avais si souvent cherché en vain devant elles —
aubépines, épines roses, bluets, fleurs de pommiers [145]. Elstir tout en peignant me parlait de bota-
nique, mais je ne l'écoutais guère ; il ne se suffisait
plus à lui-même, il n'était plus que l'intermédiaire
nécessaire entre ces jeunes filles et moi ; le prestige
que quelques instants encore auparavant, lui donnait
pour moi son talent, ne valait plus qu'en tant qu'il
m'en conférait un peu à moi-même aux yeux de la
petite bande à qui je serais présenté par lui.

J'allais et venais, impatient qu'il eût fini de travailler ; je saisissais pour les regarder des études dont
beaucoup tournées contre le mur, étaient empilées les
unes sur les autres. Je me trouvai ainsi mettre au jour
une aquarelle qui devait être d'un temps bien plus
ancien de la vie d'Elstir et me causa cette sorte
particulière d'enchantement que dispensent des
œuvres non seulement d'une exécution délicieuse mais
aussi d'un sujet si singulier et si séduisant, que c'est à
lui que nous attribuons une partie de leur charme,
comme si, ce charme, le peintre n'avait eu qu'à le
découvrir, qu'à l'observer, matériellement réalisé déjà
dans la nature et à le reproduire. Que de tels objets
puissent exister, beaux en dehors même de l'interprétation du peintre, cela contente en nous un matérialisme inné, combattu par la raison, et sert de contre-
poids aux abstractions de l'esthétique. C'était — cette
aquarelle — le portrait d'une jeune femme pas jolie,
mais d'un type curieux, que coiffait un serre-tête assez
semblable à un chapeau melon bordé d'un ruban de
soie cerise ; une de ses mains gantées de mitaines
tenait une cigarette allumée, tandis que l'autre élevait
à la hauteur du genou une sorte de grand chapeau de
jardin, simple écran de paille contre le soleil. À côté
d'elle, un porte-bouquet plein de roses sur une table.
Souvent et c'était le cas ici, la singularité de ces

œuvres tient surtout à ce qu'elles ont été exécutées dans des conditions particulières dont nous ne nous rendons pas clairement compte d'abord, par exemple si la toilette étrange d'un modèle féminin, est un déguisement de bal costumé, ou si au contraire le manteau rouge d'un vieillard qui a l'air de l'avoir revêtu pour se prêter à une fantaisie du peintre, est sa robe de professeur ou de conseiller, ou son camail de cardinal. Le caractère ambigu de l'être dont j'avais le portrait sous les yeux, tenait sans que je le comprisse à ce que c'était une jeune actrice d'autrefois en demi-travesti. Mais son melon, sous lequel ses cheveux étaient bouffants, mais courts, son veston de velours sans revers ouvrant sur un plastron blanc me firent hésiter sur la date de la mode et le sexe du modèle, de façon que je ne savais pas exactement ce que j'avais sous les yeux, sinon le plus clair des morceaux de peinture. Et le plaisir qu'il me donnait était troublé seulement par la peur qu'Elstir en s'attardant encore me fît manquer les jeunes filles, car le soleil était déjà et oblique et bas dans la petite fenêtre. Aucune chose dans cette aquarelle n'était simplement constatée en fait et peinte à cause de son utilité dans la scène, le costume parce qu'il fallait que la femme fût habillée, le porte-bouquet pour les fleurs. Le verre du porte-bouquet, aimé pour lui-même, avait l'air d'enfermer l'eau où trempaient les tiges des œillets dans quelque chose d'aussi limpide, presque d'aussi liquide qu'elle ; l'habillement de la femme l'entourait d'une matière qui avait un charme indépendant, fraternel, et si les œuvres de l'industrie pouvaient rivaliser de charme avec les merveilles de la nature, aussi délicate, aussi savoureuse, au toucher du regard, aussi fraîchement peinte que la fourrure d'une chatte, les pétales d'un œillet, les plumes d'une colombe. La blancheur du plastron, d'une finesse de grésil et dont le frivole plissage avait des clochettes comme celles du muguet, s'étoilait des clairs reflets de la chambre, aigus eux-mêmes et finement nuancés comme des bouquets de fleurs qui auraient broché le linge. Et le velours du

veston brillant et nacré, avait çà et là quelque chose de
hérissé, de déchiqueté et de velu qui faisait penser à
l'ébouriffage des œillets dans le vase. Mais surtout on
sentait qu'Elstir, insoucieux de ce que pouvait présenter d'immoral ce travesti d'une jeune actrice pour qui
le talent avec lequel elle jouerait son rôle avait sans
doute moins d'importance que l'attrait irritant qu'elle
allait offrir aux sens blasés ou dépravés de certains
spectateurs, s'était au contraire attaché à ces traits
d'ambiguïté comme à un élément esthétique qui valait
d'être mis en relief et qu'il avait tout fait pour
souligner. Le long des lignes du visage, le sexe avait
l'air d'être sur le point d'avouer qu'il était celui d'une
fille un peu garçonnière, s'évanouissait, et plus loin se
retrouvait, suggérant plutôt l'idée d'un jeune efféminé
vicieux et songeur, puis fuyait encore, restait insaisissable. Le caractère de tristesse rêveuse du regard, par
son contraste même avec les accessoires appartenant
au monde de la noce et du théâtre, n'était pas ce qui
était le moins troublant. On pensait du reste qu'il
devait être factice et que le jeune être qui semblait
s'offrir aux caresses dans ce provocant costume avait
probablement trouvé piquant d'y ajouter l'expression
romanesque d'un sentiment secret, d'un chagrin inavoué. Au bas du portrait était écrit : *Miss Sacripant* [146],
octobre 1872. Je ne pus contenir mon admiration.
« Oh ! ce n'est rien, c'est une pochade de jeunesse,
c'était un costume pour une Revue des Variétés. Tout
cela est bien loin. » — « Et qu'est devenu le
modèle ? » Un étonnement provoqué par mes paroles
précéda sur la figure d'Elstir l'air indifférent et distrait
qu'au bout d'une seconde il y étendit. « Tenez,
passez-moi vite cette toile, me dit-il, j'entends
Mme Elstir qui arrive et bien que la jeune personne en
melon n'ait joué, je vous assure, aucun rôle dans ma
vie, il est inutile que ma femme ait cette aquarelle sous
les yeux. Je n'ai gardé cela que comme un document
amusant sur le théâtre de cette époque. » Et avant de
cacher l'aquarelle derrière lui, Elstir qui peut-être ne
l'avait pas vue depuis longtemps y attacha un regard

attentif. « Il faudra que je ne garde que la tête, murmura-t-il, le bas est vraiment trop mal peint, les mains sont d'un commençant. » J'étais désolé de l'arrivée de Mme Elstir qui allait encore nous retarder. Le rebord de la fenêtre fut bientôt rose. Notre sortie serait en pure perte. Il n'y avait plus aucune chance de voir les jeunes filles, par conséquent plus aucune importance à ce que Mme Elstir nous quittât plus ou moins vite. Elle ne resta, d'ailleurs, pas très longtemps. Je la trouvai très ennuyeuse ; elle aurait pu être belle, si elle avait eu vingt ans, conduisant un bœuf dans la campagne romaine ; mais ses cheveux noirs blanchissaient ; et elle était commune sans être simple, parce qu'elle croyait que la solennité des manières et la majesté de l'attitude étaient requises par sa beauté sculpturale à laquelle, d'ailleurs, l'âge avait enlevé toutes ses séductions. Elle était mise avec la plus grande simplicité. Et on était touché, mais surpris d'entendre Elstir dire à tout propos et avec une douceur respectueuse comme si rien que prononcer ces mots lui causait de l'attendrissement et de la vénération : « Ma belle Gabrielle [147] ! » Plus tard, quand je connus la peinture mythologique d'Elstir, Mme Elstir prit pour moi aussi de la beauté. Je compris qu'à certain type idéal résumé en certaines lignes, en certaines arabesques qui se retrouvaient sans cesse dans son œuvre, à un certain canon, il avait attribué en fait un caractère presque divin, puisque tout son temps, tout l'effort de pensée dont il était capable, en un mot toute sa vie, il l'avait consacrée à la tâche de distinguer mieux ces lignes, de les reproduire plus fidèlement. Ce qu'un tel idéal inspirait à Elstir, c'était vraiment un culte si grave, si exigeant, qu'il ne lui permettait jamais d'être content, c'était la partie la plus intime de lui-même, aussi n'avait-il pu le considérer avec détachement, en tirer des émotions, jusqu'au jour où il le rencontra, réalisé au-dehors, dans le corps d'une femme, le corps de celle qui était par la suite devenue Mme Elstir et chez qui il avait pu — comme cela ne nous est possible que pour ce qui n'est pas nous-mêmes — le trouver méritoire, attendrissant, divin. Quel repos, d'ailleurs, de poser ses lèvres sur ce Beau que jusqu'ici il fallait avec tant de peine extraire de soi, et qui maintenant mystérieusement incarné, s'offrait à lui pour une suite de communions efficaces. Elstir à cette époque n'était plus dans la première jeunesse où l'on n'attend que de la puissance de la pensée la réalisation de son idéal. Il approchait de l'âge où l'on compte sur les satisfactions du corps pour stimuler la force de l'esprit, où la fatigue de celui-ci, en nous inclinant au matérialisme, et la diminution de l'activité, à la possibilité d'influences passivement reçues, commencent à nous faire admettre qu'il y a peut-être bien certains corps, certains métiers, certains rythmes privilégiés, réalisant si naturellement notre idéal, que même sans génie, rien qu'en copiant le mouvement d'une épaule, la tension d'un cou, nous ferions un chef-d'œuvre ; c'est l'âge où nous aimons à caresser la Beauté du regard, hors de nous, près de nous, dans une tapisserie, dans une belle esquisse de Titien découverte chez un brocanteur, dans une maîtresse aussi belle que l'esquisse de Titien. Quand j'eus compris cela, je ne pus plus voir sans plaisir Mme Elstir, et son corps perdit de sa lourdeur, car je le remplis d'une idée, l'idée qu'elle était une créature immatérielle, un portrait d'Elstir. Elle en était un pour moi et pour lui aussi sans doute. Les données de la vie ne comptent pas pour l'artiste, elles ne sont pour lui qu'une occasion de mettre à nu son génie. On sent bien à voir les uns à côté des autres dix portraits de personnes différentes peintes par Elstir, que ce sont avant tout des Elstir. Seulement, après cette marée montante du génie qui recouvre la vie, quand le cerveau se fatigue, peu à peu l'équilibre se rompt, et comme un fleuve qui reprend son cours après le contre-flux d'une grande marée, c'est la vie qui reprend le dessus. Or, pendant que durait la première période, l'artiste a peu à peu dégagé la loi, la formule de son don inconscient. Il sait quelles situations s'il est romancier, quels paysages s'il est peintre, lui fournis-

sent la matière, indifférente en soi, mais nécessaire à
ses recherches comme serait un laboratoire ou un
atelier. Il sait qu'il a fait ses chefs-d'œuvre avec des
effets de lumière atténuée, avec des remords modifiant
l'idée d'une faute, avec des femmes posées sous les
arbres ou à demi plongées dans l'eau comme des
statues. Un jour viendra où par l'usure de son cerveau,
il n'aura plus devant ces matériaux dont se servait son
génie, la force de faire l'effort intellectuel qui seul peut
produire son œuvre, et continuera pourtant à les
rechercher, heureux de se trouver près d'eux à cause
du plaisir spirituel, amorce du travail, qu'ils éveillent
en lui; et les entourant d'ailleurs d'une sorte de
superstition comme s'ils étaient supérieurs à autre
chose, si en eux résidait déjà une bonne part de
l'œuvre d'art qu'ils porteraient en quelque sorte toute
faite, il n'ira pas plus loin que la fréquentation,
l'adoration des modèles. Il causera indéfiniment avec
des criminels repentis, dont les remords, la régénéra-
tion ont fait jadis l'objet de ses romans; il achètera une
maison de campagne dans un pays où la brume
atténue la lumière; il passera de longues heures à
regarder des femmes se baigner; il collectionnera les
belles étoffes. Et ainsi la beauté de la vie, mot en
quelque sorte dépourvu de signification, stade situé en
deçà de l'art et auquel j'avais vu s'arrêter Swann, était
celui où par ralentissement du génie créateur, idolâtrie
des formes qui l'avaient favorisé, désir du moindre
effort, devait un jour rétrograder peu à peu un Elstir.

Il venait enfin de donner un dernier coup de
pinceau à ses fleurs; je perdis un instant à les
regarder; je n'avais pas de mérite à le faire, puisque je
savais que les jeunes filles ne se trouveraient plus sur
la plage; mais j'aurais cru qu'elles y étaient encore et
que ces minutes perdues me les faisaient manquer que
j'aurais regardé tout de même, car je me serais dit
qu'Elstir s'intéressait plus à ses fleurs qu'à ma rencontre avec les jeunes filles. La nature de ma grand-
mère, nature qui était juste l'opposé de mon total
égoïsme se reflétait pourtant dans la mienne. Dans

une circonstance où quelqu'un qui m'était indifférent,
pour qui j'avais toujours feint de l'affection ou du
respect, ne risquait qu'un désagrément tandis que je
courais un danger, je n'aurais pas pu faire autrement
que de le plaindre de son ennui comme d'une chose
considérable et de traiter mon danger comme un rien,
parce qu'il me semblait que c'était avec ces proportions que les choses devaient lui apparaître. Pour dire
les choses telles qu'elles sont, c'est même un peu plus
que cela, et pas seulement ne pas déplorer le danger
que je courais moi-même, mais aller au-devant de ce
danger-là, et pour celui qui concernait les autres,
tâcher au contraire, dussé-je avoir plus de chances
d'être atteint moi-même, de le leur éviter. Cela tient à
plusieurs raisons qui ne sont point à mon honneur.
L'une est que si, tant que je ne faisais que raisonner, je
croyais surtout tenir à la vie, chaque fois qu'au cours
de mon existence, je me suis trouvé obsédé par des
soucis moraux, ou seulement par des inquiétudes
nerveuses, quelquefois si puériles que je n'oserais pas
les rapporter, si une circonstance imprévue survenait
alors, amenant pour moi le risque d'être tué, cette
nouvelle préoccupation était si légère, relativement
aux autres que je l'accueillais avec un sentiment de
détente qui allait jusqu'à l'allégresse. Je me trouve
ainsi avoir connu quoique étant l'homme le moins
brave du monde, cette chose qui me semblait quand je
raisonnais, si étrangère à ma nature, si inconcevable,
l'ivresse du danger. Mais même fussé-je quand il y en
a un, et mortel, qui se présente, dans une période
entièrement calme et heureuse, je ne pourrais pas si je
suis avec une autre personne, ne pas la mettre à l'abri
et choisir pour moi la place dangereuse. Quand un
assez grand nombre d'expériences m'eurent appris
que j'agissais toujours ainsi, et avec plaisir, je découvris et à ma grande honte, que c'est que contrairement
à ce que j'avais toujours cru et affirmé j'étais très
sensible à l'opinion des autres. Cette sorte d'amour-
propre inavoué n'a pourtant aucun rapport avec la
vanité ni avec l'orgueil. Car ce qui peut contenter

l'une ou l'autre ne me causerait aucun plaisir, et je m'en suis toujours abstenu. Mais les gens devant qui j'ai réussi à cacher le plus complètement les petits avantages qui auraient pu leur donner une moins piètre idée de moi, je n'ai jamais pu me refuser le plaisir de leur montrer que je mets plus de soin à écarter la mort de leur route que de la mienne. Comme mon mobile est alors l'amour-propre et non la vertu, je trouve bien naturel qu'en toute circonstance, ils agissent autrement. Je suis bien loin de les en blâmer, ce que je ferais peut-être, si j'avais été mû par l'idée d'un devoir qui me semblerait dans ce cas être obligatoire pour eux aussi bien que pour moi. Au contraire je les trouve fort sages de préserver leur vie, tout en ne pouvant m'empêcher de faire passer au second plan la mienne, ce qui est particulièrement absurde et coupable, depuis que j'ai cru reconnaître que celle de beaucoup de gens devant qui je me place quand éclate une bombe, est plus dénuée de prix. D'ailleurs le jour de cette visite à Elstir les temps étaient encore loin où je devais prendre conscience de cette différence de valeur, et il ne s'agissait d'aucun danger, mais simplement, signe avant-coureur du pernicieux amour-propre, de ne pas avoir l'air d'attacher au plaisir que je désirais si ardemment plus d'importance qu'à la besogne d'aquarelliste qu'il n'avait pas achevée. Elle le fut enfin. Et, une fois dehors, je m'aperçus que — tant les jours étaient longs dans cette saison-là — il était moins tard que je ne croyais ; nous allâmes sur la digue. Que de ruses j'employai pour faire demeurer Elstir à l'endroit où je croyais que ces jeunes filles pouvaient encore passer ! Lui montrant les falaises qui s'élevaient à côté de nous je ne cessais de lui demander de me parler d'elles, afin de lui faire oublier l'heure et de le faire rester. Il me semblait que nous avions plus de chance de cerner la petite bande en allant vers l'extrémité de la plage. « J'aurais voulu voir d'un tout petit peu près avec vous ces falaises », dis-je à Elstir, ayant remarqué qu'une de ces jeunes filles s'en allait souvent de ce côté. « Et

pendant ce temps-là, parlez-moi de Carquethuit. Ah !
que j'aimerais aller à Carquethuit ! » ajoutai-je sans
penser que le caractère si nouveau qui se manifestait
avec tant de puissance dans le « Port de Carquethuit »
d'Elstir, tenait peut-être plus à la vision du peintre
qu'à un mérite spécial de cette plage. « Depuis que j'ai
vu ce tableau, c'est peut-être ce que je désire le plus
connaître avec la Pointe du Raz qui serait, d'ailleurs,
d'ici, tout un voyage. » — « Et puis même si ce n'était
pas plus près je vous conseillerais peut-être tout de
même davantage Carquethuit, me répondit Elstir. La
Pointe du Raz est admirable, mais enfin c'est toujours
la grande falaise normande ou bretonne que vous
connaissez. Carquethuit c'est tout autre chose avec ses
roches sur une plage basse. Je ne connais rien en
France d'analogue, cela me rappelle plutôt certains
aspects de la Floride. C'est très curieux, et du reste
extrêmement sauvage aussi. C'est entre Clitourps et
Nehomme, et vous savez combien ces parages sont
désolés [148], la ligne des plages est ravissante. Ici, la
ligne de la plage est quelconque ; mais là-bas, je ne
peux vous dire quelle grâce elle a, quelle douceur. »
   Le soir tombait ; il fallut revenir ; je ramenais Elstir
vers sa villa, quand tout d'un coup, tel Méphisto-
phélès surgissant devant Faust, apparurent au bout de
l'avenue — comme une simple objectivation irréelle et
diabolique du tempérament opposé au mien, de la
vitalité quasi barbare et cruelle dont était si dépourvue
ma faiblesse, mon excès de sensibilité douloureuse et
d'intellectualité — quelques taches de l'essence
impossible à confondre avec rien d'autre, quelques
sporades de la bande zoophytique [149] des jeunes filles,
lesquelles avaient l'air de ne pas me voir, mais sans
aucun doute n'en étaient pas moins en train de porter
sur moi un jugement ironique. Sentant qu'il était
inévitable que la rencontre entre elles et nous se
produisît, et qu'Elstir allait m'appeler, je tournai le
dos comme un baigneur qui va recevoir la lame ; je
m'arrêtai net et laissant mon illustre compagnon
poursuivre son chemin, je restai en arrière, penché,

comme si j'étais subitement intéressé par elle, vers la
vitrine du marchand d'antiquités devant lequel nous
passions en ce moment ; je n'étais pas fâché d'avoir
l'air de pouvoir penser à autre chose qu'à ces jeunes
filles, et je savais déjà obscurément que quand Elstir
m'appellerait pour me présenter, j'aurais la sorte de
regard interrogateur qui décèle non la surprise, mais le
désir d'avoir l'air surpris — tant chacun est un
mauvais acteur ou le prochain un bon physiognomo-
niste — que j'irais même jusqu'à indiquer ma poitrine
avec mon doigt pour demander : « C'est bien moi que
vous appelez ? » et accourir vite, la tête courbée par
l'obéissance et la docilité, le visage dissimulant froidement l'ennui d'être arraché à la contemplation de
vieilles faïences pour être présenté à des personnes que
je ne souhaitais pas de connaître. Cependant je
considérais la devanture en attendant le moment où
mon nom crié par Elstir viendrait me frapper comme
une balle attendue et inoffensive. La certitude de la
présentation à ces jeunes filles avait eu pour résultat,
non seulement de me faire à leur égard jouer, mais
éprouver, l'indifférence. Désormais inévitable, le plaisir de les connaître fut comprimé, réduit, me parut
plus petit que celui de causer avec Saint-Loup, de
dîner avec ma grand-mère, de faire dans les environs
des excursions que je regretterais d'être probablement, par le fait de relations avec des personnes qui
devaient peu s'intéresser aux monuments historiques,
contraint de négliger. D'ailleurs, ce qui diminuait le
plaisir que j'allais avoir, ce n'était pas seulement
l'imminence mais l'incohérence de sa réalisation. Des
lois aussi précises que celles de l'hydrostatique, main-
tiennent la superposition des images que nous formons dans un ordre fixe que la proximité de l'événement bouleverse. Elstir allait m'appeler. Ce n'était pas
du tout de cette façon que je m'étais souvent, sur la
plage, dans ma chambre, figuré que je connaîtrais ces
jeunes filles. Ce qui allait avoir lieu, c'était un autre
événement auquel je n'étais pas préparé. Je ne reconnaissais ni mon désir, ni son objet ; je regrettais

presque d'être sorti avec Elstir. Mais, surtout, la contraction du plaisir que j'avais auparavant cru avoir, était due à la certitude que rien ne pouvait plus me l'enlever. Et il reprit comme en vertu d'une force élastique, toute sa hauteur, quand il cessa de subir l'étreinte de cette certitude, au moment où m'étant décidé à tourner la tête, je vis Elstir, arrêté quelques pas plus loin avec les jeunes filles, leur dire au revoir. La figure de celle qui était le plus près de lui, grosse et éclairée par ses regards, avait l'air d'un gâteau où on eût réservé de la place pour un peu de ciel. Ses yeux, même fixes, donnaient l'impression de la mobilité comme il arrive par ces jours de grand vent où l'air, quoique invisible, laisse percevoir la vitesse avec laquelle il passe sur le fond de l'azur. Un instant ses regards croisèrent les miens, comme ces ciels voyageurs des jours d'orage qui approchent d'une nuée moins rapide, la côtoient, la touchent, la dépassent. Mais ils ne se connaissent pas et s'en vont loin l'un de l'autre. Tels, nos regards furent un instant face à face, ignorant chacun ce que le continent céleste qui était devant lui contenait de promesses et de menaces pour l'avenir. Au moment seulement où son regard passa exactement sous le mien sans ralentir sa marche il se voila légèrement. Ainsi, par une nuit claire, la lune emportée par le vent passe sous un nuage et voile un instant son éclat, puis reparaît bien vite. Mais déjà Elstir avait quitté les jeunes filles sans m'avoir appelé. Elles prirent une rue de traverse, il vint vers moi. Tout était manqué.

J'ai dit qu'Albertine ne m'était pas apparue ce jour-là la même que les précédents, et que chaque fois elle devait me sembler différente. Mais je sentis à ce moment que certaines modifications dans l'aspect, l'importance, la grandeur d'un être peuvent tenir aussi à la variabilité de certains états interposés entre cet être et nous. L'un de ceux qui jouent à cet égard le rôle le plus considérable est la croyance (ce soir-là la croyance, puis l'évanouissement de la croyance, que j'allais connaître Albertine, l'avait, à quelques secondes d'intervalle rendue presque insignifiante, puis infiniment précieuse, à mes yeux ; quelques années plus tard, la croyance, puis la disparition de la croyance qu'Albertine m'était fidèle, amena des changements analogues).

Certes, à Combray déjà j'avais vu diminuer ou grandir selon les heures, selon que j'entrais dans l'un ou l'autre des deux grands modes qui se partageaient ma sensibilité, le chagrin de n'être pas près de ma mère, aussi imperceptible tout l'après-midi, que la lumière de la lune tant que brille le soleil, et la nuit venue, régnant seul dans mon âme anxieuse à la place de souvenirs effacés et récents. Mais ce jour-là, en voyant qu'Elstir quittait les jeunes filles sans m'avoir appelé, j'appris que les variations de l'importance qu'ont à nos yeux un plaisir ou un chagrin peuvent ne pas tenir seulement à cette alternance de deux états, mais au déplacement de croyances invisibles, lesquelles par exemple nous font paraître indifférente la mort parce qu'elles répandent sur celle-ci une lumière d'irréalité, et nous permettent ainsi d'attacher de l'importance à nous rendre à une soirée musicale qui perdrait de son charme si, à l'annonce que nous allons être guillotinés la croyance qui baigne cette soirée se dissipait tout à coup ; ce rôle des croyances, il est vrai que quelque chose en moi le savait, c'était la volonté, mais elle le sait en vain si l'intelligence, la sensibilité continuent à l'ignorer ; celles-ci sont de bonne foi quand elles croient que nous avons envie de quitter une maîtresse à laquelle seule notre volonté sait que nous tenons. C'est qu'elles sont obscurcies par la croyance que nous la retrouverons dans un instant. Mais que cette croyance se dissipe, qu'elles apprennent tout d'un coup que cette maîtresse est partie pour toujours, alors l'intelligence et la sensibilité ayant perdu leur mise au point sont comme folles, le plaisir infime s'agrandit à l'infini.

Variation d'une croyance, néant de l'amour aussi, lequel, préexistant et mobile s'arrête à l'image d'une femme simplement parce que cette femme sera pres-

que impossible à atteindre. Dès lors on pense moins à
la femme qu'on se représente difficilement, qu'aux
moyens de la connaître. Tout un processus d'angoisses
se développe et suffit pour fixer notre amour sur elle
qui en est l'objet à peine connu de nous. L'amour
devient immense, nous ne songeons pas combien la
femme réelle y tient peu de place. Et si tout d'un
coup, comme au moment où j'avais vu Elstir s'arrêter
avec les jeunes filles nous cessons d'être inquiets,
d'avoir de l'angoisse, comme c'est elle qui est tout
notre amour, il semble brusquement qu'il se soit
évanoui au moment où nous tenons enfin la proie à la
valeur de laquelle nous n'avons pas assez pensé. Que
connaissais-je d'Albertine ? Un ou deux profils sur la
mer, moins beaux assurément que ceux des femmes de
Véronèse que j'aurais dû, si j'avais obéi à des raisons
purement esthétiques lui préférer. Or, est-ce à d'autres raisons que je pouvais obéir [150], puisque, l'anxiété
tombée, je ne pouvais retrouver que ces profils muets,
je ne possédais rien d'autre ? Depuis que j'avais vu
Albertine, j'avais fait chaque jour à son sujet, des
milliers de réflexions, j'avais poursuivi avec ce que
j'appelais elle, tout un entretien intérieur où je la
faisais questionner, répondre, penser, agir, et dans la
série indéfinie d'Albertines imaginées qui se succédaient en moi heure par heure, l'Albertine réelle,
aperçue sur la plage, ne figurait qu'en tête, comme la
créatrice d'un rôle, l'étoile, ne paraît, dans une longue
série de représentations, que dans les toutes premières. Cette Albertine-là n'était guère qu'une silhouette, tout ce qui s'y était superposé était de mon
cru, tant dans l'amour les apports qui viennent de
nous l'emportent — à ne se placer même qu'au point
de vue de la quantité — sur ceux qui nous viennent de
l'être aimé. Et cela est vrai des amours les plus
effectifs. Il en est qui peuvent non seulement se
former mais subsister autour de bien peu de chose —
et même parmi ceux qui ont reçu leur exaucement
charnel. Un ancien professeur de dessin de ma grand-
mère avait eu d'une maîtresse obscure une fille. La

mère mourut peu de temps après la naissance de l'enfant et le professeur de dessin en eut un chagrin tel qu'il ne survécut pas longtemps. Dans les derniers mois de sa vie, ma grand-mère et quelques dames de Combray, qui n'avaient jamais voulu faire même allusion devant leur professeur à cette femme avec laquelle d'ailleurs il n'avait pas officiellement vécu et n'avait eu que peu de relations, songèrent à assurer le sort de la petite fille en se cotisant pour lui faire une rente viagère. Ce fut ma grand-mère qui le proposa, certaines amies se firent tirer l'oreille : cette petite fille était-elle vraiment si intéressante, était-elle seulement la fille de celui qui s'en croyait le père ? avec des femmes comme était la mère, on n'est jamais sûr. Enfin on se décida. La petite fille vint remercier. Elle était laide et d'une ressemblance avec le vieux maître de dessin qui ôta tous les doutes ; comme ses cheveux étaient tout ce qu'elle avait de bien, une dame dit au père qui l'avait conduite : « Comme elle a de beaux cheveux ! » Et pensant que maintenant, la femme coupable étant morte et le professeur à demi mort, une allusion à ce passé qu'on avait toujours feint d'ignorer n'avait plus de conséquence, ma grand-mère ajouta : « Ça doit être de famille. Est-ce que sa mère avait ces beaux cheveux-là ? » — « Je ne sais pas, répondit naïvement le père. Je ne l'ai jamais vue qu'en chapeau. »

Il fallait rejoindre Elstir. Je m'aperçus dans une glace. En plus du désastre de ne pas avoir été présenté, je remarquai que ma cravate était tout de travers, mon chapeau laissait voir mes cheveux longs, ce qui m'allait mal ; mais c'était une chance tout de même qu'elles m'eussent, même ainsi, rencontré avec Elstir et ne pussent pas m'oublier ; c'en était une autre que j'eusse ce jour-là, sur le conseil de ma grand-mère, mis mon joli gilet qu'il s'en était fallu de si peu que j'eusse remplacé par un affreux, et pris ma plus belle canne ; car un événement que nous désirons, ne se produisant jamais comme nous avons pensé, à défaut des avantages sur lesquels nous croyions pouvoir compter, d'autres que nous n'espérions pas, se sont présentés, le tout se compense ; et nous redoutions tellement le pire que nous sommes finalement enclins à trouver que dans l'ensemble pris en bloc, le hasard nous a, somme toute, plutôt favorisés. « J'aurais été si content de les connaître », dis-je à Elstir en arrivant près de lui. — « Aussi pourquoi restez-vous à des lieues ? » Ce furent les paroles qu'il prononça, non qu'elles exprimassent sa pensée, puisque si son désir avait été d'exaucer le mien, m'appeler lui eût été bien facile, mais peut-être parce qu'il avait entendu des phrases de ce genre, familier aux gens vulgaires pris en faute, et parce que même les grands hommes sont, en certaines choses, pareils aux gens vulgaires, prennent les excuses journalières dans le même répertoire qu'eux, comme le pain quotidien chez le même boulanger ; soit que de telles paroles qui doivent en quelque sorte être lues à l'envers puisque leur lettre signifie le contraire de la vérité soient l'effet nécessaire, le graphique négatif d'un réflexe [151]. « Elles étaient pressées. » Je pensai que surtout elles l'avaient empêché d'appeler quelqu'un qui leur était peu sympathique ; sans cela il n'y eût pas manqué, après toutes les questions que je lui avais posées sur elles, et l'intérêt qu'il avait bien vu que je leur portais. « Je vous parlais de Carquethuit, me dit-il, avant que je l'eusse quitté à sa porte. J'ai fait une petite esquisse où l'on voit bien mieux la cernure de la plage. Le tableau n'est pas trop mal, mais c'est autre chose. Si vous le permettez, en souvenir de notre amitié, je vous donnerai mon esquisse », ajouta-t-il, car les gens qui vous refusent les choses qu'on désire vous en donnent d'autres. « J'aurais beaucoup aimé, si vous en possédiez, avoir une photographie du petit portrait de Miss Sacripant. Mais qu'est-ce que c'est que ce nom ? » — « C'est celui d'un personnage que tint le modèle dans une stupide petite opérette. » — « Mais vous savez que je ne la connais nullement, Monsieur, vous avez l'air de croire le contraire. » Elstir se tut. « Ce n'est pourtant pas Mme Swann avant son mariage », dis-je par une

de ces brusques rencontres fortuites de la vérité, qui
sont somme toute assez rares, mais qui suffisent après
coup à donner un certain fondement à la théorie des
pressentiments si on prend soin d'oublier toutes les
erreurs qui l'infirmeraient. Elstir ne me répondit pas.
C'était bien un portrait d'Odette de Crécy. Elle n'avait
pas voulu le garder pour beaucoup de raisons dont
quelques-unes sont trop évidentes. Il y en avait
d'autres. Le portrait était antérieur au moment où
Odette disciplinant ses traits avait fait de son visage et
de sa taille cette création dont à travers les années, ses
coiffeurs, ses couturiers, elle-même — dans sa façon
de se tenir, de parler, de sourire, de poser ses mains,
ses regards, de penser — devaient respecter les
grandes lignes. Il fallait la dépravation d'un amant
rassasié pour que Swann préférât aux nombreuses
photographies de l'Odette *ne varietur* qu'était sa
ravissante femme, la petite photographie qu'il avait
dans sa chambre et où sous un chapeau de paille orné
de pensées on voyait une maigre jeune femme assez
laide, aux cheveux bouffants, aux traits tirés.

Mais d'ailleurs le portrait eût-il été, non pas antérieur, comme la photographie préférée de Swann, à la
systématisation des traits d'Odette en un type nouveau, majestueux et charmant, mais postérieur, qu'il
eût suffi de la vision d'Elstir pour désorganiser ce
type. Le génie artistique agit à la façon de ces
températures extrêmement élevées qui ont le pouvoir
de dissocier les combinaisons d'atomes et de grouper
ceux-ci suivant un ordre absolument contraire, répondant à un autre type. Toute cette harmonie factice que
la femme a imposée à ses traits et dont chaque jour
avant de sortir elle surveille la persistance dans sa
glace, chargeant l'inclinaison du chapeau, le lissage
des cheveux, l'enjouement du regard, d'en assurer la
continuité, cette harmonie, le coup d'œil du grand
peintre la détruit en une seconde, et à sa place il fait un
regroupement des traits de la femme, de manière à
donner satisfaction à un certain idéal féminin et
pictural qu'il porte en lui. De même, il arrive souvent

qu'à partir d'un certain âge, l'œil d'un grand cher-
cheur trouve partout les éléments nécessaires à établir
les rapports qui seuls l'intéressent. Comme ces
ouvriers et ces joueurs qui ne font pas d'embarras et se
contentent de ce qui leur tombe sous la main, ils
pourraient dire de n'importe quoi : cela fera l'affaire.
Ainsi une cousine de la Princesse de Luxembourg,
beauté des plus altières, s'étant éprise autrefois d'un
art qui était nouveau à cette époque, avait demandé au
plus grand des peintres naturalistes de faire son
portrait. Aussitôt l'œil de l'artiste avait trouvé ce qu'il
cherchait partout. Et sur la toile il y avait à la place de
la grande dame un trottin, et derrière lui un vaste
décor incliné et violet qui faisait penser à la place
Pigalle. Mais même sans aller jusque-là, non seulement le portrait d'une femme par un grand artiste ne
cherchera aucunement à donner satisfaction à quelques-unes des exigences de la femme — comme celles
qui, par exemple, quand elle commence à vieillir la
font se faire photographier dans des tenues presque de
fillette qui font valoir sa taille restée jeune et la font
paraître comme la sœur ou même la fille de sa fille,
celle-ci au besoin « fagotée » pour la circonstance, à
côté d'elle — et il mettra au contraire en relief les
désavantages qu'elle cherche à cacher et qui, comme
un teint fiévreux, voire verdâtre, le tentent d'autant
plus parce qu'ils ont du « caractère », mais ils suffisent à désenchanter le spectateur vulgaire et réduisent
pour lui en miettes l'idéal dont la femme soutenait si
fièrement l'armature et qui la plaçait dans sa forme
unique, irréductible, si en dehors, si au-dessus du
reste de l'humanité. Maintenant déchue, située hors
de son propre type où elle trônait invulnérable, elle
n'est plus qu'une femme quelconque en la supériorité
de qui nous avons perdu toute foi. Ce type, nous
faisions tellement consister en lui, non seulement la
beauté d'une Odette, mais sa personnalité, son identité, que devant le portrait qui l'a dépouillée de lui,
nous sommes tentés de nous écrier non pas seulement : « Comme c'est enlaidi ! », mais : « Comme

c'est peu ressemblant ! » Nous avons peine à croire que ce soit elle. Nous ne la reconnaissons pas. Et pourtant il y a là un être que nous sentons bien que nous avons déjà vu. Mais cet être-là ce n'est pas Odette ; le visage de cet être, son corps, son aspect, nous sont bien connus. Ils nous rappellent, non pas la femme qui ne se tenait jamais ainsi, dont la pose habituelle ne dessine nullement une telle étrange et provocante arabesque, mais d'autres femmes, toutes celles qu'a peintes Elstir et que toujours, si différentes qu'elles puissent être il a aimé à camper ainsi de face, le pied cambré dépassant de la jupe, le large chapeau rond tenu à la main, répondant symétriquement à la hauteur du genou qu'il couvre, à cet autre disque vu de face, le visage. Et enfin non seulement un portrait génial disloque le type d'une femme tel que l'ont défini sa coquetterie et sa conception égoïste de la beauté, mais s'il est ancien il ne se contente pas de vieillir l'original de la même manière que la photographie, en le montrant dans des atours démodés. Dans le portrait, ce n'est pas seulement la manière que la femme avait de s'habiller qui date, c'est aussi la manière que l'artiste avait de peindre. Cette manière, la première manière d'Elstir, était l'extrait de naissance le plus accablant pour Odette parce qu'il faisait d'elle non pas seulement comme ses photographies d'alors une cadette de cocottes connues, mais parce qu'il faisait de son portrait le contemporain d'un des nombreux portraits que Manet ou Whistler ont peints d'après tant de modèles disparus qui appartiennent déjà à l'oubli ou à l'histoire.

C'est dans ces pensées, silencieusement ruminées à côté d'Elstir, tandis que je le conduisais chez lui, que m'entraînait la découverte que je venais de faire relativement à l'identité de son modèle, quand cette première découverte m'en fit faire une seconde, plus troublante encore pour moi, concernant l'identité de l'artiste. Il avait·fait le portrait d'Odette de Crécy. Serait-il possible que cet homme de génie, ce sage, ce solitaire, ce philosophe à la conversation magnifique et

qui dominait toutes choses fût le peintre ridicule et
pervers, adopté jadis par les Verdurin ? Je lui demandai s'il les avait connus, si par hasard ils ne le
surnommaient pas alors M. Biche. Il me répondit que
si, sans embarras, comme s'il s'agissait d'une partie
déjà un peu ancienne de son existence, et s'il ne se
doutait pas de la déception extraordinaire qu'il éveillait en moi, mais, levant les yeux, il la lut sur mon
visage. Le sien eut une expression de mécontentement. Et comme nous étions déjà presque arrivés chez
lui, un homme moins éminent par l'intelligence et par
le cœur, m'eût peut-être simplement dit au revoir un
peu sèchement et après cela eût évité de me revoir.
Mais ce ne fut pas ainsi qu'Elstir agit avec moi ; en vrai
maître — et c'était peut-être au point de vue de la
création pure son seul défaut d'en être un, dans ce
sens du mot maître, car un artiste pour être tout à fait
dans la vérité de la vie spirituelle doit être seul, et ne
pas prodiguer de son moi, même à des disciples — de
toute circonstance, qu'elle fût relative à lui ou à
d'autres, il cherchait à extraire pour le meilleur
enseignement des jeunes gens, la part de vérité qu'elle
contenait. Il préféra donc aux paroles qui auraient pu
venger son amour-propre, celles qui pouvaient m'ins-
truire. « Il n'y a pas d'homme si sage qu'il soit, me dit-
il, qui n'ait à telle époque de sa jeunesse prononcé des
paroles, ou même mené une vie, dont le souvenir ne
lui soit désagréable et qu'il souhaiterait être aboli.
Mais il ne doit pas absolument le regretter, parce qu'il
ne peut être assuré d'être devenu un sage, dans la
mesure où cela est possible, que s'il a passé par toutes
les incarnations ridicules ou odieuses qui doivent
précéder cette dernière incarnation-là. Je sais qu'il y a
des jeunes gens, fils et petits-fils d'hommes distingués, à qui leurs précepteurs ont enseigné la noblesse
de l'esprit et l'élégance morale dès le collège. Ils n'ont
peut-être rien à retrancher de leur vie, ils pourraient
publier et signer tout ce qu'ils ont dit, mais ce sont de
pauvres esprits, descendants sans force de doctrinaires, et de qui la sagesse est négative et stérile. On

ne reçoit pas la sagesse, il faut la découvrir soi-même, après un trajet que personne ne peut faire pour nous, ne peut nous épargner, car elle est un point de vue sur les choses. Les vies que vous admirez, les attitudes que vous trouvez nobles n'ont pas été disposées par le père de famille ou par le précepteur, elles ont été précédées de débuts bien différents, ayant été influencées par ce qui régnait autour d'elles de mal ou de banalité. Elles représentent un combat et une victoire. Je comprends que l'image de ce que nous avons été dans une période première ne soit plus reconnaissable et soit en tous cas déplaisante. Elle ne doit pas être reniée pourtant, car elle est un témoignage que nous avons vraiment vécu, que c'est selon les lois de la vie et de l'esprit, que nous avons, des éléments communs de la vie, de la vie des ateliers, des coteries artistiques s'il s'agit d'un peintre, extrait quelque chose qui les dépasse. » Nous étions arrivés devant sa porte. J'étais déçu de ne pas avoir connu ces jeunes filles. Mais enfin maintenant il y aurait une possibilité de les retrouver dans la vie ; elles avaient cessé de ne faire que passer à un horizon où j'avais pu croire que je ne les verrais plus jamais apparaître. Autour d'elles ne flottait plus comme ce grand remous qui nous séparait et qui n'était que la traduction du désir en perpétuelle activité, mobile, urgent, alimenté d'inquiétudes qu'éveillaient en moi leur inaccessibilité, leur fuite peut-être pour toujours. Mon désir d'elles, je pouvais maintenant le mettre au repos, le garder en réserve, à côté de tant d'autres dont, une fois que je la savais possible, j'ajournais la réalisation. Je quittai Elstir, je me retrouvai seul. Alors tout d'un coup, malgré ma déception, je vis dans mon esprit tous ces hasards que je n'eusse pas soupçonné pouvoir se produire, qu'Elstir fût justement lié avec ces jeunes filles, que celles qui le matin encore étaient pour moi des figures dans un tableau ayant pour fond la mer, m'eussent vu, m'eussent vu lié avec un grand peintre, lequel savait maintenant mon désir de les connaître et le seconderait sans doute. Tout cela avait causé pour moi du

plaisir, mais ce plaisir m'était resté caché ; il était de
ces visiteurs qui attendent pour nous faire savoir qu'ils
sont là, que les autres nous aient quittés, que nous
soyons seuls. Alors nous les apercevons, nous pouvons
leur dire : je suis tout à vous, et les écouter. Quelquefois entre le moment où ces plaisirs sont entrés en nous
et le moment où nous pouvons y rentrer nous-mêmes,
il s'est écoulé tant d'heures, nous avons vu tant de
gens dans l'intervalle que nous craignons qu'ils ne
nous aient pas attendus. Mais ils sont patients, ils ne
se lassent pas, et dès que tout le monde est parti nous
les trouvons en face de nous. Quelquefois c'est nous
alors qui sommes si fatigués qu'il nous semble que
nous n'aurons plus dans notre pensée défaillante assez
de force pour retenir ces souvenirs, ces impressions
pour qui notre moi fragile est le seul lieu habitable,
l'unique mode de réalisation. Et nous le regretterions
car l'existence n'a guère d'intérêt que dans les journées où la poussière des réalités est mêlée de sable
magique, où quelque vulgaire incident devient un
ressort romanesque. Tout un promontoire du monde
inaccessible surgit alors de l'éclairage du songe [152], et
entre dans notre vie, dans notre vie où comme le
dormeur éveillé nous voyons les personnes dont nous
avions si ardemment rêvé que nous avions cru que
nous ne les verrions jamais qu'en rêve.

L'apaisement apporté par la probabilité de connaître maintenant ces jeunes filles quand je le voudrais
me fut d'autant plus précieux que je n'aurais pu
continuer à les guetter les jours suivants, lesquels
furent pris par les préparatifs du départ de Saint-
Loup. Ma grand-mère était désireuse de témoigner à
mon ami sa reconnaissance de tant de gentillesses qu'il
avait eues pour elle et pour moi. Je lui dis qu'il était
grand admirateur de Proudhon et je lui donnai l'idée
de faire venir de nombreuses lettres autographes de ce
philosophe qu'elle avait achetées ; Saint-Loup vint les
voir à l'hôtel, le jour où elles arrivèrent qui était la
veille de son départ. Il les lut avidement, maniant
chaque feuille avec respect, tâchant de retenir les

258   A L'OMBRE DES JEUNES FILLES EN FLEURS

phrases, puis s'étant levé, s'excusait déjà auprès de ma grand-mère d'être resté aussi longtemps, quand il l'entendit lui répondre : « Mais non, emportez-les, c'est à vous, c'est pour vous les donner que je les ai fait venir. » Il fut pris d'une joie dont il ne fut pas plus le maître que d'un état physique qui se produit sans intervention de la volonté, il devint écarlate comme un enfant qu'on vient de punir, et ma grand-mère fut beaucoup plus touchée de voir tous les efforts qu'il avait faits (sans y réussir) pour contenir la joie qui le secouait, que par tous les remerciements qu'il aurait pu proférer. Mais lui, craignant d'avoir mal témoigné sa reconnaissance, me priait encore de l'en excuser, le lendemain, penché à la fenêtre du petit chemin de fer d'intérêt local, qu'il prit pour rejoindre sa garnison. Celle-ci était, en effet, très peu éloignée. Il avait pensé s'y rendre, comme il faisait souvent, quand il devait revenir le soir et qu'il ne s'agissait pas d'un départ définitif, en voiture. Mais il eût fallu cette fois-ci qu'il mît ses nombreux bagages dans le train. Et il trouva plus simple d'y monter aussi lui-même, suivant en cela l'avis du directeur qui, consulté, répondit que, voiture ou petit chemin de fer, « ce serait à peu près équivoque ». Il entendait signifier par là que ce serait équivalent (en somme, à peu près ce que Françoise eût exprimé en disant que « cela reviendrait du pareil au même »). « Soit, avait conclu Saint-Loup, je prendrai le petit " tortillard ". Je l'aurais pris aussi si je n'avais été fatigué et aurais accompagné mon ami jusqu'à Doncières ; je lui promis du moins, tout le temps que nous restâmes à la gare de Balbec — c'est-à-dire que le chauffeur du petit train passa à attendre des amis retardataires, sans lesquels il ne voulait pas s'en aller, et aussi à prendre quelques rafraîchissements — d'aller le voir plusieurs fois par semaine. Comme Bloch était venu aussi à la gare — au grand ennui de Saint-Loup — ce dernier voyant que notre camarade l'entendait me prier de venir déjeuner, dîner, habiter à Doncières, finit par lui dire d'un ton extrêmement froid lequel était chargé de corriger l'amabilité forcée de l'invitation et d'empêcher Bloch de la prendre au sérieux : « Si jamais vous passez par Doncières une après-midi où je sois libre, vous pourrez me demander au quartier, mais libre, je ne le suis à peu près jamais. » Peut-être aussi Robert craignait-il que, seul, je ne vinsse pas et pensant que j'étais plus lié avec Bloch que je ne le disais, me mettait-il ainsi en mesure d'avoir un compagnon de route, un entraîneur.

J'avais peur que ce ton, cette manière d'inviter quelqu'un en lui conseillant de ne pas venir, n'eût froissé Bloch, et je trouvais que Saint-Loup eût mieux fait de ne rien dire. Mais je m'étais trompé, car après le départ du train, tant que nous fîmes route ensemble jusqu'au croisement des deux avenues où il fallait nous séparer, l'une allant à l'hôtel, l'autre à la villa de Bloch, celui-ci ne cessa de me demander quel jour nous irions à Doncières, car après « toutes les amabilités que Saint-Loup lui avait faites » il eût été « trop grossier de sa part » de ne pas se rendre à son invitation. J'étais content qu'il n'eût pas remarqué, ou fût assez peu mécontent pour désirer feindre de ne pas avoir remarqué, sur quel ton moins que pressant, à peine poli, l'invitation avait été faite. J'aurais pourtant voulu pour Bloch qu'il s'évitât le ridicule d'aller tout de suite à Doncières. Mais je n'osais pas lui donner un conseil qui n'eût pu que lui déplaire en lui montrant que Saint-Loup avait été moins pressant que lui n'était empressé. Il l'était beaucoup trop et bien que tous les défauts qu'il avait dans ce genre fussent compensés chez lui par de remarquables qualités que d'autres, plus réservés, n'auraient pas eues, il poussait l'indiscrétion à un point dont on était agacé. La semaine ne pouvait, à l'entendre, se passer sans que nous allions à Doncières (il disait « nous », car je crois qu'il comptait un peu sur ma présence pour excuser la sienne). Tout le long de la route, devant le gymnase perdu dans ses arbres, devant le terrain de tennis, devant la mairie, devant le marchand de coquillages, il m'arrêta, me suppliant de fixer un jour et, comme je ne le fis pas, me quitta fâché en me disant : « À ton aise, Messire.

Moi en tous cas, je suis obligé d'y aller puisqu'il m'a invité. »

Saint-Loup avait si peur d'avoir mal remercié ma grand-mère qu'il me chargeait encore de lui dire sa gratitude le surlendemain, dans une lettre que je reçus de lui de la ville où il était en garnison et qui semblait sur l'enveloppe où la poste en avait timbré le nom, accourir vite vers moi, me dire qu'entre ses murs, dans le quartier de cavalerie Louis XVI, il pensait à moi. Le papier était aux armes de Marsantes, dans lesquelles je distinguai un lion que surmontait une couronne fermée par un bonnet de pair de France.

« Après un trajet qui, me disait-il, s'est bien effectué, en lisant un livre acheté à la gare, qui est par Arvède Barine [153] (c'est un auteur russe, je pense, cela m'a paru remarquablement écrit pour un étranger, mais donnez-moi votre appréciation, car vous devez connaître cela, vous, puits de science qui avez tout lu), me voici revenu au milieu de cette vie grossière, où hélas, je me sens bien exilé, n'y ayant pas ce que j'ai laissé à Balbec ; cette vie où je ne retrouve aucun souvenir d'affection, aucun charme d'intellectualité ; vie dont vous mépriseriez sans doute l'ambiance et qui n'est pourtant pas sans charme. Tout m'y semble avoir changé depuis que j'en étais parti, car dans l'intervalle, une des ères les plus importantes de ma vie, celle d'où notre amitié date, a commencé. J'espère qu'elle ne finira jamais. Je n'ai parlé d'elle, de vous, qu'à une seule personne, qu'à mon amie qui m'a fait la surprise de venir passer une heure auprès de moi. Elle aimerait beaucoup vous connaître et je crois que vous vous accorderiez car elle est aussi extrêmement littéraire. En revanche, pour repenser à nos causeries, pour revivre ces heures que je n'oublierai jamais, je me suis isolé de mes camarades, excellents garçons mais qui eussent été bien incapables de comprendre cela. Ce souvenir des instants passés avec vous, j'aurais presque mieux aimé, pour le premier jour l'évoquer pour moi seul et sans vous écrire. Mais j'ai craint que vous, esprit subtil et cœur ultra-sensitif, ne vous mettiez martel en tête en ne recevant pas de lettre si toutefois vous avez daigné abaisser votre pensée sur le rude cavalier que vous aurez fort à faire pour dégrossir et rendre un peu plus subtil et plus digne de vous. »

Au fond cette lettre ressemblait beaucoup par sa tendresse à celles que, quand je ne connaissais pas encore Saint-Loup, je m'étais imaginé qu'il m'écrirait, dans ces songeries d'où la froideur de son premier accueil m'avait tiré en me mettant en présence d'une réalité glaciale qui ne devait pas être définitive. Une fois que je l'eus reçue, chaque fois qu'à l'heure du déjeuner on apportait le courrier, je reconnaissais tout de suite quand c'était de lui que venait une lettre, car elle avait toujours ce second visage qu'un être montre quand il est absent et dans les traits duquel (les caractères de l'écriture) il n'y a aucune raison pour que nous ne croyions pas saisir une âme individuelle aussi bien que dans la ligne du nez ou les inflexions de la voix.

Je restais maintenant volontiers à table pendant qu'on desservait, et si ce n'était pas un moment où les jeunes filles de la petite bande pouvaient passer, ce n'était plus uniquement du côté de la mer que je regardais. Depuis que j'en avais vu dans des aquarelles d'Elstir, je cherchais à retrouver dans la réalité, j'aimais comme quelque chose de poétique, le geste interrompu des couteaux encore de travers, la rondeur bombée d'une serviette défaite où le soleil intercale un morceau de velours jaune, le verre à demi vidé qui montre mieux ainsi le noble évasement de ses formes et au fond de son vitrage translucide et pareil à une condensation du jour, un reste de vin sombre, mais scintillant de lumières, le déplacement des volumes, la transmutation des liquides par l'éclairage, l'altération des prunes qui passent du vert au bleu et du bleu à l'or dans le compotier déjà à demi dépouillé, la promenade des chaises vieillottes qui deux fois par jour viennent s'installer autour de la nappe dressée sur la table ainsi que sur un autel où sont célébrées les fêtes de la gourmandise et sur laquelle au fond des huîtres quelques gouttes d'eau lustrale restent comme dans de petits bénitiers de pierre ; j'essayais de trouver la beauté là où je ne m'étais jamais figuré qu'elle fût, dans les choses les plus usuelles, dans la vie profonde des « natures mortes ».

Quand quelques jours après le départ de Saint-Loup, j'eus réussi à ce qu'Elstir donnât une petite matinée où je rencontrerais Albertine, le charme et l'élégance, tout momentanés, qu'on me trouva au moment où je sortais du Grand-Hôtel (et qui étaient dus à un repos prolongé, à des frais de toilette spéciaux), je regrettai de ne pas pouvoir les réserver (et aussi le crédit d'Elstir) pour la conquête de quelque autre personne plus intéressante, je regrettai de consommer tout cela pour le simple plaisir de faire la connaissance d'Albertine. Mon intelligence jugeait ce plaisir fort peu précieux, depuis qu'il était assuré. Mais en moi, la volonté ne partagea pas un instant cette illusion, la volonté qui est le serviteur persévérant et immuable de nos personnalités successives ; cachée dans l'ombre, dédaignée, inlassablement fidèle, travaillant sans cesse, et sans se soucier des variations de notre moi, à ce qu'il ne manque jamais du nécessaire. Pendant qu'au moment où va se réaliser un voyage désiré, l'intelligence et la sensibilité commencent à se demander s'il vaut vraiment la peine d'être entrepris, la volonté qui sait que ces maîtres oisifs recommenceraient immédiatement à trouver merveilleux ce voyage, si celui-ci ne pouvait avoir lieu, la volonté les laisse disserter devant la gare, multiplier les hésitations ; mais elle s'occupe de prendre les billets et de nous mettre en wagon pour l'heure du départ. Elle est aussi invariable que l'intelligence et la sensibilité sont changeantes, mais comme elle est silencieuse, ne donne pas ses raisons, elle semble presque inexistante ; c'est sa ferme détermination que suivent les autres parties de notre moi, mais sans l'apercevoir tandis qu'elles distinguent nettement leurs propres incertitudes. Ma sensibilité et mon

intelligence instituèrent donc une discussion sur la
valeur du plaisir qu'il y aurait à connaître Albertine
tandis que je regardais dans la glace de vains et fragiles
agréments qu'elles eussent voulu garder intacts pour
une autre occasion. Mais ma volonté ne laissa pas
passer l'heure où il fallait partir, et ce fut l'adresse
d'Elstir qu'elle donna au cocher. Mon intelligence et
ma sensibilité eurent le loisir, puisque le sort en était
jeté, de trouver que c'était dommage. Si ma volonté
avait donné une autre adresse, elles eussent été bien
attrapées.

Quand j'arrivai chez Elstir, un peu plus tard, je crus
d'abord que Mlle Simonet n'était pas dans l'atelier. Il
y avait bien une jeune fille assise, en robe de soie, nu-
tête, mais de laquelle je ne connaissais pas la magnifique chevelure, ni le nez, ni ce teint et où je ne
retrouvais pas l'entité que j'avais extraite d'une jeune
cycliste se promenant coiffée d'un polo, le long de la
mer. C'était pourtant Albertine. Mais même quand je
le sus, je ne m'occupai pas d'elle. En entrant dans
toute réunion mondaine, quand on est jeune, on
meurt à soi-même, on devient un homme différent,
tout salon étant un nouvel univers où, subissant la loi
d'une autre perspective morale on darde son attention
comme si elles devaient nous importer à jamais, sur
des personnes, des danses, des parties de cartes, que
l'on aura oubliées le lendemain. Obligé de suivre,
pour me diriger vers une causerie avec Albertine, un
chemin nullement tracé par moi et qui s'arrêtait
d'abord devant Elstir, passait par d'autres groupes
d'invités à qui on me nommait, puis le long du buffet
où m'étaient offertes, et où je mangeais, des tartes aux
fraises, cependant que j'écoutais, immobile, une musique qu'on commençait d'exécuter, je me trouvais
donner à ces divers épisodes la même importance qu'à
ma présentation à Mlle Simonet, présentation qui
n'était plus que l'un d'entre eux et que j'avais
entièrement oubliée avoir été quelques minutes auparavant, le but unique de ma venue. D'ailleurs n'en est-
il pas ainsi, dans la vie active, de nos vrais bonheurs,

de nos grands malheurs ? Au milieu d'autres personnes, nous recevons de celle que nous aimons la
réponse favorable ou mortelle que nous attendions
depuis une année. Mais il faut continuer à causer, les
idées s'ajoutent les unes aux autres, développant une
surface sous laquelle c'est à peine si de temps à autre
vient sourdement affleurer le souvenir autrement
profond mais fort étroit que le malheur est venu pour
nous. Si, au lieu du malheur, c'est le bonheur, il peut
arriver que ce ne soit que plusieurs années après que
nous nous rappelons que le plus grand événement de
notre vie sentimentale s'est produit, sans que nous
eussions le temps de lui accorder une longue attention,
presque d'en prendre conscience, dans une réunion
mondaine par exemple, et où nous ne nous étions
rendus que dans l'attente de cet événement.

Au moment où Elstir me demanda de venir pour
qu'il me présentât à Albertine, assise un peu plus loin,
je finis d'abord de manger un éclair au café et
demandai avec intérêt à un vieux monsieur dont je
venais de faire la connaissance et auquel je crus
pouvoir offrir la rose qu'il admirait à ma boutonnière,
de me donner des détails sur certaines foires normandes. Ce n'est pas à dire que la présentation qui
suivit ne me causa aucun plaisir et n'offrit pas à mes
yeux, une certaine gravité. Pour le plaisir, je ne le
connus naturellement qu'un peu plus tard, quand,
rentré à l'hôtel, resté seul, je fus redevenu moi-même.
Il en est des plaisirs comme des photographies. Ce
qu'on prend en présence de l'être aimé n'est qu'un
cliché négatif, on le développe plus tard, une fois chez
soi, quand on a retrouvé à sa disposition cette chambre
noire intérieure dont l'entrée est « condamnée » tant
qu'on voit du monde.

Si la connaissance du plaisir fut ainsi retardée pour
moi de quelques heures, en revanche la gravité de
cette présentation, je la ressentis tout de suite. Au
moment de la présentation, nous avons beau nous
sentir tout à coup gratifiés et porteurs d'un « bon »,
valable pour des plaisirs futurs, après lequel nous

courions depuis des semaines, nous comprenons bien que son obtention met fin pour nous, non pas seulement à de pénibles recherches — ce qui ne pourrait que nous remplir de joie — mais aussi à l'existence d'un certain être, celui que notre imagination avait dénaturé, que notre crainte anxieuse de ne jamais pouvoir être connus de lui avait grandi. Au moment où notre nom résonne dans la bouche du présentateur surtout si celui-ci l'entoure comme fit Elstir de commentaires élogieux — ce moment sacramentel, analogue à celui où dans une féerie, le génie ordonne à une personne d'en être soudain une autre — celle que nous avons désiré d'approcher s'évanouit ; d'abord comment resterait-elle pareille à elle-même puisque — de par l'attention que l'inconnue est obligée de prêter à notre nom et de marquer à notre personne — dans les yeux hier situés à l'infini (et que nous croyions que les nôtres, errants, mal réglés, désespérés, divergents, ne parviendraient jamais à rencontrer) le regard conscient, la pensée inconnaissable que nous cherchions, viennent d'être miraculeusement et tout simplement remplacés par notre propre image peinte comme au fond d'un miroir qui sourirait ? Si l'incarnation de nous-même en ce qui nous en semblait le plus différent, est ce qui modifie le plus la personne à qui on vient de nous présenter, la forme de cette personne reste encore assez vague ; et nous pouvons nous demander si elle sera dieu, table ou cuvette [154]. Mais, aussi agiles que ces ciroplastes [155] qui font un buste devant nous en cinq minutes, les quelques mots que l'inconnue va nous dire, préciseront cette forme et lui donneront quelque chose de définitif qui exclura toutes les hypothèses auxquelles se livraient la veille notre désir et notre imagination. Sans doute, même avant de venir à cette matinée, Albertine n'était plus tout à fait pour moi ce seul fantôme digne de hanter notre vie que reste une passante dont nous ne savons rien, que nous avons à peine discernée. Sa parenté avec Mme Bontemps avait déjà restreint ces hypothèses merveilleuses, en aveuglant une des voies par lesquelles elles pouvaient se répandre. Au fur et à mesure que je me rapprochais de la jeune fille, et la connaissais davantage, cette connaissance se faisait par soustraction, chaque partie d'imagination et de désir étant remplacée par une notion qui valait infiniment moins, notion à laquelle il est vrai que venait s'ajouter une sorte d'équivalent, dans le domaine de la vie, de ce que les Sociétés financières donnent après le remboursement de l'action primitive, et qu'elles appellent action de jouissance. Son nom, ses parentés avaient été une première limite apportée à mes suppositions. Son amabilité tandis que tout près d'elle je retrouvais son petit grain de beauté sur la joue au-dessous de l'œil fut une autre borne ; enfin, je fus étonné de l'entendre se servir de l'adverbe « parfaitement » au lieu de « tout à fait », en parlant de deux personnes, disant de l'une « elle est parfaitement folle, mais très gentille tout de même » et de l'autre « c'est un monsieur parfaitement commun et parfaitement ennuyeux ». Si peu plaisant que soit cet emploi de « parfaitement », il indique un degré de civilisation et de culture auquel je n'aurais pu imaginer qu'atteignait la bacchante à bicyclette, la muse orgiaque du golf. Il n'empêche d'ailleurs qu'après cette première métamorphose, Albertine devait changer encore bien des fois pour moi. Les qualités et les défauts qu'un être présente disposés au premier plan de son visage, se rangent selon une formation tout autre si nous l'abordons par un côté différent, comme dans une ville les monuments répandus en ordre dispersé sur une seule ligne, d'un autre point de vue s'échelonnent en profondeur et échangent leurs grandeurs relatives. Pour commencer je trouvai Albertine l'air assez intimidée à la place d'implacable ; elle me sembla plus comme il faut que mal élevée, à en juger par les épithètes de « elle a un mauvais genre, elle a un drôle de genre », qu'elle appliqua à toutes les jeunes filles dont je lui parlai ; elle avait enfin comme point de mire du visage une tempe assez enflammée et peu agréable à voir, et non plus le regard singulier auquel j'avais toujours repensé jusque-là. Mais ce n'était qu'une seconde vue et il y en avait d'autres sans doute par lesquelles je devrais successivement passer. Ainsi ce n'est qu'après avoir reconnu non sans tâtonnements les erreurs d'optique du début qu'on pourrait arriver à la connaissance exacte d'un être si cette connaissance était possible. Mais elle ne l'est pas ; car tandis que se rectifie la vision que nous avons de lui, lui-même qui n'est pas un objectif inerte change pour son compte, nous pensons le rattraper, il se déplace, et, croyant le voir enfin plus clairement, ce n'est que les images anciennes que nous en avions prises que nous avons réussi à éclaircir, mais qui ne le représentent plus.

Pourtant, quelques déceptions inévitables qu'elle doive apporter, cette démarche vers ce qu'on n'a qu'entrevu, ce qu'on a eu le loisir d'imaginer, cette démarche est la seule qui soit saine pour les sens, qui y entretienne l'appétit. De quel morne ennui est empreinte la vie des gens qui par paresse ou timidité, se rendent directement en voiture chez des amis qu'ils ont connus sans avoir d'abord rêvé d'eux, sans jamais oser sur le parcours s'arrêter auprès de ce qu'ils désirent !

Je rentrai en pensant à cette matinée, en revoyant l'éclair au café que j'avais fini de manger avant de me laisser conduire par Elstir auprès d'Albertine, la rose que j'avais donnée au vieux monsieur, tous ces détails choisis à notre insu par les circonstances et qui composent pour nous, en un arrangement spécial et fortuit, le tableau d'une première rencontre. Mais ce tableau, j'eus l'impression de le voir d'un autre point de vue, de très loin de moi-même, comprenant qu'il n'avait pas existé que pour moi, quand quelques mois plus tard, à mon grand étonnement, comme je parlais à Albertine du premier jour où je l'avais connue, elle me rappela l'éclair, la fleur que j'avais donnée, tout ce que je croyais, je ne peux pas dire n'être important que pour moi, mais n'avoir été aperçu que de moi, et que je retrouvais ainsi, transcrit en une version dont je ne soupçonnais pas l'existence, dans la pensée d'Albertine. Dès ce premier jour, quand en rentrant je pus voir le souvenir que je rapportais, je compris quel tour de muscade avait été parfaitement exécuté, et comment j'avais causé un moment avec une personne qui, grâce à l'habileté du prestidigitateur, sans avoir rien de celle que j'avais suivie si longtemps au bord de la mer, lui avait été substituée. J'aurais du reste pu le deviner d'avance, puisque la jeune fille de la plage avait été fabriquée par moi. Malgré cela, comme je l'avais, dans mes conversations avec Elstir, identifiée à Albertine, je me sentais envers celle-ci l'obligation morale de tenir les promesses d'amour faites à l'Albertine imaginaire. On se fiance par procuration, et on se croit obligé d'épouser ensuite la personne interposée. D'ailleurs, si avait disparu provisoirement du moins de ma vie, une angoisse qu'eût suffi à apaiser le souvenir des manières comme il faut, de cette expression « parfaitement commun » et de la tempe enflammée, ce souvenir éveillait en moi un autre genre de désir qui, bien que doux et nullement douloureux, semblable à un sentiment fraternel, pouvait à la longue devenir aussi dangereux en me faisant ressentir à tout moment le besoin d'embrasser cette personne nouvelle dont les bonnes façons et la timidité, la disponibilité inattendue, arrêtaient la course inutile de mon imagination, mais donnaient naissance à une gratitude attendrie. Et puis comme la mémoire commence tout de suite à prendre des clichés indépendants les uns des autres, supprime tout lien, tout progrès, entre les scènes qui y sont figurées, dans la collection de ceux qu'elle expose, le dernier ne détruit pas forcément les précédents. En face de la médiocre et touchante Albertine à qui j'avais parlé, je voyais la mystérieuse Albertine en face de la mer. C'était maintenant des souvenirs, c'est-à-dire des tableaux dont l'un ne me semblait pas plus vrai que l'autre. Pour en finir avec ce premier soir de présentation, en cherchant à revoir ce petit grain de beauté sur la joue au-dessous de l'œil, je me rappelai que de chez Elstir quand Albertine était partie, j'avais vu ce grain de beauté sur le menton. En somme, quand je la voyais, je remarquais qu'elle avait un grain de beauté, mais ma mémoire errante le promenait ensuite sur la figure d'Albertine et le plaçait tantôt ici tantôt là.

J'avais beau être assez désappointé d'avoir trouvé en Mlle Simonet une jeune fille trop peu différente de tout ce que je connaissais, de même que ma déception devant l'église de Balbec ne m'empêchait pas de désirer aller à Quimperlé, à Pont-Aven et à Venise, je me disais que par Albertine du moins, si elle-même n'était pas ce que j'avais espéré, je pourrais connaître ses amies de la petite bande.

Je crus d'abord que j'y échouerais. Comme elle devais rester fort longtemps encore à Balbec et moi aussi, j'avais trouvé que le mieux était de ne pas trop chercher à la voir et d'attendre une occasion qui me fît la rencontrer. Mais cela arrivât-il tous les jours, il était fort à craindre qu'elle se contentât de répondre de loin à mon salut, lequel dans ce cas, répété quotidienne-ment pendant toute la saison, ne m'avancerait à rien.

Peu de temps après, un matin où il avait plu et où il faisait presque froid, je fus abordé sur la digue par une jeune fille portant un toquet et un manchon, si différente de celle que j'avais vue à la réunion d'Elstir que reconnaître en elle la même personne semblait pour l'esprit une opération impossible ; le mien y réussit cependant, mais après une seconde de surprise qui je crois n'échappa pas à Albertine. D'autre part me souvenant à ce moment-là des « bonnes façons » qui m'avaient frappé, elle me fit éprouver l'étonne-ment inverse par son ton rude et ses manières « petite bande ». Au reste la tempe avait cessé d'être le centre optique et rassurant du visage, soit que je fusse placé de l'autre côté, soit que le toquet la recouvrît, soit que son inflammation ne fût pas constante. « Quel temps ! me dit-elle, au fond l'été sans fin de Balbec est une vaste blague. Vous ne faites rien ici ? On ne vous voit jamais au golf, aux bals du Casino ; vous ne montez pas à cheval non plus. Comme vous devez vous raser ! Vous ne trouvez pas qu'on se bêtifie à rester tout le

temps sur la plage ? Ah ! vous aimez à faire le lézard.
Vous avez du temps de reste. Je vois que vous n'êtes
pas comme moi, j'adore tous les sports. Vous n'étiez
pas aux courses de la Sogne ? Nous y sommes allés par
le tram, et je comprends que ça ne vous amuse pas de
prendre un tacot pareil ! nous avons mis deux heures !
J'aurais fait trois fois l'aller et retour avec ma
bécane. » Moi qui avais admiré Saint-Loup quand il
avait appelé tout naturellement le petit chemin de fer
d'intérêt local le « tortillard » à cause des innombrables détours qu'il faisait, j'étais intimidé par la facilité
avec laquelle Albertine disait le « tram », le « tacot ».
Je sentais sa maîtrise dans un mode de désignations où
j'avais peur qu'elle ne constatât et ne méprisât mon
infériorité. Encore la richesse de synonymes que
possédait la petite bande pour désigner ce chemin de
fer ne m'était-elle pas encore révélée. En parlant,
Albertine gardait la tête immobile, les narines serrées,
ne faisait remuer que le bout des lèvres. Il en résultait
ainsi un son traînard et nasal dans la composition
duquel entraient peut-être des hérédités provinciales,
une affectation juvénile de flegme britannique, les
leçons d'une institutrice étrangère, et une hypertro-
phie congestive de la muqueuse du nez. Cette émis-
sion, qui cédait bien vite du reste quand elle connaissait plus les gens et redevenait naturellement enfantine, aurait pu passer pour désagréable. Mais elle était
particulière et m'enchantait. Chaque fois que j'étais
quelques jours sans la rencontrer, je m'exaltais en me
répétant : « On ne vous voit jamais au golf », avec le
ton nasal sur lequel elle l'avait dit, toute droite, sans
bouger la tête. Et je pensais alors qu'il n'existait pas de
personne plus désirable.

Nous formions, ce matin-là un de ces couples qui
piquent çà et là la digue de leur conjonction, de leur
arrêt, juste le temps d'échanger quelques paroles
avant de se désunir pour reprendre séparément chacun sa promenade divergente. Je profitai de cette
immobilité pour regarder et savoir définitivement où
était situé le grain de beauté. Or, comme une phrase

de Vinteuil qui m'avait enchanté dans la Sonate et que
ma mémoire faisait errer de l'andante au finale
jusqu'au jour où ayant la partition en main, je pus la
trouver et l'immobiliser dans mon souvenir à sa place,
dans le scherzo, de même le grain de beauté que je
m'étais rappelé tantôt sur la joue, tantôt sur le
menton, s'arrêta à jamais sur la lèvre supérieure au-
dessous du nez. C'est ainsi encore que nous rencon-
trons avec étonnement des vers que nous savons par
cœur, dans une pièce où nous ne soupçonnions pas
qu'ils se trouvassent.

À ce moment, comme pour que devant la mer se
multipliât en liberté, dans la variété de ses formes,
tout le riche ensemble décoratif qu'était le beau
déroulement des vierges, à la fois dorées et roses,
cuites par le soleil et par le vent, les amies d'Albertine,
aux belles jambes, à la taille souple, mais si différentes
les unes des autres, montrèrent leur groupe qui se
développa, s'avançant dans notre direction, plus près
de la mer, sur une ligne parallèle. Je demandai à
Albertine la permission de l'accompagner pendant
quelques instants. Malheureusement elle se contenta
de leur faire bonjour de la main. « Mais vos amies vont
se plaindre si vous les laissez », lui dis-je, espérant que
nous nous promènerions ensemble. Un jeune homme,
aux traits réguliers, qui tenait à la main des raquettes,
s'approcha de nous. C'était le joueur de baccara dont
les folies indignaient tant la femme du premier
président. D'un air froid, impassible, en lequel il se
figurait évidemment que consistait la distinction
suprême, il dit bonjour à Albertine. « Vous venez du
golf, Octave ? lui demanda-t-elle. Ça a-t-il bien marché ? étiez-vous en forme ? » — « Oh ! ça me dégoûte, je suis dans les choux », répondit-il. « Est-ce
qu'Andrée y était ? » — « Oui, elle a fait soixante-dix-
sept. » — « Oh ! mais c'est un record. » — « J'avais
fait quatre-vingt-deux hier. » Il était le fils d'un très
riche industriel qui devait jouer un rôle assez important dans l'organisation de la prochaine Exposition
Universelle. Je fus frappé à quel point, chez ce jeune

homme et les autres très rares amis masculins de ces
jeunes filles, la connaissance de tout ce qui était
vêtements, manière de les porter, cigares, boissons
anglaises, chevaux, — et qu'il possédait jusque dans
ses moindres détails avec une infaillibilité orgueilleuse
qui atteignait à la silencieuse modestie du savant —
s'était développée isolément sans être accompagnée de
la moindre culture intellectuelle. Il n'avait aucune
hésitation sur l'opportunité du smoking ou du
pyjama, mais ne se doutait pas du cas où on peut ou
non employer tel mot, même des règles les plus
simples du français. Cette disparité entre les deux
cultures devait être la même chez son père, président
du Syndicat des propriétaires de Balbec, car dans une
lettre ouverte aux électeurs, qu'il venait de faire
afficher sur tous les murs, il disait : « J'ai voulu voir le
maire pour lui en causer, il n'a pas voulu écouter mes
justes griefs. » Octave obtenait, au Casino, des prix
dans tous les concours de boston, de tango, etc., ce
qui lui ferait faire s'il le voulait un joli mariage dans ce
milieu des « bains de mer » où ce n'est pas au figuré
mais au propre que les jeunes filles épousent leur
« danseur ». Il alluma un cigare en disant à Albertine :
« Vous permettez », comme on demande l'autorisa-
tion de terminer tout en causant un travail pressé. Car
il ne pouvait jamais « rester sans rien faire » quoiqu'il
ne fît d'ailleurs jamais rien. Et comme l'inactivité
complète finit par avoir les mêmes effets que le travail
exagéré, aussi bien dans le domaine moral que dans la
vie du corps et des muscles, la constante nullité
intellectuelle qui habitait sous le front songeur d'Octave avait fini par lui donner malgré son air calme,
d'inefficaces démangeaisons de penser qui la nuit
l'empêchaient de dormir, comme il aurait pu arriver à
un métaphysicien surmené.

    Pensant que si je connaissais leurs amis j'aurais plus
d'occasions de voir ces jeunes filles, j'avais été sur le
point de demander à lui être présenté. Je le dis à
Albertine, dès qu'il fut parti en répétant : « Je suis
dans les choux. » Je pensais lui inculquer ainsi l'idée

de le faire la prochaine fois. « Mais voyons, s'écriat-elle, je ne peux pas vous présenter à un gigolo ! Ici ça pullule de gigolos. Mais ils ne pourraient pas causer avec vous. Celui-ci joue très bien au golf, un point c'est tout. Je m'y connais, il ne serait pas du tout votre genre. » — « Vos amies vont se plaindre si vous les laissez ainsi », lui dis-je, espérant qu'elle allait me proposer d'aller avec elle les rejoindre. « Mais non, elles n'ont aucun besoin de moi. » Nous croisâmes Bloch qui m'adressa un sourire fin et insinuant, et, embarrassé au sujet d'Albertine qu'il ne connaissait pas ou du moins connaissait « sans la connaître », abaissa sa tête vers son col d'un mouvement raide et rébarbatif. « Comment s'appelle-t-il, cet ostrogoth-là ? me demanda Albertine. Je ne sais pas pourquoi il me salue puisqu'il ne me connaît pas. Aussi je ne lui ai pas rendu son salut. » Je n'eus pas le temps de répondre à Albertine, car marchant droit sur nous : « Excusemoi, dit-il, de t'interrompre, mais je voulais t'avertir que je vais demain à Doncières. Je ne peux plus attendre sans impolitesse et je me demande ce que de Saint-Loup-en-Bray doit penser de moi. Je te préviens que je prends le train de deux heures. À la disposition. » Mais je ne pensais plus qu'à revoir Albertine et à tâcher de connaître ses amies, et Doncières, comme elles n'y allaient pas et me ferait rentrer après l'heure où elles allaient sur la plage me paraissait au bout du monde. Je dis à Bloch que cela m'était impossible. « Hé bien, j'irai seul. Selon les deux ridicules alexandrins du sieur Arouet, je dirai à Saint-Loup, pour charmer son cléricalisme :

Apprends que mon devoir ne dépend pas du sien ;
Qu'il y manque, s'il veut ; je dois faire le mien [156].

— Je reconnais qu'il est assez joli garçon, me dit Albertine, mais ce qu'il me dégoûte ! »

Je n'avais jamais songé que Bloch pût être joli garçon ; il l'était, en effet. Avec une tête un peu proéminente, un nez très busqué, un air d'extrême finesse et d'être persuadé de sa finesse, il avait un agréable visage. Mais il ne pouvait pas plaire à Albertine. C'était peut-être du reste à cause des mauvais côtés de celle-ci, de la dureté, de l'insensibilité de la petite bande, de sa grossièreté avec tout ce qui n'était pas elle. D'ailleurs plus tard quand je les présentai, l'antipathie d'Albertine ne diminua pas. Bloch appartenait à un milieu où, entre la blague exercée contre le monde et pourtant le respect suffisant des bonnes manières que doit avoir un homme qui a « les mains propres », on a fait une sorte de compromis spécial qui diffère des manières du monde et est malgré tout une sorte, particulièrement odieuse, de mondanité. Quand on le présentait, il s'inclinait à la fois avec un sourire de scepticisme et un respect exagéré, et si c'était à un homme, disait : « Enchanté, Monsieur », d'une voix qui se moquait des mots qu'elle prononçait mais avait conscience d'appartenir à quelqu'un qui n'était pas un mufle. Cette première seconde donnée à une coutume qu'il suivait et raillait à la fois (comme il disait le premier janvier : « Je vous la souhaite bonne et heureuse »), il prenait un air fin et rusé et « proférait des choses subtiles » qui étaient souvent pleines de vérité mais « tapaient sur les nerfs » d'Albertine. Quand je lui dis ce premier jour qu'il s'appelait Bloch, elle s'écria : « Je l'aurais parié que c'était un youpin. C'est bien leur genre de faire les punaises [157]. » Du reste, Bloch devait dans la suite irriter Albertine d'autre façon. Comme beaucoup d'intellectuels il ne pouvait pas dire simplement les choses simples. Il trouvait pour chacune d'elles un qualificatif précieux, puis généralisait. Cela ennuyait Albertine, laquelle n'aimait pas beaucoup qu'on s'occupât de ce qu'elle faisait, que quand elle s'était foulé le pied et restait tranquille, Bloch dît : « Elle est sur sa chaise longue, mais par ubiquité ne cesse pas de fréquenter simultanément de vagues golfs et de quelconques tennis. » Ce n'était que de la « littérature », mais qui, à cause des difficultés qu'Albertine sentait que cela pouvait lui créer avec des gens chez qui elle avait refusé une invitation en disant qu'elle ne pouvait pas remuer, eût suffi pour lui faire prendre en grippe la figure, le son de voix, du garçon qui disait ces choses. Nous nous quittâmes, Albertine et moi, en nous promettant de sortir une fois ensemble. J'avais causé avec elle sans plus savoir où tombaient mes paroles, ce qu'elles devenaient, que si j'eusse jeté des cailloux dans un abîme sans fond. Qu'elles soient remplies en général par la personne à qui nous les adressons d'un sens qu'elle tire de sa propre substance et qui est très différent de celui que nous avions mis dans ces mêmes paroles, c'est un fait que la vie courante nous révèle perpétuellement. Mais si, de plus, nous nous trouvons auprès d'une personne dont l'éducation (comme pour moi celle d'Albertine) nous est inconcevable, inconnus les penchants, les lectures, les principes, nous ne savons pas si nos paroles éveillent en elle quelque chose qui y ressemble plus que chez un animal à qui pourtant on aurait à faire comprendre certaines choses. De sorte qu'essayer de me lier avec Albertine m'apparaissait comme une mise en contact avec l'inconnu sinon avec l'impossible, comme un exercice aussi malaisé que dresser un cheval, aussi reposant qu'élever des abeilles ou que cultiver des rosiers.

J'avais cru il y avait quelques heures qu'Albertine ne répondrait à mon salut que de loin. Nous venions de nous quitter en faisant le projet d'une excursion ensemble. Je me promis, quand je rencontrerais Albertine, d'être plus hardi avec elle, et je m'étais tracé d'avance le plan de tout ce que je lui dirais et même (maintenant que j'avais tout à fait l'impression qu'elle devait être légère) de tous les plaisirs que je lui demanderais. Mais l'esprit est influençable comme la plante, comme la cellule, comme les éléments chimiques, et le milieu qui le modifie si on l'y plonge, ce sont des circonstances, un cadre nouveau. Devenu différent par le fait de sa présence même, quand je me trouvai de nouveau avec Albertine, je lui dis tout autre chose que ce que j'avais projeté. Puis, me souvenant de la tempe enflammée, je me demandais si Albertine n'apprécierait pas davantage une gentillesse qu'elle saurait être désintéressée. Enfin j'étais embarrassé devant certains de ses regards, de ses sourires. Ils pouvaient signifier mœurs faciles mais aussi gaieté un peu bête d'une jeune fille sémillante mais ayant un fond d'honnêteté. Une même expression, de figure comme de langage, pouvant comporter diverses acceptions, j'étais hésitant comme un élève devant les difficultés d'une version grecque.

Cette fois-là nous rencontrâmes presque tout de suite la grande, Andrée, celle qui avait sauté par-dessus le premier président ; Albertine dut me présenter. Son amie avait des yeux extraordinairement clairs, comme est dans un appartement à l'ombre l'entrée par la porte ouverte, d'une chambre où donnent le soleil et le reflet verdâtre de la mer illuminée.

Cinq messieurs passèrent que je connaissais très bien de vue depuis que j'étais à Balbec. Je m'étais souvent demandé qui ils étaient. « Ce ne sont pas des gens très chics, me dit Albertine en ricanant d'un air de mépris. Le petit vieux, teint, qui a des gants jaunes, il en a une touche, hein, il dégotte bien, c'est le dentiste de Balbec, c'est un brave type ; le gros, c'est le maire, pas le tout petit gros, celui-là vous devez l'avoir vu, c'est le professeur de danse, il est assez moche aussi, il ne peut pas nous souffrir parce que nous faisons trop de bruit au Casino, que nous démolissons ses chaises, que nous voulons danser sans tapis, aussi il ne nous a jamais donné le prix quoiqu'il n'y a que nous qui sachions danser. Le dentiste est un brave homme, je lui aurais fait bonjour pour faire rager le maître de danse, mais je ne pouvais pas parce qu'il y a avec eux M. de Sainte-Croix, le conseiller général, un homme d'une très bonne famille qui s'est mis du côté des républicains, pour de l'argent ; aucune personne propre ne le salue plus. Il connaît mon oncle, à cause du gouvernement, mais le reste de ma famille lui a tourné le dos. Le maigre avec un imperméable, c'est le chef d'orchestre. Comment,

vous ne le connaissez pas ! Il joue divinement. Vous
n'avez pas été entendre *Cavalleria Rusticana ?* Ah ! je
trouve ça idéal [158] ! Il donne un concert ce soir, mais
nous ne pouvons pas y aller parce que ça a lieu dans la
salle de la Mairie. Au Casino ça ne fait rien, mais dans
la salle de la Mairie d'où on a enlevé le Christ [159], la
mère d'Andrée tomberait en apoplexie si nous y
allions. Vous me direz que le mari de ma tante est dans
le gouvernement. Mais qu'est-ce que vous voulez ? Ma
tante est ma tante. Ce n'est pas pour cela que je
l'aime ! Elle n'a jamais eu qu'un désir, se débarrasser
de moi. La personne qui m'a vraiment servi de mère,
et qui a eu double mérite puisqu'elle ne m'est rien,
c'est une amie que j'aime du reste comme une mère.
Je vous montrerai sa photo. » Nous fûmes abordés un
instant par le champion de golf et joueur de baccara,
Octave. Je pensai avoir découvert un lien entre nous,
car j'appris dans la conversation, qu'il était un peu
parent, et de plus assez aimé, des Verdurin. Mais il
parla avec dédain des fameux mercredis, et ajouta que
M. Verdurin ignorait l'usage du smoking ce qui
rendait assez gênant de le rencontrer dans certains
« music-halls » où on aurait autant aimé ne pas
s'entendre crier : « Bonjour, galopin » par un monsieur en veston et en cravate noire de notaire de
village. Puis Octave nous quitta, et bientôt après ce fut
le tour d'Andrée, arrivée devant son chalet où elle
entra sans que de toute la promenade elle m'eût dit un
seul mot. Je regrettai d'autant plus son départ que,
tandis que je faisais remarquer à Albertine combien
son amie avait été froide avec moi, et rapprochais en
moi-même cette difficulté qu'Albertine semblait avoir
à me lier avec ses amies, de l'hostilité contre laquelle
pour exaucer mon souhait, paraissait s'être le premier
jour heurté Elstir, passèrent des jeunes filles que je
saluai, les demoiselles d'Ambresac, auxquelles Albertine dit aussi bonjour.

Je pensais que ma situation vis-à-vis d'Albertine
allait en être améliorée. Elles étaient les filles d'une
parente de Mme de Villeparisis et qui connaissait aussi

Mme de Luxembourg. M. et Mme d'Ambresac qui avaient une petite villa à Balbec, et, excessivement riches, menaient une vie des plus simples, étaient toujours habillés, le mari du même veston, la femme d'une robe sombre. Tous deux faisaient à ma grand-mère d'immenses saluts qui ne menaient à rien. Les filles, très jolies, s'habillaient avec plus d'élégance mais une élégance de ville et non de plage. Dans leurs robes longues, sous leurs grands chapeaux, elles avaient l'air d'appartenir à une autre humanité qu'Albertine. Celle-ci savait très bien qui elles étaient. « Ah ! vous connaissez les petites d'Ambresac ? Hé bien, vous connaissez des gens très chics. Du reste, ils sont très simples, ajouta-t-elle comme si c'était contradictoire. Elles sont très gentilles mais tellement bien élevées qu'on ne les laisse pas aller au Casino, surtout à cause de nous, parce que nous avons trop mauvais genre. Elles vous plaisent ? Dame, ça dépend. C'est tout à fait les petites oies blanches. Ça a peut-être son charme. Si vous aimez les petites oies blanches, vous êtes servi à souhait. Il paraît qu'elles peuvent plaire puisqu'il y en a déjà une de fiancée au Marquis de Saint-Loup. Et cela fait beaucoup de peine à la cadette qui était amoureuse de ce jeune homme. Moi, rien que leur manière de parler du bout des lèvres m'énerve. Et puis elles s'habillent d'une manière ridicule. Elles vont jouer au golf en robes de soie ! À leur âge elles sont mises plus prétentieusement que des femmes âgées qui savent s'habiller. Tenez, Mme Elstir, voilà une femme élégante. » Je répondis qu'elle m'avait semblé vêtue avec beaucoup de simplicité. Albertine se mit à rire. « Elle est mise très simplement, en effet, mais elle s'habille à ravir et pour arriver à ce que vous trouvez de la simplicité, elle dépense un argent fou. » Les robes de Mme Elstir passaient inaperçues aux yeux de quelqu'un qui n'avait pas le goût sûr et sobre des choses de la toilette. Il me faisait défaut. Elstir le possédait au suprême degré, à ce que me dit Albertine. Je ne m'en étais pas douté ni que les choses élégantes mais simples qui emplissaient son atelier étaient des merveilles longtemps désirées par lui, qu'il avait suivies de vente en vente, connaissant toute leur histoire, jusqu'au jour où il avait gagné assez d'argent pour pouvoir les posséder. Mais là-dessus, Albertine aussi ignorante que moi, ne pouvait rien m'apprendre. Tandis que pour les toilettes, avertie par un instinct de coquette et peut-être par un regret de jeune fille pauvre qui goûte avec plus de désintéressement, de délicatesse, chez les riches, ce dont elle ne pourra se parer elle-même, elle sut me parler très bien des raffinements d'Elstir, si difficile qu'il trouvait toute femme mal habillée, et que mettant tout un monde dans une proportion, dans une nuance, il faisait faire pour sa femme à des prix fous des ombrelles, des chapeaux, des manteaux qu'il avait appris à Albertine à trouver charmants et qu'une personne sans goût n'eût pas plus remarqués que je n'avais fait. Du reste, Albertine qui avait fait un peu de peinture sans avoir d'ailleurs, elle l'avouait, aucune « disposition », éprouvait une grande admiration pour Elstir, et grâce à ce qu'il lui avait dit et montré, s'y connaissait en tableaux d'une façon qui contrastait fort avec son enthousiasme pour *Cavalleria Rusticana*. C'est qu'en réalité bien que cela ne se vît guère encore, elle était très intelligente et dans les choses qu'elle disait, la bêtise n'était pas sienne, mais celle de son milieu et de son âge. Elstir avait eu sur elle une influence heureuse mais partielle. Toutes les formes de l'intelligence n'étaient pas arrivées chez Albertine au même degré de développement. Le goût de la peinture avait presque rattrapé celui de la toilette et de toutes les formes de l'élégance, mais n'avait pas été suivi par le goût de la musique qui restait fort en arrière.

Albertine avait beau savoir qui étaient les Ambresac, comme qui peut le plus ne peut pas forcément le moins, je ne la trouvai pas, après que j'eusse salué ces jeunes filles, plus disposée à me faire connaître ses amies. « Vous êtes bien bon de leur donner de l'importance [160]. Ne faites pas attention à elles, ce n'est rien du tout. Qu'est-ce que ces petites gosses peuvent

compter pour un homme de votre valeur ? Andrée au
moins est remarquablement intelligente. C'est une
bonne petite fille, quoique parfaitement fantasque,
mais les autres sont vraiment très stupides. » Après
avoir quitté Albertine, je ressentis tout à coup beaucoup de chagrin que Saint-Loup m'eût caché ses
fiançailles, et fît quelque chose d'aussi mal que se
marier sans avoir rompu avec sa maîtresse. Peu de
jours après pourtant, je fus présenté à Andrée [161] et
comme elle parla assez longtemps, j'en profitai pour
lui dire que je voudrais bien la voir le lendemain, mais
elle me répondit que c'était impossible parce qu'elle
avait trouvé sa mère assez mal et ne voulait pas la
laisser seule. Deux jours après, étant allé voir Elstir, il
me dit la sympathie très grande qu'Andrée avait pour
moi ; comme je lui répondais : « Mais c'est moi qui ai
eu beaucoup de sympathie pour elle dès le premier
jour, je lui avais demandé à la revoir le lendemain,
mais elle ne pouvait pas. » — « Oui, je sais, elle me l'a
raconté, me dit Elstir, elle l'a assez regretté, mais elle
avait accepté un pique-nique à dix lieues d'ici où elle
devait aller en break et elle ne pouvait plus se
décommander. » Bien que ce mensonge fût, Andrée
me connaissant si peu, fort insignifiant, je n'aurais pas
dû continuer à fréquenter une personne qui en était
capable. Car ce que les gens ont fait, ils le recommen-
cent indéfiniment. Et qu'on aille voir chaque année un
ami qui les premières fois n'a pu venir à votre rendez-
vous, ou s'est enrhumé, on le retrouvera avec un autre
rhume qu'il aura pris, on le manquera à un autre
rendez-vous où il ne sera pas venu, pour une même
raison permanente à la place de laquelle il croit voir
des raisons variées, tirées des circonstances.

Un des matins qui suivirent celui où Andrée m'avait
dit qu'elle était obligée de rester auprès de sa mère, je
faisais quelques pas avec Albertine que j'avais aperçue, élevant au bout d'un cordonnet un attribut
bizarre qui la faisait ressembler à l' « Idolâtrie » de
Giotto [162] ; il s'appelle d'ailleurs un « diabolo » et est
tellement tombé en désuétude que devant le portrait

d'une jeune fille en tenant un, les commentateurs de l'avenir pourront disserter comme devant telle figure allégorique de l'Arena, sur ce qu'elle a dans la main. Au bout d'un moment, leur amie à l'air pauvre et dur, qui avait ricané le premier jour d'un air si méchant : « Il me fait de la peine ce pauvre vieux » en parlant du vieux monsieur effleuré par les pieds légers d'Andrée, vint dire à Albertine : « Bonjour, je vous dérange ? » Elle avait ôté son chapeau qui la gênait, et ses cheveux comme une variété végétale ravissante et inconnue reposaient sur son front, dans la minutieuse délicatesse de leur foliation. Albertine, peut-être irritée de la voir tête nue, ne répondit rien, garda un silence glacial malgré lequel l'autre resta, tenue à distance de moi par Albertine qui s'arrangeait à certains instants pour être seule avec elle, à d'autres pour marcher avec moi, en la laissant derrière. Je fus obligé pour qu'elle me présentât de le lui demander devant l'autre. Alors au moment où Albertine me nomma, sur la figure et dans les yeux bleus de cette jeune fille à qui j'avais trouvé un air si cruel, quand elle avait dit : « Ce pauvre vieux, y m' fait d' la peine », je vis passer et briller un sourire cordial, aimant, et elle me tendit la main. Ses cheveux étaient dorés, et ne l'étaient pas seuls ; car si ses joues étaient roses et ses yeux bleus, c'était comme le ciel encore empourpré du matin où partout pointe et brille l'or.

Prenant feu aussitôt, je me dis que c'était une enfant timide quand elle aimait et que c'était pour moi, par amour pour moi, qu'elle était restée avec nous malgré les rebuffades d'Albertine, et qu'elle avait dû être heureuse de pouvoir m'avouer enfin par ce regard souriant et bon qu'elle serait aussi douce avec moi que terrible aux autres. Sans doute m'avait-elle remarqué sur la plage même quand je ne la connaissais pas encore et pensa-t-elle à moi depuis ; peut-être était-ce pour se faire admirer de moi qu'elle s'était moquée du vieux monsieur et parce qu'elle ne parvenait pas à me connaître qu'elle avait eu les jours suivants l'air morose. De l'hôtel, je l'avais souvent aperçue le soir se promenant sur la plage. C'était probablement avec l'espoir de me rencontrer. Et maintenant, gênée par la présence d'Albertine autant qu'elle l'eût été par celle de toute la petite bande, elle ne s'attachait évidemment à nos pas malgré l'attitude de plus en plus froide de son amie que dans l'espoir de rester la dernière, de prendre rendez-vous avec moi pour un moment où elle trouverait moyen de s'échapper sans que sa famille et ses amies le sussent et me donner rendez-vous dans un lieu sûr avant la messe ou après le golf. Il était d'autant plus difficile de la voir qu'Andrée était mal avec elle et la détestait. « J'ai supporté longtemps sa terrible fausseté, me dit-elle, sa bassesse, les innombrables crasses qu'elle m'a faites. J'ai tout supporté à cause des autres. Mais le dernier trait a tout fait déborder. » Et elle me raconta un potin qu'avait fait cette jeune fille et qui, en effet, pouvait nuire à Andrée.

Mais les paroles à moi promises par le regard de Gisèle pour le moment où Albertine nous aurait laissés ensemble, ne purent m'être dites, parce qu'Albertine, obstinément placée entre nous deux, ayant continué à répondre de plus en plus brièvement, puis ayant cessé de répondre du tout aux propos de son amie, celle-ci finit par abandonner la place. Je reprochai à Albertine d'avoir été si désagréable. « Cela lui apprendra à être plus discrète. Ce n'est pas une mauvaise fille mais elle est barbante [163]. Elle n'a pas besoin de venir fourrer son nez partout. Pourquoi se colle-t-elle à nous sans qu'on lui demande ? Il était moins cinq que je l'envoie paître. D'ailleurs, je déteste qu'elle ait ses cheveux comme ça, ça donne mauvais genre. » Je regardais les joues d'Albertine pendant qu'elle me parlait et je me demandais quel parfum, quel goût elles pouvaient avoir : ce jour-là elle était non pas fraîche, mais lisse, d'un rose uni, violacé, crémeux, comme certaines roses qui ont un vernis de cire. J'étais passionné pour elles comme on l'est parfois pour une espèce de fleurs. « Je ne l'avais pas remarqué », lui répondis-je. « Vous l'avez pourtant assez regardée, on aurait dit que vous vouliez faire son portrait, me dit-elle sans

être radoucie par le fait qu'en ce moment ce fût elle-
même que je regardais tant. Je ne crois pourtant pas
qu'elle vous plairait. Elle n'est pas flirt du tout. Vous
devez aimer les jeunes filles flirt, vous. En tous cas,
elle n'aura plus l'occasion d'être collante et de se faire
semer, parce qu'elle repart tantôt pour Paris. » —
« Vos autres amies s'en vont avec elle ? » — « Non,
elle seulement, elle et Miss, parce qu'elle a à repasser
ses examens, elle va potasser, la pauvre gosse. Ce n'est
pas gai, je vous assure. Il peut arriver qu'on tombe sur
un bon sujet. Le hasard est si grand. Ainsi une de nos
amies a eu : " Racontez un accident auquel vous avez
assisté. " Ça, c'est une veine. Mais je connais une
jeune fille qui a eu à traiter (et à l'écrit encore) :
" D'Alceste ou de Philinte, qui préféreriez-vous avoir
comme ami ? " Ce que j'aurais séché là-dessus !
D'abord en dehors de tout, ce n'est pas une question à
poser à des jeunes filles. Les jeunes filles sont liées
avec d'autres jeunes filles et ne sont pas censées avoir
pour amis des messieurs. (Cette phrase en me montrant que j'avais peu de chance d'être admis dans la
petite bande, me fit trembler.) Mais en tous cas,
même si la question était posée à des jeunes gens,
qu'est-ce que vous voulez qu'on puisse trouver à dire
là-dessus ? Plusieurs familles ont écrit au *Gaulois*[164]
pour se plaindre de la difficulté de questions pareilles.
Le plus fort est que dans un recueil des meilleurs
devoirs d'élèves couronnées, le sujet a été traité deux
fois d'une façon absolument opposée. Tout dépend de
l'examinateur. L'un voulait qu'on dise que Philinte
était un homme flatteur et fourbe, l'autre qu'on ne
pouvait pas refuser son admiration à Alceste, mais
qu'il était par trop acariâtre et que comme ami il fallait
lui préférer Philinte. Comment voulez-vous que les
malheureuses élèves s'y reconnaissent quand les professeurs ne sont pas d'accord entre eux ? Et encore ce
n'est rien, chaque année ça devient plus difficile. Gisèle
ne pourrait s'en tirer qu'avec un bon coup de piston. »
    Je rentrai à l'hôtel, ma grand-mère n'y était pas, je
l'attendis longtemps ; enfin, quand elle rentra je la

suppliai de me laisser aller faire dans des conditions
inespérées une excursion qui durerait peut-être quarante-huit heures, je déjeunai avec elle, commandai
une voiture et me fis conduire à la gare. Gisèle ne
serait pas étonnée de m'y voir ; une fois que nous
aurions changé à Doncières, dans le train de Paris, il y
avait un wagon-couloir où tandis que Miss sommeille-
rait je pourrais emmener Gisèle dans des coins obscurs, prendre rendez-vous avec elle pour ma rentrée à
Paris que je tâcherais de rapprocher le plus possible.
Selon la volonté qu'elle m'exprimerait, je l'accompa-
gnerais jusqu'à Caen ou jusqu'à Évreux, et repren-
drais le train suivant. Tout de même, qu'eût-elle
pensé si elle avait su que j'avais hésité longtemps entre
elle et ses amies, que tout autant que d'elle j'avais
voulu être amoureux d'Albertine, de la jeune fille aux
yeux clairs, et de Rosemonde ! J'en éprouvais des
remords, maintenant qu'un amour réciproque allait
m'unir à Gisèle. J'aurais pu du reste lui assurer très
véridiquement qu'Albertine ne me plaisait plus. Je
l'avais vue ce matin s'éloigner en me tournant presque
le dos, pour parler à Gisèle. Sur sa tête inclinée d'un
air boudeur, ses cheveux qu'elle avait derrière différents et plus noirs encore, luisaient comme si elle
venait de sortir de l'eau. J'avais pensé à une poule
mouillée et ces cheveux m'avaient fait incarner en
Albertine une autre âme que jusque-là, la figure
violette et le regard mystérieux. Ces cheveux luisants
derrière la tête, c'est tout ce que j'avais pu apercevoir
d'elle pendant un moment, et c'est cela seulement que
je continuais à voir. Notre mémoire ressemble à ces
magasins, qui, à leurs devantures, exposent d'une
certaine personne, une fois une photographie, une fois
une autre. Et d'habitude la plus récente reste quelque
temps seule en vue. Tandis que le cocher pressait son
cheval, j'écoutais les paroles de reconnaissance et de
tendresse que Gisèle me disait, toutes nées de son bon
sourire et de sa main tendue : c'est que dans les
périodes de ma vie où je n'étais pas amoureux et où je
désirais de l'être, je ne portais pas seulement en moi

un idéal physique de beauté qu'on a vu que je reconnaissais de loin dans chaque passante assez éloignée pour que ses traits confus ne s'opposassent pas à cette identification, mais encore le fantôme moral — toujours prêt à être incarné — de la femme qui allait être éprise de moi, me donner la réplique dans la comédie amoureuse que j'avais tout écrite dans ma tête depuis mon enfance et que toute jeune fille aimable me semblait avoir la même envie de jouer, pourvu qu'elle eût aussi un peu le physique de l'emploi. De cette pièce, quelle que fût la nouvelle « étoile » que j'appelais à créer ou à reprendre le rôle, le scénario, les péripéties, le texte même gardaient une forme *ne varietur*.

Quelques jours plus tard, malgré le peu d'empressement qu'Albertine avait mis à nous présenter, je connaissais toute la petite bande du premier jour, restée au complet à Balbec (sauf Gisèle, qu'à cause d'un arrêt prolongé devant la barrière de la gare, et un changement dans l'horaire, je n'avais pu rejoindre au train, parti cinq minutes avant mon arrivée, et à laquelle d'ailleurs je ne pensais plus) et en plus deux ou trois de leurs amies qu'à ma demande elles me firent connaître. Et ainsi l'espoir du plaisir que je trouverais avec une jeune fille nouvelle venant d'une autre jeune fille par qui je l'avais connue, la plus récente était alors comme une de ces variétés de roses qu'on obtient grâce à une rose d'une autre espèce. Et remontant de corolle en corolle dans cette chaîne de fleurs, le plaisir d'en connaître une différente me faisait retourner vers celle à qui je la devais, avec une reconnaissance mêlée d'autant de désir que mon espoir nouveau. Bientôt je passai toutes mes journées avec ces jeunes filles.

Hélas ! dans la fleur la plus fraîche on peut distinguer les points imperceptibles qui pour l'esprit averti dessinent déjà ce qui sera, par la dessiccation ou la fructification des chairs aujourd'hui en fleur, la forme immuable et déjà prédestinée de la graine. On suit avec délices un nez pareil à une vaguelette qui enfle délicieusement une eau matinale et qui semble immobile, dessinable, parce que la mer est tellement calme qu'on ne perçoit pas la marée. Les visages humains ne semblent pas changer au moment qu'on les regarde parce que la révolution qu'ils accomplissent est trop lente pour que nous la percevions. Mais il suffisait de voir à côté de ces jeunes filles leur mère ou leur tante, pour mesurer les distances que, sous l'attraction interne d'un type généralement affreux, ces traits auraient traversées dans moins de trente ans, jusqu'à l'heure du déclin des regards, jusqu'à celle où le visage passé tout entier au-dessous de l'horizon, ne reçoit plus de lumière. Je savais que aussi profond, aussi inéluctable que le patriotisme juif, ou l'atavisme chrétien chez ceux qui se croient le plus libérés de leur race, habitait sous la rose inflorescence d'Albertine, de Rosemonde, d'Andrée, inconnus à elles-mêmes, tenus en réserve pour les circonstances, un gros nez, une bouche proéminente, un embonpoint qui étonnerait mais était en réalité dans la coulisse, prêt à entrer en scène, tout comme tel dreyfusisme, tel cléricalisme, soudain [165], imprévu, fatal, tel héroïsme national et féodal, soudainement issus, à l'appel des circonstances, d'une nature antérieure à l'individu lui-même, par laquelle il pense, vit, évolue, se fortifie ou meurt, sans qu'il puisse la distinguer des mobiles particuliers qu'il prend pour elle. Même mentalement, nous dépendons des lois naturelles beaucoup plus que nous ne croyons et notre esprit possède d'avance comme certain cryptogame, comme telle graminée, les particularités que nous croyons choisir. Mais nous ne saisissons que les idées secondes sans percevoir la cause première (race juive, famille française, etc.) qui les produisait nécessairement et que nous manifestons au moment voulu. Et peut-être, alors que les unes nous paraissent le résultat d'une délibération, les autres d'une imprudence dans notre hygiène, tenons-nous de notre famille, comme les papilionacées la forme de leur graine, aussi bien les idées dont nous vivons que la maladie dont nous mourons.

Comme sur un plant où les fleurs mûrissent à des époques différentes, je les avais vues, en de vieilles dames, sur cette plage de Balbec, ces dures graines, ces mous tubercules, que mes amies seraient un jour. Mais qu'importait ? en ce moment c'était la saison des fleurs. Aussi quand Mme de Villeparisis m'invitait à une promenade, je cherchais une excuse pour n'être pas libre. Je ne fis de visites à Elstir que celles où mes nouvelles amies m'accompagnèrent. Je ne pus même pas trouver un après-midi pour aller à Doncières voir Saint-Loup, comme je le lui avais promis. Les réunions mondaines, les conversations sérieuses, voire une amicale causerie, si elles avaient pris la place de mes sorties avec ces jeunes filles, m'eussent fait le même effet que si à l'heure du déjeuner on nous emmenait non pas manger, mais regarder un album. Les hommes, les jeunes gens, les femmes vieilles ou mûres, avec qui nous croyons nous plaire, ne sont portés pour nous que sur une plane et inconsistante superficie parce que nous ne prenons conscience d'eux que par la perception visuelle réduite à elle-même ; mais c'est comme déléguée des autres sens qu'elle se dirige vers les jeunes filles ; ils vont chercher l'une derrière l'autre les diverses qualités odorantes, tactiles, savoureuses, qu'ils goûtent ainsi même sans le secours des mains et des lèvres ; et, capables, grâce aux arts de transposition, au génie de synthèse où excelle le désir, de restituer sous la couleur des joues ou de la poitrine, l'attouchement, la dégustation, les contacts interdits, ils donnent à ces filles la même consistance mielleuse qu'ils font quand ils butinent dans une roseraie, ou dans une vigne dont ils mangent des yeux les grappes.

S'il pleuvait, bien que le mauvais temps n'effrayât pas Albertine qu'on voyait parfois, dans son caoutchouc, filer en bicyclette sous les averses, nous passions la journée dans le Casino où il m'eût paru ces jours-là impossible de ne pas aller. J'avais le plus grand mépris pour les demoiselles d'Ambresac qui n'y étaient jamais entrées. Et j'aidais volontiers mes amies à jouer de mauvais tours au professeur de danse. Nous subissions généralement quelques admonestations du tenancier ou des employés usurpant un pouvoir directorial, parce que mes amies, même Andrée qu'à cause de cela j'avais crue le premier jour une créature si dionysiaque et qui était au contraire frêle, intellectuelle, et cette année-là fort souffrante, mais qui obéissait malgré cela moins à l'état de sa santé qu'au génie de cet âge qui emporte tout et confond dans la gaieté les malades et les vigoureux, ne pouvaient pas aller du vestibule à la salle des fêtes, sans prendre leur élan, sauter par-dessus toutes les chaises, revenir sur une glissade en gardant leur équilibre par un gracieux mouvement de bras, en chantant, mêlant tous les arts, dans cette première jeunesse, à la façon de ces poètes des anciens âges pour qui les genres ne sont pas encore séparés, et qui mêlent dans un poème épique les préceptes agricoles aux enseignements théologiques [166].

Cette Andrée, qui m'avait paru la plus froide le premier jour était infiniment plus délicate, plus affectueuse, plus fine qu'Albertine à qui elle montrait une tendresse caressante et douce de grande sœur. Elle venait au Casino s'asseoir à côté de moi et savait — au contraire d'Albertine — refuser un tour de valse ou même, si j'étais fatigué, renoncer à aller au Casino pour venir à l'hôtel. Elle exprimait son amitié pour moi, pour Albertine, avec des nuances qui prouvaient la plus délicieuse intelligence des choses du cœur laquelle était peut-être due en partie à son état maladif. Elle avait toujours un sourire gai pour excuser l'enfantillage d'Albertine qui exprimait avec une violence naïve la tentation irrésistible qu'offraient pour elle des parties de plaisir auxquelles elle ne savait pas, comme Andrée, préférer résolument de causer avec moi...

Quand l'heure d'aller à un goûter donné au golf approchait, si nous étions tous ensemble à ce moment-là, elle se préparait, puis venant à Andrée : « Hé bien, Andrée, qu'est-ce que tu attends pour venir ? tu sais que nous allons goûter au golf. » — « Non, je reste à causer avec lui », répondait Andrée en me désignant. « Mais tu sais que Mme Durieux t'a invitée », s'écriait Albertine, comme si l'intention d'Andrée de rester avec moi ne pouvait s'expliquer que par l'ignorance où elle devait être qu'elle avait été invitée. « Voyons, ma petite, ne sois pas tellement idiote », répondait Andrée. Albertine n'insistait pas, de peur qu'on lui proposât de rester aussi. Elle secouait la tête : « Fais à ton idée, répondait-elle, comme on dit à un malade qui par plaisir se tue à petit feu, moi je me trotte, car je crois que ta montre retarde », et elle prenait ses jambes à son cou. « Elle est charmante, mais inouïe », disait Andrée en enveloppant son amie d'un sourire qui la caressait et la jugeait à la fois. Si, en ce goût de divertissement, Albertine avait quelque chose de la Gilberte des premiers temps c'est qu'une certaine ressemblance existe, tout en évoluant, entre les femmes que nous aimons successivement, ressemblance qui tient à la fixité de notre tempérament parce que c'est lui qui les choisit, éliminant toutes celles qui ne nous seraient pas à la fois opposées et complémentaires, c'est-à-dire propres à satisfaire nos sens et à faire souffrir notre cœur. Elles sont, ces femmes, un produit de notre tempérament, une image, une projection renversées, un « négatif » de notre sensibilité. De sorte qu'un romancier pourrait au cours de la vie de son héros, peindre presque exactement semblables ses successives amours, et donner par là l'impression non de s'imiter lui-même mais de créer, puisqu'il y a moins de force dans une innovation artificielle que dans une répétition destinée à suggérer une vérité neuve. Encore devrait-il noter dans le caractère de l'amoureux, un indice de variation qui s'accuse au fur et à mesure qu'on arrive dans de nouvelles régions, sous d'autres latitudes de la vie. Et peut-être exprime-rait-il encore une vérité de plus si, peignant pour ses autres personnages des caractères, il s'abstenait d'en donner aucun à la femme aimée. Nous connaissons le caractère des indifférents, comment pourrions-nous saisir celui d'un être qui se confond avec notre vie, que bientôt nous ne séparons plus de nous-même, sur les mobiles duquel nous ne cessons de faire d'anxieuses hypothèses, perpétuellement remaniées ? S'élançant d'au-delà de l'intelligence, notre curiosité de la femme que nous aimons, dépasse dans sa course le caractère de cette femme ; nous pourrions nous y arrêter que sans doute nous ne le voudrions pas. L'objet de notre inquiète investigation est plus essentiel que ces particularités de caractère, pareilles à ces petits losanges d'épiderme dont les combinaisons variées font l'originalité fleurie de la chair. Notre radiation intuitive les traverse et les images qu'elle nous rapporte ne sont point celles d'un visage particulier mais représentent la morne et douloureuse universalité d'un squelette.

Comme Andrée était extrêmement riche, Albertine pauvre et orpheline, Andrée avec une grande générosité la faisait profiter de son luxe. Quant à ses sentiments pour Gisèle, ils n'étaient pas tout à fait ceux que j'avais crus. On eut en effet bientôt des nouvelles de l'étudiante et quand Albertine montra la lettre qu'elle en avait reçue, lettre destinée par Gisèle à donner des nouvelles de son voyage et de son arrivée à la petite bande, en s'excusant sur sa paresse de ne pas écrire encore aux autres, je fus surpris d'entendre Andrée, que je croyais brouillée à mort avec elle, dire : « Je lui écrirai demain, parce que si j'attends sa lettre d'abord, je peux attendre longtemps, elle est si négligente. » Et se tournant vers moi elle ajouta : « Vous ne la trouveriez pas très remarquable évidemment, mais c'est une si brave fille et puis j'ai vraiment une grande affection pour elle. » Je conclus que les brouilles d'Andrée ne duraient pas longtemps.

Sauf ces jours de pluie, comme nous devions aller en bicyclette sur la falaise ou dans la campagne, une heure d'avance je cherchais à me faire beau et gémissais si Françoise n'avait pas bien préparé mes affaires. Or, même à Paris, elle redressait fièrement et rageusement sa taille que l'âge commençait à courber, pour peu qu'on la trouvât en faute, elle humble, elle modeste et charmante quand son amour-propre était flatté. Comme il était le grand ressort de sa vie, la satisfaction et la bonne humeur de Françoise étaient en proportion directe de la difficulté des choses qu'on lui demandait. Celles qu'elle avait à faire à Balbec étaient si aisées qu'elle montrait presque toujours un mécontentement qui était soudain centuplé et auquel s'alliait une ironique expression d'orgueil quand je me plaignais, au moment d'aller retrouver mes amies, que mon chapeau ne fût pas brossé, ou mes cravates en ordre. Elle qui pouvait se donner tant de peine sans trouver pour cela qu'elle eût rien fait, à la simple observation qu'un veston n'était pas à sa place, non seulement elle vantait avec quel soin elle l'avait « renfermé plutôt que non pas le laisser à la poussière », mais prononçant un éloge en règle de ses travaux, déplorait que ce ne fussent guère des vacances qu'elle prenait à Balbec, qu'on ne trouverait pas une seconde personne comme elle pour mener une telle vie. « Je ne comprends pas comment qu'on peut laisser ses affaires comme ça et allez-y voir si une autre saurait se retrouver dans ce pêle et mêle. Le diable lui-même y perdrait son latin. » Ou bien elle se contentait de prendre un visage de reine, me lançant des regards enflammés, et gardait un silence rompu aussitôt qu'elle avait fermé la porte et s'était engagée dans le couloir ; il retentissait alors de propos que je devinais injurieux, mais qui restaient aussi indistincts que ceux des personnages qui débitent leurs premières paroles derrière le portant avant d'être entrés en scène. D'ailleurs, quand je me préparais ainsi à partir avec mes amies, même si rien ne manquait et si Françoise était de bonne humeur, elle se montrait tout de même insupportable. Car se servant de plaisanteries que dans mon besoin de parler de ces jeunes filles je lui avait faites sur elles, elle prenait un air de me révéler ce que j'aurais mieux su qu'elle si cela avait été exact, mais ce qui ne l'était pas car Françoise avait mal compris. Elle avait comme tout le monde son caractère propre ; une personne ne ressemble jamais à une voie droite, mais nous étonne de ses détours singuliers et inévitables dont les autres ne s'aperçoivent pas et par où il nous est pénible d'avoir à passer. Chaque fois que j'arrivais au point : « Chapeau pas en place », « nom d'Andrée ou d'Albertine », j'étais obligé par Françoise de m'égarer dans des chemins détournés et absurdes qui me retardaient beaucoup. Il en était de même quand je faisais préparer des sandwiches au chester et à la salade et acheter des tartes que je mangerais à l'heure du goûter, sur la falaise, avec ces jeunes filles et qu'elles auraient bien pu payer à tour de rôle si elles n'avaient été aussi intéressées, déclarait Françoise au secours de qui venait alors tout un atavisme de rapacité et de vulgarité provinciales et pour laquelle on eût dit que l'âme divisée de la défunte Eulalie s'était incarnée plus gracieusement qu'en saint Éloi [167], dans les corps charmants de mes amies de la petite bande. J'entendais ces accusations avec la rage de me sentir buter à un des endroits à partir desquels le chemin rustique et familier qu'était le caractère de Françoise devenait impraticable, pas pour longtemps heureusement. Puis le veston retrouvé et les sandwiches prêts, j'allais chercher Albertine, Andrée, Rosemonde, d'autres parfois, et, à pied ou en bicyclette, nous partions.

Autrefois j'eusse préféré que cette promenade eût lieu par le mauvais temps. Alors je cherchais à retrouver dans Balbec « le pays des Cimmériens », et de belles journées étaient une chose qui n'aurait pas dû exister là, une intrusion du vulgaire été des baigneurs dans cette antique région voilée par les brumes. Mais maintenant, tout ce que j'avais dédaigné, écarté de ma vue, non seulement les effets de soleil, mais même les régates, les courses de chevaux, je l'eusse recherché avec passion pour la même raison qu'autrefois je n'aurais voulu que des mers tempétueuses, et qui était qu'elles se rattachaient, les unes comme autrefois les autres à une idée esthétique. C'est qu'avec mes amies nous étions quelquefois allés voir Elstir, et les jours où les jeunes filles étaient là, ce qu'il avait montré de préférence, c'était quelques croquis d'après de jolies yachtswomen ou bien une esquisse prise sur un hippodrome voisin de Balbec. J'avais d'abord timidement avoué à Elstir que je n'avais pas voulu aller aux réunions qui y avaient été données. « Vous avez eu tort, me dit-il, c'est si joli et si curieux aussi. D'abord cet être particulier, le jockey, sur lequel tant de regards sont fixés, et qui devant le paddock est là morne, grisâtre dans sa casaque éclatante, ne faisant qu'un avec le cheval caracolant qu'il ressaisit, comme ce serait intéressant de dégager ses mouvements professionnels, de montrer la tache brillante qu'il fait et que fait aussi la robe des chevaux, sur le champ de courses ! Quelle transformation de toutes choses dans cette immensité lumineuse d'un champ de courses où on est surpris par tant d'ombres, de reflets, qu'on ne voit que là ! Ce que les femmes peuvent y être jolies ! La première réunion surtout était ravissante, et il y avait des femmes d'une extrême élégance, dans une lumière humide, hollandaise, où l'on sentait monter dans le soleil même, le froid pénétrant de l'eau. Jamais je n'ai vu les femmes arrivant en voiture, ou leurs jumelles aux yeux, dans une pareille lumière qui tient sans doute à l'humidité marine. Ah ! que j'aurais aimé la rendre ; je suis revenu de ces courses, fou, avec un tel désir de travailler ! » Puis il s'extasia plus encore sur les réunions de yachting que sur les courses de chevaux, et je compris que des régates, que des meetings sportifs où des femmes bien habillées baignent dans la glauque lumière d'un hippodrome marin [168], pouvaient être, pour un artiste moderne motif aussi intéressant que les fêtes qu'ils aimaient tant à décrire, pour un Véronèse ou un Carpaccio. « Votre comparaison est d'autant plus exacte, me dit Elstir, qu'à cause de la ville où ils peignaient, ces fêtes étaient pour une part nautiques. Seulement, la beauté des embarcations de ce temps-là résidait le plus souvent dans leur lourdeur, dans leur complication. Il y avait des joutes sur l'eau, comme ici, données généralement en l'honneur de quelque ambassade pareille à celle que

Carpaccio a représentée dans la Légende de sainte
Ursule [169]. Les navires étaient massifs, construits
comme des architectures, et semblaient presque
amphibies comme de moindres Venises au milieu de
l'autre, quand amarrés à l'aide de ponts volants,
recouverts de satin cramoisi et de tapis persans, ils
portaient des femmes en brocart cerise ou en damas
vert, tout près des balcons incrustés de marbres
multicolores où d'autres femmes se penchaient pour
regarder, dans leurs robes aux manches noires à crevés
blancs serrés de perles ou ornés de guipures. On ne
savait plus où finissait la terre, où commençait l'eau,
qu'est-ce qui était encore le palais ou déjà le navire, la
caravelle, la galéasse, le Bucentaure. » Albertine écou-
tait avec une attention passionnée ces détails de
toilette, ces images de luxe que nous décrivait Elstir.
« Oh ! je voudrais bien voir les guipures dont vous me
parlez, c'est si joli le point de Venise, s'écriait-elle ;
d'ailleurs j'aimerais tant aller à Venise ! » — « Vous
pourrez peut-être bientôt, lui dit Elstir, contempler
les étoffes merveilleuses qu'on portait là-bas. On ne
les voyait plus que dans les tableaux des peintres
vénitiens, ou alors très rarement dans les trésors des
églises, parfois même il y en avait une qui passait dans
une vente. Mais on dit qu'un artiste de Venise,
Fortuny [170], a retrouvé le secret de leur fabrication et
qu'avant quelques années les femmes pourront se
promener, et surtout rester chez elles, dans des
brocarts aussi magnifiques que ceux que Venise
ornait, pour ses patriciennes, avec des dessins
d'Orient. Mais je ne sais pas si j'aimerais beaucoup
cela, si ce ne sera pas un peu trop costume anachroni-
que pour des femmes d'aujourd'hui, même paradant
aux régates, car pour en revenir à nos modernes
bateaux de plaisance, c'est tout le contraire que du
temps de Venise, " Reine de l'Adriatique ". Le plus
grand charme d'un yacht, de l'ameublement d'un
yacht, des toilettes de yachting, est leur simplicité de
choses de la mer, et j'aime tant la mer ! Je vous avoue
que je préfère les modes d'aujourd'hui aux modes du

temps de Véronèse et même de Carpaccio. Ce qu'il y a
de joli dans nos yachts — et dans les yachts moyens
surtout, je n'aime pas les énormes, trop navires, c'est
comme pour les chapeaux, il y a une mesure à garder
— c'est la chose unie, simple, claire, grise, qui par les
temps voilés, bleuâtres, prend un flou crémeux. Il faut
que la pièce où l'on se tient ait l'air d'un petit café. Les
toilettes des femmes sur un yacht, c'est la même
chose ; ce qui est gracieux, ce sont ces toilettes légères,
blanches et unies, en toile, en linon, en pékin, en
coutil, qui au soleil et sur le bleu de la mer font un
blanc aussi éclatant qu'une voile blanche. Il y a très
peu de femmes du reste qui s'habillent bien, quelques-
unes pourtant sont merveilleuses. Aux courses, Mlle
Léa avait un petit chapeau blanc et une petite
ombrelle blanche, c'était ravissant. Je ne sais ce que je
donnerais pour avoir cette petite ombrelle. » J'aurais
tant voulu savoir en quoi cette petite ombrelle différait
des autres, et pour d'autres raisons, de coquetterie
féminine, Albertine l'aurait voulu plus encore. Mais
comme Françoise qui disait pour les soufflés : « C'est
un tour de main », la différence était dans la coupe.
« C'était, disait Elstir, tout petit, tout rond, comme
un parasol chinois. » Je citai les ombrelles de certaines
femmes, mais ce n'était pas cela du tout. Elstir
trouvait toutes ces ombrelles affreuses. Homme d'un
goût difficile et exquis, il faisait consister dans un rien
qui était tout la différence entre ce que portaient les
trois quarts des femmes et qui lui faisait horreur et une
jolie chose qui le ravissait, et au contraire de ce qui
m'arrivait à moi pour qui tout luxe était stérilisant,
exaltait son désir de peindre « pour tâcher de faire des
choses aussi jolies ». « Tenez, voilà une petite qui a
déjà compris comment étaient le chapeau et l'ombrelle », me dit Elstir en montrant Albertine, dont les
yeux brillaient de convoitise. « Comme j'aimerais être
riche pour avoir un yacht ! dit-elle au peintre. Je vous
demanderais des conseils pour l'aménager. Quels
beaux voyages je ferais ! Et comme ce serait joli d'aller
aux régates de Cowes ! Et une automobile ! Est-ce que

vous trouvez que c'est joli, les modes des femmes pour
les automobiles ? » — « Non, répondait Elstir, mais
cela le sera. D'ailleurs, il y a peu de couturiers, un ou
deux [171], Callot, quoique donnant un peu trop dans la
dentelle, Doucet, Cheruit, quelquefois Paquin [172]. Le
reste sont des horreurs. » — « Mais alors, il y a une
différence immense entre une toilette de Callot et celle
d'un couturier quelconque ? » demandai-je à Albertine. « Mais énorme, mon petit bonhomme, me
répondit-elle. Oh ! pardon. Seulement, hélas ! ce qui
coûte trois cents francs ailleurs coûte deux mille francs
chez eux. Mais cela ne se ressemble pas, cela a l'air
pareil pour les gens qui n'y connaissent rien. » —
« Parfaitement, répondit Elstir, sans aller pourtant
jusqu'à dire que la différence soit aussi profonde
qu'entre une statue de la cathédrale de Reims et de
l'église Saint-Augustin [173]. Tenez, à propos de cathédrales, dit-il en s'adressant spécialement à moi, parce
que cela se référait à une causerie à laquelle ces jeunes
filles n'avaient pas pris part et qui d'ailleurs ne les eût
nullement intéressées, je vous parlais l'autre jour de
l'église de Balbec comme d'une grande falaise, une
grande levée des pierres du pays, mais inversement,
me dit-il en me montrant une aquarelle, regardez ces
falaises (c'est une esquisse prise tout près d'ici, aux
Creuniers), regardez comme ces rochers puissamment
et délicatement découpés font penser à une cathédrale. » En effet, on eût dit d'immenses arceaux roses.
Mais peints par un jour torride, ils semblaient réduits
en poussière, volatilisés par la chaleur, laquelle avait à
demi bu la mer, presque passée, dans toute l'étendue
de la toile, à l'état gazeux. Dans ce jour où la lumière
avait comme détruit la réalité, celle-ci était concentrée
dans des créatures sombres et transparentes qui par
contraste donnaient une impression de vie plus saisissante, plus proche : les ombres. Altérées de fraîcheur,
la plupart, désertant le large enflammé s'étaient
réfugiées au pied des rochers, à l'abri du soleil ;
d'autres nageant lentement sur les eaux comme des
dauphins s'attachaient aux flancs de barques en pro-

menade dont elles élargissaient la coque, sur l'eau
pâle, de leur corps verni et bleu. C'était peut-être la
soif de fraîcheur communiquée par elles qui donnait le
plus la sensation de la chaleur de ce jour et qui me fit
m'écrier combien je regrettais de ne pas connaître les
Creuniers. Albertine et Andrée assurèrent que j'avais
dû y aller cent fois. En ce cas, c'était sans le savoir, ni
me douter qu'un jour leur vue pourrait m'inspirer une
telle soif de beauté, non pas précisément naturelle
comme celle que j'avais cherchée jusqu'ici dans les
falaises de Balbec, mais plutôt architecturale. Surtout
moi qui, parti pour voir le royaume des tempêtes, ne
trouvais jamais dans mes promenades avec Mme de
Villeparisis où souvent nous ne l'apercevions que de
loin, peint dans l'écartement des arbres, l'océan assez
réel, assez liquide, assez vivant, donnant assez l'impression de lancer ses masses d'eau, et qui n'aurais
aimé le voir immobile que sous un linceul hivernal de
brume, je n'eusse guère pu croire que je rêverais
maintenant d'une mer qui n'était plus qu'une vapeur
blanchâtre ayant perdu la consistance et la couleur.
Mais cette mer, Elstir, comme ceux qui rêvaient dans
ces barques engourdies par la chaleur, en avait,
jusqu'à une telle profondeur, goûté l'enchantement
qu'il avait su rapporter, fixer sur sa toile, l'imperceptible reflux de l'eau, la pulsation d'une minute heureuse ; et on était soudain devenu si amoureux en
voyant ce portrait magique, qu'on ne pensait plus qu'à
courir le monde pour retrouver la journée enfuie, dans
sa grâce instantanée et dormante.

De sorte que si, avant ces visites chez Elstir, avant
d'avoir vu une marine de lui où une jeune femme, en
robe de barège ou de linon, dans un yacht arborant le
drapeau américain, mit le « double » spirituel d'une
robe de linon blanc et d'un drapeau dans mon
imagination qui aussitôt couva un désir insatiable de
voir sur-le-champ des robes de linon blanc et des
drapeaux près de la mer, comme si cela ne m'était
jamais arrivé jusque-là, je m'étais toujours efforcé
devant la mer, d'expulser du champ de ma vision,

aussi bien que les baigneurs du premier plan, les
yachts aux voiles trop blanches comme un costume de
plage, tout ce qui m'empêchait de me persuader que je
contemplais le flot immémorial qui déroulait déjà sa
même vie mystérieuse avant l'apparition de l'espèce
humaine et jusqu'aux jours radieux qui me semblaient
revêtir de l'aspect banal de l'universel été cette côte de
brumes et de tempêtes, y marquer un simple temps
d'arrêt, l'équivalent de ce qu'on appelle en musique
une mesure pour rien, — maintenant c'était le mauvais temps qui me paraissait devenir quelque accident
funeste, ne pouvant plus trouver de place dans le
monde de la beauté : je désirais vivement aller retrouver dans la réalité ce qui m'exaltait si fort et j'espérais
que le temps serait assez favorable pour voir du haut
de la falaise les mêmes ombres bleues que dans le
tableau d'Elstir.

Le long de la route, je ne me faisais plus d'ailleurs
un écran de mes mains comme dans ces jours où
concevant la nature comme animée d'une vie antérieure à l'apparition de l'homme, et en opposition avec
tous ces fastidieux perfectionnements de l'industrie
qui m'avaient fait jusqu'ici bâiller d'ennui dans les
expositions universelles ou chez les modistes, j'essayais de ne voir de la mer que la section où il n'y avait
pas de bateau à vapeur, de façon à me la représenter
comme immémoriale, encore contemporaine des âges
où elle avait été séparée de la terre, à tout le moins
contemporaine des premiers siècles de la Grèce, ce qui
me permettait de me redire en toute vérité les vers du
« père Leconte » chers à Bloch :

> Ils sont partis, les rois des nefs éperonnées,
> Emmenant sur la mer tempétueuse, hélas !
> Les hommes chevelus de l'héroïque Hellas.

Je ne pouvais plus mépriser les modistes puisque
Elstir m'avait dit que le geste délicat par lequel elles
donnent un dernier chiffonnement, une suprême
caresse aux nœuds ou aux plumes d'un chapeau

terminé, l'intéresserait autant à rendre que celui des jockeys (ce qui avait ravi Albertine). Mais il fallait attendre mon retour, pour les modistes, à Paris, pour les courses et les régates, à Balbec où on n'en donnerait plus avant l'année prochaine. Même un yacht emmenant des femmes en linon blanc était introuvable.

Souvent nous rencontrions les sœurs de Bloch que j'étais obligé de saluer depuis que j'avais dîné chez leur père. Mes amies ne les connaissaient pas. « On ne me permet pas de jouer avec des israélites », disait Albertine. La façon dont elle prononçait issraélite au lieu d'izraélite aurait suffi à indiquer, même si on n'avait pas entendu le commencement de la phrase, que ce n'était pas de sentiments de sympathie envers le peuple élu qu'étaient animées ces jeunes bourgeoises, de familles dévotes, et qui devaient croire aisément que les juifs égorgeaient les enfants chrétiens. « Du reste, elles ont un sale genre, vos amies », me disait Andrée avec un sourire qui signifiait qu'elle savait bien que ce n'était pas mes amies. « Comme tout ce qui touche à la tribu », répondait Albertine sur le ton sentencieux d'une personne d'expérience. À vrai dire les sœurs de Bloch, à la fois trop habillées et à demi nues, l'air languissant, hardi, fastueux et souillon, ne produisaient pas une impression excellente. Et une de leurs cousines qui n'avait que quinze ans scandalisait le Casino par l'admiration qu'elle affichait pour Mlle Léa, dont M. Bloch père prisait très fort le talent d'actrice, mais que son goût ne passait pas pour porter surtout du côté des messieurs.

Il y avait des jours où nous goûtions dans l'une des fermes-restaurants du voisinage. Ce sont les fermes dites des Écorres, Marie-Thérèse, de la Croix d'Henland, de Bagatelle, de Californie, de Marie-Antoinette. C'est cette dernière qu'avait adoptée la petite bande.

Mais quelquefois au lieu d'aller dans une ferme, nous montions jusqu'au haut de la falaise, et une fois arrivés et assis sur l'herbe, nous défaisions notre paquet de sandwiches et de gâteaux. Mes amies préféraient les sandwiches et s'étonnaient de me voir manger seulement un gâteau au chocolat gothiquement historié de sucre ou une tarte à l'abricot. C'est qu'avec les sandwiches au chester et à la salade, nourriture ignorante et nouvelle, je n'avais rien à dire. Mais les gâteaux étaient instruits, les tartes étaient bavardes. Il y avait dans les premiers des fadeurs de crème et dans les secondes des fraîcheurs de fruits qui en savaient long sur Combray, sur Gilberte, non seulement la Gilberte de Combray mais celle de Paris aux goûters de qui je les avais retrouvés [174]. Ils me rappelaient ces assiettes à petits fours, des Mille et Une Nuits, qui distrayaient tant de leurs « sujets » ma tante Léonie quand Françoise lui apportait un jour *Aladin ou la Lampe Merveilleuse,* un autre *Ali-Baba, Le Dormeur éveillé* ou *Simbad le Marin embarquant à Bassora avec toutes ses richesses.* J'aurais bien voulu les revoir, mais ma grand-mère ne savait pas ce qu'elles étaient devenues et croyait d'ailleurs que c'était de vulgaires assiettes achetées dans le pays. N'importe, dans le gris et champenois Combray, leurs vignettes s'encastraient multicolores, comme dans la noire Église les vitraux aux mouvantes pierreries, comme dans le crépuscule de ma chambre les projections de la lanterne magique, comme devant la vue de la gare et du chemin de fer départemental les boutons d'or des Indes et les lilas de Perse, comme la collection de vieux Chine de ma grand-tante dans sa sombre demeure de vieille dame de province.

Étendu sur la falaise, je ne voyais devant moi que des prés, et au-dessus d'eux, non pas les sept ciels de la physique chrétienne, mais la superposition de deux seulement, un plus foncé — la mer — et en haut un plus pâle. Nous goûtions, et si j'avais emporté aussi quelque petit souvenir qui pût plaire à l'une ou à l'autre de mes amies, la joie remplissait avec une violence si soudaine leur visage translucide en un instant devenu rouge, que leur bouche n'avait pas la force de la retenir et pour la laisser passer, éclatait de

rire. Elles étaient assemblées autour de moi; et entre
les visages peu éloignés les uns des autres, l'air qui les
séparait traçait des sentiers d'azur comme frayés par
un jardinier qui a voulu mettre un peu de jour pour
pouvoir circuler lui-même au milieu d'un bosquet de
roses.

Nos provisions épuisées, nous jouions à des jeux qui
jusque-là m'eussent paru ennuyeux, quelquefois aussi
enfantins que « La Tour Prends Garde » ou « À qui
rira le premier », mais auxquels je n'aurais plus
renoncé pour un empire; l'aurore de jeunesse dont
s'empourprait encore le visage de ces jeunes filles et
hors de laquelle je me trouvais déjà, à mon âge,
illuminait tout devant elles, et comme la fluide
peinture de certains primitifs, faisait se détacher les
détails les plus insignifiants de leur vie, sur un fond
d'or. Pour la plupart, les visages mêmes de ces jeunes
filles étaient confondus dans cette rougeur confuse de
l'aurore d'où les véritables traits n'avaient pas encore
jailli. On ne voyait qu'une couleur charmante sous
laquelle ce que devait être dans quelques années le
profil n'était pas discernable. Celui d'aujourd'hui
n'avait rien de définitif et pouvait n'être qu'une
ressemblance momentanée avec quelque membre
défunt de la famille auquel la nature avait fait cette
politesse commémorative. Il vient si vite le moment où
l'on n'a plus rien à attendre, où le corps est figé dans
une immobilité qui ne promet plus de surprises, où
l'on perd toute espérance en voyant, comme aux
arbres en plein été des feuilles déjà mortes, autour de
visages encore jeunes des cheveux qui tombent ou
blanchissent, il est si court ce matin radieux qu'on en
vient à n'aimer que les très jeunes filles, celles chez qui
la chair comme une pâte précieuse travaille encore.
Elles ne sont qu'un flot de matière ductile pétrie à tout
moment par l'impression passagère qui les domine.
On dirait que chacune est tour à tour une petite
statuette de la gaieté, du sérieux juvénile, de la
câlinerie, de l'étonnement, modelée par une expression franche, complète, mais fugitive. Cette plasticité

donne beaucoup de variété et de charme aux gentils égards que nous montre une jeune fille. Certes, ils sont indispensables aussi chez la femme, et celle à qui nous ne plaisons pas ou qui ne nous laisse pas voir que nous lui plaisons, prend à nos yeux quelque chose d'ennuyeusement uniforme. Mais ces gentillesses elles-mêmes, à partir d'un certain âge, n'amènent plus de molles fluctuations sur un visage que les luttes de l'existence ont durci, rendu à jamais militant ou extatique. L'un — par la force continue de l'obéissance qui soumet l'épouse à son époux — semble, plutôt que d'une femme, le visage d'un soldat ; l'autre, sculpté par les sacrifices qu'a consentis chaque jour la mère pour ses enfants, est d'un apôtre. Un autre encore est, après des années de traverses et d'orages, le visage d'un vieux loup de mer, chez une femme dont les vêtements seuls révèlent le sexe. Et certes, les attentions qu'une femme a pour nous peuvent encore, quand nous l'aimons, semer de charmes nouveaux les heures que nous passons auprès d'elle. Mais elle n'est pas successivement pour nous une femme différente. Sa gaieté reste extérieure à une figure inchangée. Mais l'adolescence est antérieure à la solidification complète et de là vient qu'on éprouve auprès des jeunes filles ce rafraîchissement que donne le spectacle des formes sans cesse en train de changer, de jouer en une instable opposition qui fait penser à cette perpétuelle recréation des éléments primordiaux de la nature qu'on contemple devant la mer.

Ce n'était pas seulement une matinée mondaine, une promenade avec Mme de Villeparisis que j'eusse sacrifiées au « furet » ou aux « devinettes » de mes amies. À plusieurs reprises Robert de Saint-Loup me fit dire que puisque je n'allais pas le voir à Doncières, il avait demandé une permission de vingt-quatre heures et la passerait à Balbec. Chaque fois je lui écrivis de n'en rien faire, en invoquant l'excuse d'être obligé de m'absenter justement ce jour-là pour aller remplir dans le voisinage un devoir de famille avec ma grand-mère. Sans doute me jugea-t-il mal en apprenant par sa tante en quoi consistait le devoir de famille et quelles personnes tenaient en l'espèce le rôle de grand-mère. Et pourtant je n'avais peut-être pas tort de sacrifier les plaisirs non seulement de la mondanité, mais de l'amitié à celui de passer tout le jour dans ce jardin. Les êtres qui en ont la possibilité — il est vrai que ce sont les artistes et j'étais convaincu depuis longtemps que je ne le serais jamais — ont aussi le devoir de vivre pour eux-mêmes ; or l'amitié leur est une dispense de ce devoir, une abdication de soi. La conversation même qui est le mode d'expression de l'amitié est une divagation superficielle, qui ne nous donne rien à acquérir. Nous pouvons causer pendant toute une vie sans rien dire que répéter indéfiniment le vide d'une minute, tandis que la marche de la pensée dans le travail solitaire de la création artistique se fait dans le sens de la profondeur, la seule direction qui ne nous soit pas fermée, où nous puissions progresser, avec plus de peine il est vrai, pour un résultat de vérité. Et l'amitié n'est pas seulement dénuée de vertu comme la conversation, elle est de plus funeste. Car l'impression d'ennui que ne peuvent pas ne pas éprouver auprès de leur ami, c'est-à-dire à rester à la surface de soi-même, au lieu de poursuivre leur voyage de découvertes dans les profondeurs, ceux d'entre nous dont la loi de développement est pure-ment interne, cette impression d'ennui, l'amitié nous persuade de la rectifier quand nous nous retrouvons seuls, de nous rappeler avec émotion les paroles que notre ami nous a dites, de les considérer comme un précieux apport alors que nous ne sommes pas comme des bâtiments à qui on peut ajouter des pierres du dehors, mais comme des arbres qui tirent de leur propre sève le nœud suivant de leur tige, l'étage supérieur de leur frondaison. Je me mentais à moi-même, j'interrompais la croissance dans le sens selon lequel je pouvais en effet véritablement grandir et être heureux, quand je me félicitais d'être aimé, admiré, par un être aussi bon, aussi intelligent, aussi recherché que Saint-Loup, quand j'adaptais mon intelligence non à mes propres obscures impressions que c'eût été mon devoir de démêler, mais aux paroles de mon ami à qui en me les redisant — en me les faisant redire par cet autre que soi-même qui vit en nous et sur qui on est toujours si content de se décharger du fardeau de penser — je m'efforçais de trouver une beauté, bien différente de celle que je poursuivais silencieusement quand j'étais vraiment seul, mais qui donnerait plus de mérite à Robert, à moi-même, à ma vie. Dans celle qu'un tel ami me faisait, je m'apparaissais comme douillettement préservé de la solitude, noblement désireux de me sacrifier moi-même pour lui, en somme incapable de me réaliser. Près de ces jeunes filles au contraire si le plaisir que je goûtais était égoïste, du moins n'était-il pas basé sur le mensonge qui cherche à nous faire croire que nous ne sommes pas irrémédiablement seuls et qui quand nous causons avec un autre nous empêche de nous avouer que ce n'est plus nous qui parlons, que nous nous modelons alors à la ressemblance des étrangers et non d'un moi qui diffère d'eux. Les paroles qui s'échangeaient entre les jeunes filles de la petite bande et moi étaient peu intéressantes, rares d'ailleurs, coupées de ma part de longs silences. Cela ne m'empêchait pas de prendre à les écouter quand elles me parlaient autant de plaisir qu'à les regarder, à découvrir dans la voix de chacune d'elles un tableau vivement coloré. C'est avec délices que j'écoutais leur pépiement. Aimer aide à discerner, à différencier. Dans un bois l'amateur d'oiseaux distingue aussitôt ces gazouillis particuliers à chaque oiseau, que le vulgaire confond. L'amateur de jeunes filles sait que les voix humaines sont encore bien plus variées. Chacune possède plus de notes que le plus riche instrument. Et les combinaisons selon lesquelles elle les groupe sont aussi inépuisables que l'infinie variété des personnalités. Quand je causais avec une de mes amies, je m'apercevais que le tableau original, unique de son individualité, m'était ingénieusement dessiné, tyranniquement imposé aussi bien par les inflexions de sa voix que par celles de son visage et que c'était deux spectacles qui traduisaient, chacun dans son plan, la même réalité singulière. Sans doute les lignes de la voix, comme celles du visage, n'étaient pas encore définitivement fixées ; la première muerait encore, comme le second changerait. Comme les enfants possèdent une glande dont la liqueur les aide à digérer le lait et qui n'existe plus chez les grandes personnes, il y avait dans le gazouillis de ces jeunes filles des notes que les femmes n'ont plus. Et de cet instrument plus varié, elles jouaient avec leurs lèvres, avec cette application, cette ardeur des petits anges musiciens de Bellini [175], lesquelles sont aussi un apanage exclusif de la jeunesse. Plus tard ces jeunes filles perdraient cet accent de conviction enthousiaste qui donnait du charme aux choses les plus simples, soit qu'Albertine sur un ton d'autorité débitât des calembours que les plus jeunes écoutaient avec admiration jusqu'à ce que le fou rire se saisît d'elles avec la violence irrésistible d'un éternuement, soit qu'Andrée mît à parler de leurs travaux scolaires, plus enfantins encore que leurs jeux, une gravité essentiellement puérile ; et leurs paroles détonnaient, pareilles à ces strophes des temps antiques où la poésie encore peu différenciée de la musique se déclamait sur des notes différentes. Malgré tout la voix de ces jeunes filles accusait déjà nettement le parti pris que chacune de ces petites personnes avait sur la vie, parti pris si individuel que c'est user d'un mot bien trop général que de dire pour l'une : « elle prend tout en plaisantant » ; pour l'autre : « elle va d'affirmation en affirmation » ; pour la troisième : « elle s'arrête à une hésitation expectante ». Les traits de notre visage ne sont guère que des gestes devenus, par l'habitude, définitifs. La nature, comme la catastrophe de Pompéi, comme une métamorphose de nymphe, nous a immobilisés dans le mouvement accoutumé. De même nos intonations contiennent notre philosophie de la vie, ce que la personne se dit à tout moment sur les choses. Sans doute ces traits n'étaient pas qu'à ces jeunes filles. Ils étaient à leurs parents. L'individu baigne dans quelque chose de plus général que lui. À ce compte, les parents ne fournissent pas que ce geste habituel que sont les traits du visage et de la voix, mais aussi certaines manières de parler, certaines phrases consacrées, qui presque aussi inconscientes qu'une intonation, presque aussi profondes, indiquent, comme elle, un point de vue sur la vie. Il est vrai que pour les jeunes filles, il y a certaines de ces expressions que leurs parents ne leur donnent pas avant un certain âge, généralement pas avant qu'elles soient des femmes. On les garde en réserve. Ainsi par exemple si on parlait des tableaux d'un ami d'Elstir, Andrée qui avait encore les cheveux dans le dos ne pouvait encore faire personnellement usage de l'expression dont usaient sa mère et sa sœur mariée : « Il paraît que *l'homme* est charmant. » Mais cela viendrait avec la permission d'aller au Palais-Royal. Et déjà depuis sa première communion, Albertine disait comme une amie de sa tante : « Je trouverais cela assez terrible. » On lui avait aussi donné en présent l'habitude de faire répéter ce qu'on lui disait pour avoir l'air de s'intéresser et de chercher à se former une opinion personnelle. Si on disait que la peinture d'un peintre était bien, ou sa maison jolie : « Ah ! c'est bien, sa peinture ? Ah ! c'est joli, sa maison ? » Enfin, plus générale encore que n'est le legs familial était la savoureuse matière imposée par la province originelle d'où elles tiraient leur voix et à même laquelle mordaient leurs intonations. Quand Andrée pinçait sèchement une note grave, elle ne pouvait faire que la corde périgourdine de son instrument vocal ne rendît un son chantant, fort en harmonie d'ailleurs avec la pureté méridionale de ses traits ; et aux perpétuelles gamineries de Rosemonde, la matière de son visage et de sa voix du Nord répondaient, quoi qu'elle en eût, avec l'accent de sa province. Entre cette province et le tempérament de la jeune fille qui dictait les inflexions, je percevais un beau dialogue. Dialogue, non pas discorde. Aucune ne saurait diviser la jeune fille et son pays natal. Elle, c'est lui encore. Du reste cette réaction des matériaux locaux sur le génie qui les utilise et à qui elle donne plus de verdeur ne rend pas l'œuvre moins individuelle, et que ce soit celle d'un architecte, d'un ébéniste, ou d'un musicien, elle ne reflète pas moins minutieusement les traits les plus subtils de la personnalité de l'artiste, parce qu'il a été forcé de travailler dans la pierre meulière de Senlis ou le grès rouge de Strasbourg, qu'il a respecté les nœuds particuliers au frêne, qu'il a tenu compte dans son écriture des ressources et des limites de la sonorité, des possibilités de la flûte ou de l'alto.

Je m'en rendais compte et pourtant nous causions si peu ! Tandis qu'avec Mme de Villeparisis ou Saint-Loup, j'eusse démontré par mes paroles beaucoup plus de plaisir que je n'en eusse ressenti, car je les quittais avec fatigue, au contraire couché entre ces jeunes filles, la plénitude de ce que j'éprouvais l'emportait infiniment sur la pauvreté, la rareté de nos propos, et débordait de mon immobilité et de mon silence, en flots de bonheur dont le clapotis venait mourir au pied de ces jeunes roses.

Pour un convalescent qui se repose tout le jour dans un jardin fleuriste [176] ou dans un verger, une odeur de fleurs et de fruits n'imprègne pas plus profondément les mille riens dont se compose son farniente que pour moi cette couleur, cet arôme que mes regards allaient chercher sur ces jeunes filles et dont la douceur finissait par s'incorporer en moi. Ainsi les raisins se sucrent-ils au soleil. Et par leur lente continuité, ces jeux si simples avaient aussi amené en moi, comme chez ceux qui ne font autre chose que rester étendus au bord de la mer à respirer le sel, à se hâler, une détente, un sourire béat, un éblouissement vague qui avait gagné jusqu'à mes yeux.

Parfois une gentille attention de telle ou telle éveillait en moi d'amples vibrations qui éloignaient pour un temps le désir des autres. Ainsi un jour Albertine avait dit : « Qu'est-ce qui a un crayon ? » André l'avait fourni, Rosemonde le papier, Albertine leur avait dit : « Mes petites bonnes femmes, je vous défends de regarder ce que j'écris. » Après s'être appliquée à bien tracer chaque lettre, le papier appuyé à ses genoux, elle me l'avait passé en me disant : « Faites attention qu'on ne voie pas. » Alors je l'avais déplié et j'avais lu ces mots qu'elle m'avait écrits : « Je vous aime bien. »

« Mais au lieu d'écrire des bêtises, cria-t-elle en se tournant d'un air soudainement impétueux et grave vers Andrée et Rosemonde, il faut que je vous montre la lettre que Gisèle m'a écrite ce matin. Je suis folle, je l'ai dans ma poche, et dire que cela peut nous être si utile ! » Gisèle avait cru devoir adresser à son amie afin qu'elle la communiquât aux autres, la composition qu'elle avait faite pour son certificat d'études. Les craintes d'Albertine sur la difficulté des sujets proposés avaient encore été dépassées par les deux entre lesquels Gisèle avait eu à opter. L'un était : « Sophocle écrit des Enfers à Racine pour le consoler de l'insuccès d'*Athalie* »; l'autre : « Vous supposerez qu'après la première représentation d'*Esther*, Mme de Sévigné écrit à Mme de La Fayette pour lui dire combien elle a regretté son absence [177]. » Or, Gisèle par un excès de zèle qui avait dû toucher les examinateurs, avait choisi le premier, le plus difficile de ces deux sujets, et l'avait traité si remarquablement qu'elle avait eu quatorze et avait été félicitée par le jury. Elle aurait obtenu la mention « très bien » si elle n'avait « séché » dans son examen d'espagnol. La composition dont Gisèle avait envoyée la copie à Albertine nous fut immédiatement lue par celle-ci, car devant elle-même passer le même examen, elle désirait beaucoup avoir l'avis d'Andrée, beaucoup plus forte qu'elles toutes et qui pouvait lui donner de bons tuyaux. « Elle en a eu une veine, dit Albertine. C'est justement un sujet que lui avait fait piocher ici sa maîtresse de français. » La lettre de Sophocle à Racine rédigée par Gisèle [178], commençait ainsi : « Mon cher ami, excusez-moi de vous écrire sans avoir l'honneur d'être personnellement connu de vous, mais votre nouvelle tragédie d'*Athalie* ne montre-t-elle pas que

vous avez parfaitement étudié mes modestes
ouvrages ? Vous n'avez pas mis de vers que dans la
bouche des protagonistes, ou personnages principaux
du drame, mais vous en avez écrit, et de charmants,
permettez-moi de vous le dire sans cajolerie, pour les
chœurs qui ne faisaient pas trop mal, à ce qu'on dit,
dans la tragédie grecque, mais qui sont en France une
véritable nouveauté. De plus, votre talent, si délié, si
fignolé, si charmeur, si fin, si délicat, a atteint à une
énergie dont je vous félicite. Athalie, Joad, voilà des
personnages que votre rival, Corneille, n'eût pas su
mieux charpenter. Les caractères sont virils, l'intrigue
est simple et forte. Voilà une tragédie dont l'amour
n'est pas le ressort et je vous en fais mes compliments
les plus sincères. Les préceptes les plus fameux ne
sont pas toujours les plus vrais. Je vous citerai comme
exemple :

> De cette passion la sensible peinture
> Est pour aller au cœur la route la plus sûre [179].

Vous avez montré que le sentiment religieux dont
débordent vos chœurs n'est pas moins capable d'attendrir. Le grand public a pu être dérouté, mais les vrais
connaisseurs vous rendent justice. J'ai tenu à vous
envoyer toutes mes congratulations auxquelles je
joins, mon cher confrère, l'expression de mes sentiments les plus distingués. » Les yeux d'Albertine
n'avaient cessé d'étinceler pendant qu'elle faisait cette
lecture : « C'est à croire qu'elle a copié cela, s'écria-
t-elle quand elle eut fini. Jamais je n'aurais cru Gisèle
capable de pondre un devoir pareil. Et ces vers qu'elle
cite ! Où a-t-elle pu aller chiper ça ? » L'admiration
d'Albertine, changeant il est vrai d'objet, mais encore
accrue, ne cessa pas, ainsi que l'application la plus
soutenue, de lui faire « sortir les yeux de la tête » tout
le temps qu'Andrée, consultée comme plus grande et
comme plus calée, d'abord, parla du devoir de Gisèle,
avec une certaine ironie, puis, avec un air de légèreté
qui dissimulait mal un sérieux véritable, refit à sa

façon la même lettre. « Ce n'est pas mal, dit-elle à Albertine, mais si j'étais toi et qu'on me donne le même sujet, ce qui peut arriver, car on le donne très souvent, je ne ferais pas comme cela. Voilà comment je m'y prendrais. D'abord si j'avais été Gisèle je ne me serais pas laissée emballer et j'aurais commencé par écrire sur une feuille à part mon plan. En première ligne, la position de la question et l'exposition du sujet, puis les idées générales à faire entrer dans le développement. Enfin, l'appréciation, le style, la conclusion. Comme cela, en s'inspirant d'un sommaire, on sait où on va. Dès l'exposition du sujet ou si tu aimes mieux, Titine, puisque c'est une lettre, dès l'entrée en matière, Gisèle a gaffé. Écrivant à un homme du XVIIᵉ siècle, Sophocle ne devait pas écrire : mon cher ami. » — « Elle aurait dû, en effet, lui faire dire : mon cher Racine, s'écria fougueusement Albertine. Ç'aurait été bien mieux. » — « Non, répondit Andrée sur un ton un peu persifleur, elle aurait dû mettre : " Monsieur ". De même pour finir elle aurait dû trouver quelque chose comme : " Souffrez, Monsieur (tout au plus, cher Monsieur), que je vous dise ici les sentiments d'estime avec lesquels j'ai l'honneur d'être votre serviteur. " D'autre part, Gisèle dit que les chœurs sont dans *Athalie* une nouveauté. Elle oublie *Esther*, et deux tragédies peu connues, mais qui ont été précisément analysées cette année par le Professeur, de sorte que rien qu'en les citant, comme c'est son dada, on est sûre d'être reçue. Ce sont *Les Juives*, de Robert Garnier et l'*Aman*, de Montchrestien[180]. » Andrée cita ces deux titres, sans parvenir à cacher un sentiment de bienveillante supériorité qui s'exprima dans un sourire, assez gracieux, d'ailleurs. Albertine n'y tint plus : « Andrée, tu es renversante, s'écria-t-elle. Tu vas m'écrire ces deux titres-là. Crois-tu ? quelle chance si je passais là-dessus, même à l'oral, je les citerais aussitôt et je ferais un effet bœuf. » Mais dans la suite chaque fois qu'Albertine demanda à Andrée de lui redire les noms des deux pièces pour qu'elle les inscrivît, l'amie si savante

prétendit les avoir oubliés et ne les lui rappela jamais.
« Ensuite, reprit Andrée sur un ton d'imperceptible
dédain à l'égard de camarades plus puériles, mais
heureuse pourtant de se faire admirer et attachant à la
manière dont elle aurait fait sa composition plus
d'importance qu'elle ne voulait le laisser voir, Sophocle aux Enfers doit être bien informé. Il doit donc
savoir que ce n'est pas devant le grand public, mais
devant le Roi-Soleil et quelques courtisans privilégiés
que fut représentée *Athalie*. Ce que Gisèle dit à ce
propos de l'estime des connaisseurs n'est pas mal du
tout, mais pourrait être complété. Sophocle, devenu
immortel peut très bien avoir le don de la prophétie et
annoncer que selon Voltaire *Athalie* ne sera pas
seulement " le chef-d'œuvre de Racine, mais celui de
l'esprit humain [181] " ». Albertine buvait toutes ces
paroles. Ses prunelles étaient en feu. Et c'est avec
l'indignation la plus profonde qu'elle repoussa la
proposition de Rosemonde de se mettre à jouer.
« Enfin, dit Andrée du même ton détaché, désinvolte,
un peu railleur et assez ardemment convaincu, si
Gisèle avait posément noté d'abord les idées générales
qu'elle avait à développer, elle aurait peut-être pensé à
ce que j'aurais fait, moi, montrer la différence qu'il y a
dans l'inspiration religieuse des chœurs de Sophocle et
de ceux de Racine. J'aurais fait faire par Sophocle la
remarque que si les chœurs de Racine sont empreints
de sentiments religieux comme ceux de la tragédie
grecque, pourtant il ne s'agit pas des mêmes dieux.
Celui de Joad n'a rien à voir avec celui de Sophocle. Et
cela amène tout naturellement, après la fin du développement, la conclusion : " Qu'importe que les
croyances soient différentes. " Sophocle se ferait un
scrupule d'insister là-dessus. Il craindrait de blesser
les convictions de Racine et glissant à ce propos
quelques mots sur ses maîtres de Port-Royal, il préfère
féliciter son émule de l'élévation de son génie poétique. »
    L'admiration et l'attention avaient donné si chaud à
Albertine qu'elle suait à grosses gouttes. Andrée

gardait le flegme souriant d'un dandy femelle. « Il ne serait pas mauvais non plus de citer quelques jugements des critiques célèbres », dit-elle, avant qu'on se remît à jouer. « Oui, répondit Albertine, on m'a dit cela. Les plus recommandables en général, n'est-ce pas, sont les jugements de Sainte-Beuve et de Merlet ? » — « Tu ne te trompes pas absolument, répliqua Andrée qui se refusa d'ailleurs à lui écrire les deux autres noms malgré les supplications d'Albertine, Merlet et Sainte-Beuve ne font pas mal. Mais il faut surtout citer Deltour et Gascq-Desfossés [182]. »

Pendant ce temps je songeais à la petite feuille de bloc-notes que m'avait passée Albertine : « Je vous aime bien », et une heure plus tard, tout en descendant les chemins qui ramenaient, un peu trop à pic à mon gré, vers Balbec, je me disais que c'était avec elle que j'aurais mon roman.

L'état caractérisé par l'ensemble de signes auxquels nous reconnaissons d'habitude que nous sommes amoureux, tels les ordres que je donnais à l'hôtel de ne m'éveiller pour aucune visite, sauf si c'était celle d'une ou l'autre de ces jeunes filles, ces battements de cœur en les attendant (quelle que fût celle qui dût venir), et ces jours-là, ma rage si je n'avais pu trouver un coiffeur pour me raser et devais paraître enlaidi devant Albertine, Rosemonde ou Andrée, sans doute cet état renaissant alternativement pour l'une ou l'autre, était aussi différent de ce que nous appelons amour que diffère de la vie humaine celle des zoophytes où l'existence, l'individualité, si l'on peut dire, est répartie entre différents organismes. Mais l'histoire naturelle nous apprend qu'une telle organisation animale est observable, et notre propre vie, pour peu qu'elle soit déjà un peu avancée, n'est pas moins affirmative sur la réalité d'états insoupçonnés de nous autrefois et par lesquels nous devons passer, quitte à les abandonner ensuite. Tel pour moi cet état amoureux divisé simultanément entre plusieurs jeunes filles. Divisé ou plutôt indivis, car le plus souvent ce qui m'était délicieux, différent du reste du monde, ce qui

commençait à me devenir cher au point que l'espoir de
le retrouver le lendemain était la meilleure joie de ma
vie, c'était plutôt tout le groupe de ces jeunes filles,
pris dans l'ensemble de ces après-midi sur la falaise,
pendant ces heures éventées, sur cette bande d'herbe
où étaient posées ces figures si excitantes pour mon
imagination, d'Albertine, de Rosemonde, d'Andrée ;
et cela, sans que j'eusse pu dire laquelle me rendait ces
lieux si précieux, laquelle j'avais le plus envie d'aimer.
Au commencement d'un amour comme à sa fin, nous
ne sommes pas exclusivement attachés à l'objet de cet
amour, mais plutôt le désir d'aimer dont il va procéder
(et plus tard le souvenir qu'il laisse), erre voluptueusement dans une zone de charmes interchangeables —
charmes parfois simplement de nature, de gourmandise, d'habitation — assez harmoniques entre eux
pour qu'il ne se sente, auprès d'aucun, dépaysé.
D'ailleurs comme devant elles, je n'étais pas encore
blasé par l'habitude, j'avais la faculté de les voir,
autant dire d'éprouver un étonnement profond chaque
fois que je me retrouvais en leur présence. Sans doute
pour une part cet étonnement tient à ce que l'être nous
présente alors une nouvelle face de lui-même ; mais
tant est grande la multiplicité de chacun, la richesse
des lignes de son visage et de son corps, lignes
desquelles si peu se retrouvent aussitôt que nous ne
sommes plus auprès de la personne, dans la simplicité
arbitraire de notre souvenir, comme la mémoire a
choisi telle particularité qui nous a frappé, l'a isolée,
l'a exagérée, faisant d'une femme qui nous a paru
grande une étude où la longueur de sa taille est
démesurée, ou d'une femme qui nous a semblé rose et
blonde une pure « Harmonie en rose et or [183] », au
moment où de nouveau cette femme est près de nous,
toutes les autres qualités oubliées qui font équilibre à
celle-là nous assaillent, dans leur complexité confuse,
diminuant la hauteur, noyant le rose, et substituant à
ce que nous sommes venus exclusivement chercher
d'autres particularités que nous nous rappelons avoir
remarquées la première fois et dont nous ne compre-

nons pas que nous ayons pu si peu nous attendre à les
revoir. Nous nous souvenions, nous allions au-devant,
d'un paon et nous trouvons une pivoine. Et cet
étonnement inévitable n'est pas le seul ; car à côté de
celui-là il y en un autre, né de la différence, non plus
entre les stylisations du souvenir et la réalité, mais
entre l'être que nous avons vu la dernière fois et celui
qui nous apparaît aujourd'hui sous un autre angle,
nous montrant un nouvel aspect. Le visage humain est
vraiment comme celui du Dieu d'une théogonie
orientale, toute une grappe de visages juxtaposés dans
des plans différents et qu'on ne voit pas à la fois.

Mais pour une grande part, notre étonnement vient
surtout de ce que l'être nous présente aussi une même
face. Il nous faudrait un si grand effort pour recréer
tout ce qui nous a été fourni par ce qui n'est pas nous
— fût-ce le goût d'un fruit — qu'à peine l'impression
reçue, nous descendons insensiblement la pente du
souvenir et sans nous en rendre compte, en très peu de
temps, nous sommes très loin de ce que nous avons
senti. De sorte que chaque nouvelle entrevue est une
espèce de redressement qui nous ramène à ce que nous
avions bien vu. Nous ne nous en souvenions déjà plus,
tant ce qu'on appelle se rappeler un être, c'est en
réalité l'oublier. Mais aussi longtemps que nous
savons encore voir au moment où le trait oublié nous
apparaît, nous le reconnaissons, nous sommes obligés
de rectifier la ligne déviée et ainsi la perpétuelle et
féconde surprise qui rendait si salutaires et assouplis-
sants pour moi ces rendez-vous quotidiens avec les
belles jeunes filles du bord de la mer, était faite, tout
autant que de découvertes, de réminiscence. En
ajoutant à cela l'agitation éveillée par ce qu'elles
étaient pour moi, qui n'était jamais tout à fait ce que
j'avais cru et qui faisait que l'espérance de la prochaine
réunion n'était plus semblable à la précédente espérance mais au souvenir encore vibrant du dernier
entretien, on comprendra que chaque promenade
donnait un violent coup de barre à mes pensées et non
pas du tout dans le sens que dans la solitude de ma

chambre j'avais pu tracer à tête reposée. Cette direc-
tion-là était oubliée, abolie, quand je rentrais vibrant
comme une ruche des propos qui m'avaient troublé, et
qui retentissaient longtemps en moi. Chaque être est
détruit quand nous cessons de le voir; puis son
apparition suivante est une création nouvelle, différente de celle qui l'a immédiatement précédée, sinon
de toutes. Car le minimum de variété qui puisse
régner dans ces créations est de deux. Nous souvenant
d'un coup d'œil énergique, d'un air hardi, c'est
inévitablement la fois suivante par un profil quasi
languide, par une sorte de douceur rêveuse, choses
négligées par nous dans le précédent souvenir, que
nous serons à la prochaine rencontre, étonnés, c'est-
à-dire presque uniquement frappés. Dans la confron-
tation de notre souvenir à la réalité nouvelle, c'est cela
qui marquera notre déception ou notre surprise, nous
apparaîtra comme la retouche de la réalité en nous
avertissant que nous nous étions mal rappelé. À son
tour l'aspect, la dernière fois négligé, du visage, et à
cause de cela même le plus saisissant cette fois-ci, le
plus réel, le plus rectificatif, deviendra matière à
rêverie, à souvenirs. C'est un profil langoureux et
rond, une expression douce, rêveuse que nous désire-
rons revoir. Et alors de nouveau la fois suivante, ce
qu'il y a de volontaire dans les yeux perçants, dans le
nez pointu, dans les lèvres serrées, viendra corriger
l'écart entre notre désir et l'objet auquel il a cru
correspondre. Bien entendu, cette fidélité aux impressions premières, et purement physiques, retrouvées à
chaque fois auprès de mes amies, ne concernait pas
que les traits de leur visage puisqu'on a vu que j'étais
aussi sensible à leur voix, plus troublante peut-être
(car elle n'offre pas seulement les mêmes surfaces
singulières et sensuelles que lui, elle fait partie de
l'abîme inaccessible qui donne le vertige des baisers
sans espoir), leur voix pareille au son unique d'un
petit instrument où chacune se mettait tout entière et
qui n'était qu'à elle. Tracée par une inflexion, telle
ligne profonde d'une de ces voix m'étonnait quand je

la reconnaissais après l'avoir oubliée. Si bien que les rectifications qu'à chaque rencontre nouvelle j'étais obligé de faire pour le retour à la parfaite justesse, étaient aussi bien d'un accordeur ou d'un maître de chant que d'un dessinateur.

Quant à l'harmonieuse cohésion où se neutralisaient depuis quelque temps, par la résistance que chacune apportait à l'expansion des autres, les diverses ondes sentimentales propagées en moi par ces jeunes filles, elle fut rompue en faveur d'Albertine, une après-midi que nous jouions au furet. C'était dans un petit bois sur la falaise. Placé entre deux jeunes filles étrangères à la petite bande et que celle-ci avait emmenées parce que nous devions être ce jour-là fort nombreux, je regardais avec envie le voisin d'Albertine, un jeune homme, en me disant que si j'avais eu sa place j'aurais pu toucher les mains de mon amie pendant ces minutes inespérées qui ne reviendraient peut-être pas, et eussent pu me conduire très loin. Déjà à lui seul et même sans les conséquences qu'il eût entraînées sans doute, le contact des mains d'Albertine m'eût été délicieux. Non que je n'eusse jamais vu de plus belles mains que les siennes. Même dans le groupe de ses amies, celles d'Andrée, maigres et bien plus fines, avaient comme une vie particulière, docile au commandement de la jeune fille, mais indépendante, et elles s'allongeaient souvent devant elle comme de nobles lévriers, avec des paresses, de longs rêves, de brusques étirements d'une phalange, à cause desquels Elstir avait fait plusieurs études de ces mains. Et dans l'une où on voyait Andrée les chauffer devant le feu, elles avaient sous l'éclairage la diaphanéité dorée de deux feuilles d'automne. Mais, plus grasses, les mains d'Albertine cédaient un instant, puis résistaient à la pression de la main qui les serrait, donnant une sensation toute particulière. La pression de la main d'Albertine avait une douceur sensuelle qui était comme en harmonie avec la coloration rose, légèrement mauve de sa peau. Cette pression semblait vous faire pénétrer dans la jeune fille, dans la profondeur de

ses sens, comme la sonorité de son rire, indécent à la
façon d'un roucoulement ou de certains cris. Elle était
de ces femmes à qui c'est un si grand plaisir de serrer
la main qu'on est reconnaissant à la civilisation d'avoir
fait du shake-hand un acte permis entre jeunes gens et
jeunes filles qui s'abordent. Si les habitudes arbitraires
de la politesse avaient remplacé la poignée de mains
par un autre geste, j'eusse tous les jours regardé les
mains intangibles d'Albertine avec une curiosité de
connaître leur contact aussi ardente qu'était celle de
savoir la saveur de ses joues. Mais dans le plaisir de
tenir longtemps ses mains entre les miennes, si j'avais
été son voisin au furet, je n'envisageais pas que ce
plaisir même ; que d'aveux, de déclarations tus jusqu'ici par timidité, j'aurais pu confier à certaines
pressions de mains ; de son côté, comme il lui eût été
facile en répondant par d'autres pressions, de me
montrer qu'elle acceptait ; quelle complicité, quel
commencement de volupté ! Mon amour pouvait faire
plus de progrès en quelques minutes passées ainsi à
côté d'elle qu'il n'avait fait depuis que je la connaissais. Sentant qu'elles dureraient peu, étaient bientôt à
leur fin, car on ne continuerait sans doute pas
longtemps ce petit jeu, et qu'une fois qu'il serait fini,
ce serait trop tard, je ne tenais pas en place. Je me
laissai exprès prendre la bague et une fois au milieu,
quand elle passa je fis semblant de ne pas m'en
apercevoir et la suivais des yeux attendant le moment
où elle arriverait dans les mains du voisin d'Albertine,
laquelle riant de toutes ses forces, et dans l'animation
et la joie du jeu, était toute rose. « Nous sommes
justement dans le bois joli », me dit Andrée en me
désignant les arbres qui nous entouraient, avec un
sourire du regard qui n'était que pour moi et semblait
passer par-dessus les joueurs comme si nous deux
étions seuls assez intelligents pour nous dédoubler et
faire à propos du jeu une remarque d'un caractère
poétique. Elle poussa même la délicatesse d'esprit
jusqu'à chanter sans en avoir envie : « Il a passé par
ici, le furet du Bois, Mesdames, il a passé par ici le

furet du Bois joli », comme les personnes qui ne peuvent aller à Trianon sans y donner une fête Louis XVI ou qui trouvent piquant de faire chanter un air dans le cadre pour lequel il fut écrit. J'eusse sans doute été au contraire attristé de ne pas trouver du charme à cette réalisation, si j'avais eu le loisir d'y penser. Mais mon esprit était bien ailleurs. Joueurs et joueuses commençaient à s'étonner de ma stupidité et que je ne prisse pas la bague. Je regardais Albertine si belle, si indifférente, si gaie, qui, sans le prévoir, allait devenir ma voisine quand enfin j'arrêterais la bague dans les mains qu'il faudrait, grâce à un manège qu'elle ne soupçonnait pas et dont sans cela elle se fût irritée. Dans la fièvre du jeu, les longs cheveux d'Albertine s'étaient à demi défaits et, en mèches bouclées, tombaient sur ses joues dont ils faisaient encore mieux ressortir, par leur brune sécheresse, la rose carnation. « Vous avez les tresses de Laura Dianti, d'Éléonore de Guyenne, et de sa descendante si aimée de Chateaubriand [184]. Vous devriez porter toujours les cheveux un peu tombants », lui dis-je à l'oreille pour me rapprocher d'elle. Tout d'un coup la bague passa au voisin d'Albertine. Aussitôt je m'élançai, lui ouvris brutalement les mains, saisis la bague ; il fut obligé d'aller à ma place au milieu du cercle, et je pris la sienne à côté d'Albertine. Peu de minutes auparavant, j'enviais ce jeune homme quand je voyais ses mains en glissant sur la ficelle rencontrer à tout moment celles d'Albertine. Maintenant que mon tour était venu, trop timide pour rechercher, trop ému pour goûter ce contact, je ne sentais plus rien que le battement rapide et douloureux de mon cœur. À un moment, Albertine pencha vers moi d'un air d'intelligence sa figure pleine et rose, faisant ainsi semblant d'avoir la bague, afin de tromper le furet et de l'empêcher de.regarder du côté où celle-ci était en train de passer. Je compris tout de suite que c'était à cette ruse que s'appliquaient les sous-entendus du regard d'Albertine, mais je fus troublé en voyant ainsi passer dans ses yeux l'image purement simulée pour les besoins du jeu, d'un secret, d'une entente qui n'existaient pas entre elle et moi, mais qui dès lors me semblèrent possibles et m'eussent été divinement doux. Comme cette pensée m'exaltait, je sentis une légère pression de la main d'Albertine contre la mienne, et son doigt caressant qui se glissait sous mon doigt, et je vis qu'elle m'adressait en même temps un clin d'œil qu'elle cherchait à rendre imperceptible. D'un seul coup, une foule d'espoirs jusque-là invisibles à moi-même cristallisèrent : « Elle profite du jeu pour me faire sentir qu'elle m'aime bien », pensai-je au comble d'une joie, d'où je retombai aussitôt quand j'entendis Albertine me dire avec rage : « Mais prenez-la donc, voilà une heure que je vous la passe. » Étourdi de chagrin, je lâchai la ficelle, le furet aperçut la bague, se jeta sur elle, je dus me remettre au milieu, désespéré, regardant la ronde effrénée qui continuait autour de moi, interpellé par les moqueries de toutes les joueuses, obligé, pour y répondre, de rire quand j'en avais si peu envie, tandis qu'Albertine ne cessait de dire : « On ne joue pas quand on ne veut pas faire attention et pour faire perdre les autres. On ne l'invitera plus les jours où on jouera, Andrée, ou bien moi je ne viendrai pas. » Andrée, supérieure au jeu et qui chantait son « Bois joli » que, par esprit d'imitation, reprenait sans conviction Rosemonde, voulut faire diversion aux reproches d'Albertine en me disant : « Nous sommes à deux pas de ces Creuniers que vous vouliez tant voir. Tenez, je vais vous mener jusque-là par un joli petit chemin pendant que ces folles font les enfants de huit ans. » Comme Andrée était extrêmement gentille avec moi, en route je lui dis d'Albertine tout ce qui me semblait propre à me faire aimer de celle-ci. Elle me répondit qu'elle aussi l'aimait beaucoup, la trouvait charmante ; pourtant mes compliments à l'adresse de son amie n'avaient pas l'air de lui faire plaisir. Tout d'un coup dans le petit chemin creux, je m'arrêtai touché au cœur par un doux souvenir d'enfance : je venais de reconnaître, aux feuilles découpées et brillantes qui s'avançaient

sur le seuil, un buisson d'aubépines [185] défleuries,
hélas, depuis la fin du printemps. Autour de moi
flottait une atmosphère d'anciens mois de Marie,
d'après-midi du dimanche, de croyances, d'erreurs
oubliées. J'aurais voulu la saisir. Je m'arrêtai une
seconde et Andrée, avec une divination charmante,
me laissa causer un instant avec les feuilles de
l'arbuste. Je leur demandai des nouvelles des fleurs,
ces fleurs de l'aubépine pareilles à de gaies jeunes filles
étourdies, coquettes et pieuses. « Ces demoiselles sont
parties depuis déjà lomgtemps », me disaient les
feuilles. Et peut-être pensaient-elles que pour le grand
ami d'elles que je prétendais être, je ne semblais guère
renseigné sur leurs habitudes. Un grand ami, mais qui
ne les avais pas revues depuis tant d'années malgré ses
promesses. Et pourtant comme Gilberte avait été mon
premier amour pour une jeune fille, elles avaient été
mon premier amour pour une fleur. « Oui, je sais,
elles s'en vont vers la mi-juin, répondis-je, mais cela
me fait plaisir de voir l'endroit qu'elles habitaient ici.
Elles sont venues me voir à Combray dans ma
chambre, amenées par ma mère quand j'étais malade.
Et nous nous retrouvions le samedi soir au mois de
Marie. Elles peuvent y aller ici ? » — « Oh ! naturellement ! Du reste on tient beaucoup à avoir ces demoiselles à l'église de Saint-Denis-du-Désert, qui est la
paroisse la plus voisine. » — « Alors, maintenant,
pour les voir ? » — « Oh ! pas avant le mois de mai de
l'année prochaine. » — « Mais je peux être sûr
qu'elles seront là ? » — « Régulièrement tous les
ans. » — « Seulement je ne sais pas si je retrouverai
bien la place. » — « Que si ! ces demoiselles sont si
gaies, elles ne s'interrompent de rire que pour chanter
des cantiques, de sorte qu'il n'y a pas d'erreur possible
et que du bout du sentier vous reconnaîtrez leur
parfum. »

Je rejoignis Andrée, recommençai à lui faire des
éloges d'Albertine. Il me semblait impossible qu'elle
ne les lui répétât pas étant donnée l'insistance que j'y
mis. Et pourtant je n'ai jamais appris qu'Albertine les

eût sus. Andrée avait pourtant bien plus qu'elle
l'intelligence des choses du cœur, le raffinement dans
la gentillesse ; trouver le regard, le mot, l'action, qui
pouvaient le plus ingénieusement faire plaisir, taire
une réflexion qui risquait de peiner, faire le sacrifice
(et en ayant l'air que ce ne fût pas un sacrifice) d'une
heure de jeu, voire d'une matinée, d'une garden-
party, pour rester auprès d'un ami ou d'une amie
triste et lui montrer ainsi qu'elle préférait sa simple
société à des plaisirs frivoles, telles étaient ses délicatesses coutumières. Mais quand on la connaissait un
peu plus on aurait dit qu'il en était d'elle comme de
ces héroïques poltrons qui ne veulent pas avoir peur,
et de qui la bravoure est particulièrement méritoire,
on aurait dit qu'au fond de sa nature, il n'y avait rien
de cette bonté qu'elle manifestait à tout moment par
distinction morale, par sensibilité, par noble volonté
de se montrer bonne amie. À écouter les charmantes
choses qu'elle me disait d'une affection possible entre
Albertine et moi, il semblait qu'elle eût dû travailler
de toutes ses forces à la réaliser. Or, par hasard peut-
être, du moindre des riens dont elle avait la disposition
et qui eussent pu m'unir à Albertine, elle ne fit jamais
usage, et je ne jurerais pas que mon effort pour être
aimé d'Albertine, n'ait, sinon provoqué de la part de
son amie des manèges secrets destinés à le contrarier,
mais éveillé en elle une colère bien cachée d'ailleurs, et
contre laquelle par délicatesse elle luttait peut-être
elle-même. De mille raffinements de bonté qu'avait
Andrée, Albertine eût été incapable, et cependant je
n'étais pas certain de la bonté profonde de la première
comme je le fus plus tard de celle de la seconde. Se
montrant toujours tendrement indulgente à l'exubé-
rante frivolité d'Albertine, Andrée avait avec elle des
paroles, des sourires qui étaient d'une amie, bien plus
elle agissait en amie. Je l'ai vue, jour par jour, pour
faire profiter de son luxe, pour rendre heureuse cette
amie pauvre prendre, sans y avoir aucun intérêt, plus
de peine qu'un courtisan qui veut capter la faveur du
souverain. Elle était charmante de douceur, de mots

tristes et délicieux, quand on plaignait devant elle la
pauvreté d'Albertine, et se donnait mille fois plus de
peine pour elle qu'elle n'eût fait[186] pour une amie
riche. Mais si quelqu'un avançait qu'Albertine n'était
peut-être pas aussi pauvre qu'on disait, un nuage à
peine discernable voilait le front et les yeux d'Andrée ;
elle semblait de mauvaise humeur. Et si on allait
jusqu'à dire qu'après tout elle serait peut-être moins
difficile à marier qu'on pensait, elle vous contredisait
avec force et répétait presque rageusement : « Hélas
si, elle sera immariable ! Je le sais bien, cela me fait
assez de peine ! » Même, en ce qui me concernait, elle
était la seule de ces jeunes filles qui jamais ne m'eût
répété quelque chose de peu agréable qu'on avait pu
dire de moi ; bien plus, si c'était moi-même qui le
racontais, elle faisait semblant de ne pas le croire ou en
donnait une explication qui rendît le propos inoffensif ; c'est l'ensemble de ces qualités qui s'appelle le
tact. Il est l'apanage des gens qui, si nous allons sur le
terrain nous félicitent et ajoutent qu'il n'y avait pas
lieu de le faire, pour augmenter encore à nos yeux le
courage dont nous avons fait preuve, sans y avoir été
contraint. Ils sont l'opposé des gens qui dans la même
circonstance disent : « Cela a dû bien vous ennuyer de
vous battre, mais d'un autre côté vous ne pouviez pas
avaler un tel affront, vous ne pouviez faire autrement. » Mais comme en tout il y a du pour et du
contre, si le plaisir ou du moins l'indifférence de nos
amis à nous répéter quelque chose d'offensant qu'on a
dit sur nous, prouve qu'ils ne se mettent guère dans
notre peau au moment où ils nous parlent, et y
enfoncent l'épingle et le couteau comme dans de la
baudruche, l'art de nous cacher toujours ce qui peut
nous être désagréable dans ce qu'ils ont entendu dire
de nos actions, ou de l'opinion qu'elles leur ont à eux-
mêmes inspirée, peut prouver chez l'autre catégorie
d'amis, chez les amis pleins de tact, une forte dose de
dissimulation. Elle est sans inconvénient si, en effet,
ils ne peuvent penser du mal et si celui qu'on dit les
fait seulement souffrir comme il nous ferait souffrir

nous-même. Je pensais que tel était le cas pour Andrée sans en être cependant absolument sûr.

Nous étions sortis du petit bois et avions suivi un lacis de chemins assez peu fréquentés où Andrée se retrouvait fort bien. « Tenez, me dit-elle tout à coup, voici vos fameux Creuniers, et encore vous avez de la chance, juste par le temps, dans la lumière où Elstir les a peints. » Mais j'étais encore trop triste d'être tombé pendant le jeu du furet, d'un tel faîte d'espérances. Aussi ne fut-ce pas avec le plaisir que j'aurais sans doute éprouvé que je pus distinguer tout d'un coup à mes pieds, tapies entre les roches où elles se protégeaient contre la chaleur, les Déesses marines qu'Elstir avait guettées et surprises, sous un sombre glacis aussi beau qu'eût été celui d'un Léonard, les merveilleuses Ombres abritées et furtives, agiles et silencieuses, prêtes au premier remous de lumière à se glisser sous la pierre, à se cacher dans un trou, et promptes, la menace du rayon passée, à revenir auprès de la roche ou de l'algue, sous le soleil émietteur des falaises et de l'Océan décoloré dont elles semblent veiller l'assoupissement, gardiennes immobiles et légères, laissant paraître à fleur d'eau leur corps gluant et le regard attentif de leurs yeux foncés.

Nous allâmes retrouver les autres jeunes filles pour rentrer. Je savais maintenant que j'aimais Albertine ; mais, hélas ! je ne me souciais pas de le lui apprendre. C'est que, depuis le temps des jeux aux Champs-Élysées, ma conception de l'amour était devenue différente, si les êtres auxquels s'attachait successivement mon amour demeuraient presque identiques. D'une part, l'aveu, la déclaration de ma tendresse à celle que j'aimais ne me semblait plus une des scènes capitales et nécessaires de l'amour ; ni celui-ci, une réalité extérieure mais seulement un plaisir subjectif. Et ce plaisir je sentais qu'Albertine ferait d'autant plus ce qu'il fallait pour l'entretenir qu'elle ignorerait que je l'éprouvais.

Pendant tout ce retour, l'image d'Albertine noyée dans la lumière qui émanait des autres jeunes filles ne

fut pas seule à exister pour moi. Mais comme la lune
qui n'est qu'un petit nuage blanc d'une forme plus
caractérisée et plus fixe pendant le jour, prend toute sa
puissance dès que celui-ci s'est éteint, ainsi quand je
fus rentré à l'hôtel ce fut la seule image d'Albertine
qui s'éleva de mon cœur et se mit à briller. Ma
chambre me semblait tout d'un coup nouvelle. Certes,
il y avait bien longtemps qu'elle n'était plus la
chambre ennemie du premier soir. Nous modifions
inlassablement notre demeure autour de nous ; et au
fur et à mesure que l'habitude nous dispense de sentir,
nous supprimons les éléments nocifs de couleur, de
dimension et d'odeur qui objectivaient notre malaise.
Ce n'était plus davantage la chambre, assez puissante
encore sur ma sensibilité, non certes pour me faire
souffrir, mais pour me donner de la joie, la cuve des
beaux jours, semblable à une piscine à mi-hauteur de
laquelle ils faisaient miroiter un azur mouillé de
lumière, que recouvrait un moment, impalpable et
blanche comme une émanation de la chaleur, une voile
reflétée et fuyante ; ni la chambre purement esthétique
des soirs picturaux ; c'était la chambre où j'étais
depuis tant de jours que je ne la voyais plus. Or voici
que je venais de recommencer à ouvrir les yeux sur elle
mais cette fois-ci, de ce point de vue égoïste qui est
celui de l'amour. Je songeais que la belle glace
oblique, les élégantes bibliothèques vitrées donneraient à Albertine si elle venait me voir une bonne idée
de moi. À la place d'un lieu de transition où je passais
un instant avant de m'évader vers la plage ou vers
Rivebelle, ma chambre me redevenait réelle et chère,
se renouvelait car j'en regardais et en appréciais
chaque meuble avec les yeux d'Albertine.

Quelques jours après la partie de furet, comme nous
étant laissés entraîner trop loin dans une promenade
nous avions été fort heureux de trouver à Maineville
deux petits « tonneaux [187] » à deux places qui nous
permettraient de revenir pour l'heure du dîner, la
vivacité déjà grande de mon amour pour Albertine eut
pour effet, que ce fut successivement à Rosemonde et

à Andrée que je proposai de monter avec moi, et pas
une fois à Albertine, ensuite que tout en invitant de
préférence Andrée ou Rosemonde, j'amenai tout le
monde, par des considérations secondaires d'heure, de
chemin et de manteaux, à décider comme contre mon
gré que le plus pratique était que je prisse avec moi
Albertine, à la compagnie de laquelle je feignis de me
résigner tant bien que mal. Malheureusement l'amour
tendant à l'assimilation complète d'un être, comme
aucun n'est comestible par la seule conversation,
Albertine eut beau être aussi gentille que possible
pendant ce retour, quand je l'eus déposée chez elle,
elle me laissa heureux, mais plus affamé d'elle encore
que je n'étais au départ et ne comptant les moments
que nous venions de passer ensemble que comme un
prélude sans grande importance par lui-même, à ceux
qui suivraient. Il avait pourtant ce premier charme
qu'on ne retrouve pas. Je n'avais encore rien demandé
à Albertine. Elle pouvait imaginer ce que je désirais,
mais n'en étant pas sûre, supposer que je ne tendais
qu'à des relations sans but précis auxquelles mon amie
devait trouver ce vague délicieux, riche de surprises
attendues, qui est le romanesque.

Dans la semaine qui suivit je ne cherchai guère à
voir Albertine. Je faisais semblant de préférer Andrée.
L'amour commence, on voudrait rester pour celle
qu'on aime l'inconnu qu'elle peut aimer, mais on a
besoin d'elle, on a besoin de toucher moins son corps
que son attention, son cœur. On glisse dans une lettre
une méchanceté qui forcera l'indifférente à vous
demander une gentillesse, et l'amour, suivant une
technique infaillible, resserre pour nous d'un mouvement alterné l'engrenage dans lequel on ne peut plus
ni ne pas aimer, ni être aimé. Je donnais à Andrée les
heures où les autres allaient à quelque matinée que je
savais qu'Andrée me sacrifierait par plaisir, et qu'elle
m'eût sacrifiées même avec ennui, par élégance
morale, pour ne pas donner aux autres ni à elle-même
l'idée qu'elle attachait du prix à un plaisir relativement
mondain. Je m'arrangeais ainsi à l'avoir chaque soir

toute à moi, pensant non pas rendre Albertine jalouse, mais accroître à ses yeux mon prestige ou du moins ne pas le perdre en apprenant à Albertine que c'était elle et non Andrée que j'aimais. Je ne le disais pas non plus à Andrée de peur qu'elle le lui répétât. Quand je parlais d'Albertine avec Andrée, j'affectais une froideur dont Andrée fut peut-être moins dupe, que moi de sa crédulité apparente. Elle faisait semblant de croire à mon indifférence pour Albertine, de désirer l'union la plus complète possible entre Albertine et moi. Il est probable qu'au contraire elle ne croyait pas à la première ni ne souhaitait la seconde. Pendant que je lui disais me soucier assez peu de son amie, je ne pensais qu'à une chose, tâcher d'entrer en relations avec Mme Bontemps, qui était pour quelques jours près de Balbec et chez qui Albertine devait bientôt aller passer trois jours. Naturellement, je ne laissais pas voir ce désir à Andrée et quand je lui parlais de la famille d'Albertine, c'était de l'air le plus inattentif. Les réponses explicites d'Andrée ne paraissaient pas mettre en doute ma sincérité. Pourquoi donc lui échappa-t-il un de ces jours-là de me dire : « J'ai *justement* vu la tante à Albertine » ? Certes elle ne m'avait pas dit : « J'ai bien démêlé sous vos paroles jetées comme par hasard, que vous ne pensiez qu'à vous lier avec la tante d'Albertine. » Mais c'est bien à la présence, dans l'esprit d'Andrée, d'une telle idée qu'elle trouvait plus poli de me cacher, que semblait se rattacher le mot « justement ». Il était de la famille de certains regards, de certains gestes, qui bien que n'ayant pas une forme logique, rationnelle, directement élaborée pour l'intelligence de celui qui écoute, lui parviennent cependant avec leur signification véritable, de même que la parole humaine, changée en électricité dans le téléphone, se refait parole pour être entendue. Afin d'effacer de l'esprit d'Andrée l'idée que je m'intéressais à Mme Bontemps, je ne parlai plus d'elle avec distraction seulement, mais avec malveillance ; je dis avoir rencontré autrefois cette espèce de folle et que j'espérais bien que cela ne

m'arriverait plus. Or je cherchais au contraire de toute
façon à la rencontrer [188].

Je tâchai d'obtenir d'Elstir, mais sans dire à personne que je l'en avais sollicité, qu'il lui parlât de moi
et me réunît avec elle. Il me promit de me la faire
connaître, s'étonnant toutefois que je le souhaitasse
car il la jugeait une femme méprisable, intrigante et
aussi inintéressante qu'intéressée. Pensant que si je
voyais Mme Bontemps Andrée le saurait tôt ou tard, je
crus qu'il valait mieux l'avertir. « Les choses qu'on
cherche le plus à fuir sont celles qu'on arrive à ne
pouvoir éviter, lui dis-je. Rien au monde ne peut
m'ennuyer autant que de retrouver Mme Bontemps,
et pourtant je n'y échapperai pas, Elstir doit m'inviter
avec elle. » — « Je n'en ai jamais douté un seul
instant », s'écria Andrée d'un ton amer, pendant que
son regard grandi et altéré par le mécontentement se
rattachait à je ne sais quoi d'invisible. Ces paroles
d'Andrée ne constituaient pas l'exposé le plus ordonné
d'une pensée qui peut se résumer ainsi : « Je sais bien
que vous aimez Albertine et que vous faites des pieds
et des mains pour vous rapprocher de sa famille. »
Mais elles étaient les débris informes et reconstitua-
bles de cette pensée que j'avais fait exploser, en la
heurtant, malgré Andrée. De même que le « justement », ces paroles n'avaient de signification qu'au
second degré, c'est-à-dire qu'elles étaient celles qui (et
non pas les affirmations directes) nous inspirent de
l'estime ou de la méfiance à l'égard de quelqu'un,
nous brouillent avec lui.

Puisque Andrée ne m'avait pas cru quand je lui
disais que la famille d'Albertine m'était indifférente,
c'est qu'elle pensait que j'aimais Albertine. Et probablement n'en était-elle pas heureuse.

Elle était généralement en tiers dans mes rendez-
vous avec son amie. Cependant il y avait des jours où
je devais voir Albertine seule, jours que j'attendais
dans la fièvre, qui passaient sans rien m'apporter de
décisif, sans avoir été ce jour capital dont je confiais
immédiatement le rôle au jour suivant, qui ne le

tiendrait pas davantage ; ainsi s'écroulaient l'un après l'autre, comme des vagues, ces sommets aussitôt remplacés par d'autres.

Environ un mois après le jour où nous avions joué au furet, on me dit qu'Albertine devait partir le lendemain matin pour aller passer quarante-huit heures chez Mme Bontemps et obligée de prendre le train de bonne heure viendrait coucher la veille au Grand-Hôtel, d'où avec l'omnibus elle pourrait, sans déranger les amies chez qui elle habitait, prendre le premier train. J'en parlai à Andrée. « Je ne le crois pas du tout, me répondit Andrée d'un air mécontent. D'ailleurs cela ne vous avancerait à rien, car je suis bien certaine qu'Albertine ne voudra pas vous voir, si elle vient seule à l'hôtel. Ce ne serait pas protocolaire, ajouta-t-elle en usant d'un adjectif qu'elle aimait beaucoup, depuis peu, dans le sens de " ce qui se fait ". Je vous dis cela parce que je connais les idées d'Albertine. Moi, qu'est-ce que vous voulez que cela me fasse, que vous la voyiez ou non ? Cela m'est bien égal. »

Nous fûmes rejoints par Octave qui ne fit pas de difficulté pour dire à Andrée le nombre de points qu'il avait faits la veille au golf, puis par Albertine qui se promenait en manœuvrant son diabolo comme une religieuse son chapelet. Grâce à ce jeu elle pouvait rester des heures seule sans s'ennuyer. Aussitôt qu'elle nous eut rejoints, m'apparut la pointe mutine de son nez, que j'avais omise en pensant à elle ces derniers jours ; sous ses cheveux noirs, la verticalité de son front s'opposa, et ce n'était pas la première fois, à l'image indécise que j'en avais gardée, tandis que par sa blancheur il mordait fortement dans mes regards ; sortant de la poussière du souvenir, Albertine se reconstruisait devant moi. Le golf donne l'habitude des plaisirs solitaires. Celui que procure le diabolo l'est assurément. Pourtant après nous avoir rejoints, Albertine continua à y jouer, tout en causant avec nous, comme une dame à qui des amies sont venues faire une visite ne s'arrête pas pour cela de travailler à son crochet. « Il paraît que Mme de Villeparisis, dit-elle à Octave, a fait une réclamation auprès de votre père (et j'entendis derrière ce mot [189] une de ces notes qui étaient propres à Albertine ; chaque fois que je constatais que je les avais oubliées, je me rappelais en même temps avoir entr'aperçu déjà derrière elles la mine décidée et française d'Albertine. J'aurais pu être aveugle et connaître aussi bien certaines de ses qualités alertes et un peu provinciales dans ces notes-là que dans la pointe de son nez. Les unes et l'autre se valaient et auraient pu se suppléer, et sa voix était comme celle que réalisera, dit-on, le photo-téléphone de l'avenir : dans le son se découpait nettement l'image visuelle). Elle n'a du reste pas écrit seulement à votre père, mais en même temps au maire de Balbec pour qu'on ne joue plus au diabolo sur la digue, on lui a envoyé une balle dans la figure. » — « Oui, j'ai entendu parler de cette réclamation. C'est ridicule. Il n'y a déjà pas tant de distractions ici. » Andrée ne se mêla pas à la conversation, elle ne connaissait pas, non plus d'ailleurs qu'Albertine ni Octave, Mme de Ville-parisis. « Je ne sais pas pourquoi cette dame a fait toute une histoire, dit pourtant Andrée, la vieille Mme de Cambremer a reçu une balle aussi et elle ne s'est pas plainte. » — « Je vais vous expliquer la différence, répondit gravement Octave en frottant une allumette, c'est qu'à mon avis, Mme de Cambremer est une femme du monde et Mme de Villeparisis est une arriviste. Est-ce que vous irez au golf cet après-midi ? » et il nous quitta, ainsi qu'Andrée. Je restai seul avec Albertine. « Voyez-vous, me dit-elle, j'arrange maintenant mes cheveux comme vous les aimez, regardez ma mèche. Tout le monde se moque de cela et personne ne sait pour qui je le fais. Ma tante va se moquer de moi aussi. Je ne lui dirai pas non plus la raison. » Je voyais de côté les joues d'Albertine qui souvent paraissaient pâles, mais ainsi, étaient arrosées d'un sang clair qui les illuminait, leur donnait ce brillant qu'ont certaines matinées d'hiver où les pierres partiellement ensoleillées semblent être du

granit rose et dégagent de la joie. Celle que me donnait
en ce moment la vue des joues d'Albertine était aussi
vive, mais conduisait à un autre désir qui n'était pas
celui de la promenade mais du baiser. Je lui demandai
si les projets qu'on lui prêtait étaient vrais : « Oui, me
dit-elle, je passe cette nuit-là à votre hôtel et même,
comme je suis un peu enrhumée, je me coucherai
avant le dîner. Vous pourrez venir assister à mon dîner
à côté de mon lit et après nous jouerons à ce que vous
voudrez. J'aurais été contente que vous veniez à la
gare demain matin, mais j'ai peur que cela ne paraisse
drôle, je ne dis pas à Andrée, qui est intelligente, mais
aux autres qui y seront ; ça ferait des histoires si on le
répétait à ma tante ; mais nous pourrions passer cette
soirée ensemble. Cela, ma tante n'en saura rien. Je
vais dire au revoir à Andrée. Alors à tout à l'heure.
Venez tôt pour que nous ayons de bonnes heures à
nous », ajouta-t-elle en souriant. À ces mots, je
remontai plus loin qu'aux temps où j'aimais Gilberte,
à ceux où l'amour me semblait une entité non pas
seulement extérieure mais réalisable. Tandis que la
Gilberte que je voyais aux Champs-Élysées était une
autre que celle que je retrouvais en moi dès que j'étais
seul, tout d'un coup dans l'Albertine réelle, celle que
je voyais tous les jours, que je croyais pleine de
préjugés bourgeois et si franche avec sa tante, venait
de s'incarner l'Albertine imaginaire, celle par qui,
quand je ne la connaissais pas encore je m'étais cru
furtivement regardé sur la digue, celle qui avait eu
l'air de rentrer à contre-cœur pendant qu'elle me
voyait m'éloigner.

J'allai dîner avec ma grand-mère, je sentais en moi
un secret qu'elle ne connaissait pas. De même, pour
Albertine, demain ses amies seraient avec elle, sans
savoir ce qu'il y avait de nouveau entre nous, et quand
elle embrasserait sa nièce sur le front, Mme Bontemps
ignorerait que j'étais entre elles deux, dans cet arrangement de cheveux qui avait pour but, caché à tous,
de me plaire, à moi, à moi qui avais jusque-là tant
envié Mme Bontemps parce qu'apparentée aux mêmes

personnes que sa nièce, elle avait les mêmes deuils à
porter, les mêmes visites de famille à faire ; or, je me
trouvais être pour Albertine plus que n'était sa tante
elle-même. Auprès de sa tante, c'est à moi qu'elle
penserait. Qu'allait-il se passer tout à l'heure, je ne le
savais pas trop. En tous cas, le Grand-Hôtel, la soirée,
ne me semblaient plus vides ; ils contenaient mon
bonheur. Je sonnai le lift pour monter à la chambre
qu'Albertine avait prise, du côté de la vallée. Les
moindres mouvements, comme m'asseoir sur la banquette de l'ascenseur, m'étaient doux, parce qu'ils
étaient en relation immédiate avec mon cœur ; je ne
voyais dans les cordes à l'aide desquelles l'appareil
s'élevait, dans les quelques marches qui me restaient à
monter, que les rouages, que les degrés matérialisés de
ma joie. Je n'avais plus que deux ou trois pas à faire
dans le couloir avant d'arriver à cette chambre où était
renfermée la substance précieuse de ce corps rose —
cette chambre qui même s'il devait s'y dérouler des
actes délicieux, garderait cette permanence, cet air
d'être, pour un passant non informé, semblable à
toutes les autres, qui font des choses les témoins
obstinément muets, les scrupuleux confidents, les
inviolables dépositaires du plaisir. Ces quelques pas
du palier à la chambre d'Albertine, ces quelques pas
que personne ne pouvait plus arrêter, je les fis avec
délices, avec prudence, comme plongé dans un élément nouveau, comme si en avançant j'avais lentement déplacé du bonheur, et en même temps avec un
sentiment inconnu de toute-puissance, et d'entrer
enfin dans un héritage qui m'eût de tout temps
appartenu. Puis tout à coup, je pensai que j'avais tort
d'avoir des doutes, elle m'avait dit de venir quand elle
serait couchée. C'était clair, je trépignais de joie, je
renversai à demi Françoise qui était sur mon chemin,
je courais, les yeux étincelants, vers la chambre de
mon amie. Je trouvai Albertine dans son lit. Déga-
geant son cou, sa chemise blanche changeait les
proportions de son visage, qui congestionné par le lit,
ou le rhume, ou le dîner, semblait plus rose ; je pensai

aux couleurs que j'avais eues quelques heures auparavant à côté de moi, sur la digue, et desquelles j'allais
enfin savoir le goût ; sa joue était traversée de haut en
bas par une de ses longues tresses noires et bouclées
que pour me plaire elle avait défaites entièrement. Elle
me regardait en souriant. À côté d'elle, dans la
fenêtre, la vallée était éclairée par le clair de lune. La
vue du cou nu d'Albertine, de ces joues trop roses,
m'avait jeté dans une telle ivresse, c'est-à-dire avait
mis pour moi la réalité du monde non plus dans la
nature, mais dans le torrent des sensations que j'avais
peine à contenir, que cette vue avait rompu l'équilibre
entre la vie immense, indestructible qui roulait dans
mon être, et la vie de l'univers, si chétive en comparaison. La mer, que j'apercevais à côté de la vallée dans la
fenêtre, les seins bombés des premières falaises de
Maineville, le ciel où la lune n'était pas encore montée
au zénith, tout cela semblait plus léger à porter que
des plumes pour les globes de mes prunelles qu'entre
mes paupières je sentais dilatés, résistants, prêts à
soulever bien d'autres fardeaux, toutes les montagnes
du monde, sur leur surface délicate. Leur orbe ne se
trouvait plus suffisamment rempli par la sphère même
de l'horizon. Et tout ce que la nature eût pu m'apporter de vie m'eût semblé bien mince, les souffles de la
mer m'eussent paru bien courts pour l'immense
aspiration qui soulevait ma poitrine. Je me penchai
vers Albertine pour l'embrasser. La mort eût dû me
frapper en ce moment que cela m'eût paru indifférent
ou plutôt impossible, car la vie n'était pas hors de moi,
elle était en moi ; j'aurais souri de pitié si un philosophe eût émis l'idée qu'un jour même éloigné,
j'aurais à mourir, que les forces éternelles de la nature
me survivraient, les forces de cette nature sous les
pieds divins de qui je n'étais qu'un grain de poussière ;
qu'après moi, il y aurait encore ces falaises arrondies
et bombées, cette mer, ce clair de lune, ce ciel !
Comment cela eût-il été possible, comment le monde
eût-il pu durer plus que moi, puisque je n'étais pas
perdu en lui, puisque c'était lui qui était enclos en

moi, en moi qu'il était bien loin de remplir, en moi, où, en sentant la place d'y entasser tant d'autres trésors, je jetais dédaigneusement dans un coin ciel, mer et falaises. « Finissez ou je sonne », s'écria Albertine voyant que je me jetais sur elle pour l'embrasser. Mais je me disais que ce n'était pas pour ne rien faire qu'une jeune fille fait venir un jeune homme en cachette, en s'arrangeant pour que sa tante ne le sache pas, que d'ailleurs l'audace réussit à ceux qui savent profiter des occasions ; dans l'état d'exaltation où j'étais, le visage rond d'Albertine, éclairé d'un feu intérieur comme par une veilleuse, prenait pour moi un tel relief qu'imitant la rotation d'une sphère ardente, il me semblait tourner, telles ces figures de Michel-Ange qu'emporte un immobile et vertigineux tourbillon. J'allais savoir l'odeur, le goût, qu'avait ce fruit rose inconnu. J'entendis un son précipité, prolongé et criard. Albertine avait sonné de toutes ses forces.

J'avais cru que l'amour que j'avais pour Albertine n'était pas fondé sur l'espoir de la possession physique. Pourtant, quand il m'eut paru résulter de l'expérience de ce soir-là que cette possession était impossible et qu'après n'avoir pas douté le premier jour sur la plage qu'Albertine ne fût dévergondée, puis être passé par des suppositions intermédiaires, il me sembla acquis d'une manière définitive qu'elle était absolument vertueuse ; quand à son retour de chez sa tante, huit jours plus tard, elle me dit avec froideur : « Je vous pardonne, je regrette même de vous avoir fait de la peine mais ne recommencez jamais », au contraire de ce qui s'était produit quand Bloch m'avait dit qu'on pouvait avoir toutes les femmes, et comme si au lieu d'une jeune fille réelle, j'avais connu une poupée de cire, il arriva, que peu à peu se détacha d'elle mon désir de pénétrer dans sa vie, de la suivre dans les pays où elle avait passé son enfance, d'être initié par elle à une vie de sport ; ma curiosité intellectuelle de ce qu'elle pensait sur tel ou tel sujet ne survécut pas à la croyance que je pourrais l'embrasser. Mes rêves l'abandonnèrent dès qu'ils cessèrent d'être alimentés par l'espoir d'une possession dont je les avais crus indépendants. Dès lors ils se retrouvèrent libres, de se reporter — selon le charme que je lui avais trouvé un certain jour, surtout selon la possibilité et les chances que j'entrevoyais d'être aimé par elle — sur telle ou telle des amies d'Albertine et d'abord sur Andrée. Pourtant si Albertine n'avait pas existé, peut-être n'aurais-je pas eu le plaisir que je commençai à prendre de plus en plus les jours qui suivirent à la gentillesse que me témoignait Andrée. Albertine ne raconta à personne l'échec que j'avais essuyé auprès d'elle. Elle était une de ces jolies filles qui, dès leur extrême jeunesse, pour leur beauté, mais surtout pour un agrément, un charme qui restent assez mystérieux, et qui ont leur source peut-être dans des réserves de vitalité où de moins favorisés par la nature, viennent se désaltérer, toujours — dans leur famille, au milieu de leurs amies, dans le monde — ont plu davantage que de plus belles, de plus riches ; elle était de ces êtres à qui, avant l'âge de l'amour et bien plus encore quand il est venu, on demande plus qu'eux ne demandent et même qu'ils ne peuvent donner. Dès son enfance Albertine avait toujours eu en admiration devant elle quatre ou cinq petites camarades, parmi lesquelles se trouvait Andrée qui lui était si supérieure et le savait (et peut-être cette attraction qu'Albertine exerçait bien involontairement avait-elle été à l'origine, avait-elle servi à la fondation, de la petite bande). Cette attraction s'exerçait même assez loin dans des milieux relativement plus brillants où s'il y avait une pavane à danser on demandait Albertine plutôt qu'une jeune fille mieux née. La conséquence était que, n'ayant pas un sou de dot, vivant assez mal, d'ailleurs, à la charge de M. Bontemps qu'on disait véreux et qui souhaitait se débarrasser d'elle, elle était pourtant invitée non seulement à dîner, mais à demeure, chez des personnes qui aux yeux de Saint-Loup n'eussent eu aucune élégance, mais qui pour la mère de Rosemonde ou pour la mère d'Andrée, femmes très riches mais qui ne connaissaient pas ces personnes, représentaient quelque chose d'énorme. Ainsi Albertine passait tous les ans quelques semaines dans la famille d'un régent de la Banque de France, président du Conseil d'administration d'une grande Compagnie de chemins de fer. La femme de ce financier recevait des personnages importants et n'avait jamais dit son « jour » à la mère d'Andrée, laquelle trouvait cette dame impolie, mais n'en était pas moins prodigieusement intéressée par tout ce qui se passait chez elle. Aussi exhortait-elle tous les ans Andrée à inviter Albertine dans leur villa, parce que, disait-elle, c'était une bonne œuvre d'offrir un séjour à la mer à une fille qui n'avait pas elle-même les moyens de voyager et dont la tante ne s'occupait guère ; la mère d'Andrée n'était probablement pas mue par l'espoir que le régent de la Banque et sa femme apprenant qu'Albertine était choyée par elle et sa fille, concevraient d'elles deux une bonne opinion ; à plus forte raison n'espérait-elle pas qu'Albertine pourtant si bonne et adroite, saurait la faire inviter, ou tout au moins faire inviter Andrée aux garden-parties du financier. Mais chaque soir à dîner, tout en prenant un air dédaigneux et indifférent, elle était enchantée d'entendre Albertine lui raconter ce qui s'était passé au château pendant qu'elle y était, les gens qui y avaient été reçus et qu'elle connaissait presque tous de vue, de nom. Même la pensée qu'elle ne les connaissait que de cette façon, c'est-à-dire ne les connaissait pas (elle appelait cela connaître les gens « de tout temps »), donnait à la mère d'Andrée une pointe de mélancolie tandis qu'elle posait à Albertine des questions sur eux d'un air hautain et distrait, du bout des lèvres, et eût pu la laisser incertaine et inquiète sur l'importance de sa propre situation si elle ne s'était rassurée elle-même et replacée dans la « réalité de la vie » en disant au maître d'hôtel : « Vous direz au chef que ses petits pois ne sont pas assez fondants. » Elle retrouvait alors sa sérénité. Et elle était bien décidée à ce qu'Andrée n'épousât qu'un homme, d'excellente famille naturellement, mais assez riche pour qu'elle pût avoir elle aussi un chef et deux cochers. C'était cela le positif, la vérité effective d'une situation. Mais qu'Albertine eût dîné au château du régent de la Banque avec telle ou telle dame, que cette dame l'eût même invitée pour l'hiver suivant, cela n'en donnait pas moins à la jeune fille, pour la mère d'Andrée, une sorte de considération particulière qui s'alliait très bien à la pitié et même au mépris excités par son infortune, mépris augmenté par le fait que M. Bontemps eût trahi son drapeau et se fût — même vaguement panamiste, disait-on — rallié au gouvernement [190]. Ce qui n'empêchait pas, d'ailleurs, la mère d'Andrée par amour de la vérité de foudroyer de son dédain les gens qui avaient l'air de croire qu'Albertine était d'une basse extraction. « Comment, c'est tout ce qu'il y a de mieux, ce sont des Simonet, avec un seul *n*. » Certes, à cause du milieu où tout cela évoluait, où l'argent joue un tel rôle, et où l'élégance vous fait inviter mais non épouser, aucun mariage « potable » ne semblait pouvoir être pour Albertine, la conséquence utile de la considération si distinguée dont elle jouissait et qu'on n'eût pas trouvée compensatrice de sa pauvreté. Mais même à eux seuls, et n'apportant pas l'espoir d'une conséquence matrimoniale, ces « succès » excitaient l'envie de certaines mères méchantes, furieuses de voir Albertine être reçue comme « l'enfant de la maison » par la femme du régent de la Banque, même par la mère d'Andrée, qu'elles connaissaient à peine. Aussi disaient-elles à des amis communs d'elles et de ces deux dames, que celles-ci seraient indignées si elles savaient la vérité, c'est-à-dire qu'Albertine racontait chez l'une (et « vice versa ») tout ce que l'intimité où on l'admettait imprudemment lui permettait de découvrir chez l'autre, mille petits secrets qu'il eût été infiniment désagréable à l'intéressée de voir dévoilés. Ces femmes envieuses disaient cela pour que cela fût répété et pour brouiller Albertine avec ses protectrices. Mais ces commissions comme il arrive souvent n'avaient aucun succès. On sentait trop la méchanceté qui les dictait et cela ne faisait que faire mépriser un peu plus celles qui en avaient pris l'initiative. La mère d'Andrée était trop fixée sur le compte d'Albertine pour changer d'opinion à son égard. Elle la considérait comme une « malheureuse » mais d'une nature excellente et qui ne savait qu'inventer pour faire plaisir.

Si cette sorte de vogue qu'avait obtenue Albertine ne paraissait devoir comporter aucun résultat pratique, elle avait imprimé à l'amie d'Andrée le caractère distinctif des êtres qui toujours recherchés, n'ont jamais besoin de s'offrir (caractère qui se retrouve aussi, pour des raisons analogues, à une autre extrémité de la société, chez des femmes d'une grande élégance), et qui est de ne pas faire montre des succès qu'ils ont, de les cacher plutôt. Elle ne disait jamais à quelqu'un : « Il a envie de me voir », parlait de tous avec une grande bienveillance et comme si ce fût elle qui eût couru après, recherché les autres. Si on parlait d'un jeune homme qui quelques minutes auparavant, venait de lui faire en tête à tête les plus sanglants reproches parce qu'elle lui avait refusé un rendez-vous, bien loin de s'en vanter publiquement, ou de lui en vouloir à lui, elle faisait son éloge : « C'est un si gentil garçon. » Elle était même ennuyée de tellement plaire, parce que cela l'obligeait à faire de la peine, tandis que, par nature, elle aimait à faire plaisir. Elle aimait même à faire plaisir au point d'en être arrivée à pratiquer un mensonge spécial à certaines personnes utilitaires, à certains hommes arrivés. Existant d'ailleurs à l'état embryonnaire chez un nombre énorme de personnes, ce genre d'insincérité consiste à ne pas savoir se contenter, pour un seul acte, de faire, grâce à lui, plaisir à une seule personne. Par exemple, si la tante d'Albertine désirait que sa nièce l'accompagnât à une matinée peu amusante, Albertine en s'y rendant aurait pu trouver suffisant d'en tirer le profit moral d'avoir fait plaisir à sa tante. Mais accueillie gentiment par les maîtres de maison, elle aimait mieux leur dire qu'elle désirait depuis si longtemps les voir qu'elle

avait choisi cette occasion et sollicité la permission de
sa tante. Cela ne suffisait pas encore : à cette matinée
se trouvait une des amies d'Albertine qui avait un gros
chagrin. Albertine lui disait : « Je n'ai pas voulu te
laisser seule, j'ai pensé que ça te ferait du bien de
m'avoir près de toi. Si tu veux que nous laissions la
matinée, que nous allions ailleurs, je ferai ce que tu
voudras, je désire avant tout te voir moins triste » (ce
qui était vrai aussi du reste). Parfois il arrivait
pourtant que le but fictif détruisait le but réel. Ainsi
Albertine, ayant un service à demander pour une de
ses amies allait pour cela voir une certaine dame.
Mais, arrivée chez cette dame bonne et sympathique,
la jeune fille obéissant à son insu au principe de
l'utilisation multiple d'une seule action, trouvait plus
affectueux d'avoir l'air d'être venue seulement à cause
du plaisir qu'elle avait senti qu'elle éprouverait à
revoir cette dame. Celle-ci était infiniment touchée
qu'Albertine eût accompli un long trajet par pure
amitié. En voyant la dame presque émue, Albertine
l'aimait encore davantage. Seulement il arrivait ceci :
elle éprouvait si vivement le plaisir d'amitié pour
lequel elle avait prétendu mensongèrement être
venue, qu'elle craignait de faire douter la dame de
sentiments en réalité sincères, si elle lui demandait le
service pour l'amie. La dame croirait qu'Albertine
était venue pour cela, ce qui était vrai, mais elle
conclurait qu'Albertine n'avait pas de plaisir désintéressé à la voir, ce qui était faux. De sorte qu'Albertine
repartait sans avoir demandé le service, comme les
hommes qui ont été si bons avec une femme dans
l'espoir d'obtenir ses faveurs, qu'ils ne font pas leur
déclaration pour garder à cette bonté un caractère de
noblesse. Dans d'autres cas on ne peut pas dire que le
véritable but fût sacrifié au but accessoire et imaginé
après coup, mais le premier était tellement opposé au
second, que si la personne qu'Albertine attendrissait
en lui déclarant l'un avait appris l'autre, son plaisir se
serait aussitôt changé en la peine la plus profonde. La
suite du récit fera, beaucoup plus loin, mieux

comprendre ce genre de contradictions. Disons par un exemple emprunté à un ordre de faits tout différents qu'elles sont très fréquentes dans les situations les plus diverses que présente la vie. Un mari a installé sa maîtresse dans la ville où il est en garnison. Sa femme restée à Paris, et à demi au courant de la vérité, se désole, écrit à son mari des lettres de jalousie. Or, la maîtresse est obligée de venir passer un jour à Paris. Le mari ne peut résister à ses prières de l'accompagner et obtient une permission de vingt-quatre heures. Mais comme il est bon et souffre de faire de la peine à sa femme, il arrive chez celle-ci et lui dit en versant quelques larmes sincères, qu'affolé par ses lettres il a trouvé le moyen de s'échapper pour venir la consoler et l'embrasser. Il a trouvé ainsi le moyen de donner par un seul voyage une preuve d'amour à la fois à sa maîtresse, et à sa femme. Mais si cette dernière apprenait pour quelle raison il est venu à Paris, sa joie se changerait sans doute en douleur, à moins que voir l'ingrat ne la rendît malgré tout plus heureuse qu'il ne la fait souffrir par ses mensonges. Parmi les hommes qui m'ont paru pratiquer avec le plus de suite le système des fins multiples se trouve M. de Norpois. Il acceptait quelquefois de s'entremettre entre deux amis brouillés, et cela faisait qu'on l'appelait le plus obligeant des hommes. Mais il ne lui suffisait pas d'avoir l'air de rendre service à celui qui était venu le solliciter, il présentait à l'autre la démarche qu'il faisait auprès de lui, comme entreprise non à la requête du premier, mais dans l'intérêt du second, ce qu'il persuadait facilement à un interlocuteur suggestionné d'avance par l'idée qu'il avait devant lui « le plus serviable des hommes ». De cette façon, jouant sur les deux tableaux, faisant ce qu'on appelle en termes de coulisse de la contre-partie, il ne laissait jamais courir aucun risque à son influence, et les services qu'il rendait ne constituaient pas une aliénation, mais une fructification d'une partie de son crédit. D'autre part, chaque service, semblant doublement rendu, augmentait d'autant plus sa réputation

d'ami serviable, et encore d'ami serviable avec efficacité, qui ne donne pas des coups d'épée dans l'eau,
dont toutes les démarches portent, ce que démontrait
la reconnaissance des deux intéressés. Cette duplicité
dans l'obligeance était, et avec des démentis comme en
toute créature humaine, une partie importante du
caractère de M. de Norpois. Et souvent au ministère,
il se servit de mon père, lequel était assez naïf, en lui
faisant croire qu'il le servait.

Plaisant plus qu'elle ne voulait et n'ayant pas besoin
de claironner ses succès, Albertine garda le silence sur
la scène qu'elle avait eue avec moi auprès de son lit, et
qu'une laide aurait voulu faire connaître à l'univers.
D'ailleurs son attitude dans cette scène, je ne parvenais pas à me l'expliquer. Pour ce qui concerne
l'hypothèse d'une vertu absolue (hypothèse à laquelle
j'avais d'abord attribué la violence avec laquelle
Albertine avait refusé de se laisser embrasser et
prendre par moi et qui n'était du reste nullement
indispensable à ma conception de la bonté, de l'honnêteté foncière de mon amie) je ne laissai pas de la
remanier à plusieurs reprises. Cette hypothèse était
tellement le contraire de celle que j'avais bâtie le
premier jour où j'avais vu Albertine ! Puis tant d'actes
différents, tous de gentillesse pour moi (une gentillesse caressante, parfois inquiète, alarmée, jalouse de
ma prédilection pour Andrée) baignaient de tous côtés
le geste de rudesse par lequel, pour m'échapper, elle
avait tiré sur la sonnette. Pourquoi donc m'avait-elle
demandé de venir passer la soirée près de son lit ?
Pourquoi parlait-elle tout le temps le langage de la
tendresse ? Sur quoi repose le désir de voir un ami, de
craindre qu'il vous préfère votre amie, de chercher à
lui faire plaisir, de lui dire romanesquement que les
autres ne sauront pas qu'il a passé la soirée auprès de
vous, si vous lui refusez un plaisir aussi simple et si ce
n'est pas un plaisir pour vous ? Je ne pouvais croire
tout de même que la vertu d'Albertine allât jusque-là
et j'en arrivais à me demander s'il n'y avait pas eu à sa
violence une raison de coquetterie, par exemple une

odeur désagréable qu'elle aurait cru avoir sur elle et
par laquelle elle eût craint de me déplaire, ou de
pusillanimité, si par exemple elle croyait dans son
ignorance des réalités de l'amour que mon état de
faiblesse nerveuse pouvait avoir quelque chose de
contagieux par le baiser.

Elle fut certainement désolée de n'avoir pu me faire
plaisir et me donna un petit crayon d'or, par cette
vertueuse perversité des gens qui, attendris par votre
gentillesse et ne souscrivant pas à vous accorder ce
qu'elle réclame, veulent cependant faire en votre
faveur autre chose : le critique dont l'article flatterait
le romancier l'invite à la place à dîner, la duchesse
n'emmène pas le snob avec elle au théâtre, mais lui
envoie sa loge pour un soir où elle ne l'occupera pas.
Tant ceux qui font le moins et pourraient ne rien faire
sont poussés par le scrupule à faire quelque chose. Je
dis à Albertine qu'en me donnant ce crayon, elle me
faisait un grand plaisir, moins grand pourtant que
celui que j'aurais eu si le soir où elle était venue
coucher à l'hôtel elle m'avait permis de l'embrasser.
« Cela m'aurait rendu si heureux, qu'est-ce que cela
pouvait vous faire, je suis étonné que vous me l'ayez
refusé. » — « Ce qui m'étonne, me répondit-elle, c'est
que vous trouviez cela étonnant. Je me demande
quelles jeunes filles vous avez pu connaître pour que
ma conduite vous ait surpris. » — « Je suis désolé de
vous avoir fâchée, mais, même maintenant, je ne peux
pas vous dire que je trouve que j'ai eu tort. Mon avis
est que ce sont des choses qui n'ont aucune importance, et je ne comprends pas qu'une jeune fille qui
peut si facilement faire plaisir, n'y consente pas.
Entendons-nous, ajoutai-je pour donner une demi-
satisfaction à ses idées morales en me rappelant
comment elle et ses amies avaient flétri l'amie de
l'actrice Léa, je ne veux pas dire qu'une jeune fille
puisse tout faire et qu'il n'y ait rien d'immoral. Ainsi,
tenez, ces relations dont vous parliez l'autre jour à
propos d'une petite qui habite Balbec et qui existe-
raient entre elle et une actrice, je trouve cela ignoble,

tellement ignoble que je pense que ce sont des
ennemis de la jeune fille qui auront inventé cela et que
ce n'est pas vrai. Cela me semble improbable, impossible. Mais se laisser embrasser et même plus par un
ami, puisque vous dites que je suis votre ami... » —
« Vous l'êtes, mais j'en ai eu d'autres avant vous, j'ai
connu des jeunes gens qui, je vous assure, avaient
pour moi tout autant d'amitié. Hé bien, il n'y en a pas
un qui aurait osé une chose pareille. Ils savaient la
paire de calottes qu'ils auraient reçue. D'ailleurs ils
n'y songeaient même pas, on se serrait la main bien
franchement, bien amicalement, en bons camarades ;
jamais on n'aurait parlé de s'embrasser, et on n'en
était pas moins amis pour cela. Allez, si vous tenez à
mon amitié, vous pouvez être content, car il faut que
je vous aime joliment pour vous pardonner. Mais je
suis sûre que vous vous fichez bien de moi. Avouez
que c'est Andrée qui vous plaît. Au fond, vous avez
raison, elle est beaucoup plus gentille que moi, et elle,
elle est ravissante ! Ah ! les hommes ! » Malgré ma
déception récente, ces paroles si franches, en me
donnant une grande estime pour Albertine, me causaient une impression très douce. Et peut-être cette
impression eut-elle plus tard pour moi de grandes et
fâcheuses conséquences, car ce fut par elle que
commença à se former ce sentiment presque familial,
ce noyau moral qui devait toujours subsister au milieu
de mon amour pour Albertine. Un tel sentiment peut
être la cause des plus grandes peines. Car pour souffrir
vraiment par une femme, il faut avoir cru complètement en elle. Pour le moment, cet embryon d'estime
morale, d'amitié, restait au milieu de mon âme comme
une pierre d'attente. Il n'eût rien pu, à lui seul, contre
mon bonheur s'il fût demeuré ainsi sans s'accroître,
dans une inertie qu'il devait garder l'année suivante et
à plus forte raison pendant ces dernières semaines de
mon premier séjour à Balbec. Il était en moi comme
un de ces hôtes qu'il serait malgré tout plus prudent
qu'on expulsât, mais qu'on laisse à leur place sans les
inquiéter, tant les rend provisoirement inoffensifs leur

faiblesse et leur isolement au milieu d'une âme étrangère.

Mes rêves se retrouvaient libres maintenant de se reporter sur telle ou telle des amies d'Albertine et d'abord sur Andrée dont les gentillesses m'eussent peut-être moins touché si je n'avais été certain qu'elles seraient connues d'Albertine. Certes la préférence que depuis longtemps j'avais feinte pour Andrée m'avait fourni — en habitudes de causeries, de déclarations de tendresses — comme la matière d'un amour tout prêt pour elle auquel il n'avait jusqu'ici manqué qu'un sentiment sincère qui s'y ajoutât et que maintenant mon cœur redevenu libre aurait pu fournir. Mais pour que j'aimasse vraiment Andrée, elle était trop intellectuelle, trop nerveuse, trop maladive, trop semblable à moi. Si Albertine me semblait maintenant vide, Andrée était remplie de quelque chose que je connaissais trop. J'avais cru le premier jour voir sur la plage une maîtresse de coureur, enivrée de l'amour des sports, et Andrée me disait que si elle s'était mise à en faire, c'était sur l'ordre de son médecin pour soigner sa neurasthénie et ses troubles de nutrition, mais que ses meilleures heures étaient celles où elle traduisait un roman de George Eliot [191]. Ma déception, suite d'une erreur initiale sur ce qu'était Andrée, n'eut, en fait, aucune importance pour moi. Mais l'erreur était du genre de celles qui, si elles permettent à l'amour de naître, et ne sont reconnues pour des erreurs que lorsqu'il n'est plus modifiable, deviennent une cause de souffrances. Ces erreurs — qui peuvent être différentes de celle que je commis pour Andrée et même inverses — tiennent souvent, dans le cas d'Andrée en particulier, à ce qu'on prend suffisamment l'aspect, les façons de ce qu'on n'est pas mais qu'on voudrait être, pour faire illusion au premier abord. À l'apparence extérieure, l'affectation, l'imitation, le désir d'être admiré, soit des bons, soit des méchants, ajoutent les faux semblants des paroles, des gestes. Il y a des cynismes, des cruautés qui ne résistent pas plus à l'épreuve que certaines bontés,

certaines générosités. De même qu'on découvre souvent un avare vaniteux dans un homme connu pour
ses charités, sa forfanterie de vice nous fait supposer
une Messaline dans une honnête fille pleine de
préjugés. J'avais cru trouver en Andrée une créature
saine et primitive, alors qu'elle n'était qu'un être
cherchant la santé, comme étaient peut-être beaucoup
de ceux en qui elle avait cru la trouver et qui n'en avait
pas plus la réalité qu'un gros arthritique à figure rouge
et en veste de flanelle blanche n'est forcément un
Hercule. Or, il est telles circonstances où il n'est pas
indifférent pour le bonheur que la personne qu'on a
aimée pour ce qu'elle paraissait avoir de sain, ne fût en
réalité qu'un de ces malades qui ne reçoivent leur
santé que d'autres, comme les planètes empruntent
leur lumière, comme certains corps ne font que laisser
passer l'électricité.

N'importe, Andrée, comme Rosemonde et Gisèle,
même plus qu'elles, était tout de même une amie
d'Albertine, partageant sa vie, imitant ses façons au
point que le premier jour je ne les avais pas distinguées
d'abord l'une de l'autre. Entre ces jeunes filles, tiges
de roses dont le principal charme était de se détacher
sur la mer, régnait la même indivision qu'au temps où
je ne les connaissais pas et où l'apparition de n'importe
laquelle me causait tant d'émotion en m'annonçant
que la petite bande n'était pas loin. Maintenant encore
la vue de l'une me donnait un plaisir où entrait, dans
une proportion que je n'aurais pas su dire le plaisir, de
voir les autres la suivre de près, ou venir la retrouver
un peu plus tard [192], et même si elles ne venaient pas ce
jour-là, de parler d'elles et de savoir qu'il leur serait
dit que j'étais allé sur la plage.

Ce n'était plus simplement l'attrait des premiers
jours, c'était une véritable velléité d'aimer qui hésitait
entre toutes, tant chacune était naturellement le
substitut de l'autre. Ma plus grande tristesse n'aurait
pas été d'être abandonné par celle de ces jeunes filles
que je préférais, mais j'aurais aussitôt préféré parce
que j'aurais fixé sur elle la somme de tristesse et de

rêve qui flottait indistinctement entre toutes, celle qui m'eût abandonné. Encore dans ce cas est-ce toutes ses amies, aux yeux desquelles j'eusse bientôt perdu tout prestige, que j'eusse, en celle-là, inconsciemment regrettées, leur ayant voué cette sorte d'amour collectif qu'ont l'homme politique ou l'acteur pour le public dont ils ne se consolent pas d'être délaissés après en avoir eu toutes les faveurs. Même celles que je n'avais pu obtenir d'Albertine je les espérais tout d'un coup de telle ou telle qui m'avait quitté le soir en me disant un mot, en me jetant un regard ambigus, grâce auxquels c'était vers celle-là que pour une journée se tournait mon désir.

Il errait entre elles d'autant plus voluptueusement que sur ces visages mobiles, une fixation relative des traits était suffisamment commencée, pour qu'on en pût distinguer, dût-elle changer encore, la malléable et flottante effigie. Aux différences qu'il y avait entre eux, étaient bien loin de correspondre sans doute des différences égales dans la longueur et la largeur des traits, lesquels, de l'une à l'autre de ces jeunes filles, et si dissemblables qu'elles parussent, eussent peut-être été presque superposables. Mais notre connaissance des visages n'est pas mathématique. D'abord, elle ne commence pas par mesurer les parties, elle a pour point de départ une expression, un ensemble. Chez Andrée par exemple, la finesse des yeux doux semblait rejoindre le nez étroit, aussi mince qu'une simple courbe qui aurait été tracée pour que pût se poursuivre sur une seule ligne l'intention de délicatesse divisée antérieurement dans le double sourire des regards jumeaux. Une ligne aussi fine était creusée dans ses cheveux, souple et profonde comme celle dont le vent sillonne le sable. Et là elle devait être héréditaire, les cheveux tout blancs de la mère d'Andrée étaient fouettés de la même manière, formant ici un renflement, là une dépression comme la neige qui se soulève ou s'abîme selon les inégalités de terrain. Certes, comparé à la fine délinéation de celui d'Andrée, le nez de Rosemonde semblait offrir de larges surfaces comme une haute tour assise sur une base puissante. Que l'expression suffise à faire croire à d'énormes différences entre ce que sépare un infiniment petit — qu'un infiniment petit puisse à lui seul créer une expression absolument particulière, une individualité — ce n'était pas que l'infiniment petit de la ligne et l'originalité de l'expression qui faisaient apparaître ces visages comme irréductibles les uns aux autres. Entre ceux de mes amies la coloration mettait une séparation plus profonde encore, non pas tant par la beauté variée des tons qu'elle leur fournissait, si opposés que je prenais devant Rosemonde — inondée d'un rose soufré sur lequel réagissait encore la lumière verdâtre des yeux — et devant Andrée — dont les joues blanches recevaient tant d'austère distinction de ses cheveux noirs — le même genre de plaisir que si j'avais regardé tour à tour un géranium au bord de la mer ensoleillée et un camélia dans la nuit ; mais surtout parce que les différences infiniment petites des lignes se trouvaient démesurément grandies, les rapports des surfaces entièrement changés par cet élément nouveau de la couleur, lequel, tout aussi bien que dispensateur des teintes, est un grand générateur ou tout au moins modificateur des dimensions. De sorte que des visages peut-être construits de façon peu dissemblable selon qu'ils étaient éclairés par les feux d'une rousse chevelure, d'un teint rose, par la lumière blanche d'une mate pâleur, s'étiraient ou s'élargissaient, devenaient une autre chose comme ces accessoires des ballets russes, consistant parfois, s'ils sont vus en plein jour, en une simple rondelle de papier et que le génie d'un Bakst, selon l'éclairage incarnadin ou lunaire où il plonge le décor, fait s'y incruster durement comme une turquoise à la façade d'un palais, ou s'y épanouir avec mollesse, rose de bengale au milieu d'un jardin [193]. Ainsi en prenant connaissance des visages, nous les mesurons bien, mais en peintres, non en arpenteurs.

Il en était d'Albertine comme de ses amies. Certains jours, mince, le teint gris, l'air maussade, une transparence violette descendant obliquement au fond de ses yeux comme il arrive quelquefois pour la mer, elle semblait éprouver une tristesse d'exilée. D'autres jours, sa figure plus lisse engluait les désirs à sa surface vernie et les empêchait d'aller au-delà ; à moins que je ne la visse tout à coup de côté, car ses joues mates comme une blanche cire à la surface étaient roses par transparence, ce qui donnait tellement envie de les embrasser, d'atteindre ce teint différent qui se dérobait. D'autres fois le bonheur baignait ses joues d'une clarté si mobile que la peau devenue fluide et vague laissait passer comme des regards sous-jacents qui la faisaient paraître d'une autre couleur, mais non d'une autre matière que les yeux ; quelquefois, sans y penser, quand on regardait sa figure ponctuée de petits points bruns et où flottaient seulement deux taches plus bleues, c'était comme on eût fait d'un œuf de chardonneret, souvent comme une agate opaline travaillée et polie à deux places seulement où, au milieu de la pierre brune, luisaient, comme les ailes transparentes d'un papillon d'azur, les yeux où la chair devient miroir et nous donne l'illusion de nous laisser, plus qu'en les autres parties du corps, approcher de l'âme. Mais le plus souvent aussi elle était plus colorée, et alors plus animée ; quelquefois seul était rose dans sa figure blanche, le bout de son nez, fin comme celui d'une petite chatte sournoise avec qui l'on aurait eu envie de jouer ; quelquefois ses joues étaient si lisses que le regard glissait comme sur celui d'une miniature sur leur émail rose que faisait encore paraître plus délicat, plus intérieur, le couvercle entr'ouvert et superposé de ses cheveux noirs ; il arrivait que le teint de ses joues atteignît le rose violacé du cyclamen, et parfois même, quand elle était congestionnée ou fiévreuse, et donnant alors l'idée d'une complexion maladive qui rabaissait mon désir à quelque chose de plus sensuel et faisait exprimer à son regard quelque chose de plus pervers et de plus malsain, la sombre pourpre de certaines roses, d'un rouge presque noir ; et chacune de ces Albertine était

différente comme est différente chacune des appari-
tions de la danseuse dont sont transmutées les couleurs, la forme, le caractère, selon les jeux innombra-
blement variés d'un projecteur lumineux. C'est peut-
être parce qu'étaient si divers les êtres que je contemplais en elle à cette époque que plus tard je pris
l'habitude de devenir moi-même un personnage autre
selon celle des Albertine à laquelle je pensais : un
jaloux, un indifférent, un voluptueux, un mélancolique, un furieux, recréés non seulement au hasard du
souvenir qui renaissait, mais selon la force de la
croyance interposée, pour un même souvenir, par la
façon différente dont je l'appréciais. Car c'est toujours
à cela qu'il fallait revenir, à ces croyances qui la
plupart du temps remplissent notre âme à notre insu,
mais qui ont pourtant plus d'importance pour notre
bonheur que tel être que nous voyons, car c'est à
travers elles que nous le voyons, ce sont elles qui
assignent sa grandeur passagère à l'être regardé. Pour
être exact, je devrais donner un nom différent à
chacun des moi qui dans la suite pensa à Albertine ; je
devrais plus encore donner un nom différent à chacune de ces Albertine qui apparaissaient devant moi,
jamais la même, comme — appelées simplement par
moi pour plus de commodité la mer — ces mers qui se
succédaient et devant lesquelles, autre nymphe, elle se
détachait. Mais surtout — de la même manière, mais
bien plus utilement, qu'on dit, dans un récit, le temps
qu'il faisait tel jour — je devrais donner toujours son
nom à la croyance qui tel jour où je voyais Albertine
régnait sur mon âme, en faisait l'atmosphère, l'aspect
des êtres, comme celui des mers, dépendant de ces
nuées à peine visibles qui changent la couleur de
chaque chose, par leur concentration, leur mobilité,
leur dissémination, leur fuite — comme celle qu'Elstir
avait déchirée un soir en ne me présentant pas aux
jeunes filles avec qui il s'était arrêté et dont les images
m'étaient soudain apparues plus belles quand elles
s'éloignaient — nuée qui s'était reformée quelques
jours plus tard quand je les avais connues, voilant leur

éclat, s'interposant souvent entre elles et mes yeux, opaque et douce, pareille à la Leucothea de Virgile [194].

Sans doute leurs visages à toutes avaient bien changé pour moi de sens depuis que la façon dont il fallait les lire m'avait été dans une certaine mesure indiquée par leurs propos, propos auxquels je pouvais attribuer une valeur d'autant plus grande que par mes questions je les provoquais à mon gré, les faisais varier comme un expérimentateur qui demande à des contre-épreuves la vérification de ce qu'il a supposé [195]. Et c'est en somme une façon comme une autre de résoudre le problème de l'existence, qu'approcher suffisamment les choses et les personnes qui nous ont paru de loin belles et mystérieuses, pour nous rendre compte qu'elles sont sans mystère et sans beauté ; c'est une des hygiènes entre lesquelles on peut opter, une hygiène qui n'est peut-être pas très recommandable, mais elle nous donne un certain calme pour passer la vie, et aussi — comme elle permet de ne rien regretter, en nous persuadant que nous avons atteint le meilleur, et que le meilleur n'était pas grand-chose — pour nous résigner à la mort.

J'avais remplacé au fond du cerveau de ces jeunes filles le mépris de la chasteté, le souvenir de quoti-diennes passades, par d'honnêtes principes capables peut-être de fléchir mais ayant jusqu'ici préservé de tout écart celles qui les avaient reçus de leur milieu bourgeois. Or quand on s'est trompé dès le début, même pour les petites choses, quand une erreur de supposition ou de souvenirs, vous fait chercher l'au-teur d'un potin malveillant ou l'endroit où on a égaré un objet dans une fausse direction, il peut arriver qu'on ne découvre son erreur que pour lui substituer non pas la vérité, mais une autre erreur. Je tirais en ce qui concernait leur manière de vivre et la conduite à tenir avec elles, toutes les conséquences du mot innocence que j'avais lu, en causant familièrement avec elles, sur leur visage. Mais peut-être l'avais-je lu étourdiment dans le lapsus d'un déchiffrage trop rapide, et n'y était-il pas plus écrit que le nom de Jules

Ferry sur le programme de la matinée où j'avais
entendu pour la première fois la Berma, ce qui ne
m'avait pas empêché de soutenir à M. de Norpois, que
Jules Ferry, sans doute possible, écrivait des levers de
rideau [196].

Pour n'importe laquelle de mes amies de la petite
bande, comment le dernier visage que je lui avais vu,
n'eût-il pas été le seul que je me rappelasse, puisque,
de nos souvenirs relatifs à une personne, l'intelligence
élimine tout ce qui ne concourt pas à l'utilité immédiate de nos relations quotidiennes (même et surtout si
ces relations sont imprégnées d'un peu d'amour,
lequel toujours insatisfait, vit dans le moment qui va
venir). Elle laisse filer la chaîne des jours passés, n'en
garde fortement que le dernier bout souvent d'un tout
autre métal que les chaînons disparus dans la nuit et
dans le voyage que nous faisons à travers la vie, ne
tient pour réel que le pays où nous sommes présente-
ment. Mes toutes premières impressions, déjà si
lointaines, ne pouvaient pas trouver contre leur défor-
mation journalière, un recours dans ma mémoire ;
pendant les longues heures que je passais à causer, à
goûter, à jouer avec ces jeunes filles, je ne me
souvenais même pas qu'elles étaient les mêmes vierges
impitoyables et sensuelles que j'avais vues comme
dans une fresque, défiler devant la mer.

Les géographes, les archéologues nous conduisent
bien dans l'île de Calypso, exhument bien le palais de
Minos. Seulement Calypso [197] n'est plus qu'une
femme, Minos qu'un roi sans rien de divin [198]. Même
les qualités et les défauts que l'histoire nous enseigne
alors avoir été l'apanage de ces personnes fort réelles,
diffèrent souvent beaucoup de ceux que nous avions
prêtés aux êtres fabuleux qui portaient le même nom.
Ainsi s'était dissipée toute la gracieuse mythologie
océanique que j'avais composée les premiers jours.
Mais il n'est pas tout à fait indifférent qu'il nous arrive
au moins quelquefois de passer notre temps dans la
familiarité de ce que nous avons cru inaccessible et
que nous avons désiré. Dans le commerce des per-

sonnes que nous avons d'abord trouvées désagréables, persiste toujours même au milieu du plaisir factice qu'on peut finir par goûter auprès d'elles, le goût frelaté des défauts qu'elles ont réussi à dissimuler. Mais dans des relations comme celles que j'avais avec Albertine et ses amies, le plaisir vrai qui est à leur origine laisse ce parfum qu'aucun artifice ne parvient à donner aux fruits forcés, aux raisins qui n'ont pas mûri au soleil. Les créatures surnaturelles qu'elles avaient été un instant pour moi, mettaient encore, même à mon insu, quelque merveilleux dans les rapports les plus banals que j'avais avec elles ou plutôt préservaient ces rapports d'avoir jamais rien de banal. Mon désir avait cherché avec tant d'avidité la signification des yeux qui maintenant me connaissaient et me souriaient, mais qui, le premier jour, avaient croisé mes regards comme des rayons d'un autre univers, il avait distribué si largement et si minutieusement la couleur et le parfum sur les surfaces carnées de ces jeunes filles qui, étendues sur la falaise me tendaient simplement des sandwiches ou jouaient aux devinettes, que, souvent dans l'après-midi pendant que j'étais allongé — comme ces peintres qui cherchent la grandeur de l'antique dans la vie moderne, donnent à une femme qui se coupe un ongle de pied la noblesse du « Tireur d'épine [199] » ou qui comme Rubens, font des déesses avec des femmes de leur connaissance pour composer une scène mythologique — ces beaux corps bruns et blonds, de types si opposés, répandus autour de moi dans l'herbe, je les regardais sans les vider peut-être de tout le médiocre contenu dont l'expérience journalière les avait remplis, et pourtant, sans me rappeler expressément leur céleste origine, comme si pareil à Hercule ou à Télémaque, j'avais été en train de jouer au milieu des nymphes.

Puis les concerts finirent, le mauvais temps arriva, mes amies quittèrent Balbec, non pas toutes ensemble, comme les hirondelles, mais dans la même semaine. Albertine s'en alla la première, brusquement, sans qu'aucune de ses amies eût pu comprendre, ni alors, ni plus tard, pourquoi elle était rentrée tout à coup à Paris, où ni travaux, ni distractions ne la rappelaient. « Elle n'a dit ni quoi ni qu'est-ce et puis elle est partie », grommelait Françoise qui aurait d'ailleurs voulu que nous en fissions autant. Elle nous trouvait indiscrets vis-à-vis des employés, pourtant déjà bien réduits en nombre, mais retenus par les rares clients qui restaient, vis-à-vis du directeur qui « mangeait de l'argent ». Il est vrai que depuis longtemps l'hôtel qui n'allait pas tarder à fermer avait vu partir presque tout le monde ; jamais il n'avait été aussi agréable. Ce n'était pas l'avis du directeur ; tout le long des salons où l'on gelait et à la porte desquels ne veillait plus aucun groom, il arpentait les corridors, vêtu d'une redingote neuve, si soigné par le coiffeur que sa figure fade avait l'air de consister en un mélange où pour une partie de chair il y en aurait eu trois de cosmétique, changeant sans cesse de cravates (ces élégances coûtent moins cher que d'assurer le chauffage et de garder le personnel, et tel qui ne peut plus envoyer dix mille francs à une œuvre de bienfaisance, fait encore sans peine le généreux en donnant cent sous de pourboire au télégraphiste qui lui apporte une dépêche). Il avait l'air d'inspecter le néant, de vouloir donner grâce à sa bonne tenue personnelle un air provisoire à la misère que l'on sentait dans cet hôtel où la saison n'avait pas été bonne, et paraissait comme le fantôme d'un souverain qui revient hanter les ruines de ce qui fut jadis son palais. Il fut surtout mécontent quand le chemin de fer d'intérêt local qui n'avait plus assez de voyageurs, cessa de fonctionner pour jusqu'au printemps suivant. « Ce qui manque ici, disait le directeur, ce sont les moyens de commotion. » Malgré le déficit qu'il enregistrait, il faisait pour les années suivantes des projets grandioses. Et comme il était tout de même capable de retenir exactement de belles expressions quand elles s'appliquaient à l'industrie hôtelière et avaient pour effet de la magnifier : « Je n'étais pas suffisamment secondé quoique à la salle à manger j'avais une bonne équipe, disait-il ; mais

les chasseurs laissaient un peu à désirer ; vous verrez
l'année prochaine quelle phalange je saurai réunir. »
En attendant, l'interruption des services du B.C.B.,
l'obligeait à envoyer chercher les lettres et quelquefois
conduire les voyageurs dans une carriole. Je demandais souvent à monter à côté du cocher et cela me fit
faire des promenades par tous les temps, comme dans
l'hiver que j'avais passé à Combray.

Parfois pourtant la pluie trop cinglante nous retenait, ma grand-mère et moi, le Casino étant fermé,
dans des pièces presque complètement vides, comme à
fond de cale d'un bateau quand le vent souffle, et où
chaque jour, comme au cours d'une traversée, une
nouvelle personne d'entre celles près de qui nous
avions passé trois mois sans les connaître, le premier
président de Rennes, le bâtonnier de Caen, une dame
américaine et ses filles, venaient à nous, entamaient la
conversation, inventaient quelque manière de trouver
les heures moins longues, révélaient un talent, nous
enseignaient un jeu, nous invitaient à prendre le thé,
ou à faire de la musique, à nous réunir à une certaine
heure, à combiner ensemble de ces distractions qui
possèdent le vrai secret de nous faire donner du
plaisir, lequel est de n'y pas prétendre, mais seulement de nous aider à passer le temps de notre ennui,
enfin nouaient avec nous sur la fin de notre séjour des
amitiés que le lendemain leurs départs successifs
venaient interrompre. Je fis même la connaissance du
jeune homme riche, d'un de ses deux amis nobles et de
l'actrice qui était revenue pour quelques jours ; mais la
petite société ne se composait plus que de trois
personnes, l'autre ami était rentré à Paris. Ils me
demandèrent de venir dîner avec eux dans leur
restaurant. Je crois qu'ils furent assez contents que je
n'acceptasse pas. Mais ils avaient fait l'invitation le
plus aimablement possible, et bien qu'elle vînt en
réalité du jeune homme riche puisque les autres
personnes n'étaient que ses hôtes, comme l'ami qui
l'accompagnait, le Marquis Maurice de Vaudémont,
était de très grande maison, instinctivement l'actrice

en me demandant si je ne voudrais pas venir, me dit pour me flatter : « Cela fera tant de plaisir à Maurice. » Et quand dans le hall je les rencontrai tous trois, ce fut M. de Vaudémont, le jeune homme riche s'effaçant, qui me dit : « Vous ne nous ferez pas le plaisir de dîner avec nous ? » En somme j'avais bien peu profité de Balbec, ce qui ne me donnait que davantage le désir d'y revenir. Il me semblait que j'y étais resté trop peu de temps. Ce n'était pas l'avis de mes amis qui m'écrivaient pour me demander si je comptais y vivre définitivement. Et de voir que c'était le nom de Balbec qu'ils étaient obligés de mettre sur l'enveloppe, comme ma fenêtre donnait, au lieu que ce fût sur une campagne ou sur une rue, sur les champs de la mer, que j'entendais pendant la nuit sa rumeur, à laquelle j'avais, avant de m'endormir, confié, comme une barque, mon sommeil, j'avais l'illusion que cette promiscuité avec les flots devait matériellement, à mon insu, faire pénétrer en moi la notion de leur charme à la façon de ces leçons qu'on apprend en dormant.

Le directeur m'offrait pour l'année prochaine de meilleures chambres, mais j'étais attaché maintenant à la mienne où j'entrais sans plus jamais sentir l'odeur du vétiver, et dont ma pensée, qui s'y élevait jadis si difficilement, avait fini par prendre si exactement les dimensions que je fus obligé de lui faire subir un traitement inverse quand je dus coucher à Paris dans mon ancienne chambre, laquelle était basse de plafond.

Il avait fallu quitter Balbec en effet, le froid et l'humidité étant devenus trop pénétrants pour rester plus longtemps dans cet hôtel dépourvu de cheminées et de calorifère. J'oubliai d'ailleurs presque immédiatement ces dernières semaines. Ce que je revis presque invariablement quand je pensai à Balbec, ce furent les moments où chaque matin, pendant la belle saison, comme je devais l'après-midi sortir avec Albertine et ses amies, ma grand-mère sur l'ordre du médecin me força à rester couché dans l'obscurité. Le directeur donnait des ordres pour qu'on ne fît pas de bruit à mon étage et veillait lui-même à ce qu'ils fussent obéis. À cause de la trop grande lumière, je gardais fermés le plus longtemps possible les grands rideaux violets qui m'avaient témoigné tant d'hostilité le premier soir. Mais comme malgré les épingles avec lesquelles, pour que le jour ne passât pas, Françoise les attachait chaque soir, et qu'elle seule savait défaire, comme malgré les couvertures, le dessus de table en cretonne rouge, les étoffes prises ici ou là qu'elle y ajustait, elle n'arrivait pas à les faire joindre exactement, l'obscurité n'était pas complète, et ils laissaient se répandre sur le tapis comme un écarlate effeuillement d'anémones parmi lesquelles je ne pouvais m'empêcher de venir un instant poser mes pieds nus. Et sur le mur qui faisait face à la fenêtre, et qui se trouvait partiellement éclairé, un cylindre d'or que rien ne soutenait était verticalement posé et se déplaçait lentement comme la colonne lumineuse qui précédait les Hébreux dans le désert[200]. Je me recouchais ; obligé de goûter, sans bouger, par l'imagination seulement, et tous à la fois, les plaisirs du jeu, du bain, de la marche, que la matinée conseillait, la joie faisait battre bruyamment mon cœur comme une machine en pleine action, mais immobile, et qui ne peut que décharger sa vitesse sur place en tournant sur elle-même.

Je savais que mes amies étaient sur la digue mais je ne les voyais pas, tandis qu'elles passaient devant les chaînons inégaux de la mer, tout au fond de laquelle, et perchée au milieu de ses cimes bleuâtres comme une bourgade italienne, se distinguait parfois dans une éclaircie la petite ville de Rivebelle, minutieusement détaillée par le soleil. Je ne voyais pas mes amies, mais (tandis qu'arrivaient jusqu'à mon belvédère l'appel des marchands de journaux, des « journalistes », comme les nommait Françoise, les appels des baigneurs et des enfants qui jouaient, ponctuant à la façon des cris des oiseaux de mer le bruit du flot qui doucement se brisait), je devinais leur présence, j'entendais leur rire enveloppé comme celui des Néréides dans le doux déferlement qui montait jusqu'à mes oreilles. « Nous avons regardé, me disait le soir Albertine, pour voir si vous descendriez. Mais vos volets sont restés fermés même à l'heure du concert. » À dix heures, en effet, il éclatait sous mes fenêtres. Entre les intervalles des instruments, si la mer était pleine, reprenait, coulé et continu, le glissement de l'eau d'une vague qui semblait envelopper les traits du violon dans ses volutes de cristal et faire jaillir son écume au-dessus des échos intermittents d'une musique sous-marine. Je m'impatientais qu'on ne fût pas encore venu me donner mes affaires pour que je puisse m'habiller. Midi sonnait, enfin arrivait Françoise. Et pendant des mois de suite, dans ce Balbec que j'avais tant désiré parce que je ne l'imaginais que battu par la tempête et perdu dans les brumes, le beau temps avait été si éclatant et si fixe que quand elle venait ouvrir la fenêtre, j'avais pu toujours, sans être trompé, m'attendre à trouver le même pan de soleil plié à l'angle du mur extérieur, et d'une couleur immuable qui était moins émouvante comme un signe de l'été qu'elle n'était morne comme celle d'un émail inerte et factice. Et tandis que Françoise ôtait les épingles des impostes, détachait les étoffes, tirait les rideaux, le jour d'été qu'elle découvrait semblait aussi mort, aussi immémorial qu'une somptueuse et millénaire momie que notre vieille servante n'eût fait que précautionneusement désemmailloter de tous ses linges, avant de la faire apparaître, embaumée dans sa robe d'or [201].

NOTES

1. Si, comme on s'accorde généralement à le déduire des indices chronologiques qui jalonnent la première partie, celle-ci se termine en mai 1897, le séjour à Balbec ne semble pas pouvoir se situer avant l'été 1898, ce que confirment les allusions à Dreyfus (voir p. 192). Willy Hachez (« La Chronologie d'*A la recherche du temps perdu et les faits historiques indiscutables* », *B.S.A.M.P.*, n° 35, 1985) pense qu'il ne faut pas compter deux fois 365 jours. Selon lui, « Proust considère qu'une partie d'une année ajoutée à la partie d'une autre année peut être comptée comme deux ans ». Mais dans sa reconstitution de l'ensemble de la chronologie, Hachez se voit contraint de dater ce séjour de l'été 1897.

2. Il s'agit sans doute de la famille Bontemps puisque Mme Bontemps est la tante du futur grand amour du héros : Albertine. Le narrateur semble incertain sur la profession de M. Bontemps, présenté p. 178 de la première partie comme directeur du cabinet du ministre des Travaux publics.

3. Mantegna est l'auteur d'une *Crucifixion* qui se trouve au Louvre et qui était déjà exposée à l'époque de Proust. On peut en admirer une autre à l' « Historical Society » de New York mais, en admettant que l'écrivain l'ait vue en reproduction, il est peu probable qu'il pense à ce tableau-ci dont l'attribution à Mantegna fut contestée de 1896 à 1946. En ce qui concerne Véronèse, Proust peut évoquer diverses *Crucifixions :* celles qui se trouvent à Venise et qu'il a pu contempler au cours du séjour qu'il y fit en mai 1900 — à San Sebastiano, dans la galerie de l'Académie, ainsi que « La Vierge et saint Jean au pied de la croix » à San Lazzaro dei Mendicanti — mais aussi celle de Gênes au Palazzo Bianco (contestée), celle de Florence aux Offices (école de Véronèse), « La Crucifixion au Centurion » de la Gemälde Galerie de Dresde (attribuée avec réserves à Véronèse dans le catalogue de 1888), ou encore « Le Calvaire » qui se trouve au Louvre.

4. Le récit du voyage à Balbec commençait ainsi dans les placards Grasset : « Quand nous partîmes cette année-là pour Balbec, mon

corps qui n'avait opposé aucune résistance à ce voyage tant que je m'étais contenté en y pensant, d'apercevoir du fond de mon lit de Paris, l'église persane à côté de la tempête, mon corps se révolta aussitôt qu'il eut compris qu'il serait de la partie, et qu'à mon arrivée on me conduirait à " ma " chambre et [sic] que je n'aurais jamais vue... »

5. Le 27 avril 1689, Mme de Sévigné écrit à sa fille : « Nous partîmes de Chaulnes lundi... » ; sa lettre du 2 mai 1689 est de « Pontaudemer » : « ... Il y a onze lieues de Rouen à Pontaudemer ; nous y sommes venus coucher... » ; et celle du 12 août 1689 apprend à Mme de Grignan qu'elle est passée « dans un lieu qu'on appelle l'Orient, à une lieue dans la mer... »

6. Allusion à la lettre du 28 juin 1671 de Mme de Sévigné à Mme de Grignan : « ... Mon fils s'en va en Lorraine ; son absence nous donnera beaucoup d'ennuis. Vous savez comme je suis sur le chagrin de voir partir une compagnie agréable ; vous savez aussi mes transports de voir partir une chienne de carrossée qui m'a contrainte et ennuyée : c'est ce qui nous faisait décider nettement qu'une méchante compagnie est plus souhaitable qu'une bonne... »
Le substantif féminin « carrossée », aujourd'hui vieilli, signifiait : « nombre de gens que peut contenir un carrosse bien rempli ; grand nombre de gens ».

8. Dans *La Bible d'Amiens* de Ruskin (traduite par Proust) il est souvent question du « voyageur » et du bonheur que lui procurent les œuvres d'art qu'il rencontre sur son chemin.

9. Dans la lettre du 9 février 1671, Mme de Sévigné écrit à sa fille : « J'ai une carte devant les yeux, je sais tous les endroits où vous couchez. »

10. *Les Heures d'Anne de Bretagne*, imprimées en 1508, sont l'œuvre du peintre et miniaturiste français Jean Bourdichon (vers 1457-1521).

11. On trouve déjà une semblable allusion dans le *Contre Sainte-Beuve* publié par B. de Fallois (Gallimard, 1954). La mère du héros lui dit avant une séparation, en citant Plutarque : « Léonidas dans les grandes catastrophes savait montrer un visage... » (p. 291-92). Plus loin (p. 297) elle cite l'exemple même de Régulus, évoquant « sa fermeté dans les circonstances douloureuses ». Comme le fait remarquer Jacques Nathan : « Si l'on considère que Plutarque n'a jamais écrit de vie de Régulus et que sa vie de Léonidas ne nous est pas parvenue, on est amené à penser qu'il s'agit de fausses citations fabriquées par jeu par la mère et le fils pour cacher leur émotion quand ils se séparaient. »

12. Citation approximative de la lettre de Mme de Sévigné à sa fille, le 9 février 1671 : « Si vous voulez me faire un véritable plaisir [...] servez-vous de tout le courage qui me manque. »

13. Ces *Mémoires* fictifs pourraient bien avoir pour origine ceux de la comtesse de Boigne qui, par ailleurs, a servi de modèle au personnage de la marquise de Villeparisis (voir George D. Painter, t. II, p. 98, et Brian G. Rogers : « Aux sources littéraires d' " À la recherche du temps perdu " : l'évolution d'un personnage », *Francofonia*, 1983-1984, article repris dans *Les Cahiers Marcel Proust*, n° 12, Gallimard, 1984). Proust a consacré un article aux *Mémoires* de Mme de Boigne, qui fut publié dans *Le Figaro* du 20 mars 1907.

14. De sa propriété des Rochers, Mme de Sévigné écrivit à Coulanges le 22 juillet 1671 : « ... vous savez qu'on fait les foins ; je n'avais pas d'ouvriers [...] J'envoie tous mes gens faner. Savez-vous ce que c'est que faner ? Il faut que je vous l'explique : faner est la plus jolie chose du monde, c'est retourner le foin en batifolant dans une prairie ; dès qu'on en sait tant, on sait faner... » Cette lettre, une des plus célèbres de Mme de Sévigné, fut jugée très spirituelle par ses contemporains qui se la répétèrent de bouche à oreille.

15. Pauline-Adhémar de Monteil de Grignan, marquise de Simiane (1674-1737), petite-fille de la comtesse de Sévigné et fille de Mme de Grignan, épousa en 1695 Louis de Simiane. Elle autorisa la publication des lettres de son aïeule et participa même à leur édition mais par scrupule détruisit la plupart de celles de sa mère. Ses lettres, publiées en 1773 par La Harpe, datent de la fin de sa vie. La première des citations de Mme de Simiane faites par le narrateur est extraite de la lettre à d'Héricourt du 15 mars 1735, la seconde est tirée de la lettre adressée au marquis de Caumont le 8 mars 1734, la troisième est également extraite d'une lettre à d'Héricourt, du 3 février 1735.

16. Extrait de la lettre de Mme de Sévigné à Mme de Grignan du mercredi 12 juin 1680. Le texte exact se présente ainsi : « ... je ne puis résister à la tentation ; je mets mon infanterie sur pied ; je mets tous les bonnets, coiffes et casaques qui n'étaient point nécessaires ; je vais dans ce mail, dont l'air est comme celui de ma chambre ; je trouve mille coquecigrues, des moines blancs et noirs, plusieurs religieuses grises et blanches, du linge jeté par-ci, par-là, des hommes noirs, d'autres ensevelis tout droits contre des arbres... »

17. Ces trois fils de Zeus avaient été appelés aux enfers après leur mort pour être érigés en juges. Minos est le père de Phèdre, si souvent évoquée dans *À la recherche du temps perdu*.

18. C'est à Saint-Malo, sa ville natale, qu'on peut voir le buste du corsaire malouin René Duguay-Trouin (1673-1736). Dans ses *Mémoires* il raconte un grand nombre de ses aventures.

19. Pandore, la première femme selon la mythologie grecque, créée par Athéna, avait été parée par les dieux de toutes les séductions. Zeus, pour se venger de Prométhée qui lui avait dérobé le feu du ciel, envoya à celui-ci Pandore comme épouse. Méfiant, Prométhée refusa de la recevoir mais son frère Épiméthée accepta d'accueillir Pandore qui apportait une boîte mystérieuse. Épiméthée

(ou peut-être Pandore elle-même) ouvrit la boîte et tous les maux du monde en sortirent. L'espérance resta au fond. Pour le narrateur de *La Recherche* ces maux sont l'accomplissement des désirs, qui entrave l'imagination et le rêve. L'espérance, restée au fond, c'est tout ce qui pourrait se produire, mais qui ne se produit pas, tout ce que le héros invente, tout ce qu'il rêve.

20. Jean La Balue (1421-1491), premier ministre de Louis XI, fut enfermé par celui-ci, qu'il avait trahi, au château de Loches, alors prison d'État, dans une cage de bois garni de fer : il y resta onze ans et dut finalement son salut à une intervention du pape Sixte IV.

21. Henri Ier, duc de Guise (1550-1588), fut assassiné le 28 décembre 1588 aux États généraux de Blois par le roi Henri III dont il visait le trône. Cet assassinat a été le sujet d'un tableau du peintre Paul Delaroche (1797-1856) et d'un film de Le Bargy et Calmette en 1908.

22. En conséquence d'une probable erreur de lecture, les épreuves pour la parution fragmentaire dans *La N.R.F.* de 1914 donnaient : « les coups de mon pauvre chose » qui a été corrigé en « les coups de mon pauvre loup ». Les placards Grasset donnaient « chou », comme l'édition de 1918.

23. Voir, par exemple, de Filippino Lippi (1457 ou 1458-1504), *La Vierge avec l'enfant, saint Antoine de Padoue et un religieux* (Budapest, Musée des Beaux-Arts), ou encore, de Giovanni di Paolo (né dans les dernières décennies du XIVe siècle, mort en 1482) *La Nativité* (Esztergom, Musée chrétien).

24. « Assis sur le môle » est une réminiscence d'un poème en prose de Baudelaire, « Le Port » : « ... il y a une sorte de plaisir mystérieux et aristocratique pour celui qui n'a plus ni curiosité ni ambition, à contempler, couché dans le belvédère ou accoudé sur le môle, tous ces mouvements de ceux qui partent et de ceux qui reviennent... » ; « le boudoir » et le « soleil rayonnant sur la mer » sont des citations d'un poème des *Fleurs du Mal* (« Spleen et Idéal »), « Chant d'automne » (II, vers 3 et 4 du premier quatrain) : « J'aime de vos longs yeux la lumière verdâtre ; / Douce beauté, mais tout aujourd'hui m'est amer ; / Et rien, ni votre amour, ni le boudoir, ni l'âtre / Ne me vaut le soleil rayonnant sur la mer. » Proust aime beaucoup ce poème qu'il cite très souvent dans sa correspondance et dans son œuvre, et particulièrement le premier vers. Il y fera une allusion détournée plus loin dans le roman (voir p. 276). « Le soleil rayonnant » est également évoqué p. 81.

25. Le calme et la sérénité de sainte Blandine, torturée en 177, sont restés légendaires. A ses bourreaux qui lui demandaient de renoncer à sa foi elle répondit inlassablement sans montrer aucun trouble dans la souffrance : « Je suis chrétienne, il ne se commet aucun crime parmi nous. »

26. Georgette Tupinier a étudié à travers les brouillons d'*À la recherche du temps perdu* l'évolution de ce personnage et démontré que Mlle de Stermaria « était promise dans l'économie de l'œuvre à un rôle moins effacé ». (Voir : « Autour de cinq ébauches de Mlle de Stermaria », dans *Cahiers Marcel Proust*, n° 6, Gallimard, 1973.)

27. Éd. 1918 : « s'engouffrait ».

28. Voir note 65 de la première partie.

29. Allusions possibles au motif du feu magique dans la Tétralogie, au motif du Rhin dans le prélude de *L'Or du Rhin* et à l'air du jeune pâtre dans *Tannhäuser*.

30. Ranavalona III (1862-1917), reine de Madagascar de 1883 à 1897, fut déposée après l'annexion de son pays à la France par Gallieni, et déportée à la Réunion puis en Algérie.

31. Dans « Un amour de Swann » le narrateur raconte comment Swann en vient à trouver une beauté plus délicate et précieuse à Odette en s'apercevant qu'elle ressemble à la Zephora des *Fresques de Moïse* de Botticelli (peintes en 1480 et 1481).

32. Marie-François Sadi, dit Sadi-Carnot, né en 1837, président de la République, assassiné à Lyon par l'anarchiste Caserio en 1894. Sur Mac-Mahon président de 1873 à 1879, voir note 8 de la première partie ; sur Raspail et Pie IX, voir note 66 de la première partie.

33 Racine, *Esther*, II, 7.

34. Placards Grasset : « ... avant-bras pareils aux deux branches d'un vase. » Ép. BN, imp : « [pareils à deux pieds d'un vase (biffé)]. »

35. Cahier 32 (année 1909) : « Ma grand-mère avait cependant fini par se trouver face à face avec Mme de Villeparisis d'une façon si flagrante que la " reconnaissance " n'avait pas été inévitable quoique elles se fussent vues tous les jours depuis trois semaines, par une convention théâtrale, comme ces personnages de Molière qui sur la même place, parlant depuis 1/2 heure tous les deux sans s'apercevoir et tout à coup levant le bras disent : " Mais... Que vois-je, se pourrait-il hé là... Mais comme... si fait c'est bien le seigneur Anselme... Parbleu je n'ai point la berlue, voici le Seigneur Trufaldin ". » Ce n'est que dans *L'Étourdi* de Molière que coexistent des personnages appelés Anselme et Trufaldin mais il n'y a pas dans cette pièce de scène semblable à celle évoquée par Proust. Il est vrai en tout cas que Molière met souvent en scène des personnages qui parlent chacun de leur côté et sont censés ne s'être pas vus. Voir par exemple *L'Amour médecin*, acte I, scène VI, *Sganarelle ou le cocu imaginaire*, scène VI. Dans les premiers brouillons, l'apparition de Mme de Villeparisis était presque aussitôt suivie de celle de Saint-

Loup. Loïc Depecker a montré comment ce passage, ébauché depuis 1908, a peu à peu évolué (voir le *BIP* de 1986, n° 17).

36. Citation d'un passage de la lettre qu'écrivit Mme de Sévigné à sa fille, Mme de Grignan, le 30 juillet 1689.

37. Les Cimmériens, peuple de l'Antiquité mentionné par Homère (*Odyssée*, XI, XIV et suiv.) sont évoqués plusieurs fois par Proust dans *La Recherche*. (Voir *Sw. et JFF* 2ᵉ p., p. 222, 292) On les considérait comme demeurant aux confins de la terre, dans les lieux où Hélios n'apparaît pas, et vivant par conséquent dans une nuit éternelle. Dans sa *Prière sur l'Acropole* (1876), Ernest Renan, natif de Bretagne, évoque ces « Cimmériens bons et vertueux qui habitent au bord d'une mer sombre, hérissée de rochers, toujours battue par les orages ».

38. L'archiduc Rodolphe de Habsbourg (1858-1889), fils unique de l'empereur François-Joseph Iᵉʳ d'Autriche, fut trouvé mort avec sa maîtresse, Marie Vetsera, dans le pavillon de chasse de Mayerling. On ne sait si les amants se donnèrent la mort ou furent assassinés.

39. Citation d'un passage de la lettre de Mme de Sévigné à Mme de Grignan, Paris, le mercredi 18 février 1671. Les lignes citées ensuite : « Peu de gens sont dignes de comprendre ce que je sens » et « je cherche ceux qui sont de ce petit nombre et j'évite les autres » ne se trouvent pas dans cette lettre du 18 février.

40. Allusion à la lettre de Mme de Sévigné du 9 septembre 1694 : « Si nous voulions, par quelque bizarre fantaisie, trouver un mauvais melon, nous serions obligés de le faire venir de Paris, il ne s'en trouve pas ici... »

41. Grasset A : « Car ce ne pouvait être à Mme de Villeparisis que la Princesse avait voulu faire visite. Comment l'aurait-elle connue ? Pourtant une heure après Mme de Villeparisis nous envoya des poires et des raisins que nous reconnûmes. Le lendemain matin nous rencontrâmes Mme de Villeparisis en sortant du concert symphonique qui se donnait sur la plage. J'y avais la veille rencontré Bloch qui n'en manquait pas un, m'avait-il dit, parce que le chef d'orchestre, un grand musicien selon lui, jouait de nombreuses scènes de Wagner et des transcriptions de Schumann. Et il m'avait cité de belles phrases de Baudelaire sur Wagner et de Schopenhauer sur la musique. C'est ainsi que j'entendis des fragments de *Lohengrin*, de *L'Or du Rhin*, qu'après ma nuit en chemin de fer j'avais reconnus pour les avoir si souvent vus au [blanc], *Le Réveil de Brunhilde* — où les mêmes phrases que j'avais entendues dès la fin de la *Walkyrie* prirent, retrouvées à une autre place [...] la même acception nouvelle et mystérieuse que certaines lueurs roses, certains rayons obliques du soleil, pareils à ceux que j'avais vus si souvent au couchant mais qui cette fois signifiaient le levier [sic] — et enfin le *Carnaval* de Schumann. Sachant que la musique reflétait

la « Volonté du roi et tous les spectacles de l'univers » je ne m'arrêtais pas un instant à l'idée que Schumann avait pu chercher à peindre quelque chose d'aussi limité, d'une importance spirituelle aussi médiocre, et, si je m'en apportais [sic] à mes propres goûts, d'aussi ennuyeux et d'aussi vulgaire qu'un soir de carnaval. C'était les alternatives d'irrésistible allégresse et d'ineffable mélancolie auxquelles l'âme se donne tour à tour que je cherchais à saisir dans cette musique. » (La version de Grasset B est très proche du texte de l'édition et s'éloigne donc de la version de Grasset A.)

42. Le « plaisir » était une pâtisserie légère roulée en cornet.

43. Proust pense sans doute à *Jupiter et Sémélé* (1895, Musée Gustave Moreau). Jupiter, d'une stature gigantesque, tient sur l'un de ses genoux la malheureuse Sémélé qui semble un jouet entre les bras de l'être monumental qui la tient en son pouvoir. On trouvera quelques renseignements sur les goûts de Proust pour Gustave Moreau dans l'article de Patrick Gautier : « Proust et Gustave Moreau », *Europe*, août-septembre 1970, p. 237 à 241.

44. Héroïne de la pièce d'Alexandre Dumas fils : *Le Demi-Monde*, « la Baronne d'Ange », prénommée Suzanne, est une courtisane. *Macette ou l'Hypocrisie déconcertée* est le titre de la satire XIII de Mathurin Régnier (1573-1613) et raconte l'histoire d'une femme aux mœurs faciles devenue dévote sur ses vieux jours.

45. Ép. BN imp. : « ... leurs amis particulièrement tarés... » Proust a biffé « tarés » et l'a remplacé par l'expression « à la côte » qui signifie en langage familier « à bout de ressources ».

46. Après « quelques promenades en voiture », on trouve sur les placards Grasset et aussi sur les épreuves BN imp. un long passage qui ne figure pas à cet endroit dans les éditions mais que Proust a utilisé pour la fin d'*À l'ombre des jeunes filles en fleurs* (voir *Annexes*).

47. La nymphe Glaukonomè est une des cinquante filles de Nérée et de Doris. Elle est décrite dans Hésiode (*La Théogonie*) comme la Néréide « qui se plaît au sourire » et, dans sa traduction du poète grec, Leconte de Lisle l'appelle « la joyeuse Glaukonomè ».

48. Éd. 1918 : « Mais il savait d'une part qu'une personne qui amène ses gens avec soi se fait servir par eux et d'habitude donne peu de pourboires dans un hôtel, que les nobles de l'ancien faubourg Saint-Germain agissent de même. » Nous rétablissons après « hôtel », « d'autre part », qui a été oublié par Proust.

49. Éd. 1918 : « à deux de ces catégories ». Il s'agit sans doute d'une erreur de l'imprimeur car sur les épreuves BN Proust a bien écrit de sa main : « à ces deux catégories ».

50. La trilogie d'Eschyle porte bien ce titre mais la tragédie de Leconte de Lisle qu'elle a inspirée s'intitule *Les Erinnyes*. Proust en cite les vers 5 et 6 de la première partie, « Klytaimnestra » ; c'est

Talthybios qui parle :« Ô chers vieillards, depuis dix très longues années, / Ils sont partis, les Rois des nefs éperonnées / Entraînant sur la mer tempêtueuse, hélas ! / Les hommes chevelus de l'héroïque Hellas, / Qui, tels qu'un vol d'oiseaux carnassiers dans l'aurore, / De cent mille avirons battaient le flot sonore. / Et nul n'est revenu, des guerriers ou des chefs ! »

51. Louis Mathieu, comte Molé (1781-1855) acheva son éducation dans l'émigration, puis participa au gouvernement du premier Empire, se rallia à la monarchie de Juillet, fut premier ministre de Louis-Philippe de 1836 à 1839. Molé a laissé des *Mémoires*. Il soutint la nomination de Vigny à l'Académie française, mais, comme le précisera plus loin Mme de Villeparisis (p. 98), il fut peu aimable pour le poète dans son *Discours de réception* (1846). Vigny, comme le raconte le marquis de Noailles dans sa biographie de Molé (*Le Comte Molé, sa vie, ses Mémoires*), « d'un caractère fier et ombrageux [...] n'avait pu se résoudre aux visites rituelles des candidats, et ne cachait pas son dédain pour ces sortes de démarche ». Cette attitude avait dû être jugée très peu courtoise par Mme de Villeparisis comme par Molé. Mais le même Molé reprocha surtout au poète d'avoir exalté le romantisme dans son discours, d'avoir, dans *Cinq-Mars*, dépeint Richelieu sous les traits d'un homme sanguinaire, et d'avoir donné également dans ses œuvres une image défavorable de Napoléon. De plus, « M. Molé sembla ignorer M. de Vigny poète et ne dit pas un mot de ses œuvres poétiques ».

Louis de Fontanes (1757-1821), fut d'abord partisan de la Révolution puis effaré par les violences qui s'ensuivirent. Proscrit en 1797, il revint en France en 1800 et se fit le promoteur du rétablissement de l'Empire. Il se déroba à l'appel de l'Empereur lors des Cent-Jours, ce qui lui attira les bonnes grâces de Louis XVIII qui le fit ministre d'État, marquis, et l'éleva au Conseil privé.

Eugène d'Arnaud, baron de Vitrolles (1774-1854) milita dans l'armée contre-révolutionnaire de Condé et se rallia à l'Empire mais fut associé par Talleyrand aux intrigues et négociations qui devaient ramener les Bourbons sur le trône. Ni Charles X ni Louis-Philippe ne lui permirent d'aller au bout de ses ambitions mais il demeura un royaliste fervent faisant partie de tous les pèlerinages royalistes à Wiesbaden ou à Londres. Il a publié des *Mémoires et relations politiques* (1841).

Le philosophe Pierre-Ernest Bersot (1816-1880), baron puis duc pour ses mérites politiques, refusa de prêter serment au second Empire en 1851. Il est l'auteur entre autres ouvrages d'*Essais de philosophie ou de morale* et collabora au *Journal des Débats* à partir de 1859. Après 1871 il fut nommé directeur de l'École normale supérieure par le gouvernement républicain, ce que la marquise de Villeparisis semble lui pardonner. Comme Norpois, elle apprécie sans doute la bienséance de ton et la modération chez un homme aux tendances républicaines (voir note 21 de la première partie).

Étienne-Denis Pasquier (1767-1862), emprisonné sous la Terreur, se rallia à l'Empire, puis à Louis XVIII. Il participa aux ministères Richelieu et Decazes et fut nommé président de la Chambre des pairs par Louis-Philippe. Il a publié des *Discours et Opinions* et des *Mémoires*. Il fut très lié avec Mme de Boigne, l'un des modèles de Mme de Beausergent (voir note 13).

Le poète Pierre-Antoine Lebrun (1785-1873) reçut une pension pour ses *Odes* sur les campagnes de l'Empire, que la Restauration lui retira. Le gouvernement de Juillet le combla de faveurs et Napoléon III l'admit au Sénat. Il est l'auteur de nombreuses tragédies, parmi lesquelles une *Marie Stuart* (1820), et de poèmes.

Le comte Narcisse-Achille de Salvandy (1795-1856) se rallia au régime napoléonien, ce qui ne l'empêcha pas, lui non plus, de se rapprocher ensuite de Louis XVIII, Charles X, et Louis-Philippe auquel il a écrit des lettres adulatrices publiées dans *La Revue rétrospective* de 1848. Dans son *Discours de réception de Victor Hugo à l'Académie française* (1841), il reprocha au poète ses ambitions politiques et lui conseilla de se consacrer seulement à la littérature.

Le comte Pierre Bruno Daru (1767-1829), d'abord partisan modéré de la Révolution, fut emprisonné sous la Terreur. Au service de Napoléon, pour lequel il se battit courageusement, il fut d'abord traité avec défiance sous la Restauration mais bientôt fait pair en 1819. Il écrivit une *Histoire de la république de Venise* (1819) et protégea la carrière militaire de son cousin, Henri Beyle (Stendhal).

Voilà de quoi plaire à la marquise de Villeparisis qui semble pardonner aux royalistes de devenir des bonapartistes à condition qu'ils soient prêts à tourner leur veste dès l'arrivée d'un roi au pouvoir. Les aristocrates ont bien sûr sa préférence mais pour peu que les roturiers rendent hommage au roi ou du moins se conduisent en hommes de bonne compagnie, elle est prête à les considérer avec mansuétude. Le héros a de quoi s'étonner car ces rejets et ces sympathies de la marquise n'ont pas grand-chose à voir avec la littérature.

52. Le 17 mars 1839, avant la publication de *La Chartreuse de Parme*, Stendhal avait publié l'épisode de Waterloo dans *Le Constitutionnel*. Balzac écrivit alors à l'auteur pour le féliciter, affirmant qu'il avait été « saisi d'un accès de jalousie » à la lecture de la bataille de Waterloo. Le 11 avril, peu de temps avant la sortie du roman, les deux écrivains se rencontrèrent par hasard chez Boulay. Stendhal a noté cette entrevue dans ses notes intimes (*Marginalia*, II, 57) et, de son côté, le critique Forgues qui assistait à la rencontre a raconté que Balzac fut prodigue de conseils et de compliments, tandis que Stendhal opinait de la tête « de l'air du catéchumène le plus docile et le plus respectueux ». Dix-huit mois après, Balzac rédigea un article de 72 pages sur *La Chartreuse de Parme* dans sa *Revue parisienne*, le 25 septembre 1840 : « *La Chartreuse de Parme* est dans notre époque et jusqu'à présent, à nos yeux, le chef-d'œuvre de la littérature d'idées [...] M. Beyle a fait un livre où le sublime éclate de chapitre en chapitre... » Stendhal ne semble pas

avoir répondu par un haussement d'épaules à Balzac car il lui envoya une lettre qui nécessita trois brouillons et dans laquelle il montrait à quel point il était bouleversé. Un des passages de la lettre a pu sembler ironique à certains mais on peut aussi y voir de la modestie, et l'ironie nous paraît plutôt s'adresser aux « amis » de Stendhal : « Cet article étonnant, tel que jamais écrivain ne le reçut d'un autre, je l'ai lu, j'ose maintenant l'avouer, en éclatant de rire. Toutes les fois que j'arrivais à une louange un peu forte, et j'en rencontrais à chaque pas, je voyais la mine que feraient mes amis en le lisant. » Stendhal écouta les conseils de Balzac avec une parfaite docilité et sollicita de nouveaux avis.

53. Proust, rappelons-le, avait d'abord eu le projet d'écrire un *Contre Sainte-Beuve*. La méthode de Sainte-Beuve, qui consiste à expliquer l'œuvre par la vie, devait y être vivement contestée et attaquée. Le *Contre Sainte-Beuve* ayant été abandonné, Proust se servit de certaines ébauches pour son roman *À la recherche du temps perdu*. Ici, la manie de Mme de Villeparisis de ne juger les écrivains que par leur façon de se tenir dans les milieux mondains illustre les aberrations critiques que peut entraîner la biographie à la Sainte-Beuve. Le marquis de Norpois (qui se révélera être l'amant de la marquise) péchait lui aussi par le même travers (voir notes 53 et 57 de la première partie).

54. Les Nornes, dans la mythologie scandinave, sont les vierges du passé, du présent et de l'avenir, qui règlent la vie des hommes et l'ordre de l'univers. Wagner nous les présente, dans le prologue du *Crépuscule des dieux*, réunies sur le rocher des Walkyries. L'écheveau de la vie qu'elles dévident casse, préfiguration de la catastrophe finale.

55. Allusion au *Prométhée enchaîné* d'Eschyle. Pour punir Prométhée de lui avoir dérobé le feu du ciel, Zeus le fait enchaîner sur le Caucase où un aigle lui rongera le foie, mais celui-ci repoussera sans cesse. Les Océanides, nymphes de la mer et des eaux, apitoyées par son sort, viennent le consoler.

56. « Elle répandait ce vieux secret de mélancolie » est une citation d'*Atala* de Chateaubriand (« Bientôt elle répandait ce grand secret de mélancolie qu'elle aime à raconter aux vieux chênes ») ; « pleurant comme Diane au bord de ses fontaines » est l'avant-dernier vers de « La Maison du Berger » de Vigny (poème des *Destinées*) ; « L'ombre était nuptiale, auguste et solennelle » est le début de la strophe 18 du poème de Victor Hugo « Booz endormi » (*La Légende des siècles*).

57. Chateaubriand, demeuré fidèle à Charles X, refusa de prêter serment à Louis-Philippe et à la monarchie de Juillet et renonça à la pairie le 10 août 1830. Son discours de protestation à la Chambre et ses lettres de démission se trouvent dans les *Mémoires d'outre-tombe* (Flammarion, t. III, p. 658 à 669).

58. A la mort de Léon XII en 1829, Chateaubriand alors ambassadeur à Rome s'intéressa de très près à l'élection du nouveau pape. Le duc de Blacas, au même moment ambassadeur à Naples, suivait aussi de très près cette élection. C'est le cardinal Castiglioni qui fut élu et qui prit le nom de Pie VIII (voir *Mémoires d'outre-tombe*, Flammarion, t. III, p. 514).

59. Citation tirée de « l'Esprit pur » *(Les Destinées) :* « J'ai mis sur le cimier doré du gentilhomme/Une plume de fer qui n'est pas sans beauté » (strophe I, vers 3 et 4).

60. Citation d'un vers du sonnet « À M. Alfred Tattet » *(Poésies) :* « Souvenez-vous d'un cœur qui prouva sa noblesse/Mieux que l'épervier d'or dont mon casque est armé » (vers 10 et 11).

61. Voir note 51.

62. La première d'*Hernani* qui donna lieu à la célèbre bataille entre classiques et romantiques se déroula le 25 février 1830 au Théâtre-Français. Même s'il a pu assister au spectacle grâce à « des camarades dans la jeunesse romantique », M. de Bouillon semble bien s'être placé dans le clan des classiques qui s'étaient indignés de la dislocation de l'alexandrin par Hugo et de sa rupture avec la tradition littéraire. L'un des membres du Comité de l'Odéon, par exemple, écrivit une lettre ouverte au *Moniteur* (publiée le 6 mars 1830) dans laquelle il estimait certains vers de la pièce « très ridicules ». Le ridicule et l'outrance (ou « l'exagération ») furent, en effet, parmi les principaux reproches faits à Hugo de son vivant, et après sa mort. Proust, qui publiera le 8 janvier 1921 un article sur le Classicisme et le Romantisme (dans *La Renaissance politique, littéraire et artistique*), s'élèvera contre ces querelles d'écoles : « … En résumé, les grands artistes qui furent appelés romantiques, réalistes, décadents, etc., tant qu'ils ne furent pas compris, voilà ceux que j'appellerais classiques… » Quant à l'accusation d'indulgence intéressée à l'égard des idées socialistes, traditionnelle de la part des ennemis politiques de Hugo, elle paraît viser moins l'époque d'*Hernani* que celle de l'exil, à cette réserve près qu'alors le poète va bien au-delà de l'indulgence. Le mot même de socialisme est pratiquement inconnu avant la révolution de 1830 et ignoré encore du Dictionnaire de l'Académie en 1835. Hugo lui-même ne l'emploie guère pour désigner ses propres convictions qu'après le coup d'État de Louis-Napoléon Bonaparte (1851) et surtout à partir de la publication des *Misérables* (1862). Cependant, il estimera, sans doute à cause de la rédaction du *Dernier Jour d'un condamné* (publié en 1829), avoir été dès 1828 « libéral-socialiste ». D'un point de vue rétrospectif, Mme de Villeparisis n'a donc pas tort d'imputer des tendances socialistes à Hugo. Prétendre qu'elles aient été dictées par l'intérêt relève d'un procès d'intention auquel le poète répondit avec humour en se déclarant lui-même « démagogue » (voir « Réponse à un acte d'accusation » dans *Les Contemplations*).
Proust évoquera encore dans *À l'ombre des jeunes filles en fleurs* le combat des classiques et des romantiques en opposant Charlus,

racinien, à Saint-Loup, tout dévoué à celui qu'il appelle familièrement « Victor » (voir p. 144). Dans *Le Côté de Guermantes* enfin, il
raillera les goûts limités de Mme de Guermantes qui « ne s'aventure
pas après *Le Crépuscule* », parce que le Hugo plus tardif est trop
novateur pour qu'elle l'apprécie, et il fera prononcer, par les invités de la duchesse, tous les reproches habituels faits à Hugo par
ceux qui n'ont rien compris à la modernité de son œuvre (*Gu. II*,
p. 249 à 256).

63. Comme le suggère Maxime Arnold Vogely (*A Proust dictionary*, the Whitston Publishing Company, Troy, New York 1981), il
s'agit probablement de Louis-Charles Philippe, deuxième fils de
Louis-Philippe.

64. César Bagard (1639-1709), sculpteur français surnommé par
ses contemporains « le grand César ». Il se fit connaître par ses
statues de *La Force* et de *La Vertu* destinées à la décoration de l'Arc
de Triomphe élevé en 1659 à l'occasion du mariage de Louis XIV. Il
exécuta de nombreux tableaux et statues d'églises mais la Révolution détruisit la plupart de ses œuvres que l'on connaît seulement
d'après des témoignages écrits de son époque. Bagard s'est parfois
essayé à la sculpture sur bois.

65. L'implantation des Choiseul en Bassigny remonterait à la fin
du Xᵉ siècle (voir M. A. Vogely, *op. cit.*). Ils étaient apparentés au
comte Hugues de Champagne qui avait épousé Constance, la sœur
de Louis VI (dit le Gros), roi de France de 1108 à 1137. La duchesse
de Choiseul-Praslin, née Sebastiani de la Porte, fut assassinée en
1847 par son mari, qui ensuite s'ouvrit les veines.

66. Littérateur français, membre de l'Académie française, Louis
Léonard de Loménie est l'auteur d'une série de biographies :
Galerie des contemporains illustres, et d'ouvrages critiques : *Beaumar-
chais et son temps*, etc. Pour Molé, voir note 51. Ep. BN imp. : « que
des Molé et des Vitrolles. »

67. Ximénès Doudan (1800-1872), critique littéraire et homme
politique, proche de Victor de Broglie, passe pour avoir été peu
doué pour la tribune mais brillant causeur en petit comité. Son
Traité des révolutions du goût n'a été publié qu'en 1924 mais Proust
pouvait connaître Doudan par un recueil posthume de mélanges et
par ses lettres (1876).

Le comte Charles de Rémusat (1797-1875), membre du groupe de
doctrinaires sous la Restauration, fut député libéral (1830-1847) et
ministre de l'Intérieur dans le cabinet Thiers (1840). Puis il
s'opposa à Guizot en 1847 et se rallia en 1848 à la République. Il fut
proscrit après le coup d'État de Louis-Napoléon Bonaparte de 1851
et ne rentra en France qu'en 1859. En 1871, Thiers le nomma aux
Affaires étrangères. Sa vie se partagea entre la politique et les lettres
et il était connu également dans les salons pour ses talents de
chansonnier.

Joseph Joubert (1754-1824), moraliste, défenseur de la politesse, de l'élégance et du bon goût, s'est attaché à observer les disgrâces et les défauts de l'homme dans ses *Pensées* qu'il lisait, avant de les publier, à un petit cénacle d'amis pour en éprouver la portée et l'efficacité.

Pour Mme de Beausergent, voir note 13.

68. Éd. 1918 : « sans le préservatif de laquelle ».

69. Le « Ring » est une abréviation pour *Der Ring des Nibelungen* (*L'Anneau des Nibelung*, la Tétralogie de Wagner).

70. Le personnage de Bloch avait une importance bien moindre dans les placards Grasset. Proust a ajouté tardivement ce passage ainsi que celui de la soirée chez la famille Bloch (voir p. 148) et a à la fois développé et caricaturé le personnage.

71. Entre 1898 et 1901 furent créées des Universités populaires destinées à rapprocher les classes laborieuses des classes plus aisées. La plupart des cours étaient donnés le soir.

72. Bloch s'attaque là à un écrivain qui fut particulièrement cher à Proust. Celui-ci a traduit *La Bible d'Amiens*, préfacé *Sésame et les lys* et, le 5 mai 1906, publié un compte rendu des *Pierres de Venise* traduites par Mme Crémieux, dans *La Chronique des arts et de la curiosité* (voir *CSB*, p. 520).

73. Éd. 1918 : « ... que la similitude des vertus. Chacun a tellement les siens que pour continuer à l'aimer, nous sommes obligés de n'en pas tenir compte et de les négliger en faveur du reste. La personne... » Sur ép. BN Proust a rajouté plus loin une phrase très proche (p. 120) en omettant de barrer celle-ci.

74. Bloch imite Leconte de Lisle qui évoque fréquemment « Zeus, fils de Kronos », et qui avait entrepris de traduire Homère en transcrivant fidèlement les noms propres de la mythologie. Hadès, évoqué un peu plus loin, est aussi « fils de Kronos » et donc frère de Zeus. C'est le dieu des enfers, le plus haï et le plus redouté. À l'aide de démons et de mauvais génies (parmi lesquels « la noire Kèr »), il fait tout afin d'attirer les vivants dans son royaume des ténèbres, et pour les malheureux tombés chez lui il n'y a pas de salut ni de chemin de retour.

75. Arès est le dieu grec de la guerre (Mars chez les Latins), Amphitrite est la déesse de la mer, épouse de Poséidon. Bloch pastiche ici le style d'Homère (qu'il ne connaît d'ailleurs peut-être que par la traduction de Leconte de Lisle).

76. D'après Pierre Clarac et André Ferré (édition de la Pléiade, Gallimard, 1954, index t. III, p. 1244), il s'agirait de la famille du chocolatier Gaston Menier, dont le yacht *Ariane* était célèbre à l'époque.

77. Comme le fait remarquer Jacques Nathan, ce qualificatif convient mal aux deux poètes parnassiens aimés de Bloch, surtout à l'époque où se situe le récit (vers 1898). Leconte de Lisle est

bibliothécaire du Sénat depuis 1873 et académicien depuis 1886, Heredia a été reçu sous la Coupole en 1894.

78. Dans la version des épreuves BN, le dîner n'était pas remis. Il avait lieu deux jours après et le texte s'enchaînait sur la soirée chez la famille Bloch que l'on ne trouve que plus loin dans l'édition définitive (p. 148 de notre édition). Quant à l'apparition du baron de Charlus, elle était plus tardive : l'annonce de son arrivée ne survenait qu'après les admonestations de Saint-Loup contre les « viveurs qui trompent leurs amis, cherchent à corrompre les femmes » (voir p. 168).

79. Les premiers tableaux d'Eugène Carrière (1849-1906) se caractérisent déjà par un intimisme discret que l'on retrouvera dans un grand nombre de ses œuvres. Dans les années 1880 il renonce presque entièrement à la polychromie pour utiliser une sorte de camaïeu brunâtre inspiré par l'étude des maîtres du *sfumato*, comme Vinci et Corrège, mais également par les préparations de Rubens et de Vélasquez. Ses travaux peuvent aussi être rapprochés de ceux de Whistler qui a étudié avec un grand raffinement les harmonies chromatiques.

Malgré la réflexion du narrateur qui pense que Saint-Loup « ne gardait pas toujours exactement l'échelle des grandeurs », on peut constater que celui-ci sait tout de même de quoi il parle. Proust qui a si bien étudié les fluctuations des modes et la relativité de la cote que peut avoir tel ou tel artiste se laisse prendre lui-même au piège en parlant ici d' « échelle des grandeurs ». L'œuvre de Carrière retrouvera peut-être un jour la notoriété qu'elle mérite selon certains critiques.

80. Ép. BN imp. : « Et alors qu'est ton oncle ? » (mais « ton » a été biffé et remplacé par « votre »).

81. « La seigneurie de Lamballe passa successivement aux mains de la princesse de Conti et du comte de Toulouse (1697) ; le petit-fils de ce dernier porta le titre de prince de Lamballe » (Vogely).

82. Après une évolution indépendante qui lui a permis de découvrir dans les années 1870 les vertus du paysage d'après nature, Albert Lebourg (1849-1928) a rencontré en 1877 Monet, Pissarro, Degas. De la manière impressionniste il a adopté ce qui lui paraissait le mieux convenir à son propre style.

Armand Guillaumin (1841-1927) est plus étroitement lié au groupe impressionniste et a pris part aux principaux événements de son histoire. C'est de Cézanne et Pissarro qu'il se sentira le plus proche. Certaines des compositions de celui que Huysmans qualifia de « coloriste féroce » choquèrent le public de son temps. Bien qu'elle annonce l'expressionnisme et le fauvisme, l'œuvre de Guillaumin reste avant tout naturaliste.

83. Allusion aux fables de la Fontaine *Les Deux Amis* (VIII,11) et *Les Deux Pigeons* (IX,2).

84. Proust mêle ici deux lettres de Mme de Sévigné à Mme de Grignan ; celle du 18 février 1671 : « ... cette séparation me fait une douleur au cœur et à l'âme, que je sens comme un mal du corps... » et celle du 10 janvier 1689 : « ... Dans l'absence ce n'est plus cela, on ne s'en soucie point, on les pousse même quelquefois, on espère ; on avance dans un temps qu'on désire, où l'on aspire [...] on est libéral des jours, on les jette à qui en veut. »

85. Lettre de Mme de Sévigné à Mme de Grignan du 29 mai 1675 : « Une de vos réflexions pourrait effacer des crimes, à plus forte raison des choses si légères qu'il n'y a quasi que vous et moi qui soyons capables de les remarquer. »

86. Citation approximative du chapitre XXII des *Caractères* de La Bruyère, « Du cœur » : « Être avec des gens qu'on aime, cela suffit ; rêver, leur parler, penser à eux, penser à des choses indifférentes, mais auprès d'eux, tout est égal. » Proust aime particulièrement ce chapitre qu'il a déjà cité (voir *JFF 1re p.*, p. 309) et qu'il citera encore dans *Le Temps retrouvé* (TR, p. 288).

87. Le Petit Trianon est l'œuvre de l'architecte Jacques-Ange Gabriel (1698-1782) (voir note 70 de la première partie). Autour du Petit Trianon, dans un cadre « à l'anglaise » conçu par le jardinier Richard assisté du peintre Hubert Robert, l'architecte Richard Mique (1728-1794) a érigé des petites bâtisses telles que le Temple d'Amour (1778), le Belvédère, le Théâtre miniature (1780) et le Hameau rustique (1783-1787).

88. Il ne serait pas étonnant que le héros, à ce moment de son histoire, aime encore le Musset de *L'Espoir en Dieu* (1838) (publié en 1840 dans *Poésies nouvelles*). Le narrateur du poème « encore plein de jeunesse », n'a pas dit adieu « à ses illusions » et voudrait « vivre, aimer ». Cependant, malgré lui « l'infini [le] tourmente » et il s'interroge sur la condition humaine. Deux voix lui répondent : l'une l'invite à « jouir » du moment présent, l'autre à espérer en l'éternité. Le poète doute mais le poème se termine par une prière à Dieu. La facture de ce texte est encore fort classique et se compose d'une première partie en alexandrins très réguliers suivie d'une deuxième partie en octosyllabes. Bloch qui en a fini des états d'âme métaphysiques de l'adolescence préfère les performances formelles (il ne faut pas oublier qu'il aime les parnassiens). On l'imagine prêt à ne plus apprécier que la virtuosité de la *Chanson* publiée dans les *Poésies nouvelles* (« A Saint-Blaise, à la Zuecca, / Vous étiez, vous étiez bien aise... ») et celle du poème *À mon frère revenant d'Italie* (également publié dans les *Poésies nouvelles*). De celui-ci Proust cite, en partie la strophe 20 : « Padoue est un fort bel endroit / Où de très grands docteurs en droit / Ont fait merveille ; / Mais j'aime mieux la polenta / Qu'on mange au bord de la Brenta / Sous une treille... », et la strophe 11 : « Ils [les yeux] sont doux quand, le soir, / Passe dans son domino noir, / La toppatelle. / On peut l'aborder sans danger, / Et dire : " Je suis étranger, / Vous êtes belle. " » De toutes les *Nuits* enfin, il serait bien capable de ne retenir qu'un passage de *La Nuit*

de décembre qui lui convient par son rythme et ses sonorités, car il se soucie peu des angoisses de Musset. C'est ainsi que dans *Phèdre* il trouve que le meilleur vers est « La fille de Minos et de Pasiphaé » (voir *Sw.*, p. 193). Dans *Jean Santeuil*, le maître d'école Rustinlor avait les mêmes goûts et les mêmes préjugés esthétiques.

L'association ou l'alternative Leconte de Lisle-Claudel peut paraître surprenante car Claudel est de cinquante ans plus jeune que Leconte de Lisle. Mais, au moment où se déroule le récit (vers 1897), Leconte de Lisle est mort récemment (en 1894). « Le père Leconte » (expression empruntée à Bloch, voir *Sw.*, p. 193) fait encore figure de poète moderne, surtout pour la génération dont Musset fut le poète favori. Proust est très intéressé par le phénomène d'adaptation nécessité par toute œuvre d'art qui devient accessible alors qu'elle semblait d'abord obscure. Dans des notes sur Montesquiou restées inédites de son vivant il évoquait « les personnes qui [...] en littérature, trouvent M. Leconte de Lisle incompréhensible et M. Mallarmé insensé... » (*C.S.B.*, p. 405). Dans les *Jeunes Filles* Claudel a déjà été nommé aux côtés des précurseurs qui effarouchent les traditionalistes (voir p. 90 et note 14 de la première partie) et le narrateur a expliqué que l'œuvre d'art ne peut être considérée que dans la perspective de l'avenir (voir p. 201 de la première partie).

89. Anne Bigot, dame de Cornuel (1605-1694), qui passait pour fort spirituelle, tenait à Paris un salon célèbre où elle faisait de bons mots que l'on se répétait ensuite dans les milieux mondains. On trouve nombre de ses épigrammes dans les *Lettres* de Mme de Sévigné et dans Tallemant des Réaux. Il est vrai que le trait d'esprit que lui attribue Saint-Simon ne nous paraît pas aujourd'hui fulgurant : M. de Soubise était venu lui apprendre qu'il allait marier son fils à une riche héritière, de haute naissance. Or, celle-ci était connue pour ses « galanteries publiques ». « Oh ! Monsieur, lui répondit la bonne femme, qui se mourait, et qui mourut deux jours après, que voilà un grand et beau mariage pour dans soixante ou quatre-vingts ans d'ici ! » (*Mémoires de Saint-Simon*, 1694, « Mme Cornuel »).

90. Ce sont les Japonais qui ont gagné la guerre, et M. Bloch père se moque des mauvaises déductions du « critique militaire ». Voilà encore un anachronisme si nous sommes vers 1898 (voir note 1) car la guerre russo-japonaise aura lieu en 1904-1905.

91. Mot archaïque qui signifie : de bonne source, de première main.

92. Réplique célèbre de la môme Crevette, personnage de *La Dame de chez Maxim's* (1899), comédie de Georges Feydeau (1862-1921).

93. La seule princesse Murat à avoir été effectivement reine de Naples fut la sœur de Napoléon, Caroline Bonaparte, qui avait épousé Murat. Celui-ci fut nommé roi de Naples par l'Empereur en

1808 et le resta jusqu'en 1815, où les Bourbons furent replacés sur le trône par les Autrichiens. Le second fils de Murat et de Caroline, Napoléon-Lucien-Charles Murat (1803-1878) émit quelques prétentions à la couronne de Naples. Il avait épousé une Américaine, Georgina Frazer, reine de Naples en puissance au cas où Napoléon III exaucerait les vœux de son mari, mais ce ne fut pas le cas. Leur fils, Napoléon-Joachim Murat (1834-1894), se maria à une fille du prince de Wagram, la princesse de Wagram dont Proust fréquenta le salon. C'est peut-être à elle, dont le mari était un petit-fils du roi de Naples, que pense le narrateur.

94. Charles-Robert Caderousse (1808-1865), fils d'un général d'Empire élevé à la dignité de pair de France par Louis-Philippe, alla finir ses jours en Orient après une conduite jugée scandaleuse. Son testament, dans lequel il léguait sa fortune au docteur Déclat et à une actrice en vogue, provoqua un procès.

95. *Le Radical* de Paris, qui avait été suspendu en 1877 pour ses opinions de gauche, fut repris en 1881 par Henry Maret et Victor Simon. De 1899 à 1902 il fut l'un des plus fermes appuis du cabinet Waldeck-Rousseau.

96. « En 1855, le Jockey [voir note 3 de la première partie] fusionna avec le Nouveau Cercle ou Cercle des Moutards [...], compos[é] de très jeunes gens de l'aristocratie légitimiste. D'anciens membres du Nouveau Cercle, mécontents de cette fusion, organisèrent, pour le remplacer, un Cercle de la rue Royale qui, par suite de difficultés financières, fut absorbé par le Cercle agricole en 1865. Aussitôt apparut un Nouveau Cercle de la rue Royale, lequel malgré diverses vicissitudes se maintint jusqu'en 1916, année au cours de laquelle il se réunit avec l'Agricole et s'installa dans les locaux de ce dernier mais en gardant sa dénomination de Nouveau Cercle de la rue Royale. » (Louis de Beauchamp, *op. cit.*, note 3 de la première partie). Que ce « cercle » soit considéré comme « déclassant » par la famille de Saint-Loup parce qu'on y reçoit des israélites prouve à quel point Swann s'est élevé dans l'échelle sociale, lui qui fait partie du « Jockey Club » tout en étant juif sans pour autant que le Jockey Club s'en trouve « déclassé ».

97. Utilisé comme dépréciatif, le substantif « coco » qui signifie « vilain personnage » pourrait avoir un rapport synchronique d'antiphrase avec le même terme affectif désignant un enfant (un rapprochement entre *coco*, noix de coco, et *coco*, œuf, peut être envisagé, en raison de l'analogie de la forme). (T.L.F.) Ici, la sœur de Bloch ne semble mettre aucune nuance péjorative dans le mot et l'utiliser dans le sens d' « individu ». Remarquons que le maître d'école de *Jean Santeuil*, Rustinlor, qui présente bien des traits de ressemblance avec Bloch (voir note 88), disait que « Racine est un assez vilain coco » (*JS*, p. 239).

Philippe Auguste Villiers de L'Isle-Adam (1838-1889) provoqua dès ses débuts l'enthousiasme des auteurs du *Parnasse contemporain*, et Catulle Mendès (1841-1909) fut considéré comme un des fondateurs de l'école dite parnassienne. Il est donc logique que la sœur de Bloch, pleine d'admiration pour son frère (qui, lui, est un fervent des parnassiens) place ces écrivains dans la catégorie des « grands bonshommes ». L'interpellation des artistes par leur prénom semble à la mode à l'époque où se situe le roman, puisque Saint-Loup appelait Hugo « Victor ». La sœur de Bloch croit peut-être que « Villiers » est le prénom de Villiers de L'Isle-Adam.

98. L'œuvre de l'écrivain allemand d'origine française Adalbert Chamisso de Boncourt : *Peter Schlemihl*, est l'histoire d'un homme qui a perdu son ombre. Dans le dialecte juif-allemand évoqué par le narrateur, « Schlemihl » signifie « idiot ».

99. Mme Jane Dieulafoy (1851-1916) avait, avec son mari, participé aux fouilles du palais de Darius à Suse, en 1885. Elle reconstitua la fresque représentant une chasse aux lions, qui est conservée au Louvre. Jane Dieulafoy était la nièce du professeur Georges Dieulafoy qui sera mis en scène, lui aussi, dans *Le Côté de Guermantes* (*Gu.II*, p. 78, 84, 85).

Khorsabad est le nom moderne de Dur Sharrukui, une capitale du Nouvel Empire assyrien entièrement construite par le roi Sargon à la fin du VIIIᵉ siècle av. J.-C. et abandonnée à la mort de celui-ci. Le site fut d'abord fouillé par les archéologues français P.-E. Botta en 1843-1844 et V. Place en 1851-1855. Le Louvre possède quelques peintures et sculptures de la ville, notamment les célèbres taureaux androcéphales, hauts de 4,20 m et dotés de cinq pattes de façon à être vus aussi bien de face que de profil. Ils étaient les gardiens des portes de la ville.

100. Ép. BN : « ... de la psychologie des menteurs [à un point de vue, comme il disait, « balzacien » (biffé)].

101. Éd. 1918 : « Athènes ». Bloch, qui aime étaler sa culture, fait ici allusion au chant XIII de l'*Odyssée*. Ulysse vient d'arriver à Ithaque et y rencontre un jeune berger qui l'interroge sur son identité. Ulysse, qui se méfie du jeune homme, préfère mentir. Or, le jeune berger est, en fait, Athéna qui lui reproche de n'avoir pas dit la vérité.

102. Ménandre (vers 342-292 av. J.-C.) est un auteur comique athénien. Ses œuvres ont été très largement adaptées par Plaute. A l'exception du *Dyscolos* il ne nous est resté aucun texte complet de ses pièces. Les critiques de l'Antiquité le considéraient comme le plus grand poète de la nouvelle comédie attique.

Kalidasa est un poète indien des IVᵉ-Vᵉ siècles, auteur du drame *Sakuntala* traduit en français en 1803.

103. Voir note 107 de la première partie.

104. Allusion à la comédie de Labiche, *L'Affaire de la rue de Lourcine* (1857) qui raconte les mésaventures de deux anciens condisciples de la pension Labadens. Ceux-ci ont fêté avec excès le banquet annuel de la pension ; ils se réveillent dans le même lit et

lisent un vieux journal, ce qui les entraîne dans toute une série de quiproquos.

105. Il s'agit de la fille du comte de Paris, Amélie de Bourbon-Orléans, reine du Portugal de 1889 à 1908. Son frère Philippe est le duc d'Orléans (neveu de Louis-Philippe).

106. Proust pense sans doute au tableau de Dante Gabriel Rossetti : *Ecce Ancilla Domini* (1850).

107. Éd. 1918 : « ... si elle ne lui disait pas... »

108. Une voix de rogomme est un terme populaire pour désigner une voix que l'abus des liqueurs fortes a rendue rauque ; « rogommeuse » semble un néologisme.

109. Ép. BN : « ... qui tranchait au milieu des autres, placée là par la fantaisie d'un Rubens ; d'une autre, [au nez busqué de jeune homme (biffé)] au visage blanc comme un œuf... »

110. Par métonymie, coiffure de femme sans bords qui ressemble à celle des joueurs de polo (T.L.F.)

111. Au masculin : génie qui, dans les contes persans, joue le rôle attribué aux fées dans les nôtres. Au féminin : femme de ces génies (Littré). Proust pense peut-être ici au poème de Victor Hugo « La Fée et la Péri » (*Odes et Ballades*) où « La Péri » essaie de détourner un enfant de la route des cieux en l'entraînant dans son Orient, « jadis le paradis du monde », et affirme : « Des Péris je suis la plus belle ; / Mes sœurs règnent où naît le jour ; / Je brille en leur troupe immortelle / Comme entre les fleurs brille celle / Que l'on cueille en rêvant d'amour. »

112. Ép. BN ms. : « attique ».

113. Ép. BN ms. : « un regard banal ».

114. Éd. 1918 : « désespéré de peur ne pas pouvoir... » Ép. BN imp. : « désespéré de [ne pas les connaître (biffé)], pour ne pas pouvoir... ». Proust n'ayant pas barré « de », l'imprimeur a éliminé la virgule et remplacé « pour » par « peur ». Clarac et Ferré (*RTP*), négligeant la virgule, ont supposé que Proust avait oublié de barrer « pour ». Il me semble plus vraisemblable qu'il a omis de biffer « de ».

115. D'après Annie Barnes, il est difficile de déterminer ce que Proust entend par rosier de Pennsylvanie. Les botanistes qu'elle a interrogés ont pensé qu'il s'agissait d'une espèce de Rosa Carolina à fleurs doubles (« Le Jardin de Marcel Proust : pour le cinquantenaire des « Jeunes Filles en fleurs », *The Modern Language Review*, juillet 1969, volume 64, n° 3).

116. *Athalie*, acte II, scène 9, vers 837-838 : « Pendant que le pauvre à table / Goûtera de ta paix la douceur ineffable. »

117. Ép. BN imp. : « ... je le priai de me faire apporter les dernières listes d'étrangers, mais pas seulement cela. Si le désir que,

tel jour, nous éprouvons a pour effet de nous transporter, habitant
inconnu de l'homme que nous étions hier dans une zone nouvelle,
nous en tirons l'avantage que dans cette zone, tout est harmonisé, se
dégrade par des différences aussi petites que possible qui nous
conduisent du plaisir que nous ne pouvons pas atteindre à des
plaisirs du même genre [...] qui seront plus accessibles. Il y a des
soirs où, peut-être parce que nous sommes fatigués de récentes nuits
trop actives, nous nous remettons à désirer une certaine femme qui
n'est pour nous qu'une amante platonique. Mais elle est loin,
impossible à voir. En jouant du piano à quatre mains avec une autre,
en appelant la manucure, en faisant un tour de valse avec une
troisième, nous restons dans la gamme de ces attouchements sans
conséquence qui sans exaucer tout à fait notre désir nous aideront à
le tromper. Un autre jour où nous aurons la nostalgie du coucher du
soleil sur les canaux d'Amsterdam sans pouvoir partir pour la
Hollande, nous irons voir dans une collection — ne jetant pas même
un regard à la peinture italienne — tel portrait de femme, par
Rembrandt, portrait acheté récemment à une vente, mais qui
pendant des siècles regarda au bord de l'Herengracht les feuillages
jaunis par l'automne précoce tomber devant lui et est un exilé de
Hollande [...] Aujourd'hui, à cause de l'ébranlement causé par le
cortège de jeunes filles, je continuais à les imaginer, à penser à elles
et je désirais à défaut de les connaître, parcourir cette région de
vignobles où j'imaginais qu'elles allaient en bicyclette, et auquel
[sic] me faisait penser aussi leur beauté dorée par le soleil. Mais cette
même excursion m'était impossible — Seulement dans un grand
hôtel comme celui de Balbec, où il y avait un personnel toujours
prêt et des ressources d'une infinie variété — d'ailleurs inutiles pour
le cas présent, dans le garde-manger du « grill room » se trouvait
une manière pour ainsi dire immobile, de faire à toute heure
l'excursion qu'on souhaitait [Ne pouvant connaître les jeunes filles
ni partir en bicyclette pour une région de vignobles où je ne serais
arrivé qu'à la nuit, (biffé)]. Je demandai au lift [...] de me faire
monter une belle grappe de raisin.

Je sortis de l'ascenseur... »

118. Il s'agirait, d'après Maxime Arnold Vogely, d'une allusion à
des esquisses d'oiseaux de Pisanello (av. 1395-ap. 1450), conservées
au Louvre.

119. Placards Grasset : « ... dans les verreries de Gallé.

Mais le plus souvent il faisait beau. Et parfois sur la mer calme
des mouettes éparpillées flottaient comme des nymphéas que selon
l'heure je voyais blancs, jaunes, ou quand le soleil était couché,
roses. Elles semblaient offrir un but si inerte aux petits flots qui les
ballottaient que ceux-ci par contraste semblaient dans leur poursuite
avoir une intention, prendre de la vie. Puis tout d'un coup,
s'échappant comme d'un déguisement de leur incognito de fleurs les
mouettes montaient toutes ensemble vers le soleil, tandis que de
l'extrémité la plus éloignée de la Côte, ne daignant pas voir leurs
yeux [sic] un grand oiseau solitaire et hâtif fouettant l'air du

mouvement régulier de ses ailes, passait à toute vitesse au-dessus de la plage tachée çà et là de reflets pareils sur le sable à de petits morceaux de papier rouge déchirés, et la traversait dans toute sa longueur, sans ralentir son allure, sans détourner son attention, sans dévier de son chemin comme un émissaire, qui va porter bien loin de là un ordre urgent et capital.

Bientôt les jours diminuèrent... » Le paragraphe a été imprimé sur les épreuves BN où il a été biffé par Proust. Il n'y présente qu'une seule variante par rapport à la version Grasset : « yeux » a été corrigé en « jeux ».

Émile Gallé (1846-1904) fonda en 1890 une école d'art appliqué à l'industrie : « l'École de Nancy ». Son œuvre de verrier obtint un énorme succès aux Expositions universelles. Il s'est fondé sur l'amour et l'étude raisonnée de la nature et, en botaniste expérimenté, il a exploité le thème végétal pour ses décors mais aussi pour ses vases.

120. Éd. 1918 : « à mes retours de promenade et m'apprêtais ». Ép. BN imp. : « quand je rentrais de mes promenades et m'apprêtais... » Proust a biffé « quand je rentrais » pour le remplacer par « à mes retours » mais ne s'est pas aperçu de l'incohérence que sa correction entraînait pour le reste de la phrase. Nous choisissons donc de rétablir le texte original des épreuves BN.

121. Les corrections de Proust sur ép. BN ont été mal comprises de l'éditeur et donnent un texte incohérent dans l'éd. de 1918 : « par l'horizon tellement de la même couleur que lui, ainsi que dans une toile apparaissait impressionniste, qu'il semblait... » Nous reproduisons donc le texte corrigé par Proust sur ép. BN.

122. Éd. 1918 : « son avant et les cordages en lesquels elle s'était amincie et filigranée... ». Ép. BN : « [sa coque (biffé)] son avant et les cordages en lesquels elle s'était amincie et filigranée. » En remplaçant « coque » par « avant » Proust oublie de corriger la suite de son texte.

123. Titre du portrait de Lady Meux par Whistler (1834-1903). Ce peintre et graveur américain, installé à Londres dans le quartier de Chelsea, admirateur de l'art japonais et de Manet, s'est particulièrement attaché à étudier les harmonies chromatiques.

124. Ép. BN imp. : « ... les dernières listes d'étrangers et trois grappes de raisins, pareilles aux deux moments différents d'un orage : l'une, courroucée, biblique, noire comme le ciel où Dieu va tonner ; l'autre, verte comme le jour qui tombe des feuilles avec la pluie ; je pris la troisième qui suspendait à un branchage déjà sec l'or d'une journée d'automne et je commençai à parcourir l'ombre lumineuse et fraîchissante de cette grappe où sur plus d'un grain un coup de bec était fidèlement noté afin que ma déambulation imaginaire le long de la treille fût bien complètement restituée et que je ne manquasse pas d'entendre dans le pampre sous l'azur pâlissant, le vol interposé des oiseaux.

Aimé, avant de se retirer... »

125. Voir note 97 de la première partie.

126. Ép. BN ms. : « éblouissant et instable ».

127. Le mot est utilisé par Proust dans son acception militaire : « regagner son corps ».

128. Selon l'idéalisme subjectif (Berkeley, Fichte), c'est le moi (c'est-à-dire l'âme en tant que conscience d'elle-même), qui engendre le non-moi (l'ensemble des réalités extérieures considérées comme objets distincts du moi). Le phénoménisme en tant que doctrine philosophique fait ressortir le caractère purement subjectif des qualités des corps par opposition au réalisme grossier d'après lequel les choses sont réellement telles qu'elles apparaissent. Berkeley va jusqu'à nier l'existence de la matière qui, selon lui, ne serait qu'une simple association de sensations. Le phénoménisme absolu rejette la notion de substance, qui n'est qu'un produit de l'association des idées. Seul reste l'esprit pensant pour un idéaliste absolu comme Hegel.
Rappelons que Proust était licencié en philosophie.

129. En argot, « faire des queues à quelqu'un » signifiait « lui faire des infidélités ». L'expression ne s'emploie plus guère. « Truffe », désigne familièrement une personne stupide.

130. Ép. BN ms. : « ... au bord du plateau et devant lequel, [grâce à une mise en scène très raffinée, les acteurs (biffé)] pendant que derrière, on procède... »

131. Allusion à Amphion, fils de Zeus et d'Antiope, poète et musicien. D'après la légende, il se mit à chanter et à jouer de la lyre devant les murs en ruine de Thèbes et au son de sa musique les pierres se placèrent d'elles-mêmes et les remparts furent ainsi reconstruits comme par enchantement.

132. Éd. 1918 : « Peut-être n'en est-il pas de plus complètement subi par nous, que celui qui en vertu d'une force ascensionnelle comprimée pendant l'action, fait jusque-là, une fois notre pensée au repos, remonter ainsi un souvenir nivelé avec les autres par la force oppressive de la distraction, et s'élancer parce qu'à notre insu il contenait plus que les autres un charme dont nous ne nous apercevons que vingt-quatre heures après. »

133. Embranchement d'animaux surtout marins, dont le corps, formé de deux parois entourant une cavité digestive, est muni de cellules, de même que l'hydre, la méduse, le corail, et les madrépores (auxquels sont comparées à la page suivante les jeunes filles). Ils ont un squelette calcaire, le polypier, sécrété par chaque polype et séparant les individus d'une même colonie.

134. Ép. BN imp. : « ... individuellement que [comme les fleurs de tilleul dans le sac pharmaceutique de ma tante (biffé)] par le raisonnement... »

135. Terme ancien d'astronomie plutôt utilisé comme adjectif et désignant des étoiles qui ne se trouvent pas comprises dans les constellations formées par les astronomes (étoiles sporades).

136. William Hogarth, peintre et graveur anglais, né à Londres (1697-1764). Ses portraits de seigneurs et de bourgeois dénoncent les hypocrisies et les conventions sociales. Son œuvre est très souvent satirique et il entend créer une peinture des caractères et des mœurs. Son portrait de *La Famille Jeffreys* (Barnes, Londres, Coll. Jeffreys) représente l'avocat John Jeffreys, sa femme et leurs quatre enfants. Il existe une copie où figure le général H. B. Jeffreys à la place de l'avocat John.

137. Les ép. BN imp. donnaient : « car elles participaient... » Proust a remplacé « car » par « puisque » mais l'édition originale donne un autre texte, que nous reproduisons malgré la répétition de « comme » à la ligne suivante.

138. Ép. BN imp. : « ... l'amour d'autre chose. [À cela se mêlait la crainte de ne pas les voir, ces hausses folles que subissait pour moi la valeur de Gilberte les jours où il pourrait pleuvoir, et du fait que sa mère ne voulût pas m'inviter à goûter, puis le désir sexuel errant, en quête d'un prestige — Mais tout de même celui auquel il s'était momentanément fixé, c'était la mer. De sorte que je me demande si ce que nous aimons dans la vie, ce qui nous fait plaisir tant de soirs, ce qui nous fait quitter nos parents, torturer une maîtresse, ce n'est pas quelque chose de tout autre que nous croyons, quelque chose sans doute qui ne nous cause tant de désirs et de troubles que dénaturé, [...] quelque chose qui n'est pas un être et qui prête momentanément aux êtres sa valeur, une cathédrale, une vallée, dans le cas actuel au bord des montagnes bleues de la mer, au soleil, une plage. (biffé.)] Ma grand-mère [à laquelle je préférais les jeunes filles sous les espèces de qui je pensais à la mer, estimait la conversation d'un homme supérieur, aussi puissante pour former et affermir un être que le vent du large, et qui craignait d'autant moins en faveur de la première me priver du second qu'il était déconseillé, comme un peu trop excitant par le médecin, s'étonnait de me voir remettre de jour en jour cette visite à Elstir, errer comme une âme en peine sur la digue. Ayant toujours pensé que la seule fortune enviable des princes était d'avoir pu avoir pour précepteurs des Labruyère et des Fénelon ; elle (biffé)] me témoignait, parce que maintenant je m'intéressais au golf... » Dans une version antérieure Gilberte a été une jeune fille de Balbec. Au stade des épreuves BN, sa présence est pour le moins étrange...

139. Éd. 1918 : « Elle me témoignait... »

140. Ép. BN imp. : « ... l'œuvre de [Bergotte (biffé et remplacé par « Elstir »)]. Rappelons que dans *Jean Santeuil*, le personnage du peintre s'appelait Bergotte.

141. Jean Autret (*L'Influence de Ruskin sur la vie, les idées et l'œuvre de Marcel Proust*, Droz, 1955) a montré que la description,

qui va suivre, de l'église de Balbec par Elstir, est un pastiche du livre d'Émile Mâle : *Art et artistes du Moyen Age*.

142. Église imaginaire située aux environs de Combray. (Voir *Sw.*, " Combray ", p. 255).

143. Odilon Redon (1840-1916) insista dès ses débuts sur le rôle de l'imagination dans l'art. Dans un compte rendu du salon de 1886 il écrivit : « Tout en reconnaissant comme base la nécessité de la réalité *vue*... l'art véritable est dans la réalité *sentie* », propos qu'aurait tout aussi bien pu tenir Elstir. La nouvelle génération de peintres, parmi lesquels Bonnard, Vuillard, Maurice Denis, le reconnut comme un maître. Il fut à la fois peintre, lithographe, pastelliste, aquarelliste et dessinateur, principalement au fusain. Les sujets religieux occupent une place importante dans ses œuvres.

144. Ép. BN ms. : « le jeune cycliste ».

145. Ép. BN imp. : « ... fleurs de pommiers [mais des fleurs qui n'étaient pour moi que des fleurs de chez le fleuriste, des fleurs pour Mme Swann, des fleurs qui par ce qu'elle m'en avait dit m'avaient l'air humides, luxueuses, des orchydées [*sic*]. Elstir tout en peignant s'éleva contre ce que je disais d'elles et commença à me raconter relativement à la merveille de leur fécondation de ces histoires que [blanc] contées, que d'autres suivantes ont complétées et, qu'enfin le livre de Metschnikof et les splendides essais de Maeterlinck ont rendu populaires. Il me parlait des ruses de celles qui forcent un insecte soit en lui donnant des morceaux charnus à manger après quoi elles le font trébucher dans un godet plein d'eau, d'où il ne peut s'échapper que par un couloir où il s'enduit les ailes de pollen [...] (biffé)].

146. Allusion possible à un opéra-comique, intitulé *Sacripant* (livret de Philippe Gille, musique de Jules Duprato) qui fut représenté pour la première fois à Paris sur le théâtre des Fantaisies parisiennes le 24 septembre 1866. Le héros, Giovanino, surnommé Sacripant, apparaît dans les deux dernières scènes déguisé en femme. Or, l'actrice qui interprétait Sacripant était elle-même une femme, Mme Goby-Fontanel. L'ambiguïté sexuelle du personnage était donc accrue à la scène par ce double travestissement : d'abord celui de l'actrice en homme, puis celui de l'homme qu'elle est censée incarner en femme.

147. Gabrielle d'Estrées (1573-1599), favorite de Henri IV, inspira, de son temps, le tableau le plus connu de l'école de Fontainebleau et, en 1855, à Auguste Maquet, un célèbre roman intitulé *La Belle Gabrielle*. Gabrielle fut aussi le prénom de celle qui remplaça Mme Renoir comme modèle principal du peintre à partir de 1901.

148. Ép. BN imp. : « ... ces parages sont désolés.
Car il introduisait en tout des différences esthétiques dans ce qui eût semblé pareil à bien des gens, dits gens de goût. Ainsi quand je

parlai avec dédain des restaurations il me dit qu'il y en avait de bien laides, et établit même des distinctions entre celles datant des différentes périodes de la vie de Viollet-le-Duc. Et puis, du côté d'Equenanville, les plages même me dit-il, la ligne des plages est ravissante... » La description du port de Carquethuit par Elstir a été inspirée à l'écrivain par ce que disait de Penn'march le peintre américain Harrison. Proust écrivait en effet à Georges de Lauris, dans une lettre datée par Philippe Kolb du 20 août 1903, qu'il préférait à la Pointe du Raz Penn'march, « sorte de mélange de la Hollande et des Indes et de la Floride (Harrison *dixit*)... ».

149. Pour « sporades », voir note 135. Les dictionnaires donnent « zoophyte » et non pas « zoophytique ». « Zoophyte » s'est dit « de tous les êtres vivants classés parmi les animaux mais dont l'aspect rappelle celui des plantes ; ainsi que des êtres que l'on considérait comme intermédiaires entre le monde animal et le monde végétal » (Littré).

150. Éd. 1918 : « Or, pouvais-je en d'autres raisons, puisque... » L'incohérence du texte de l'édition originale nous amène à donner la version des épreuves BN ms.

151. Ép. BN imp. : « ...le graphique négatif d'un réflexe. [Or, tout ce qui est de la vie profonde et inconsciente n'est pas supérieur chez les grands hommes que chez les multitudes. Les saignements de nez ou les hoquets de Goethe ne devaient pas différer de ceux de Françoise. (biffé)]. Elles étaient pressées... »

152. Proust a-t-il lu le *Promontorium somnii* (c'est-à-dire *Le Promontoire du songe*) de Victor Hugo, publié en 1901 dans l'édition par Calmann-Lévy des *Œuvres posthumes* (*Post-scriptum de ma vie*, p. 97-148) ? Hugo y parlait du « poète, ce dormeur qui a les yeux de l'âme ouverts », et expliquait que la « cime du Rêve est un des sommets qui dominent l'horizon de l'art ». Si le narrateur a besoin de l'éclairage du songe pour vivre, c'est sans doute parce qu'il est un créateur et qu'il vit, comme le poète décrit par Hugo dans « une sorte de monde à part [...] vague royaume plein du mouvement inexprimable de la chimère. Là on vit de la vie étrange de la nuée ».

153. Pseudonyme littéraire de Louise Cécile Vincens (1840-1908), collaboratrice du *Journal des Débats*, auteur d'études sur Bernardin de Saint-Pierre et Musset (1891-1903) et sur *Le Grand Siècle* (1901-1909). Elle révéla au public français les œuvres d'Ibsen, de Spencer, de Tolstoï.

154. Allusion au vers 4 de la fable de La Fontaine : « Le statuaire et la statue de Jupiter » (IX, 6) : « Un bloc de marbre était si beau, / Qu'un statuaire en fit l'emplette : / Qu'en fera, dit-il, mon ciseau ? / Sera-t-il dieu, table ou cuvette ? »

155. La céroplastie ou céroplastique est l'art de modeler la cire mais le mot « ciroplaste » n'est pas mentionné dans les dictionnaires.

156. Il s'agit en réalité de deux vers qui ne sont pas de Voltaire (dont le vrai nom était François Marie Arouet), mais de Corneille ; ils sont prononcés par Pauline, l'héroïne de *Polyeucte* (III, 2, vers 795-796).

157. Ép. BN : « C'est bien leur genre de chercher à faire l'aimable. » Mais Proust a corrigé et remplacé « faire l'aimable » par « faire les punaises ». Comme il l'a fait pour Norpois, pour Mme Swann et d'autres, il modifie à plusieurs reprises le langage d'Albertine pour le rendre plus caractéristique, ici d'un antisémitisme virulent dont les sources familiales nous ont été en partie révélées par Swann : les Bontemps, bien que M. Bontemps ait participé à un ministère progressiste, sont « réactionnaire[s], cléri-[caux], à idées étroites » De plus la fortune de cette famille a sombré dans le krach de l'Union générale (voir note 94 de la première partie), provoqué en partie par des milieux financiers israélites. Deux indications ultérieures nous montreront que l'antisémitisme d'Albertine lui vient de sa famille (voir p. 283 et note 164, ainsi que p. 299).

158. L'enthousiasme d'Albertine pour l'opéra de Mascagni est considéré par le héros comme une preuve de son mauvais goût. Proust comme beaucoup des intellectuels de son époque rejette l'opéra italien (il n'aime pas Verdi, ne parle presque pas de Puccini...). Il y a quelque humour, probablement volontaire, à faire qualifier d' « idéal » un opéra de l'époque vériste...

159. La politique de Jules Ferry, qui obtint en 1879 le porte-feuille de l'Instruction publique, tendit à éliminer tout élément ecclésiastique de l'État. Les crucifix qui se trouvaient dans les lieux officiels non religieux furent symboliquement enlevés. Waldeck-Rousseau (président du Conseil de 1899 à 1902), puis Combes (président du Conseil de 1902 à 1905) poursuivirent cette politique de laïcisation.

160. Éd. 1918 : « d'attacher, de leur donner de l'importance ». Ép. BN ms. : « d'attacher [de l'importance (biffé)], de leur donner de l'importance ». Proust a oublié de biffer « d'attacher ».

161. Pourtant, le héros a déjà été présenté à Andrée par Albertine (voir p. 276). Il semble que le narrateur (ou Proust ?) ne se souvient plus de cette première rencontre avec l'aînée des jeunes filles en fleurs.

162. Il s'agit d'une des *Allégories des vertus et des vices* de Giotto, fresques de la chapelle Scrovegni à Padoue (Madonna dell'Arena), qui est aussi appelée « L'Infidélité » : elle représente un homme (l'infidèle), tenant dans sa main une idole féminine qui lui a mis la corde au cou de façon à lui faire tourner le dos à Dieu, penché au-dessus de lui. Au cours de son séjour à Venise en mai 1900, Proust fit une excursion à Padoue où il alla admirer les fresques de Giotto.

163. Manuscrit (Cahier violet n° 21) : « C'est une bonne petite fille mais elle est énervante. » Une fois encore Proust tend à faire évoluer le langage d'Albertine vers un style plus populaire et plus caractéristique que celui qu'il lui avait prêté dans ses premières ébauches du texte.

164. De tendance réactionnaire et royaliste depuis qu'Arthur Meyer en avait repris la direction en 1882, *Le Gaulois* avait joué un rôle important dans le ralliement des monarchistes au boulangisme. Le bon ton y était de rigueur et les jeunes filles « bien élevées » pouvaient le lire sans rougir. Mais la référence d'Albertine, en nous apprenant que la famille Bontemps lit ce journal, nous donne encore une indication sur les origines de son antisémitisme (manifeste à propos de Bloch p. 274. Voir note 157), car *Le Gaulois* est résolument antidreyfusard.

165. Éd. 1918 : « soudains ».

166. Allusion probable au poète grec Hésiode qui, dans son poème *Les Travaux et les jours* (Proust, lui, a publié en 1896 *Les Plaisirs et les jours*), décrit les travaux saisonniers que les dieux ont réservés aux hommes et énumère les tabous et les interdictions que le laboureur doit respecter pour être agréable à Zeus.

167. Sainte Eulalie est devenue saint Éloi en Bourgogne (voir *Sw.*, " Combray ", p. 209).

168. Le héros a aimé un semblable effet de lumière sur la Berma jouant *Phèdre* et l'a avoué à Bergotte qui a répondu : « Moi je dois dire que je ne l'aime pas beaucoup [cette lumière], ça baigne tout dans une espèce de machine glauque, la petite Phèdre là-dedans fait trop branche de corail au fond d'un aquarium » (voir *JFF Ire p.*, p. 236). Elstir aurait sans doute aimé cet éclairage-là.

169. Cycle composé de neuf toiles qui appartient aux Galeries de l'Académie à Venise depuis 1812 et que Proust a pu admirer pendant son séjour dans la ville italienne en 1900. La première œuvre du cycle : *L'Arrivée de sainte Ursule à Cologne* fut achevée en 1490. Cinq ou six ans plus tard Carpaccio termine l'ensemble avec les scènes des *Ambassadeurs* et *L'Adieu des fiancés*.

170. Mariano Fortuny y Madrazo (1871-1949), fils du peintre espagnol Mariano Fortuny, sera souvent cité par Proust dans *A la recherche du temps perdu*. On comprend que Proust ait été fasciné par cet homme qui passa des années dans sa demeure de Venise, le palais Orfei, à se pencher sur le passé et à tenter de le ressusciter dans certaines de ses plus belles créations vestimentaires. *La Légende de Sainte Ursule* de Carpaccio évoquée par Elstir fait partie des œuvres qui lui ont servi de modèle. Aidé de sa femme Henriette, il créa de nombreux vêtements mais composa aussi des tableaux, des tables, tapis, tentures, objets précieux. Passionné par l'œuvre de Wagner, il décora plusieurs des mises en scène de ses opéras. Il est aussi à l'origine d'un système d'illumination scénique à lumière

indirecte et Proust qui décrit souvent les éclairages au théâtre a dû être vivement intéressé par cette découverte. Voir, pour une introduction à l'œuvre de Fortuny : *Mariano Fortuny, un magicien de Venise*, texte d'Anne-Marie Deschodt, photographies de Sacha Van Dorssen ; et, pour une étude détaillée de l'importance du motif de Fortuny dans l'œuvre de Proust, la présentation de *La Prisonnière* (GF, 1984) par Jean Milly, p. 28-36 : « Albertine et le motif Fortuny ».

171. Éd. 1918 : « de couturières, une ou deux ».

172. Les sœurs Callot, installées depuis 1895 au n° 24 de la rue Taitbout, lancèrent en effet les blouses en dentelle.

La maison Doucet et fils située au 17, rue de la Paix (1853-1928), était spécialisée dans les chemises, les mouchoirs unis et de luxe, les chiffres et armoiries brodés. Ses créations étaient d'une grande sobriété de composition, la couleur la plus employée étant le noir. Comme le fait remarquer Daria Galateria, Elstir a une prédilection pour l'élégance raffinée mais sobre.

« Cheruit, qui commença son activité en 1902 au n° 2 de la place Vendôme, représentait encore la mode parisienne à l'Exposition de San Francisco en 1915.

Mme Paquin, qui ouvrit sa maison en 1891, comptait parmi ses clients les reines d'Espagne, de Belgique et du Portugal, mais aussi des femmes du demi-monde ; elle était spécialisée dans les habits de bal qui associaient les satins et les velours » (Daria Galateria).

Callot, Doucet et Paquin seront encore évoqués dans *La Prisonnière* (GF, p. 134).

173. Le style de l'église Saint-Augustin de Paris, bâtie par Baltard de 1860 à 1871, s'inspire de la Renaissance italienne et de l'art byzantin. Devant l'église se dresse la statue de Jeanne d'Arc, par Paul Dubois, réplique de celle de Reims, ce qui inspire peut-être les propos d'Elstir.

174. Voilà des gâteaux qui permettent, comme la célèbre madeleine évoquée dans *Du côté de chez Swann*, de retrouver le temps passé. Mais ici la distance est moins grande entre le moment présent et Combray, et l'effet semble donc moins magique, d'autant plus que le souvenir est suscité consciemment.

175. Lorsque Proust évoque les œuvres de Bellini, il se réfère plutôt à Gentile Bellini (1429-1507) qu'à son frère Giovanni ou à son père Jacopo (voir *Sw.*, p. 201, 278, 490).

176. Jardin affecté à la culture des fleurs qui ne sont pas destinées à être vendues.

177. Mme de Sévigné faisait partie des spectateurs qui assistaient à la première représentation d'*Esther* donnée à Saint-Cyr le mercredi 26 janvier 1689. Elle parle de cette représentation à Mme de Grignan dans sa lettre du 28 janvier 1689.

178. André Guyaux et Maurice Paz ont publié la composition de

Gisèle dans la version du manuscrit autographe (conservée à la bibliothèque Bodmer, à Cologny, près de Genève). Cet état antérieur du texte présente de nombreuses variantes avec celui des éditions, où Proust a accentué en particulier l'ingénuité du style de la jeune fille et augmenté les anachronismes (voir *BIP*, n° 11, printemps 1980).

179. Boileau, *Art poétique*, III, vers 96-97.

180. Les deux pièces évoquées par Andrée abordent le même thème qu'*Esther* : les souffrances du peuple juif. *Les Juives* (1583), de Robert Garnier (1544-1590), sont l'histoire d'une vengeance : celle du roi des Assyriens Nabuchodonosor sur son ennemi vaincu qui l'a autrefois trahi, Sédécie, roi de Jérusalem. Quant à l'intrigue de la pièce de Montchrestien (1575-1621), elle est très proche de celle d'*Esther*.

181. Dans son *Discours historique et critique* écrit à l'occasion de sa tragédie des *Guèbres* (1769, non représentée), Voltaire écrivit en effet : « *Athalie* est peut-être le chef-d'œuvre de l'esprit humain ».

182. Gustave Merlet (1828-1891), professeur de français au lycée Louis-le-Grand où il tint jusqu'à sa mort la première chaire de rhétorique, est l'auteur de nombreuses études critiques et notamment d'*Études littéraires sur les classiques français de la rhétorique des classes supérieures et du baccalauréat ès lettres* (1875). Également professeur de français, Félix Deltour (1822-1904) publia en 1859 une étude sur *Les Ennemis de Racine*. Édouard, Alfred et Léon Gax-Desfossés traitèrent plusieurs sujets de dissertations destinés à des élèves du baccalauréat de lettres. Léon Gax-Desfossés (et non pas Gascq-Desfossés) a publié de son côté, en 1898, un *Théâtre choisi de Racine*, en introduction duquel, comme le fait remarquer Daria Galateria, il donne la citation de Voltaire évoquée quelques lignes auparavant par Andrée (voir note précédente).

183. Cf. les titres des œuvres du peintre Whistler (l'un des modèles présumés d'Elstir) : *Nocturne en noir et or, Harmonie en gris et vert, Note en rose et argent, Harmonie en or et marron*, etc.

184. Laura Dianti était la maîtresse du duc de Ferrare, Alphonse d'Este (1476-1534). On a quelquefois pensé qu'elle avait été peinte par Titien dans le portrait de *La Jeune Femme à sa toilette* (Paris, Louvre), mais l'identification est très incertaine. C'est cependant à ce portrait que pense sans doute Proust : une ravissante jeune femme se contemple dans un miroir en tenant dans sa main une partie de ses longs cheveux à moitié tressés. Éléonore de Guyenne (1122-1204) avait elle aussi la réputation de posséder une superbe chevelure. Mais la femme « si aimée de Chateaubriand » n'a aucun lien de parenté avec elle, contrairement à ce qu'affirme le héros. Il s'agit de la marquise de Custine, descendante en réalité de Marguerite de Provence : « La marquise de Custine, héritière des longs cheveux de Marguerite de Provence, femme de Saint Louis,

dont elle avait du sang » (*Mémoires d'outre-tombe*, Livre XIV, chapitre I).

Le petit-fils d'Éléonore, Henri III d'Angleterre, épousa Éléonore de Provence, sœur de Marguerite de Provence. D'où, peut-être la confusion de Proust.

185. Dans *Du côté de chez Swann* le héros commence à aimer les aubépines pendant le mois de Marie (voir *Sw.*, p. 217). Sa rencontre sur un petit chemin, de blanches et roses haies d'aubépines le met dans un état d'ivresse esthétique (p. 138-148) et lorsqu'il doit rentrer à Paris, sa mère le retrouve en larmes devant ses chères aubépines auxquelles il est venu faire ses adieux (p. 145). C'est devant la haie d'aubépines roses qu'il a rencontré Gilberte, et ces fleurs sont un peu la métaphore de toutes les jeunes filles qu'il a admirées et désirées.

186. Éd. 1918 : « qu'elle n'eût été ». Survivance d'une version antérieure.

187. Voitures légères et découvertes, à deux roues, à caisse basse, dans lesquelles on pénétrait par-derrière.

188. Ici, sur ép. BN imp., Proust expliquait comment Mme Bontemps avait embelli, mais cet embellissement de la tante d'Albertine ne subsistera pas dans les éditions : « ... de toute façon à la rencontrer. Cela m'était arrivé tout dernièrement mais sans que je la reconnusse ; j'avais bien aperçu une dame qui était venue passer quelques heures avec Albertine, mais qui avait l'air plus jolie et plus jeune que Mme Bontemps, laquelle n'avait pu, me semblait-il, que vieillir depuis le temps que je ne l'avais vue. [...] Par un procédé inverse de celui qui avait servi à son amie Mme Swann, Mme Bontemps avait connu tardivement la jeunesse. Mme Swann avait concentré ses traits qui étaient charmants, mais lâches ; Mme Bontemps pour adoucir les siens qui étaient laids et durs, grâce à une sorte de savant dérapage les espaça, les relâcha, les dispersa. Elle avait toujours eu un nez trop fort qui lui donnait l'air d'un Louis XIV roux. Or comme les personnes à qui il n'est pas possible d'augmenter leurs revenus, mais qui arrivent au même résultat en restreignant leurs dépenses, Mme Bontemps [...] noya dans des surfaces infinies ce nez qu'elle ne pouvait changer. De plus elle laissa tomber le long des oreilles de douces boucles si emmêlées que tout son visage en prenait un air de négligé, d'improvisation, qui laissait espérer, quand elle serait coiffée, un mieux dont son nez lui-même profiterait. Il paraissait non seulement diminué, mais provisoire, et le peu d'excédent qui lui restait semblait dû au désordre dans lequel on s'excuse de vous recevoir après une heure de migraine et qu'en réalité Mme Bontemps avait soin de conserver d'une façon permanente. Dans l'aristocratie à vrai dire la jeunesse vient plus vite, presque aussitôt après le mariage. Le mari a eu des maîtresses desquelles il a appris cet art des transformations ; ou bien il n'aime pas les femmes, et n'en a que plus de goût pour ces arrangements esthétiques de la femme. Je tâchai d'obtenir d'Elstir... »

189. Si l'on en croit les ép. BN, ce mot est « il paraît » mais Proust l'a barré sur ces mêmes épreuves.

190. Un scandale éclata en 1892 et discrédita certains des hommes politiques qui appartenaient au gouvernement. Une société, fondée par Ferdinand de Lesseps pour creuser un canal à travers l'isthme de Panama, avait fait faillite et dépensé en vain l'argent de 800 000 souscripteurs. Or, pour se procurer l'argent de ces souscripteurs, elle avait dû obtenir l'accord du Parlement et soudoyer certains parlementaires.

191. Romancière anglaise (1819-1880), auteur notamment du *Moulin sur la Floss* (1860) et de *Middlemarch* (1871-72). Voir note 118 de la première partie.

192. Éd. 1918 : « que je n'aurais pas su dire, de voir les autres la suivre plus tard... » Nous suivons la leçon des ép. BN.

193. Proust fut un fervent admirateur des Ballets russes de Serge Diaghilev, dont les premières représentations eurent lieu à Paris en 1909. Le peintre russe Léon Bakst (1866-1924) fit notamment les décors de *L'Oiseau de feu* (1910) (en collaboration avec Golovine), puis ceux de *Daphnis et Chloé* (1912), et de *Jeux* (1913).

194. Dans l'*Odyssée*, la fille de Cadmos, Leucothée, jadis Ino, se porte au secours d'Ulysse sur le point de se noyer. Cette déesse de la blanche lumière est également évoquée par Pindare et par Ovide, mais elle n'est pas nommée par Virgile.

195. Ép. BN imp. : « ... la vérification de ce qu'il a supposé. Et les jeunes filles qui de loin m'avaient paru une maîtresse de boxeur, une fourbe perverse, une cruelle dénuée aussi bien de respect humain que de pitié, — de près et maintenant que je connaissais la « légende » du dessin, le « programme » de la symphonie, étaient devenues : Albertine une jeune fille bourgeoise, sensible et loyale, pleine de cœur ; la dionysiaque Andrée une « intellectuelle » de la plus grande finesse ; [Berthe (biffé)] Gisèle une « raseuse » capable de grandes timidités. Et pour les êtres comme pour les choses, nous oublions si vite ce qu'ils ont signifié pour nous, [...] que je me rappelais rarement quelles étranges inconnues avaient été mes amies de maintenant. Puis je commençais à douter très fort que leur « mauvais genre » apparent correspondît [*sic*] à une certaine facilité de mœurs. Même il n'y en avait aucune que j'eusse encore osé embrasser, tout en n'étant pas absolument certain, qu'un jour, à force de ruses, je ne parviendrais pas à avoir l'une ou l'autre pour maîtresse.
J'avais remplacé dans leur cerveau... »

196. M. de Norpois avait de quoi s'étonner : Jules Ferry (1832-1893), ministre de l'Instruction publique en 1879, président du Conseil de septembre 1880 à novembre 1881, puis de février 1883 à mars 1885, n'écrivait pas de levers de rideau. Daria Galateria

suppose que le héros l'a confondu avec Gabriel Ferry, auteur dramatique, né à Paris en 1846.

197. L'île de Calypso est l'île d'Ogygie, dans la mer Ionienne. La nymphe Calypso y accueillit Ulysse naufragé et le retint dix ans.

198. D'après Homère et Hésiode, Minos serait né en Crète et serait le fils de Zeus et de la nymphe Europe. Roi puissant et sage, Minos aurait donné naissance à une dynastie et à la civilisation minoenne. Proust pense peut-être au palais de Knossos « Grandville de ce roi Minos que le grand Zeus, tous les neuf ans, prenait pour confident » (Homère). L'existence de Knossos fut suggérée par Schliemann interprétant la légende homérique en tant que source historique et, en 1900, l'archéologue Arthur Evans (1851-1941) dégagea le palais : la mythologie faisait place à la réalité.

199. Le « Tireur d'épine », sculpture de bronze de l'époque hellénique, est une des plus belles pièces du palais des Conservateurs, à Rome. Proust a sans doute vu sa reproduction au Louvre.

200. Allusion à l'Ancien Testament (*Exode*, XIII, 21) : « L'Éternel allait devant eux, le jour dans une colonne de nuée pour les guider dans leur chemin, et la nuit dans une colonne de feu pour les éclairer, afin qu'ils marchassent jour et nuit. La colonne de nuée ne se retirait point de devant le peuple pendant le jour, ni la colonne de feu pendant la nuit. »

201. Nous donnons en annexe la version des placards Grasset et celle des épreuves BN pour la fin du roman. Voir aussi notre introduction p. 31 de la première partie.

RÉSUMÉ

DEUXIÈME PARTIE

NOMS DE PAYS : LE PAYS

(Premier séjour à .Balbec, jeunes filles au bord de la mer.)

Voyage Paris-Balbec

Deux ans après : départ pour Balbec (7). Je ne sais pas encore l'influence que doit avoir sur ma vie « la famille du Ministère des Postes ». La meilleure part de notre mémoire est hors de nous (8). Les restes de mon amour pour Gilberte sont détruits par le départ (9). Les gares ne font pas partie de la ville mais contiennent l'essence de sa personnalité. Elles sont aussi des lieux tragiques (10). J'ai appris que quelle que soit la chose que j'aimerais, elle ne serait jamais placée qu'au terme d'une poursuite douloureuse (11).

Ma grand-mère souhaite que nous refassions le trajet de Mme de Sévigné (12). Ma mère essaie de me consoler de notre séparation (14). Goût infaillible et naïf de Françoise (15). À certains êtres, il n'a manqué, pour avoir du talent, que du savoir (16).

Apaisement causé par l'alcool (17). Ma grand-mère n'aime pas me voir ivre. Ses deux auteurs de prédilection : Mme de Sévigné et Mme de Beausergent (18). Je sens grandir mon admiration pour Mme de Sévigné. Elle est de la même famille qu'un peintre que je vais rencontrer : Elstir. Ma grand-mère passe la nuit chez une amie ; je reprends seul le train (20).

Une jeune fille venue vendre du lait sur le quai d'une gare me donne une intense impression de bonheur (22). L'église de Balbec n'est pas au bord de la mer (25). Visite de l'église de Balbec (26). Déception (27). Je retrouve ma grand-mère au train (28). Je ne reconnais pas les villes qui portent des noms auxquels j'ai rêvé (29).

Le Grand-Hôtel de Balbec, ses clients, ses employés

Ma grand-mère discute à ma grande honte le prix de la chambre avec le directeur de l'hôtel (30). Mon désir de rentrer à Paris (32). Le lift ne répond pas à mes questions (33).

Pas de place pour moi dans la chambre de Balbec à laquelle je ne suis pas habitué (35). Apaisement procuré par la présence de ma grand-mère (36). Elle tient à me déshabiller et à déboutonner elle-même mes bottines. Nos chambres sont séparées par une mince cloison. Appel à ma grand-mère par trois coups frappés contre la cloison (37). Je ne veux pas d'une éternité où ceux que j'aime ne seraient plus (39) et qui serait une vraie mort de moi-même (40).

Mon admiration devant la mer (41). Réminiscences baudelairiennes (43). Ma grand-mère ouvre un carreau et tout s'envole dans la salle à manger du Grand-Hôtel. L'hôtel se compose de personnalités éminentes de la région (44). Leur mépris à l'égard de ceux qui ne semblent pas faire partie de la même classe sociale qu'eux (46).

Morgue de M. et Mlle de Stermaria, qui les préserve de toute sympathie humaine. Une actrice, son amant et deux aristocrates font bande à part (50). Loin d'être comme tous ces gens, je me soucie de la plupart d'entre eux et souhaite qu'ils me remarquent (52). Charmes de Mlle de Stermaria (54).

Apparition de la marquise de Villeparisis. Types humains semblables (55). Ma grand-mère feint de ne pas voir Mme de Villeparisis, qui pourrait nous empêcher de profiter pleinement du grand air (56).

Le bâtonnier a reçu à dîner M. de Cambremer, ce qui impressionne ses relations de l'hôtel (57). J'observe Mlle de Stermaria (59) et je voudrais m'emparer des paysages enclos dans la mémoire de cette jeune fille pour la posséder (61).

Certains repas rendus encore plus intimidants par la présence du propriétaire (62). Liaisons de Françoise avec le personnel de l'hôtel, ce qui nous rend la vie incommode (63).

Ma grand-mère et Mme de Villeparisis s'abordent enfin (65). Attitudes différentes d'Aimé et de Françoise face à la noblesse (67). Amabilité de Mme de Villeparisis (68) mais elle n'apprécie pas Mme de Sévigné (69).

Rencontre avec la Princesse de Luxembourg qui semble nous considérer, ma grand-mère et moi, comme des animaux du Jardin d'Acclimatation (71). À notre étonnement, Mme de Villeparisis semble très renseignée sur le voyage de mon père en Espagne (73). Les bourgeois du Grand-Hôtel prennent la Princesse du Luxembourg pour une espèce de Baronne d'Ange (75). Le monde des bourgeois et celui des aristocrates ont l'un de l'autre une vue chimérique (76).

J'ai un accès de fièvre. Ma grand-mère accepte l'offre de Mme de Villeparisis de nous faire faire des promenades en voiture (77). Les Mers (78). Devant le porche du Grand-Hôtel est planté un chasseur comme un arbrisseau d'une espèce rare (79). Il ne s'occupe pas de Mme de Villeparisis et de sa voiture car il sait « qu'une personne qui amène ses gens avec soi se fait servir par eux » et « donne peu de pourboires dans un hôtel » (80).

Promenade avec Mme de Villeparisis (80). Pour Mme de Villeparisis, il semble qu'il n'y ait pas « d'autres tableaux que ceux dont on a hérité » (82). Elle est plus « libérale » que « la plus grande partie de la bourgeoisie ». Elle rit de mon admiration pour Chateaubriand, Balzac, Victor Hugo, tous reçus jadis par ses parents (83). Jeunes filles entrevues (85). Je reçois une lettre que j'espère être de la jolie laitière aperçue la veille : elle n'est que de Bergotte (88). Mme de Villeparisis nous mène à Carqueville pour voir l'église couverte de lierre (89). Rencontre avec une jolie pêcheuse (90). Les arbres d'Hudimesnil (91). Que me rappellent-ils ? Appartiennent-ils seulement à des paysages du rêve ? (93). Mme de Villeparisis se moque encore de mes admirations littéraires (96). Son seul manque de politesse est dans l'excès de ses politesses (99). Les qualités qui nous charment chez Mme de Villeparisis ne sont peut-être pas précieuses puisqu'elles ont manqué à de grands écrivains (102).

Je dis à ma grand-mère : « Sans toi je ne pourrai pas vivre » (103).

« *Premiers crayons de M. de Charlus et de Robert de Saint-Loup* [1] »

Première apparition de Saint-Loup (104). Son insolence (107). Il me témoigne une sympathie qui contraste avec sa première attitude (109). Il fait la conquête de ma grand-mère (111). Je me sens capable d'exercer les vertus de l'amitié mais non pas de l'éprouver en tant que sentiment (113). Saint-Loup n'est plus qu'un objet, « le noble », que ma rêverie cherche à approfondir (114).

Antisémitisme de Bloch (115). Sa mauvaise éducation. La fréquence des vertus n'est pas plus merveilleuse que la multiplicité des défauts (118). M. Bloch père m'éclaire sur la personnalité de son fils (123). Saint-Loup attend un oncle, nommé Palamède (127). Il me parle de cet oncle, assez gentil, imité de toute la haute société (129). Rencontre avec un homme étrange, qui me fixe avec des yeux dilatés par l'attention (130). L'inconnu est l'oncle de Saint-Loup (133). Je suis étonné d'apprendre que Mme de Villeparisis est une Guermantes (134). Palamède de Guermantes, appelé le Baron de Charlus, est l'homme qui m'avait fixé autrefois à Tansonville (135). Il est sympathique à ma grand-mère (135).

Il m'invite pour ce soir chez Mme de Villeparisis (138). Lorsque j'entre avec ma grand-mère dans la chambre de Mme de Villeparisis, Charlus fait semblant de ne pas nous avoir invités (139). Il parle des lettres de Mme de Sévigné comme eût fait ma grand-mère (142). Son admiration pour Racine en antagonisme avec celle de Saint-Loup pour Victor Hugo (144). Il me rend visite dans ma chambre (146). Sa vulgarité soudaine, puis son air glacial (147).

« *Dîner chez Bloch* »

« De quelqu'un qu'on admire, on recueille, on cite avec admiration, des choses très inférieures à celles que, livré à son propre génie, on refuserait avec sévérité » (149). Il y

---

1. Lorsque c'est possible nous utilisons les sous-titres donnés par Proust dans la table des matières (voir p. 447). Mais ces sous-titres ne couvrent pas toutes les parties du texte.

avait « enclavé en mon camarade Bloch, un père Bloch qui
retardait de quarante ans sur son fils » (150). Succès de
Bloch auprès de ses sœurs (151). M. Bloch juge Bergotte
(152). Pour sa famille c'est un « faux Duc d'Aumale » (153).
Le Cercle des Ganaches (154). D'après M. Nissim Bernard,
Bergotte est « une espèce de Schlemihl » (155). Mythomanie
de Nissim Bernard (156). Avarice de M. Bloch (158).
« Gaffes » de Bloch, qui traite Charlus de « fantoche » et de
« gaga de la plus haute lignée » (159). Bloch et Mme Swann
dans le train de ceinture (160).

*Bloch et Saint-Loup jugés par Françoise. Liaison de Saint-
Loup avec une actrice*

Françoise déçue par l'allure de Bloch et par les opinions
républicaines de Saint-Loup. Mais elle se persuade que ce
dernier est « hypocrite » et lui pardonne (161). Or la
sincérité et le désintéressement de Saint-Loup sont absolus.
Prévention et partialité de celui-ci envers l'aristocratie (162).
Ses proches déplorent sa liaison avec une femme « de
théâtre » (163). Ses prévenances à l'égard de sa maîtresse
(164) ouvrent « son esprit à l'invisible », mettent « du
sérieux dans sa vie, des délicatesses dans son cœur ». Mais il
a tiré d'elle tout le bien qu'elle pouvait lui faire (165). À une
soirée chez la tante de Saint-Loup, elle récite des fragments
d'une pièce symboliste et l'assemblée se moque d'elle (167).

Séance photographique

Saint-Loup propose à ma grand-mère de la photographier. Je suis déçu qu'elle accepte avec coquetterie. Je lui
fais sentir ma désapprobation (169). Cette semaine, elle a
paru me fuir (170).

La petite bande des jeunes filles en fleurs

Je vois s'avancer cinq ou six fillettes, l'une d'entre elles
pousse devant elle une bicyclette (171). Elles ont toutes de la
beauté mais je n'en ai encore individualisé aucune (173).
L'aînée saute par-dessus un vieillard épouvanté, au grand
amusement de ses camarades (175). Individualisées mainte-

nant (177). Mon désir pour la jeune cycliste (178). Ces jeunes filles sont un exemplaire délicieux du bonheur inconnu et possible de la vie (182).

Les traits du directeur du Grand-Hôtel me sont devenus courants (183). Le langage du lift (184).

L'une des jeunes filles s'appelle Simonet (185).

« Les dîners de Rivebelle »

Les jours diminuent (188). L'attente du dîner à Rivebelle (189). Malgré les paroles encourageantes de Bergotte je n'arrive pas à commencer une étude critique ou un roman (194). Euphorie causée par l'alcool (195). Le spectacle offert par le restaurant (196). L'alcool m'enferme dans le présent (201). Mystères du rêve (206). Difficultés de se réveiller après un long sommeil (208). Les jeunes filles en fleurs ne sont plus des petites filles (210).

Le séjour de Saint-Loup touche à sa fin. Le soir, il continue à m'emmener souvent à Rivebelle (212).

Le peintre Elstir et les jeunes filles en fleurs

Saint-Loup et moi faisons la connaissance d'Elstir (214). Il m'invite à aller le voir à son atelier. Il aime à donner, à se donner mais, faute d'une société supportable, vit dans l'isolement (215).

Mlle Simonet recommence à me préoccuper (217). Le désir de rencontrer les jeunes filles m'ôte l'envie d'aller voir Elstir (218).

Je dois finir par obéir à ma grand-mère qui souhaite que j'aille chez le peintre (221). Laideur de la villa d'Elstir. Son atelier, laboratoire d'une sorte de nouvelle création du monde (222). Ses marines (223). Ses métaphores. Le Port de Carquehuit (224). Ses découvertes sur les lois de perspective (227). Il me révèle la beauté de l'église de Balbec (229). « Si un peu de rêve est dangereux, ce qui en guérit, ce n'est pas moins de rêve, mais plus de rêve, mais tout le rêve » (232).

Par la fenêtre d'Elstir j'aperçois Albertine Simonet (233). L'orthographe de ce nom de Simonet (234).

Je mets à jour une aquarelle qui me charme (237). L'aquarelle représente une femme travestie en homme : « Miss Sacripant » (239).

Arrivée de Mme Elstir que je trouve laide. Elle prendra de la beauté pour moi quand je découvrirai la période mythologique du peintre (240). Elle est l'incarnation du Beau que jusqu'ici il avait eu tant de peine à extraire de lui-même, elle est un portrait d'Elstir (241).

C'est par amour-propre et non pas par courage que je m'expose au danger à la place des autres (243).

Au cours de ma promenade avec Elstir, apparition de la bande des jeunes filles (245). Je reste en arrière pour faire croire à mon indifférence et je ne leur suis pas présenté (246). Plaisirs et chagrins rendus plus ou moins importants par les variations de nos croyances (248). La femme réelle tient peu de place dans l'amour que nous avons pour elle (249).

« Miss Sacripant » est un portrait d'Odette de Crécy (252). Ce portrait ne ressemble pas à Odette mais à toutes les femmes peintes par Elstir (254).

Je découvre qu'Elstir est M. Biche (255). « On ne reçoit pas la sagesse, il faut la découvrir soi-même » (256).

Le départ de Saint-Loup

Ma grand-mère offre à Saint-Loup des lettres autographes de Proudhon (258). L'invitation à peine polie de Saint-Loup à Bloch réjouit pourtant ce dernier (259). Lettre d'amitié que m'écrit Saint-Loup (260).

Depuis que j'en ai vu dans les aquarelles d'Elstir, j'essaie de trouver la beauté dans la vie profonde des « natures mortes » (261).

« Albertine apparaît »

Je vais à une matinée chez Elstir où je rencontrerai Albertine (262). Albertine, en robe de soie, ne ressemble pas à la cycliste coiffée d'un polo qui se promenait le long de la mer (263). Je retarde de quelques heures le plaisir de lui être présenté (264). L'Albertine imaginée fait place à l'Albertine réelle (265).

Je la revois peu de temps après sur la digue : ses « bonnes façons » ont disparu et fait place au ton rude et aux manières « petite bande » (269). Octave (271), qualifié de gigolo par Albertine. Bloch la dégoûte (273). Elle me présente à

Andrée (276). Son goût pour *Cavalleria Rusticana* (277). Son mépris pour les demoiselles d'Ambresac. L'une d'elles serait fiancée à Saint-Loup (278).

Elstir a donné à Albertine le goût des toilettes raffinées, et des connaissances en peinture. Elle est très intelligente (279). Mensonge d'Andrée (280). Gisèle (281). Albertine agacée par mon intérêt pour Gisèle (282). Mon projet d'aller rejoindre Gisèle à la gare (284). Il suffit de voir à côté de ses jeunes filles leur mère ou leur tante, pour mesurer les distances que leurs traits auront traversées dans moins de trente ans (286). Différences entre Andrée et Albertine (288).

La bonne humeur de Françoise est en proportion de la difficulté des choses qu'on lui demande (291).

Je regrette que Balbec ne soit pas voilée dans les brumes mais les conversations avec Elstir m'apprennent à voir la beauté des journées torrides et ensoleillées et celle de l'intrusion, dans les paysages, de baigneurs, de yachtwomen, de jockeys, et de toutes les traces de la vie moderne (292). Goût difficile et exquis d'Elstir pour les toilettes féminines (294).

Les gâteaux et les tartes que je mange avec les jeunes filles me ressuscitent les goûters avec Gilberte, mais aussi Combray (300). Charme particulier des très jeunes filles (301). Je sacrifie l'amitié de Saint-Loup au plaisir d'être auprès des jeunes filles (302). L'amitié est une abdication de soi qui est funeste à la création artistique (303). Il y a dans le gazouillis des jeunes filles des notes que les femmes n'ont plus (305). Influence de leurs parents sur leurs traits, leur voix, leurs manières de parler (306). Albertine m'écrit « je vous aime bien » (308).

La composition de Gisèle sur la lettre de Sophocle à Racine (308). Andrée juge la dissertation de son amie et explique ce qu'il aurait fallu faire (309). Je suis amoureux de tout le groupe des jeunes filles (312). Multiplicité de l'être désiré (314).

La partie de furet me fait pencher pour Albertine (316). Elle est irritée par mon inattention au jeu (319).

Les aubépines défleuries (320).

La bonté d'Andrée n'est peut-être qu'une apparence (321).

Les Creuniers (323).

Je sais maintenant que j'aime Albertine mais je ne me soucie pas de le lui apprendre (325). Je cherche à connaître sa tante, Mme Bontemps (326). J'apprends qu'Albertine

doit venir coucher au Grand-Hôtel (328). Elle m'invite à
venir la voir dans sa chambre (330). Elle refuse de se laisser
embrasser (333). L'attraction exercée par Albertine (334).
Par nature, elle aime à faire plaisir, ce qui l'entraîne à
pratiquer un mensonge spécial à certaines personnes utilitaires, à certains hommes arrivés (337). Mes rêves se
retrouvent libres de se reporter sur telle ou telle de ses
amies. Je ne peux aimer Andrée qui est trop semblable à moi
(343). Notre connaissance des visages n'est pas mathématique (345). Variations du physique d'Albertine (346).
Les visages de mes jeunes filles ont changé pour moi de
sens (349).

La fin du séjour à Balbec

Les jeunes filles quittent Balbec (351). Le Grand-Hôtel
s'est vidé (352). Nous faisons connaissance avec les clients
qui restent (353). Il me faut quitter Balbec. J'oublie les
dernières semaines et revois les matins où je restais couché
dans l'obscurité de ma chambre pour me reposer (354).

ANNEXES

Les textes sont donnés avec leurs incohérences syntaxiques, mais les fautes d'orthographe et les coquilles évidentes de l'imprimeur ont été corrigées. Pour les références, on se reportera à la bibliographie.

Annexe n° 1

Rencontre avec Elstir (extraits de la version des placards Grasset de juin 1914).

Le plus grand charme qu'eut pour moi cette visite que je fis à l'atelier d'Elstir, ce fut d'ouvrir un champ nouveau aux désirs que j'avais apportés à Balbec et auxquels la réalité si différente n'avait guère répondu. Sans doute pour ce qui était par exemple, de l'église de Balbec [,] la conversation d'Elstir, les paroles qu'il me dit furent aussi efficaces que ses tableaux pour me faire oublier ma déception et à me faire [sic] souhaiter de revenir devant la vieille façade.

— Comment [!] vous avez été déçu par ce porche, mais c'est la plus belle Bible historiée que le peuple ait jamais pu contempler, je vous assure en aucun temps on n'a jamais rien fait d'aussi chouette. Cette vierge [...] c'est fou, c'est divin, c'est autrement chouette que tout ce que vous verrez en Italie [...] [1] ces mots : « église presque persane ». N'importe [,] ces autres mots, « délicieuse poésie, profondes pensées, poème d'amour en l'honneur de la Vierge », mon esprit les avait maintenant accueillis, ils l'avaient enflammé ; ils lui avaient rendu un désir nouveau d'aller devant le porche où je pourrais voir « la plus belle Bible historiée que le peuple ait jamais eue devant lui et les balustres de la Jérusalem céleste ». Un homme de grand goût venait de jeter en moi les fondements de nouveaux désirs. [...] peu à

---

1. Nous ne donnons pas la suite de la description de l'église de Balbec qui ne comporte que des variantes minimes par rapport au texte de l'édition (voir p. 229).

peu il s'en est développé un en moi-même qui, devant les
monuments, séance tenante, et même plus tard encore au
fur et à mesure que les déceptions de la vie [,] l'affaiblisse-
ment de ma pensée ou le dessèchement de mon cœur eurent
diminué ma faculté d'admirer [1], j'eus soin d'ajouter en moi à
l'homme de goût qui vieillissait un peu, un historien, un
érudit qui à Balbec par exemple devant les statues des
porches ou les vitraux des chapelles, au lieu d'écouter en lui
ce qu'éveillait leur vue cherchait à leur trouver un autre
intérêt que leur beauté artistique, en les rattachant à
l'histoire d'un saint dont le culte avait Balbec pour principal
centre [...] en cherchant dans les chansons de geste où il est
question des miracles de ce saint, pour voir si Balbec ou
quelque lieu approchant n'y était pas nommé, et quand
j'abaissais mes yeux sur le pavage de la nef et du chœur, en
cherchant à y lire des relations de la vieille église avec
l'histoire de France, les raisons qui firent que tel grand
écrivain y avait sa sépulture, que tel prince, dont je savais
que par son testament il avait demandé que son cœur fût
déposé dans un couvent de Paris, avait été enterré ici — me
consolant de ne pas recevoir la même impression poétique
que j'avais eue jadis à Combray devant les pierres tombales
pareilles aux alvéoles d'un miel durci, doré et doux.

Mais bien plus que ces conversations, ces tableaux avaient
changé la forme de mes rêves [...]. Par exemple à Balbec, je
m'étais toujours devant la mer, efforcé d'expulser du champ
de ma vision les baigneuses du premier plan, les yachts de
plaisance aux voiles trop blanches [2] comme un costume de
plage en coutil blanc, tout ce qui m'empêchait de me
persuader que je contemplais le flot immémorial qui déroulait déjà cette même vie mystérieuse avant l'apparition de
l'espèce humaine [,] jusqu'à ce que j'eusse vu dans l'atelier
d'Elstir une marine de lui où une jeune femme en robe de
barège, dans un yacht échenillant le long de ses drisses au
soleil et au vent, ses flammes multicolores, mit dans mon
imagination le « double » spirituel d'une robe de barège et
du grand pavois d'un yacht, qui réchauffa, y couva un désir
insatiable d'en voir [...] je ne rêvais que de revenir à Balbec
en plein été, pendant ces jours dont jusque-là l'ensoleille-
ment d'un temps radieux me semblait simplement cacher

1. Un verbe manque.
2. Des « yachtswomen » seront évoquées plus loin dans la version
définitive (voir p. 293) mais ici le texte se développe différemment.

sous la parure banale de l'universel été, cette côte de brumes et de tempêtes, et ces beaux jours n'être qu'une simple interruption au milieu de la réalité véritable, l'équivalent de ce qu'on appelle en musique une mesure pour rien. Maintenant vivait en moi le désir qu'ils revinssent, éveillé non seulement par l'aquarelle qui représentait les yachts mais aussi par une autre où au bord de la mer, pâlie, vaporisée par le soleil, [...] j'avais vu en contraste, dans l'eau encore mais tout au pied de la falaise, rose, gigantesque, friable et dentelée comme les arcs-boutants d'une cathédrale, les ombres qui étaient mises à l'abri et au frais, j'avais attendu avec impatience, la prochaine journée brûlante où je pourrais aller guetter dans l'eau, entre les rochers, ces déesses cachées qui évoquaient la luminosité et la chaleur d'un temps radieux, mieux peut-être que ne faisait l'horizon ensoleillé et blanc par leur beauté d'un vert glissant et verni, par leurs prunelles d'un blanc intense et sombre.

Quand j'avais vu, en descendant du train, l'église de Balbec [,] j'aurais voulu pouvoir la séparer des gens qui prenaient du café où était écrit le mot : « Billard ». [...] Elstir, me rendit moins exclusif, d'abord en me montrant de petites études de lui. [...]

Mais le même goût d'harmoniser la vieille église avec ce qui l'entourait, certains tableaux d'Elstir me l'avaient donné plus que ces petites études et d'une manière plus profonde. Dans ces petits dessins, presque tous à la plume, il n'était qu'un homme de goût, qui se souvient habilement de ce qu'il sait. Mais quand il faisait vraiment œuvre de créateur, dans ses grandes toiles, [...] il faisait un tableau afin de prendre les choses comme elles apparaissent, à ce moment premier le seul vrai, où notre intelligence n'étant pas encore intervenue pour nous expliquer ce qu'elles sont, nous ne substituons pas à l'impression qu'elles nous ont donnée les notions que nous avons d'elles, où devant une impression de bleu aérien comme en donne si souvent la mer, ou du bleu compact et liquide comme en donne si souvent le ciel, nous n'avons pas encore reconnu notre erreur et conclu à la suite d'un raisonnement que nous ne pouvons pas être en présence de celui de ces deux éléments que nous avions cru d'abord. Quand il peignait il n'avait plus de connaissances en archéologie ; [...] non seulement son « École communale » à Nemours valait, si elle ne lui était supérieure, son Abbaye de Verclay, mais [...] dans une même toile, représentant un coucher de soleil, la contemplation du peintre, placée comme au cœur des rayons roses du soir enveloppait d'un même amour et fondait dans une seule lumière la cathédrale et la poste. On lui reprochait dans ces tableaux-là où il se rapprochait un peu des impressionnistes de ne faire que des « effets » et de se contenter d'un art matériel, sans se rendre compte qu'au contraire aucun art n'était aussi purement spirituel. C'est parce qu'Elstir arrivait à composer entièrement sa toile, rien qu'avec des parcelles de réalité qui toutes avaient été personnellement senties, [...] qu'elle avait cette même unité profonde qu'ont nos impressions, et que les objets les plus différents pour l'érudit ou l'homme pratique — le chef-d'œuvre d'architecture et la bâtisse médiocre mais utile — y semblaient des accidents homogènes produits par un même regard. Et cette unité correspondait à celle de la nature; car tous ces monuments qui chez de très grands peintres, ayant traité les mêmes sujets, continuaient à rester isolés, comme dans une description exacte et composite, manifestent tous dans la nature à cette heure-là la loi d'optique. [...] En me montrant une petite étude qu'il venait de terminer et qui représentait une huître entrouverte en son bénitier calcaire doublé d'émail, sur les beaux plis d'une nappe damassée à côté d'un couteau brillant des reflets d'un jour terne, il avait fait autant que s'il m'eût donné ce chef-d'œuvre, ou plutôt il m'en avait donné mille, (le chef-d'œuvre quotidien que me présenterait indéfiniment, après chaque déjeuner, cette chose que jusque-là j'avais regardée avec ennui, une table desservie). De beaucoup des endroits dont j'avais entendu la première fois le nom quand avec ma grand-mère j'étais arrivé à Balbec par le petit chemin de fer d'intérêt local, Briseville, Fourgeville, Marville [,] en me montrant une étude, ou en me disant un mot, il m'avait désigné le charme [...].

[...] un « Effet de dégel à Briseville » que je vis dans l'atelier d'Elstir et où la dissimulation de toutes limites sous la glace cassée en mille morceaux et du milieu de laquelle s'élevaient des arbres presque entièrement défeuillés empêchait de savoir si on avait devant soi le lit d'un fleuve ou une clairière dans les bois, m'avait appris la beauté qu'il y a dans cette immense équivoque de reflets où l'œil ébloui est incertain s'il voit briller un morceau de glace azurée, ou une lueur de soleil sur l'eau, tandis que les feuilles mortes mêlées à la neige et aussi à la rousseur des cimes des arbres réverbèrent dans le ciel et son miroir glacé des lueurs roses comme un coucher de soleil qui dure du matin au soir. Aussi ce tableau me donna-t-il envie d'aller à Équenonville et j'avouai à Elstir qu'avec la pointe du Raz, c'était maintenant ce que j'avais le plus envie de voir.

— [...] La pointe du Raz c'est épatant, mais enfin c'est toujours la grande falaise normande ou bretonne que vous connaissez, poussée seulement au gigantesque. Équenonville (je vous parle de la côte) c'est tout autre chose, avec les rochers sur une plage basse ; je ne connais rien en France d'analogue. Cela rappelle plutôt certains aspects de la Floride. C'est très curieux[1]. [...] Et puis la plage même, la ligne de la plage y est ravissante tandis qu'à Balbec la plage est quelconque.

C'est ainsi qu'il introduisait en tout des différences, des qualités esthétiques qui m'enflammaient, comme quand, à propos d'une porte de l'église de Balbec lui ayant dit avec dédain, mais avec ennui, ce que je ne faisais que répéter [,] un lieu commun.

— Ce n'est pas intéressant, c'est restauré.

Il me répondit avec sévérité :

— Oh ! il y a restauration et restauration. C'est une belle restauration qui a été admirablement faite au XVIIᵉ siècle par un grand architecte ; c'est loin d'être sans beauté.

Le matin où j'étais allé le voir, il m'avait retenu à déjeuner, heureux d'avoir auprès de lui quelqu'un par qui il se sentait admiré, il avait su mettre un sens riche dans [...] les gestes [...] que les autres hommes qui n'en usent que par habitude ont laissé s'évider et devenir si secs. Au moment de me quitter il m'avait fait don de deux « Variations en opale » qu'il venait de finir et qui représentaient l'une, un curieux effet produit par les globes de gaz allumés sur la plage dans la nuit et un feu d'artifice qu'on tirait, l'autre la plage de Balbec irisée comme un arc-en-ciel par le prisme qu'y émiettaient d'innombrables méduses, transparentes comme de grandes girandoles mauves, bleuâtres et rosées. En le quittant j'aurais peut-être dû chercher à approfondir et à rendre féconde l'exaltation que cette visite m'avait donnée ; mais cette joie était restée stérile car je l'avais usée en courant de droite et de gauche dans un wagon noir où j'étais, me suspendant aux embrasses des portières, répétant tout haut : « Quel être adorable ! quel homme de génie...

---

1. Ce passage a été repris sous une forme différente. Voir p. 245.

Annexe 2

La fin du roman
1. La version des placards Grasset

Grasset A et Grasset B donnent une fin très différente de celle de l'édition définitive. Nous donnons ici des extraits du texte de Grasset B, en indiquant en notes, les variantes par rapport à Grasset A.

Mais nous restâmes peu de temps à Bricquebec après le départ de Montargis dans l'hôtel qui n'allait pas tarder à fermer et n'avait jamais été si agréable, où parfois la pluie nous retenait, le casino étant fermé, dans les pièces presque complètement vides comme à fond de cale d'un bateau quand le vent souffle, et où chaque jour, comme au cours d'une traversée, une nouvelle personne d'entre celles près de qui nous avions passé trois mois sans les connaître, le premier président de Rennes, le bâtonnier de Caen, une dame américaine et ses filles, venaient à nous, entamaient la conversation (ce qui me donnait le plaisir de rester long-temps à table, au moment admirable et quotidien où sur la table desservie les couteaux traînent au milieu des serviettes défaites[1]), inventaient quelque manière de trouver les heures moins longues [...] nouaient avec nous sur la fin de notre séjour des amitiés que le lendemain leurs départs successifs venaient interrompre[2]. La brièveté des journées

1. Cette réflexion entre parenthèses n'apparaissait pas dans Grasset A.
2. Ce qui suit, jusqu'à : « — Oh ! j'aime mieux celle que j'ai, elle est très bien », n'apparaissait pas dans Grasset A.

me donnait d'ailleurs le plaisir de pouvoir allumer l'électricité de bonne heure dans ma chambre et de m'enchanter de ces effets qu'Elstir avait rendus avec subtilité. Malheureusement il n'y avait plus de feu d'artifice. J'aurais tant aimé en voir.

— On n'en tirera plus, demandai-je au directeur.

— Oh ! non, nous sommes tout à fait à la fin de la saison. C'était aussi l'avis du lift [...].

— Et des régates il n'y en aura plus.

— Encore moins.

— J'aurais si envie d'en voir.

— Mais vous en avez vu de magnifiques il y a deux mois.

— Oui... mais...

— Il faudra revenir l'année prochaine ; je pourrai vous donner de meilleures chambres.

— Oh ! j'aime mieux celle que j'ai, elle est très bien.

Je fis même la connaissance du jeune homme riche, d'un de ses deux amis nobles et de l'actrice [...] Ils m'invitèrent à venir dîner avec eux dans leur restaurant. Je crois qu'ils furent assez contents que je n'accepte pas. Mais ils avaient fait l'invitation le plus aimablement possible [...]

— Vous ne nous ferez pas le plaisir de venir dîner avec nous [1] ? Au fond j'en avais été ravi parce que je pensais qu'à leur restaurant on devait servir des huîtres. Il n'y avait plus moyen d'en avoir à l'hôtel et j'en étais extrêmement curieux, j'aurais été bien loin pour en avoir et pour en manger.

J'étais désolé de partir. Certes, surtout depuis que Montargis m'avait fait connaître des plaisirs mondains, Bricquebec m'avait donné bien peu d'impressions, mais enfin je savais que j'y demeurais effectivement, que c'était le nom qu'on était obligé de mettre comme adresse sur une lettre pour qu'elle me parvînt, et je sentais que la possibilité restait du moins près de moi des impressions que je n'avais pas eues. [...] Contre le témoignage opposé de mon ennui, de mon manque d'impressions, j'appelais à mon secours cette opinion que j'avais souvent entendu émettre et qui pouvait être vraie que nous sommes souvent mal renseignés par notre sensation intime et mauvais juges pour nous-mêmes, nous trouvant moins bien portants après un traitement qui nous a réussi [,] étant mécontents de notre œuvre la meilleure, nous croyant plus méchants que nous ne sommes. Et comme ma fenêtre donnait, au lieu que ce fût

---

1. Les deux phrases qui suivent n'étaient pas dans Grasset A.

sur une campagne ou sur une rue, sur les champs de la mer, que j'entendais pendant la nuit sa rumeur [...] à la résistance de laquelle j'avais avant de m'endormir, confié comme une barque mon sommeil [*blanc*], il me semblait que cette [*blanc*] avec la mer devait matériellement, à mon insu, faire pénétrer en moi la notion de son charme à la façon de ces leçons qu'on apprend en dormant. [...] J'eus un vrai plaisir un jour à voir qu'un gros temps avait déposé sur le sable d'innombrables méduses [1]. Je m'enchantais à voir le soleil briller dans les lustres d'opales, même je touchai leur délicate ceinture lilas avec autant de joie que si ç'avait été l'écharpe d'Iris. De dégoût je n'en sentis aucun car le sentiment esthétique nous fait franchir les limites qu'imposent à nos goûts les préférences du corps. C'est ainsi qu'un grand artiste pourra comparer à de belles Muses, pourra s'enchanter à regarder de jeunes hommes que trouverait écœurant un homme de club, livré aux étroites répulsions de l'instinct sexuel. Malgré cela j'avais en somme reçu bien peu de joie [...] mais cela ne me faisait pas souhaiter moins, [...] de revenir l'année suivante. Car c'est bien moins le plaisir que la déception, qui donne ce désir de la répétition et du recommencement, véritable aveu de l'inachèvement. Et puis mon besoin de savoir que je reviendrais naissait aussi de cet attachement aux choses qui avaient quelques mois plus tôt causé ma souffrance quand j'avais dû quitter ma chambre de Paris pour celle à laquelle je m'étais maintenant habitué, où j'entrais sans plus jamais sentir l'odeur du vétiver [...].

Et quand j'eus quitté Bricquebec sans jamais y avoir connu ce dont le désir m'avait fait surmonter maladie et tristesse — des flots soulevés par la tempête qui battaient une église persane, au milieu d'éternels brouillards, tandis qu'au petit jour je buvais du café au lait dans l'auberge, — il se trouva qu'ensuite, chaque fois qu'à ces images le souvenir, pour me donner envie de retourner à Bricquebec, substitua les siennes, il ne les choisit pas moins arbitraires que celles de l'imagination [...]. Ce qui maintenant me faisait rêver, de revenir un jour à Bricquebec, c'était le désir, par un temps de soleil et de vent, remontant de la plage avec Mme de Villeparisis qui en passant envoyait un bonjour de

---

1. Ce qui suit, jusqu'à « répulsion de l'instinct sexuel », n'était pas dans Grasset A dont le texte s'enchaînait ainsi : « ... comme les raisins d'une vigne. Et le peu de joie que j'avais en somme reçues [*sic*] de la mer, de la campagne et des églises normandes ne me faisait pas souhaiter... »

la main à la Princesse de Luxembourg et m'annonçait que
nous allions avoir des œufs à la crème et des soles frites,
d'entrer à midi dans la salle à manger à travers le grand
vitrage azuré de laquelle je verrais des ombres promenées du
ciel sur la mer comme par un miroir ; ou bien d'être dans
une barque arrêtée au fil de l'eau devant l'ancien moulin,
sous la lumière abaissée de la fin du jour, pendant que la
servante — la même — se pencherait pour annoncer que les
truites sont prêtes. [...] Sans doute certains de ces plaisirs
étaient eux-mêmes insignifiants. Mais le souvenir les maintenait dans un assemblage, dans un équilibre où il n'était pas
permis de rien distraire et de rien refuser sans altérer son
authenticité. Or je sentais bien que toutes ces circonstances
je ne pourrais pas les retrouver semblables. La servante
aurait peut-être changé [...] L'hôtel pourrait rester le même.
Mais Mme de Villeparisis n'y viendrait pas, ou serait alors
trop âgée pour se promener, la Princesse de Luxembourg ne
serait plus là cette année-là. Et dès lors le petit chemin qui
nous ramenait de la plage, ne serait plus de même. Car les
lieux n'appartiennent pas qu'au monde fixe de l'espace où
nous les situons pour plus de commodité.

[...] le souvenir d'une certaine image n'est au fond que le
regret d'un certain instant, et les maisons, les routes, les
plages, sont aussi fugitives que les années. Mais même si à
peu de temps de distance j'avais pu artificiellement réunir
les éléments de ce souvenir, je me serais aperçu qu'il était
pourtant impossible de l'atteindre. Car il était d'essence
spirituelle, perçu par la pensée, et le désir de déjeuner à
Bricquebec un jour de vent n'était au fond comme jadis le
désir de voir Bricquebec dans le brouillard, qu'une forme de
ce besoin contradictoire que nous avons de tâcher de
connaître par l'expérience de nos sens ce que nous apercevons en nous-mêmes. [...] J'aurais voulu revoir ces bons
apôtres qui m'avaient reçu sur le seuil de leur église, j'aurais
voulu les revoir comme des hôtes chez qui on a passé de bons
moments sans qu'on sache au juste si le charme qu'on leur a
trouvé ne venait pas un peu de la nouveauté de l'endroit où
on était allé les voir, de l'amusement, du changement de vie
et de l'excitation du grand air. Comme en les contemplant
devant l'église j'avais tâché de me pénétrer uniquement de la
signification de la sculpture, la sensation du beau temps,
l'odeur du train que je gardais sur moi, n'avaient pas été
affaiblies par ma réflexion qui s'était détournée d'elles, me
revenaient particulièrement intenses, si bien que quand je

revoyais ces bienveillants seigneurs de pierre, c'était toujours dépliant autour d'eux la lumière qui s'enfonçait dans le
porche comme sur un berceau de vignes [...] Quant aux
images d'une église persane dans le brouillard et la tempête,
l'expérience les avait détruites. Détruites, mais non sans les
laisser renaître quelquefois. Quand le temps était doux, que
j'entendais le vent souffler dans la cheminée, le désir d'aller
voir une tempête au bord de l'église persane de Bricquebec,
de prendre le beau train d'une heure cinquante, renaissait en
moi pareil à ce qu'il était autrefois. Et j'oubliais un instant
que cette église de Bricquebec je la connaissais, qu'elle
n'était pas au bord de la mer, dans des brumes éternelles,
mais éclairée par le même bec de gaz que la succursale du
Comptoir d'Escompte dans une ville traversée par un
tramway.

De la même façon renaquit aussi en moi le désir de
Florence. Et ce fut le souvenir du désir de Florence [...] qui
donna pour moi cette année-là et les suivantes sa tonalité et
ses images aux temps du Carême. La semaine sainte comme
j'avais dû l'année précédente y voir Florence, continuait
pour moi à s'entourer [sic] comme si elle avait été son
atmosphère naturelle. Comme cette ville, elle semblait avoir
une physionomie spéciale, en harmonie avec la sienne. La
semaine sainte, la semaine de Pâques, avait quelque chose de
toscan, Florence quelque chose de pascal, chacune des deux
m'aidait à pénétrer le secret de l'autre. [...] À Florence
quand j'y arriverais, pas plus qu'à Bricquebec, mon imagination ne pourrait se substituer à mes yeux pour regarder. Je
le savais. Mais j'avais mis autrefois dans le nom de Florence,
dans le nom de Parme, dans le nom de Venise, un monde
particulier, sans lien avec un autre et j'avais beau me dire
que les villes ne peuvent pas être si différentes des villes
voisines, malgré cela leur nom continuait à me montrer
l'âme individuelle que j'y avais mise et qui s'en laissait
difficilement déloger. D'autre part, je savais tout aussi bien
que l'individualité que nous prêtons aux jours, ils ne la
possèdent pas, je me rappelais encore la bouffée d'air qui
m'en avait averti, un soir du jour de l'an, devant une affiche
de théâtre. [...] Dans la rangée des jours qui s'étendait
devant moi, quelques-uns se détachaient plus clairs, entre
les jours contigus, comme s'ils avaient été d'une autre
matière, ou touchés d'un rayon ainsi que sont quelques-unes
seulement des maisons d'un village qu'on aperçoit au loin
dans un effet d'ombre et de lumière. Comme elles ils

retenaient sur eux tout le soleil, c'étaient les jours saints. Il gelait, l'hiver semblait recommencer, et Françoise, dernière sectatrice en qui survivait obscurément la doctrine de ma tante Léonie, voyait dans ce temps hors de saison une preuve de la colère du bon Dieu. Mais je ne répondais à ces plaintes que par un sourire plein de langueur [...] Comme pour la ville bretonne qui ne remonte du fond de la mer qu'à une certaine époque de l'année, les jours étaient venus où Florence renaissait pour moi.

La semaine sainte toucha à sa fin. Ce fut la veille de Pâques, Françoise mettait une bûche dans le feu, allumait la lampe, annonçait de la pluie pour le lendemain. Pour moi il ferait certainement beau car je me chauffais au soleil de Fiesole [...]. Ce n'était pas seulement les cloches qui revenaient d'Italie, c'était l'Italie même. Et mes mains fidèles ne manqueraient pas de fleurs pour honorer l'anniversaire du voyage que j'avais dû faire l'an passé, car, depuis qu'à Paris le temps était redevenu froid et sombre, comme cela avait eu lieu déjà cette autre année à la fin du Carême, dans l'air liquide et glacial qui baignait les marronniers de l'avenue et les platanes des boulevards, s'entrouvraient comme dans une coupe d'eau pure, les narcisses, les jonquilles, les anémones de la Porte Vecchio [sic].

2. La version des épreuves N.R.F. (épreuves BN)

Nous donnons ici le texte des épreuves (pages 437 à 441) tel qu'il peut être lu après les corrections de Proust. On constate qu'il est légèrement différent du texte de l'édition. (Pages 351 à 356.) Nous avons coupé certains passages semblables à ceux du texte définitif et situés au même endroit. Nous indiquons les coupures par le signe : [...]

« [...] comme si pareil à Hercule où à Télémaque, j'avais été en train de jouer au milieu des nymphes.

Je les quittais pour aller dîner ; puis le matin, comme je restais couché, je ne les voyais pas, tandis qu'elles passaient devant les chaînons inégaux de la mer, tout au fond de laquelle et perchée au milieu de ses cîmes bleuâtres comme une bourgade italienne, on voyait parfois dans une éclaircie la petite ville de Rivebelle, minutieusement détaillée par le soleil. Je ne voyais pas mes amies, mais tandis qu'arrivaient jusqu'à mon belvédère l'appel des marchandes de journaux, « des journalistes », comme disait Françoise, les appels des baigneurs et des enfants qui jouaient, ponctuant à la façon des cris des oiseaux de mer le bruit du flot qui se brisait doucement, je devinais leur présence [...] « Nous avons regardé me disait le soir Albertine pour voir si vous descendriez. Mais vos volets sont restés fermés même à l'heure du concert. » A dix heures, en effet, il éclatait sous mes fenêtres.

Entre les intervalles des instruments, si la mer était pleine, reprenait coulé et continu, le glissement de l'eau d'une vague qui semblait envelopper les traits du violon dans ses volutes de cristal et faire jaillir son écume au-dessus des échos intermittents d'une musique sous-marine. Puis les concerts finirent, le mauvais temps arriva, mes amies quittèrent Balbec, non pas toutes ensemble comme les hirondelles, mais dans la même semaine.

Albertine s'en alla la première, brusquement, [...] — Vous ne nous ferez pas le plaisir de dîner avec nous [1] ?

Je regrettais qu'on ne servît plus d'huîtres à l'hôtel, qu'on ne tirât plus de feux d'artifice sur la plage, qu'il n'y eût plus de régates, enfin toutes les choses dont j'aurais pu si aisément jouir et qui m'avaient insupporté, quelques mois plus tôt, avant que la peinture d'Elstir en eût dégagé pour moi la valeur esthétique. En somme j'avais bien peu profité de Balbec, ce qui ne me donnait que davantage le désir d'y revenir. Il me semblait que j'y étais resté trop peu de temps. [...] mon ancienne chambre, laquelle était basse de plafond [2].

Il avait fallu quitter Balbec en effet, le froid et l'humidité étant devenus trop pénétrants pour rester plus longtemps dans cet hôtel dépourvu de cheminées et de calorifère. J'oubliai d'ailleurs presque immédiatement ces dernières semaines. Ce que je revis presque invariablement quand je pensais à Balbec, ce fut le moment où chaque jour, pendant la belle saison Françoise était venue ouvrir ma fenêtre. Or pendant des mois de suite, dans ce Balbec que j'avais tant

1. Voir texte de l'édition p. 351 à 354.
2. Voir texte de l'édition p. 354.

désiré parce que je ne l'imaginais que battu par la tempête et perdu dans les brumes, [...] embaumée dans sa robe d'or [1].

3. Fragments des placards Grasset qui ont été utilisés pour la fin de la version définitive

Nous donnons ces fragments dans leur contexte proche (correspondant approximativement aux pages 77 et 78 de notre édition) pour indiquer à quel moment du roman ils étaient situés sur les placards. C'est le texte de Grasset B que nous reproduisons, en signalant en notes les variantes par rapport à Grasset A.

« [...] accepta l'offre de Mme de Villeparisis de nous faire faire quelque promenade en voiture [2]. D'ailleurs je ne regrettais pas trop d'être empêché de rester au bord de la mer ; d'abord parce que les jours chauds, le manteau ensoleillé me semblaient jetés comme un déguisement morne, momentané et hideux sur la sauvage beauté du « pays des Cimmériens », dissipant ces brouillards éternels dans lesquels j'avais rêvé de venir m'ensevelir [3]. Ces jours-là pour ne pas me fatiguer, je devais rester couché jusqu'au déjeuner, et à cause de la trop grande lumière garder fermés le plus longtemps possible les grands rideaux rouges qui m'avaient témoigné tant d'hostilité le premier soir. [...] ils laissaient se répandre sur le tapis comme un écarlate effeuillement d'anémones parmi lesquelles je ne pouvais m'empêcher de venir un instant poser mes pieds nus. Et sur

1. Voir texte de l'édition p. 356 où l'on constate que l'évocation des jeunes filles a été déplacée vers l'extrême fin. La partie manquante ici : « Le directeur donnait des ordres pour qu'on ne fît pas de bruit à mon étage [...] Midi sonnait, enfin arrivait Françoise. » se trouvait sur les placards Grasset dans le récit des promenades avec Mme de Villeparisis (voir chapitre suivant : « Fragments des placards Grasset qui ont été utilisés pour la fin de la version définitive »).

2. Voir p. 77.

3. Ce qui suit, jusqu'à : « son écume au-dessus des échos intermittents d'une musique sous-marine », a été utilisé, avec quelques modifications, pour la fin du roman (voir p. 355 et 356).

le mur qui leur faisait face un cylindre d'or que rien ne
soutenait était verticalement posé et se déplaçait lentement
comme la colonne lumineuse qui précédait les Hébreux dans
le désert. Je me recouchais, obligé de goûter, sans bouger,
par l'imagination, et tous à la fois, les plaisirs du jeu, du
bain, de promenade, auxquels la matinée invitait, la joie
faisait battre bruyamment mon cœur comme une machine
en pleine vitesse mais immobile et qui est obligée de la
décharger sur place en tournant sur elle-même. Parfois
c'était l'heure de la pleine mer. J'entendais du haut de mon
belvédère le bruit du flot qui déferlait doucement [...]
Soudain à dix heures le concert symphonique éclatait sous
mes fenêtres. Entre les intervalles des instruments reprenait,
coulé et continu, le glissement de l'eau d'une vague qui
semblait envelopper les traits du violon dans ses volutes de
cristal et faire jaillir son écume au-dessus des échos intermittents d'une musique sous-marine. Pour voir si Françoise ne
venait pas défaire les rideaux et m'apporter mes affaires, —
car l'heure du déjeuner approchait, — je courais jusqu'à la
chambre de ma grand-mère [1]. Elle ne donnait pas directement sur la mer comme la mienne mais prenait jour de trois
côtés différents : sur un coin de la digue, sur une cour et sur
la campagne [...] Et à cette heure où des rayons venus
d'expositions, et comme d'heures différentes, brisaient les
côtés dans les angles du mur, changeaient la forme de la
chambre, à côté d'un reflet de la plage, mettaient sur la
commode un reposoir diapré comme les fleurs du sentier,
[...] chauffaient comme un bain un carré de tapis provincial
devant la fenêtre, regardant une courette latérale au fond de
laquelle un mur blanchi à la chaux portait l'enseigne [blanc]
de midi, ajoutaient au charme et à la complexité de la
décoration mobilière en semblant exfolier la soie fleurie des
fauteuils et détacher leur passementerie [,] cette chambre
que je traversais un moment avant de m'habiller pour la
promenade, avait l'air d'un prisme où se décomposaient les
couleurs à la lumière du dehors, [...] d'un jardin de
l'espérance qui se dissolvait en une palpitation de rayons
d'argent et de pétales de rose. Je rentrais dans ma chambre :
Françoise entrait pour me donner du jour et je me soulevais
dans l'impatience de savoir quelle était la mer qui jouait ce

---

1. On retrouve ici, à quelques variantes près, le texte des pages 77 et 78
jusqu'à : « molle palpitation ».

matin-là au bord du rivage comme une nymphe. Car chacune ne restait jamais plus d'un jour. Le lendemain j'en voyais une autre qui parfois lui ressemblait. Mais je ne vis jamais deux fois la même.

Il y en avait qui étaient d'une beauté si rare qu'en les apercevant mon plaisir était encore accru par la surprise, comme devant un miracle. Par quel privilège, un matin plutôt qu'un autre, la fenêtre en s'ouvrant découvrit-elle à mes yeux émerveillés la nymphe Alecto [...] ? Elle faisait jouer le soleil avec un sourire alangui par une brume invisible qui n'était qu'un espace vide réservé autour d'elle et ainsi dans sa couleur unique, plus abrégée et plus saisissante, [...] elle nous invitait à la promenade sur ces routes grossières et terriennes, d'où dans la calèche de Mme de Villeparisis nous apercevrions tout le jour et sans jamais l'atteindre la fraîcheur très lucide et verte de sa molle palpitation. Mais d'autres fois il n'y avait pas cette opposition si grande entre une promenade agreste et ce but inaccessible, ce voisinage fluide et mythologique. Car la mer semblait alors rurale elle-même et la chaleur y avait tracé comme à travers champs une route poussiéreuse et blanche derrière laquelle la fine pointe d'un bateau de pêche dépassait comme un clocher villageois. Un remorqueur dont on ne voyait que la cheminée fumait au loin comme une usine écartée. [...] Et les nuages et le vent les jours où il s'en ajoutait au soleil, parachevaient sinon l'erreur du jugement, du moins l'illusion du premier regard, la suggestion qu'il éveille dans l'imagination. Car l'alternance d'espaces de couleurs nettement tranchées comme celles qui résultent dans la campagne, de la contiguïté de cultures différentes, les inégalités âpres, jaunes, et comme boueuses de la surface marine, les levées, talus qui dérobaient à la vue la barque où une équipe d'agiles matelots semblait moissonner tout cela par les jours orageux faisaient de l'océan quelque chose d'aussi varié, d'aussi consistant, d'aussi accidenté, d'aussi populeux, d'aussi civilisé que la terre carrossable d'où, en voiture avec Mme de Villeparisis nous le regarderions.

Mais parfois aussi, et pendant des semaines de suite, le beau temps fut si éclatant et si fixe que quand Françoise venait ouvrir la fenêtre j'étais sûr de trouver le même pan de soleil plié à l'angle du mur extérieur [...]. Et tandis que Françoise ôtait les épingles des impostes, détachait les étoffes, tirait les rideaux, le jour d'été qu'elle découvrait semblait aussi mort, aussi immémorial qu'une somptueuse et millénaire momie que notre vieille servante n'eût fait que précautionneusement désemmailloter de tous ses linges, avant de la faire apparaître, embaumée dans sa robe d'or[1].

Mme de Villeparisis faisait atteler de bonne heure... »

1. Ce paragraphe a été utilisé, avec quelques modifications, pour la fin du roman (voir p. 356).

er millénaire. Situant sur cette limite, on met l'écrit non sans . précaution, jusqu'à l'enfantement des manuscrits de tous ses . avant de le faire apparaître, en donner... lorsque apparaît dans la forme de la Ville qu'il s'agit encore de bonne heure,

L'ACCUEIL DE LA CRITIQUE

À l'ombre des jeunes filles en fleurs, achevé d'imprimer le 30 novembre 1918, n'est vendu en librairie que le 23 juin suivant : Jacques Rivière avait d'abord voulu en donner des extraits dans son 1er numéro de *La N.R.F.* (1er juin 1919). Le 10 décembre, le roman remporte le prix Goncourt, ce qui contribue à faire connaître Proust à un plus large public. Toutefois, l'œuvre de l'écrivain est très novatrice pour son époque et on constatera que les critiques d'alors, même les plus favorables au roman, ne comprirent pas toujours le génie qu'il révélait. Nous dressons ici une liste chronologique — assez étendue, sinon exhaustive — des comptes rendus qui parurent en 1919 et en 1920, en résumant leur contenu.

1919

15 juillet : Fernand Vandérem, « Le Temps perdu de M. Marcel Proust : *Du côté de chez Swann* et *À l'ombre des jeunes filles en fleurs* », *La Revue de Paris*, p. 429-431. *Du côté de chez Swann* et *À l'ombre des jeunes filles en fleurs* sont des romans « bizarres », « émancipés de toute discipline », « anormaux ». On « s'épuiserait à en dire tous les défauts, toutes les étrangetés ». Leur « masse » est « éléphantiforme », « leur minutie [...] dépasse en raffinements les pires tortionnaires de la psychologie ». Deux maîtres, dont l'œuvre a certainement influé sur M. Proust, Dickens et Tolstoï, nous indisposaient souvent par la lenteur de leurs récits et la ténuité de leurs remarques. Auprès de M. Proust,

ils font figure de trains-éclairs ». Le style « d'une correction presque toujours absolue » offre « des enchevêtrements, des puzzles tels que les plus aguerris s'y reprennent à deux fois sur chaque phrase ». Après « cet éreintement carabiné », Vandérem déclare pourtant que « les deux volumes de M. Proust forment [...] une des œuvres les plus intéressantes, les plus captivantes, pour ne pas dire les plus importantes qui aient vu le jour en ces dernières années ». Ils n'ont ni technique ni règles, mais on y trouve « quelqu'un, une âme, une sensibilité personnelle, une intelligence vive et libre ». Ce que Vandérem, enfin, reproche à Proust, ce ne sont pas « ses travers de technicien » qui lui semblent irrémédiables mais l'aspect poussiéreux et désuet de certaines tonalités de son récit, comme par exemple « le snobisme » qui « imprègne » certaines pages.

5 août : Denys Amiel, « À travers Marcel Proust. À l'ombre des jeunes filles en fleurs », Le Pays. Proust est un « écrivain de mémoires comme de Retz, Saint-Simon, Mme de Staël, les duchesses de Boigne et d'Abrantès — écrivain de roman comme Balzac, Tolstoï, Dickens ou le Zola des Rougon — historien comme Michelet ou comme vingt diplomates en retraite, — moraliste comme La Bruyère, Montesquieu, — [...] et il est par-dessus le marché lui-même ». Son œuvre est une sorte d' « encyclopédie par le cinéma », « il apporte cette complaisance abondante d'un observateur épris follement de toutes les manifestations de la vie où rien n'est indifférent ».

26 août : André Billy, « À l'ombre des jeunes filles en fleurs. Pastiches et mélanges », L'Œuvre. Les livres de Proust ne sont pas des romans ou des mémoires mais ils tiennent de ces deux genres. « Perdraient-ils en vieillissant le fard qui, sans le cacher, fait illusion sur leur âge vrai, qu'ils garderaient assez de beautés de détail partout éparses et comme jetées à pleines mains pour exciter la verve des exégètes quand la victoria de Swann aura rejoint, au fond de la perspective historique, les chars du Haut Moyen Âge. »

1er septembre : Dominique Bragat : « Du côté de chez Swann — À l'ombre des jeunes filles en fleurs », Le Crapouillot. Du côté de chez Swann avait regroupé une chapelle d'initiés. Aujourd'hui que paraît À l'ombre des jeunes filles en fleurs, il faut que cette chapelle s'agrandisse. Le talent de Marcel Proust est original, sa prose « ne ressemble à rien ». « Ses livres sont compacts, interminables, sans détente, sans carrefours. Toujours une pensée qui court en se renouvelant d'elle-même comme une chaîne sans fin ». Il n'est pas facile de pénétrer dans cette œuvre, mais une fois que l'on y a réussi, « il y a beaucoup à voir et à apprendre ».

22 septembre. Jacques-Émile Blanche : « Critique sociale », *Le Figaro*. Blanche s'en prend à ceux qui jugent Proust sur ses relations, sa fortune et son âge.

1er octobre : Louis Léon-Martin, « À la manière de Marcel Proust. À l'ombre d'un jeune homme en boutons ». Pastiche.

5 octobre : Binet-Valmer, « La Semaine littéraire : *À l'ombre des jeunes filles en fleurs* », *Comoedia*. Discussion entre l'auteur de l'article et une interlocutrice imaginaire, « la fée au loup » (qui semble confondre Proust « homme malade », « grand poète douloureux », amoureux de « jeunes filles en fleurs », avec le héros de son roman).

15 octobre : Nicolas Ségur, « La Vie littéraire », *La Revue mondiale*. « Il n'y a pas de faits » dans le « volume interminable » que constitue *À l'ombre des jeunes filles en fleurs* car « M. Proust est un révolutionnaire du roman ». Ce livre ne se lit pas « sans un certain plaisir » malgré l'effort préalablement requis pour s'engager jusqu'au fond de « ce labyrinthe obscur » où « il y a en somme un talent ».

25 octobre : Gaston Rageot, « Jeunes filles », *Le Gaulois*. Critique à la Sainte-Beuve (cité d'ailleurs dans l'article), qui explique l'œuvre de Proust par ses relations, sa maladie, sa richesse. « Le héros de *À l'ombre des jeunes filles en fleurs* est un jeune homme qui ressemble à Marcel Proust comme un fils... »

10 novembre : Camille Marbo, « *À l'ombre des jeunes filles en fleurs* », *La Revue du mois*. L'intérêt de l'œuvre n'est pas dans la peinture d'une époque mais « dans la vie extraordinaire du livre, [...] dans la qualité des réflexions de tous genres que l'on rencontre en cours de lecture ». Les personnages sont plus que des types individuels, « M. Marcel Proust a le don — très rare — d'observer les individus particuliers et de dégager d'eux ce qui est représentatif d'une catégorie d'êtres. » Cet écrivain peut déplaire à ceux qui aiment « l'harmonie d'un ensemble », « l'équilibre des parties » et « la sobriété nette de l'écriture » mais « ceux qui goûteront sa manière l'aimeront passionnément ».

8 décembre : René Leboucq, « Le Prix Goncourt », *L'Entente*. Leboucq reproche à Proust d'être trop âgé pour le Prix Goncourt.

10 décembre : André Billy : « Le Prix Goncourt », *L'Œuvre*. Il est permis, bien qu'il soit trop âgé pour être considéré comme un jeune écrivain, de voir en Proust « un débutant un peu tardif et d'autant plus digne d'intérêt ».

11 décembre : Alain Mellet, « Le Prix Goncourt a été décerné hier », *L'Action française*. L'ouvrage est surtout remarquable par son « analyse psychologique poussée jusqu'aux limites du possible » dans la manière du grand siècle et de Saint-Simon. Le style s'apparente à celui de George Meredith.

11 décembre : J. Valmy-Baysse, « Le Prix Goncourt », *Comoedia*. « *À l'ombre des jeunes filles en fleurs* [...] précise les intentions de Proust et fixe sa philosophie... »

11 décembre : Paul Gsell, « Au jour le jour », *La Démocratie nouvelle*. Mise en question du Prix Goncourt qui n'est que le résultat d'intrigues, bien que M. Proust ait du talent.

11 décembre : René Leboucq, « Le Prix Goncourt », *L'Entente*. Même reproche que dans l'article du 8 décembre : Proust est trop âgé.

11 décembre : Jacques Rivière, « Marcel Proust », *L'Excelsior*. Rivière insiste sur les talents de psychologue de Proust. « Depuis longtemps, depuis Stendhal peut-être, [...] il ne s'était trouvé personne en France [...] pour s'occuper avec autant de soin de l'amour... »

11 décembre : G.R., « Le Prix Goncourt », *Le Gaulois*. « M. Marcel Proust est un écrivain jeune, d'une conscience extrême, styliste précieux et psychologue raffiné... »

11 décembre : Victor Snell, « Place aux vieux ! », *l'Humanité*. Le Goncourt aurait dû être décerné à Dorgelès qui est jeune et qui, lui, a fait la guerre...

11 décembre : Gérault-Richard, « Les Trois Petits Tours de scrutin », *L'Éclair*. Conversation avec quelques académiciens qui ont voté pour Dorgelès et évocation de Proust, dans sa chambre, recevant les félicitations.

11 décembre : Joachim Gasquet, « Un jeune enfin !!! » L'académie Goncourt décerne son prix. M. Marcel Proust se voit couronner *À l'ombre des jeunes filles en fleurs*. » *L'Éclair*. « Autant les pages d'un Dorgelès » apparaissent à Joachim Gasquet « simples, vivaces, senties », autant celles de Proust lui semblent « d'une peu charitable complexité ». L'auteur de *À l'ombre des jeunes filles en fleurs* n'a, selon lui, « sûrement pas une goutte de génie ».

11 décembre : Georges Clairet, « Le Prix Goncourt à

Marcel Proust » *Le Journal du peuple*. Proust est âgé, riche, et son œuvre, « point négligeable, certes, n'est pas de ces œuvres originales dont la nouveauté et l'audace ont besoin d'être défendues... » De plus, note Georges Clairet, il faut préciser que Proust est « réactionnaire » ; ce qui n'empêche pas l'auteur de l'article de faire des gorges chaudes d'une plaisanterie de Claudel (qui ne pouvait pourtant pas être considéré comme un progressiste) à propos du style de Proust : « c'est du gallimardtias !! »

12 décembre : Léon Daudet, « Un nouveau et puissant romancier », *L'Action française*. Article cité intégralement dans notre section « Document ».

12 décembre : Francis de Miomandre, « Le Prix Goncourt, Marcel Proust », *L'Événement*. « Il y a dans le procédé de M. Marcel Proust, quelque chose qui rappelle la dissociation quasi infime des gestes de la bobine cinématographique. » Ses livres doivent leur étrangeté à une « méticulosité infinie », « un scrupule d'anatomiste ». Les lecteurs, même s'ils ont des difficultés à entrer dans cette œuvre, ne resteront pas insensibles à la manière avec laquelle « ce poète [...] parle de la femme et surtout de la jeune fille... ».

12 décembre : G. de la Fouchardière, « Hors d'œuvre. Cuisine électorale », *L'Œuvre*. Proust a obtenu son prix parce qu'il est mondain et qu'il trempe sa plume « dans la théière et dans le bénitier ». Le titre : *À l'ombre des jeunes filles en fleurs* est ridicule et fait penser aux chansons de Mayol.

12 décembre : Non signé, « Notre carnet », *Le Pays*. « ...Léon Daudet intrigua en faveur de Marcel Proust, candidat de l'élément réactionnaire de la Goncourt [*sic*], c'est-à-dire la majorité... »

12 décembre : Noël Garnier, « À l'ombre des Goncourts », *Le Populaire*. « Nous les anciens soldats avons élu Roland Dorgelès. Marcel Proust doit son prix à la reconnaissance de six hommes dont il a flatté l'estomac. »

12 décembre : Non signé, « Le Prix Goncourt », *La Voix nationale*. Marcel Proust est un « talent subtil et fin », qui « malgré toute son humaine tendresse [...] est quelque peu solitaire et distant de la foule ».

12-14 décembre : Georges Parville, « Le Nouveau prix Goncourt », *Le Rappel*. Marcel Proust a du talent, mais il est fortuné : donc il n'avait pas besoin du prix.

13 décembre : Orion (pseudonyme de Jean Zidler dit Jean

Maze), « Sur Marcel Proust et le Prix Goncourt », *L'Action française*. Parce qu'il a su, contrairement à certains talents contemporains, que forme et fond sont indissociables, Proust est assuré d'être un jour aimé du public. Il a réduit autant que possible, la part du silence, « il a voulu reproduire le travail entier de la vie intérieure, la succession des heures et des jours, leur répercussion sur l'être intellectuel et sensible. [...] il a bien traduit dans le titre général de son œuvre ce drame du caractère des hommes, aux prises avec le temps ».

13 décembre : André Warnod, « M. Marcel Proust et le Prix Goncourt ». *L'Europe nouvelle*. Marcel Proust, qui n'est plus un jeune écrivain, sort peu de chez lui. « Il possède la faculté de s'analyser jusqu'aux extrêmes limites et c'est le fruit de ses réflexions, de ses analyses qui compose son œuvre importante... »

13 décembre : Milon, « Le Prix Goncourt », *Le Gaulois*. Il manque aux livres de Proust « cette architecture qui en ferait un palais bien ordonné » pour plaire à l'Académie française, mais « le prix Goncourt leur va comme un gant ! ». Il écrit, à la manière des Goncourt, « l'histoire de son temps, en accumulant les détails, en les enchevêtrant », ce qui rend son œuvre difficile, mais « quand on a compris, on est fier de soi... » C'est un auteur plutôt ésotérique, comme Claudel ou Stéphane Mallarmé.

14 décembre : Binet-Valmer, « La Semaine littéraire », *Comoedia*. L'académie Goncourt a eu bon goût en décernant son prix à Proust mais elle aurait dû le faire en 1913. Depuis « il y a eu la guerre [...] et c'est pourquoi nous aimons Dorgelès, et c'est pourquoi Joachim Gasquet est notre poète ».

14 décembre : Non signé. « Les prix littéraires », *La Libre Parole*. Marcel Proust, « dont le talent est incontestable », est riche et « a tous les moyens d'atteindre le public susceptible de le lire ». « Il était utile qu'on indiquât au public le talent de l'auteur des *Croix de bois* » (c'est-à-dire Dorgelès).

14 décembre : Jean Bastia, « Monaraquirit. À propos du Prix Goncourt », *La Presse*. Évocation du roman en vers satiriques.

14 décembre : Henriette Charasson, « À la recherche du temps perdu : I *Du côté de chez Swann;* II *À l'ombre des jeunes filles en fleurs*, de Marcel Proust », *Le Rappel*. (L'article, est-il précisé, a été écrit « avant le verdict des

Dix »). Les livres de Proust révèlent un grand talent, bien que trop touffus et « mal composés ou composés d'après un plan mystérieux qu'on devine mal ». Le manque d'ordre logique et chronologique irrite forcément « un esprit français, façonné dès l'enfance par une langue rationnelle, formé à l'école d'un Descartes, habitué aux récits prestes et nets d'un Voltaire et à la précision ordonnée d'un Sainte-Beuve... ». L' « abondance analytique, un excès de détails menus, une finesse qui va parfois jusqu'à la préciosité, un souci de délié qui exagère, justifient le mot d'hyperesthésie » utilisé par l'auteur de l'article un autre jour. M. Proust a « encore contre lui son style » : « La même impossibilité de *choisir*, qui lui fait accumuler tous les détails que sa mémoire ou son imagination lui présente, sans trier et sans recourir à la synthèse, apparaît dans la composition de ses phrases, comme l'illogisme apparent de son plan apparaît parfois dans l'ordre de ses propositions... »

Pourtant, si malgré tout cela, « Proust force notre intérêt [...] c'est donc qu'il possède de grandes qualités et très attachantes. » Il y a un côté La Bruyère dans son « penchant cruel et fin à l'observation » et son « double don d'introspection et de généralisation... ». Proust est encore comparé à Laclos et à Stendhal dont il est le descendant légitime bien que par ses « défauts » ses livres sont loin de s'apparenter à « la tradition classique ».

16 décembre : Le Mandarin, « Petite gazette de la littérature », *L'Événement*. « ... les plus abracadabrantes aventures n'ont qu'un pâle intérêt à côté de ces aventures intérieures... »

18 décembre : Paul Souday, « À l'ombre des jeunes filles en fleurs », *Le Temps*. Souday défend d'abord Proust contre ses détracteurs. L'âge, la fortune et la mondanité de l'écrivain n'ont rien à voir avec son talent. Mais « ce qui a aussi fait du tort à M. Marcel Proust, et là il y a quelque peu de sa faute, c'est qu'il est vraiment d'une lecture difficile ». Son texte est trop long et trop compact, à une époque où les gens sont « pressés, absorbés par leurs travaux ou par d'autres plaisirs ». De plus, son style est « souvent précieux et embroussaillé » mais « ce n'est pas seulement la construction un peu démesurée et embarrassée qui arrête le lecteur dans les phrases de M. Marcel Proust, c'est aussi l'originalité presque continuelle de la pensée ou de la sensation, et de l'expression verbale ». Il réussit à faire un livre substantiel à partir d'un minimum de matière et d'incidents. « Ceux qui

l'ont taxé de snobisme ne l'ont pas bien compris » car aux grands seigneurs et aux millionnaires qu'il observe et décrit, il préfère un grand artiste. Par le biais du personnage de Mme de Villeparisis, il attaque la critique de Sainte-Beuve, point de vue discutable, car celui-ci est un grand historien de la littérature. « Ce qui donne surtout à ce livre tant d'attrait, c'est l'inquiétude et l'ardeur sentimentales, favorisées sans doute, encore qu'un peu faussées, mais d'une façon bien attachante, par de très modernes théories philosophiques ». Mais Proust « est par trop convaincu que l'amour, comme le génie, tire tout de soi par une création absolue pour qui la nature ou l'être aimé n'est qu'un prétexte [...]. Ce qui n'est malheureusement que trop vrai, c'est ce principe de relativité qui ne s'applique pas seulement au mouvement matériel mais, si l'on peut dire, à la mécanique morale et qui rend tout bonheur précaire, tout amour imparfait. On a rarement traduit avec plus de force et d'amertume le sens du changement et de l'incessante mobilité qui fait de la vie une suite ininterrompue de morts fragmentaires. Et c'est ici un livre douloureux comme la plupart des grands livres très humains ».

19 décembre : Jean de Pierrefeu, « Le Prix Goncourt », *Journal des débats*. Proust n'est plus un débutant, et son œuvre, surtout appréciée d'une élite, n'est pas accessible « au commun ». Il n'aurait donc pas dû avoir le Prix Goncourt. Il « n'est pas de ces auteurs qui cherchent un sujet ; il s'est pris lui-même comme matière de ses ouvrages ». Son livre plaira à ceux qui se réfugient dans le songe mais il est « peu en rapport avec les tendances de la génération nouvelle qui chante la beauté de la lutte, les vertus de la lumière ; il s'accorde mal avec le classicisme rénové que le Parti de l'Intelligence déclare seul compatible avec la grandeur de la patrie victorieuse ».

20 décembre : Jacques Boulenger, « Marcel Proust », *L'Opinion*. L'œuvre de M. Marcel Proust « révèle l'écrivain le plus indépendant et le plus puissamment original (avec M. Giraudoux) qui se soit manifesté depuis de longues années ». Cependant les sentiments à l'égard de son ouvrage sont partagés car des lecteurs, « sensibles aux qualités de psychologue et à la force d'imagination ou de mémoire » de M. Proust, peuvent d'autre part déplorer « l'absence de toute composition et de toute " écriture " ». Il n'a pas de « sujet » et il n'existe pas d'auteur « qui ait moins cherché à extérioriser ses récits, ses héros et ses décors... » Son point

de vue est celui du « savant », « bien différent du point de vue esthétique ». Ce qui ne signifie pas qu'il n'a pas fait une œuvre d'art : « car il y a des rapports étroits entre le beau et le vrai, bien qu'ils ne " coïncident " pas exactement. Et c'est pourquoi il arrive souvent qu'une œuvre purement scientifique soit belle. Le roman de M. Proust, incomparable dans le détail, est beau. Mais vu d'ensemble, à cause de ses disproportions, c'est un monstre — un beau monstre ». Il en est de même pour son style qui « aussi peu stylisé que possible, est, lui aussi, un beau monstre ». Mais si M. Marcel Proust « écrit mal », « sa langue est d'une originalité et d'une saveur extrême […]. M. Proust fait parler ses personnages avec une vérité qui n'a jamais été dépassée. Les nuances qui distinguent les habitudes de langage d'un vieux diplomate, comme Norpois, de celles d'une Mme de Ville-parisis, par exemple, sont rendues avec une subtilité et une justesse admirables ». Contrairement à Molière il ne recherche pas les traits généraux applicables à tous mais « au contraire les traits les plus individuels ; et pourtant à force de fouiller dans leur âme, il découvre en eux ce qu'il s'y trouve d'universel… » Ses descriptions, enfin, sont « intimement mêlées au sujet, […] tissées avec l'action […] profondément vues, pénétrées jusque dans leur sens intellectuel ».

20 décembre : François Le Grix, « Propos et documents », *La Revue hebdomadaire*. Il serait imprudent et léger d'affirmer que l'œuvre de M. Proust n'est pas construite, « puisque nous savons […] que M. Proust est bien loin d'avoir achevé de construire, et que nous serions insensés de préjuger des proportions d'un édifice dont on nous laisse encore ignorer le plan : heureusement pour ce qui nous reste à découvrir et à aimer ».

21 décembre : Roland Marès, « M. Marcel Proust et le Prix Goncourt », *Annales politiques et littéraires*. M. Proust est un écrivain déjà « connu et apprécié d'une élite ». Il a ses fidèles « qui admirent sans réserves sa pensée subtile malgré une phrase un peu confuse, où les nuances trop délicates finissent par se confondre et se brouiller ». L'ensemble de son œuvre donne l'impression qu'il est « un écrivain de la décadence, n'ayant pas en ce qui concerne les idées et les formes par lesquelles on les exprime, ce sens de la proportion en qui se résume toute la beauté », et il manque de « vigueur morale ». Mais il est « un des écrivains les plus représentatifs de la génération actuelle, et il est permis de croire que c'est cela surtout que l'Académie Goncourt a

voulu reconnaître en lui attribuant le prix de cette année ».

21 décembre : Non signé, « Lundi », *Le Carnet de la semaine*. Reproches habituels : M. Proust est trop vieux et trop riche pour le prix Goncourt.

23 décembre : J. H. Rosny aîné, « Le Cas de Marcel Proust », *Comœdia*. J. H. Rosny, un des Goncourt qui a voté pour Proust, le défend contre ses détracteurs et estime que son œuvre avait « besoin de publicité ». « Il est probable qu'un tel livre subsistera longtemps après que l'immense majorité des livres parus depuis le commencement de ce siècle se seront complètement effacés de la mémoire des hommes. »

1920

Janvier : Pisanello, « Marcel Proust », *Belles lettres, art et critique*. Évocation lyrique du « laurier des Goncourt ».

Janvier : Louis Aragon, « À l'ombre des jeunes filles en fleurs », *Littérature*. Le couronnement d'*À l'ombre des jeunes filles en fleurs* par les Goncourt n'inspire, hélas, à Louis Aragon que ces quelques lignes : « M. Marcel Proust est un jeune homme plein de talent, et comme il a bien travaillé, on lui a donné un prix. Allons, ça va faire monter le tirage. Excellente affaire pour la Nouvelle Revue française. On n'aurait jamais cru qu'un snob laborieux fût de si fructueux rapport. À la bonne heure, M. Marcel Proust vaut son pesant de papier. »

1er janvier : Rachilde, « À l'ombre des jeunes filles en fleurs », *Le Mercure de France*. Marcel Proust aurait plutôt dû avoir le prix *Femina-Vie heureuse* attribué à Dorgelès, et ce dernier le Goncourt. *À l'ombre des jeunes filles en fleurs* n'est pas un roman, mais « la chronique d'une société » qui « sent la mentalité d'avant-guerre ». Rachilde, jouant les Sainte-Beuve, et confondant d'ailleurs les rideaux de Proust avec ceux de son héros, affirme que « lorsqu'on calfeutre de rideaux violets ses fenêtres que l'on trouve vulgaire d'ouvrir toutes grandes sur l'azur du ciel, il arrive des choses étranges » et que « l'art perd en gravité ce qu'il regagne en délicatesse ». Proust était hier « un Saint-Simon pour hommes du monde, il va devenir un chroniqueur éventuel de nouveaux riches... qui l'achèteront et ne le liront pas ».

1er janvier : Jacques Rivière, « Le Prix Goncourt », *La Nouvelle Revue française*. On a eu tort d'attaquer le lauréat du Prix Goncourt sur son âge. Un jeune écrivain, c'est celui « qui ne se met au travail que sur le tard, poussé par le seul besoin de transcrire la vision profondément inédite et, si l'on ose dire " impaire " qu'il a des choses... » Marcel Proust « renouvelle toutes les méthodes du roman ».

10 janvier : André Thérive, « La Vie littéraire — Des lauréats », *Revue critique des idées et des livres*. « ... On ne peut qu'approuver le Prix Goncourt d'être allé payer M. Marcel Proust de sa longue patience et de son talent obstiné. » Mais ses volumes, par leur longueur et leur densité, sont difficilement accessibles au grand public.

15 janvier : Fernand Vandérem, « Le Prix Goncourt. M. Marcel Proust et son œuvre », *Le Miroir des lettres*. Les vingt ou trente éreintements qui « ont fondu » sur *À l'ombre des jeunes filles en fleurs* étaient des caricatures « d'où se dégageait la silhouette d'un raseur suranné, sans style, sans art, sans talent et n'ayant même pas pour lui l'excuse de la dèche ». Les défauts de M. Marcel Proust sont évidents : « diffus, désordonné, quasiment informe, s'attardant à des minuties, s'égarant dans des entrelacs d'épisodes parasitaires, écrits dans la langue la plus enchevêtrée et la plus surchargée d'incidentes », mais « l'incompréhension, sinon la malveillance, commence [...] lorsqu'on accuse M. Proust d'ennuyer, [...] lorsqu'on ne ressent pas ou que l'on tait tout le comique et toute l'émotion qui alternent en se jouant dans ses pages difficiles, c'est lorsqu'on ne voit pas ou que l'on affecte de ne pas voir à travers ces fils barbelés, tout ce qui monte de vie et de sève, tant de puissantes ramures et tant de roses aux plus fines couleurs. [...] *À l'ombre des jeunes filles en fleurs* constituait [...] une des œuvres les plus captivantes, voire les plus importantes qu'ait produites le roman récent... »

Vandérem défend ensuite Proust contre les attaques habituelles qui lui ont été faites : son âge trop avancé, sa fortune.

15 janvier : André Varagnac, « Le Cas de Marcel Proust. Un maître indésirable », *Le Crapouillot*. Manifester sa révolte contre le choix des Goncourt en attaquant Proust sur son talent est de mauvaise tactique : « M. Proust est un étonnant analyste de ces zones de subconscience où la curiosité d'un individualiste aime à s'exercer » et son style

« n'est pas si lourd qu'on veut bien le prétendre ». Ce qui est inquiétant, c'est l'influence que va exercer Proust sur « le jeune bachelier [...] au sortir du collège ». L'œuvre de Proust « enseigne subtilement un nouveau culte du moi ».

Janvier-février : Edmond Jaloux, « L'Œuvre de Marcel Proust », *Écrits nouveaux*. Rarement le Prix Goncourt a été donné à un écrivain d'une telle valeur, au « génie inventif ». On ne trouve pas un seul poncif dans son œuvre, « il renouvelle complètement la psychologie ». Il se perd quelquefois lui-même dans le dédale de ses phrases mais il nous « montre un à un les états les plus secrets et les plus permanents de notre être » et ses analyses « sont d'une telle importance qu'il faut bien accepter pour elles tous les sacrifices ». Son style « arrive à rendre, avec une incroyable précision, par une série de petites touches juxtaposées comme celles de certains impressionnistes, des sensations presque insaisissables de la vue, de l'odorat, du goût ».

1ᵉʳ février : Jacques Rivière, « Marcel Proust et la tradition classique », *La Nouvelle Revue française*. La tempête soulevée par l'attribution du Prix Goncourt à Marcel Proust est de celles « qui toujours saluent la première tentative pour mettre à sa place une grande œuvre... » Rivière pense que la hardiesse en littérature n'est pas forcément « en avant » et s'oppose à ceux qui pensent que l'abandon des règles et des entraves est nécessaire. Son point de vue sur la littérature est très classique et il veut entraîner Proust avec lui dans cette esthétique classique. Il rapproche la psychologie proustienne de la psychologie racinienne.

Mars : Gustave-Louis Tautain, « Prix littéraires. Marcel Proust — Roland Dorgelès — Pierre Benoit », *Le Carnet critique*. Tautain trouve légitime l'attribution du Goncourt à Proust. « Le patient labeur de M. Marcel Proust, son souci de renouveler le matériel un peu usé du laboratoire psychologique, sa volonté de n'employer plus pour prospecter la *durée*, les méthodes qui, toujours, servirent à contrebattre les fourrés de l'espace. Son écriture lente et contournée, bizarrement distillée, savante et incertaine, nuancée et maladive, sinueuse et repentante, ses franchises de dyspeptique et ses cruautés, tout m'attirait vers cette personnalité dont l'étrangeté n'était pas le moindre mérite [...]. Des états de conscience reliés les uns aux autres par le délicat mécanisme de l'association des sentiments : voilà l'œuvre de M. Marcel Proust... » Les livres de M. Marcel Proust ne témoigneront pas en faveur de notre époque car il est « le peintre le plus exact peut-être de la décadence d'une classe sociale ».

1er juillet : Pierre Lasserre, « Marcel Proust, humoriste et moraliste », *La Revue universelle*, p. 19-32. Il s'agit là du pamphlet certainement le plus virulent qui ait été écrit à l'époque sur Proust : « Sans aucun doute, ce temps perdu qu'on recherche, et ces arbres qui sont des demoiselles à l'ombre desquelles un esthète pensif vient s'asseoir pour y accomplir ses précieuses opérations mentales, mériteraient d'être inscrits dans les bons traités de littérature, à la suite de tous les exemples de mièvrerie, manière, euphuisme, affectation, fausse grâce et fadeur que l'auteur des *Femmes savantes* a rendus classiques [...] Qui croirait que le livre qui ressemble le plus à un livre qui s'appelle *À l'ombre des jeunes filles en fleurs* soit *L'Éthique* de Spinoza ? Qui croirait que ce qui a poussé à cette ombre, ce soit une plantation de raisonnements, inductions, définitions, analyses, théorèmes, corollaires, lemmes et scolies, plus denses, plus compacts, plus imbriqués et enchevêtrés les uns dans les autres que tout ce qu'on en voit dans le texte, déjà redoutable, de Spinoza ? »

La différence entre Spinoza et Proust selon Lasserre, c'est que le premier parle de choses importantes alors que le second ne s'intéresse qu'à des futilités comme « le temps qu'il fait » ou les tenues vestimentaires de ses personnages. « M. Proust c'est Spinoza qui marivaude... » Ce genre de littérature ne pourrait réussir « qu'au prix d'une extraordinaire, d'une étourdissante fantaisie, qualité que l'auteur de *À l'ombre des jeunes filles en fleurs* ne possède pas. De plus il a la manie de glisser dans toutes ses phrases des comparaisons qu'il va chercher « dans la lune » et qu'il développe sous tous leurs aspects et épuise « jusqu'à la dernière goutte ». La comparaison de Françoise avec Michel-Ange paraît particulièrement ridicule à Lasserre qui s'exclame : « Une cuisinière et Michel-Ange ! » L'humour de l'écrivain, enfin, est appliqué « à froid » : « M. Marcel Proust est le snob de l'humour » comme il est « le snob de l'analyse psychologique hyperaffinée », « le snob de l'impressionnisme descriptif », « du botticellisme ou préraphaélisme empreint au titre de son livre ». Tout cela fait de lui « l'écrivain le plus empesé de son temps ».

Il est cependant un domaine où il réussit mieux que les autres : celui des mœurs, « conçues, non comme objet de satire ou thème à des variations fantaisistes et à des

paradoxes amusants, mais comme matière d'étude philosophique et d'observation pesée ». Ainsi Lasserre apprécie
particulièrement le dîner chez la famille Bloch et conseille à
Proust de continuer à commenter, même « pesamment », les
mœurs de ses contemporains, au lieu de décrire « les bluets
qui courent après sa voiture ».

1ᵉʳ septembre : Jacques Rivière, « M. Pierre Lasserre
contre Marcel Proust », *La Nouvelle Revue française*. Rivière
défend Proust avec vivacité contre les attaques de Lasserre.
« Par moments on croit entendre Bloch lui-même, par
miracle sorti de *l'Ombre des jeunes filles en fleurs* et en
entreprenant la critique ou plutôt l'éreintement... »

1ᵉʳ octobre : M. C. Marx, « Un rénovateur du roman :
Marcel Proust », *La Revue mondiale* — p. 220-225. Article
qui porte sur les deux premiers volumes parus de la
Recherche plus que sur *À l'ombre des jeunes filles en fleurs* car
« l'œuvre fait bloc, elle se tient ». Proust renouvelle le
roman qui semblait arrivé à sa « phase de désuétude » en
construisant « des bases nouvelles ». Le champ d'investigation de Proust est « la vie intérieure. Certains disent le
subconscient ou les galeries souterraines de l'âme... »

Malgré les attaques dont il fut l'objet, Proust ne perdit pas
son humour. Terminons cette revue de presse par quelques
lignes d'une lettre qu'il écrivit à Jacques Boulenger à propos
du Prix Goncourt 1920 (décerné à *Nêne* d'Ernest Pérochon)
et dans laquelle il pastiche les journalistes qui ont éreinté son
œuvre : « Ce verdict nous change de celui de l'an dernier où
cet immonde cochon de Proust, d'ailleurs presque centenaire, l'emporta par la brigue, l'intrigue et tous les moyens
vils par lesquels *Le Populaire* est certain qu'on corrompt
aisément Elémir Bourges et Rosny, sur une saine et géniale
jeunesse de la guerre, parmi laquelle il n'y avait qu'à choisir
un chef-d'œuvre au lieu d'un soporifique, etc. ».

DOCUMENT

Léon Daudet, « Un nouveau et puissant romancier »,
L'Action française, 12 décembre 1919.

MARCEL PROUST

UN NOUVEAU ET PUISSANT ROMANCIER

Par l'attribution du Prix Goncourt, le grand public va
connaître le nom de Marcel Proust, auteur de plusieurs
livres, intéressants ou remarquables, qui n'avaient eu pour
eux, jusqu'ici, qu'une élite de lecteurs attentifs. Certes, un
peuple vit de bonne soupe ; mais il vit aussi de beau langage,
et l'apparition d'un romancier étincelant au firmament
littéraire intéresse la prospérité nationale. C'est à ce titre que
je considère le vote de mes collègues et amis comme très
important. Depuis la fondation de l'Académie, en 1903,
nous n'avons pas, à mon avis, couronné un ouvrage aussi
vigoureux, aussi neuf, aussi plein de richesses — dont
quelques-unes entièrement originales — que cet *À l'ombre
des jeunes filles en fleurs.*
Ce volume, je vous en préviens, est d'aspect assez
rébarbatif : 440 pages, imprimées dru. Les alinéas y sont
rares. L'auteur n'est ni pressé, ni cursif. A mesure qu'il
raconte les autres, en ayant l'air de se raconter — par un
subterfuge psychologique très ingénieux — il examine et
retourne les problèmes les plus délicats de la vie intérieure,

les défauts, les travers, les vices, les affectations, les mensonges, les masques et les grimaces. Il feuillette son prochain, comme l'érudit feuillette un livre, en tombant juste aux bons endroits. C'est un jeu de flânerie et de sagacité, où s'ouvrent tout à coup, sur vous, sur nous, sur eux, des perspectives étonnantes, et telles qu'on en découvre dans nos meilleurs moralistes et annalistes du cœur humain : un Saint-Évremond, un La Bruyère, un La Rochefoucauld. Je ne ferai aucune citation ; il faudrait tout citer, et je veux vous laisser le plaisir savoureux de la découverte. Qu'il me suffise de vous dire qu'au milieu d'occupations plutôt variées, j'ai déjà trouvé le moyen de lire deux fois ces 440 pages. On regrette, en fermant ce livre, qu'il n'y en ait pas 880. C'est un jaillissement perpétuel de trouvailles, sous la grande et salubre maîtrise du bon sens.

« A la recherche du temps perdu »... dit Marcel Proust. Ce n'est qu'une figure spirituelle. « A la recherche de l'équilibre » serait plus exact, de cet équilibre entre le rire et les larmes, l'ironie et l'enthousiasme, la sensibilité et l'indifférence heureuse, le rêve et l'action, vers lequel tendent tous les bipèdes doués de raison. Un de nos collaborateurs prononçait hier, à propos de Marcel Proust, le nom de Meredith. C'est fort exact. On pourrait prononcer aussi celui de Sterne dans *Tristram Shandy* et de Jean-Paul Richter dans *Titan*. Car l'esprit littéraire le plus spontané — et celui-ci l'est extrêmement — n'apparaît point ici-bas comme un bolide. Il est le résultat d'une lente germination à travers les formes mentales, les œuvres du passé, et ces lectures, qui suscitent en nous des personnages imprévus. Marcel Proust — cela se sent même si on ne le connaît pas — est un homme des plus et des mieux cultivés. Mais il y a en lui un don naturel, qui rapporte à la vie toutes ses connaissances, qui les ré-anime, les ré-incarne.

Chose rare depuis de longues années, et bien avant la tragédie sanglante, il possède la faculté comique. Il dépasse le point d'observation aigre et douloureuse, où cette faculté tourne à l'amertume, comme chez Vallès et ses successeurs. Cela tient à son manque total de vanité, et même de personnalisme. L'outrecuidance, l'indifférence, la sauvagerie, la sottise d'autrui ne le blessent pas, ne le rencontrent même pas sur leurs rails. Elles l'amusent, et il les décrit à la façon du bon botaniste qui tombe sur des graines rares, et les met dans la terre et l'eau, pour voir comment elles germeront.

Il raconte en vingt pages la conversation d'un vieux, solennel et prétentieux diplomate, qui est venu dîner chez ses parents, avec une verve étourdissante et dont on demeure ébloui. Imaginez une fresque qui serait composée de miniatures, de sorte que de loin vous admirez l'ensemble et que, de près, vous vous enchantez du détail. Les minutieuses descriptions que fait Proust d'un intérieur, d'un ajustement ou d'un visage, correspondent, par la suite, à des traits moraux et à des caractéristiques intellectuelles d'une logique surprenante. Sa tapisserie a d'abord l'air vue à l'envers, avec ses fils qui pendent et sa grisaille. Il la retourne brusquement, et l'on voit alors toutes ses lignes, ses perspectives, son rouge ardent, son jaune cru, son violet profond. Cela est d'un maître.

Aussi, ce serait une erreur de croire que le romancier des *Jeunes Filles en fleurs* est simplement un promeneur des méandres de la pensée, de la sensualité et du sentiment. C'est encore, c'est surtout un visionnaire de l'au-delà de ces méandres, de la source mystérieuse et haute d'où découlent ces couleurs, ces sons, ces atmosphères si délicatement rendus, ces mots si justes et si pénétrants. Derrière toute l'activité laborieuse d'un bel écrivain, tel que celui-ci, il y a un génie, un « daimôn », qui veille et qui rêve, qui s'est construit un monde à sa guise et qui cherche à relier ce monde au monde extérieur, cette conjecture à ses propres images, à s'incorporer ces lointains prestiges et ces pressentiments. Ce daimôn enrichit la vie de l'écrivain et la vie de ceux qui le lisent. Il rattache la littérature et la poésie à l'hallucination et à la science. Il ouvre le champ à toutes les découvertes, dans tous les domaines.

Il est le magicien et le transformateur des ressources infinies qui sont en nous, que nous ne discernerions pas sans lui. Souvent il passe inconnu de la génération qui aurait bénéficié de ses richesses ; et alors c'est pour plus tard, pour cinquante ou cent ans plus tard ! Parfois, il est révélé, et commence aussitôt d'agir sur les contemporains.

Je crois bien que c'est le cas pour l'esprit impalpable, mais défini et puissant, qui anime l'œuvre en fusion de Marcel Proust. Laissez faire cette coulée d'or bruni et de flammes courtes, et vous verrez les palais qu'elle édifiera.

BIBLIOGRAPHIE SOMMAIRE

(Pour les comptes rendus lors de la publication, voir l'*Accueil par la critique*.)

Le manuscrit

Le manuscrit d'*À l'ombre des jeunes filles en fleurs*, tel qu'il se présentait après les transformations du roman pendant la guerre, était sans doute un montage de fragments autographes et d'épreuves. Il a en partie été découpé par Proust, collé sur des dépliants, et partagé entre cinquante exemplaires d'une édition de luxe publiée par la Nouvelle Revue française en 1920 : volumes in folio-tellière sur papier indian bible, Paris. Les fragments manuscrits que contiennent ces volumes, pour la plupart accompagnés de fragments d'épreuves corrigées, portent tous la mention « Cahier violet », suivie à chaque fois d'un numéro.

En 1947, M. Etiemble a publié en plaquette quelques-uns des fragments d'épreuves, comportant de nombreuses corrections manuscrites. Un collectionneur de Cologne, Rainer Speck, a de son côté publié en 1982 des extraits du manuscrit, issu du *Cahier violet n° 24* (*Marcel Proust, Werk und Wirkung*, Erste Publikation der Marcel Proust Gesellschaft, Insel Verlag). La Bibliothèque nationale possède, à la réserve du département des imprimés, un exemplaire de l'édition de 1920 (n° XIX), qui contient des fragments du *Cahier violet n° 31*, et la Bibliothèque Jacques Doucet détient un dépliant où sont collés des fragments du *Cahier violet n° 16*. Enfin, en novembre 1983, des fragments du *Cahier violet n° 25* ont été exposés au Nouveau Drouot et mis en vente le

16 ; le 22 mai 1985 un placard d'épreuves corrigées a été également vendu au nouveau Drouot mais non accompagné de fragments du manuscrit. En 1986 et 1987 d'autres fragments d'épreuves et de manuscrits ont encore été vendus au nouveau Drouot.

Celui qui voudrait retrouver les cinquante exemplaires de l'édition de luxe de 1920 devrait faire des recherches dans les bibliothèques et chez les collectionneurs du monde entier mais il est probable qu'il n'aurait pas pour autant toutes les pièces du puzzle.

Les placards et les épreuves

— *Placards Grasset de 1913* (dans cette version, *Du côté de chez Swann* intégrait une partie de ce qui constituera plus tard, avec des additions et des modifications, *À l'ombre des jeunes filles en fleurs*).
- exemplaire non corrigé, cote NAF 16754
- exemplaire corrigé, cote NAF 16753

— *Placards Grasset de 1914* (sous le titre *Le Côté de Guermantes* ces placards reprennent, avec des modifications, la partie des placards de 1913 non publiée dans *Du côté de chez Swann*, à laquelle vient s'ajouter une première ébauche de ce que sera *Le Côté de Guermantes* dans sa version définitive).
- exemplaire comportant la partie qui sera utilisée pour *À l'ombre des jeunes filles en fleurs*, cote NAF 16761.

— *Épreuves des extraits publiés en revue par La N.R.F. le 1er juin 1914*, corrigées par Proust et Rivière, cote NAF 16776.

— *Épreuves du roman publié par les éditions de la Nouvelle Revue française* (probablement les avant-dernières épreuves), abondamment corrigées par Proust. La page 371 est entièrement manuscrite. Les pages 378 à 388 sont dactylographiées. Les pages 141 à 175 manquent. Cote Imp. Rés. m. Ye. 824.

Fragments parus en revue avant la mise en vente du roman

— « Marcel Proust : *À la recherche du temps perdu* (fragments) ». Ces fragments, annoncés comme des « extraits du deuxième volume d'*À la recherche du temps perdu* intitulé *Le Côté de Guermantes*, qui doit paraître prochainement chez l'éditeur Bernard Grasset » sont une ébauche du premier séjour à Balbec dont le récit, développé, constituera la deuxième partie des *Jeunes filles*. *La N.R.F.*, 1er juin 1914, p. 921-969.

— « Marcel Proust : *Légère esquisse du chagrin que cause une séparation et des Progrès irréguliers de l'oubli*. Fragment du tome II de *À la recherche du temps perdu*, qui paraîtra, dans la première semaine de juin, aux éditions de la Nouvelle Revue française, sous le titre *À l'ombre des jeunes filles en fleurs* en même temps qu'un volume de *Pastiches et Mélanges* et que la réimpression de *Du côté de chez Swann*. » Rivière, particulièrement intéressé par l'aspect psychologique de l'œuvre avait choisi de donner les passages racontant le déclin de l'amour du héros pour Gilberte. *La N.R.F.* Ier juin 1919, p. 71 à 120.

Les éditions

— *À l'ombre des jeunes filles en fleurs*, 1 volume, Paris, Éditions de la Nouvelle Revue française, achevé d'imprimer : 30 novembre 1918, mise en vente : 23 juin 1919. In-16, 448 p.

Le département des manuscrits de la Bibliothèque nationale possède un exemplaire corrigé de l'édition originale. Mais la plupart des corrections n'ont pas été faites par Proust.

— *À l'ombre des jeunes filles en fleurs*, 2 volumes, Paris, Éditions de la Nouvelle Revue française, 1919. In-16. Sous la même forme, rééditions en 1920, 1924, 1930.

— *À l'ombre des jeunes filles en fleurs*, 1 volume, Paris. Éditions de la Nouvelle Revue française, 1920. In-4° raisin sur papier Bible. Pages du manuscrit jointes, ainsi que des épreuves corrigées de la main de l'auteur. 50 exemplaires.

— *À l'ombre des jeunes filles en fleurs*, 3 volumes, Paris, Gallimard, 1930.

— *À l'ombre des jeunes filles en fleurs*, dans *À la recherche du temps perdu*, T. I., édition établie et annotée par Pierre Clarac et André Ferré, Paris, Gallimard, Bibliothèque de la Pléiade, 1954.

— *À l'ombre des jeunes filles en fleurs*, 1 volume, Paris, Le Livre de poche, 1954 (même texte que le précédent).

— *À l'ombre des jeunes filles en fleurs*, 1 volume, Paris, collection Folio, Gallimard, 1972 (même texte que le précédent).

Études portant entièrement ou partiellement sur À l'ombre des jeunes filles en fleurs (*par ordre chronologique*).

1934 Albert Feuillerat, *Comment Marcel Proust a composé son roman*, New Haven, Yale university press.

1940 Douglas Alden, *Marcel Proust and his french critics*, p. 21-38, et p. 175-182, Lymanhouse, Los Angeles.

1952 Pierre Clarac, Remarques sur le texte des *Jeunes filles en fleurs*. Projet d'une édition », BSAMP, nº 2.

1954 Léon Pierre-Quint, *Proust et la stratégie littéraire*, Paris, Corréa.

1955 Jean Autret, *L'Influence de Ruskin sur la vie, les idées et l'œuvre de Marcel Proust*, Droz.

1963 Pierre Costil, « Proust et la poésie de la fleur », *BSAMP*, nº 13, p. 20-41.

1964 Michel Butor, *Répertoire II* : « Les œuvres d'art imaginaires chez Proust, 2) Le port de Carquethuit », p. 265-281, Paris, les Éditions de Minuit.

1966 George D. Painter, *Marcel Proust. 1871-1903 : Les Années de jeunesse*, Mercure de France.

— George D. Painter, *Marcel Proust, 1904-1922 : Les Années de maturité*, Mercure de France.

— Marcel Plantevignes, *Avec Marcel Proust*, Paris, A. G. Nizet, p. 297-305.

1969 Jacques Nathan, *Citations, références et allusions de Marcel Proust dans « À la recherche du temps perdu »*, nouvelle édition, Nizet.

— Annie Barnes, « Le Jardin de Marcel Proust : pour le cinquantenaire des *Jeunes filles en fleurs* », The Modern Language Review, vol. 64, nº 4, juillet.

1971 Henri Bonnet, *Marcel Proust de 1907 à 1914* (avec une bibliographie générale), p. 188-201, A. G. Nizet.

— Maurice Bardèche, *Marcel Proust romancier*, T. II, chapitre I : « À l'ombre des jeunes filles en fleurs », chapitre II : Proust et les jeunes filles » ; appendices : « Versions primitives des *Jeunes filles en fleurs* », Les Sept Couleurs.

— Jean-Yves Tadié, *Proust et le roman*, Bibliothèque des idées, Gallimard.

1972 Colette Rougérie, « Les structures symboliques du visage dans À l'ombre des jeunes filles en fleurs », *BSAMP*, nº 22.

— Gérard Genette, *Figures III*, Seuil.

1973 Georgette Tupinier, « Autour de cinq ébauches de Mlle de Stermaria », *Cahiers Marcel Proust*, n° 6, Gallimard.

1975 Jean Milly, *La Phrase de Proust — des phrases de Bergotte aux phrases de Vinteuil*, Librairie Larousse, réédité en 1983 chez Champion.

1977 Alison Winton, *Proust's additions. The Making of « À la recherche du temps perdu »*, 2 vol., Cambridge University Press.

— Jacques Bersani et Claudine Quémar, « Le Peintre. Etablissement du texte », *Cahiers critiques de la littérature*, n° 314.

— Annie Barnes, « À propos des citations dans la *Recherche du temps perdu* », *Jaarboek van de Nederlandse Vereniging van Vrienden van M. Proust*, n° 4-5, p. 333-351.

1978 Kazuyoshi Yoshikawa, « Remarques sur les transformations subies par *La Recherche* autour des années 1913-1914 d'après des Cahiers inédits », *BIP*, n° 7, printemps, p. 7-28.

— Henri Bonnet, « Maria ou l'épisode hollandais », *BSAMP*, n° 28.

— Jo Yoshida, « La Genèse de l'atelier d'Elstir à la lumière de plusieurs versions inédites », *BIP*, n° 8, automne, p. 15-28.

— Douglas Alden, *Marcel Proust's Grasset's proofs*, Chapel Hill, North Carolina studies in the romance languages and literatures.

1979 Haruhiko Tokuda, « Sur deux versions de *À l'ombre des jeunes filles en fleurs* », *Études de langue et de littérature française*, n° 34, mars, p. 98-121.

— Gareth-H. Steel, *Chronology and time in « À la recherche du temps perdu »*, Genève, Droz.

1980 A. Guyaux, Maurice Paz, « La Dissertation de Gisèle : note sur trois pages manuscrites des *Jeunes filles* », *BIP*, n° 11, printemps.

— Serge Gaubert, *Proust et le roman de la différence*, Chapitre X : « Le Printemps social, Les parrainages contradictoires », chapitre XVI : « Balbec ou la rencontre », Presses universitaires de Lyon.

1981 Daniel Horwitz, « Bloch, porte-parole de Leconte de Lisle dans *À la recherche du temps perdu* », *Romance notes*, printemps, p. 270-275.

— Maxime Arnold Vogely, *A Proust dictionary*, The Whitston Publishing Company, Troy, New York.

1983 Daria Galateria, édition annotée d'*All'ombra delle* *fanciulle in fiore* dans le tome I de *Alla Ricerca del tempo perduto*, traduction de Giovanni Raboni, Arnoldo Mondadori, Milan.

— Jo Yoshida, « Métamorphose de l'église de Balbec : un aperçu génétique du " voyage au nord " », *BIP*, n° 14, p. 41-73.

— Thierry Laget, « L'attribution du prix Goncourt à Marcel Proust », *BIP*, n° 14.

— Pierre-Louis Rey, *À l'ombre des jeunes filles en fleurs, étude critique*, Champion.

— Bernard Brun, « Le Maschere di Albertine nei Cahiers inediti », *Aut Aut*, Florence, la Nuova Italia editrice, n° 193-194, gennaio-aprile.

— Anne Henry, *Proust romancier*, p. 7 à 22 : « Comment fabriquer un ambassadeur », Flammarion.

1984 Brian G. Rogers, « Deux sources littéraires d'*À la recherche du temps perdu* : l'évolution d'un personnage », *Cahiers Marcel Proust*, n° 12, Gallimard.

— Eugène Nicole, « Genèses onomastiques du texte proustien », *Cahiers Marcel Proust*, n° 12, Gallimard.

— Michel Raimond, *Proust romancier*, S.E.D.E.S.

— Robert Brydges, « Remarques sur le manuscrit et les dactylographies du *Temps perdu* », *BIP*, n° 15.

1985 Willy Hachez, « La Chronologie d'*À la recherche du temps perdu* et les faits historiques indiscutables », *BSAMP*, n° 35.

1986 Loïc Depecker, « Préhistoire d'un épisode du roman proustien : La Rencontre avec Mme de Villeparisis dans quelques brouillons pour *À l'ombre des jeunes filles en fleurs* », *BIP*, n° 17.

1893 : Collabore à *La Revue blanche*. Fait la connaissance de Robert de Montesquiou.

1894 : Fait la connaissance du musicien Reynaldo Hahn.

1895 : Obtient la licence ès lettres. Entre comme assistant non rémunéré à la Bibliothèque Mazarine, où il se fera accorder congé sur congé jusqu'en 1900, date où on le considère comme démissionnaire. Commence à Beg-Meil, pendant l'été, un projet de roman autobiographique qui l'occupera jusqu'en 1899 et auquel il renoncera ; les ébauches en seront publiées sous le nom du héros, *Jean Santeuil*. Se lie d'amitié avec Lucien, fils d'Alphonse Daudet.

1896 : Publication des *Plaisirs et les Jours*, préfacé par Anatole France, recueil d'essais remontant pour la plupart à la collaboration au *Banquet* et à *La Revue blanche*.

1897 (6 juillet) : Duel avec le journaliste Jean Lorrain, à la suite d'insinuations de celui-ci sur ses relations avec Lucien Daudet.

1898 : Proust ardent dreyfusard.

1899 : Passionné depuis 1893 par Ruskin, dont il lit tous les articles traduits en revues, il entreprend la traduction et le commentaire de *La Bible d'Amiens*, avec l'aide de sa mère et de Marie Nordlinger.

1900 : Mort de Ruskin. Proust donne des articles d'hommage à cette occasion. Voyages à Venise en mai, avec sa mère, et en octobre.

1903 : Mort du professeur Adrien Proust, père de Marcel.

1904 : Publication par Proust de la traduction annotée de *La Bible d'Amiens*, de Ruskin.

1905 : Mort de Jeanne Proust, mère de Marcel.

1906 : Publication de la traduction de *Sésame et les Lys* de Ruskin, avec une importante préface de Proust sur la lecture.

CHRONOLOGIE

1871 (10 juillet) : Naissance à Paris de Marcel Proust, fils du docteur Adrien Proust, agrégé de médecine (1834-1903), lui-même fils d'un épicier catholique d'Illiers (Eure-et-Loir), et de Jeanne Weil (1849-1905), fille d'un agent de change juif d'origine messine.

1873 (24 mai) : Naissance de Robert, frère de Marcel, à Paris. Il deviendra chirurgien, et lui aussi professeur à la faculté de médecine.

1880 : Première crise d'asthme de Marcel. Il souffrira sa vie durant de cette maladie.

1882-1889 : Études secondaires au lycée Condorcet à Paris. Attiré très tôt par la littérature et curieux du Symbolisme, Marcel Proust rédige avec ses condisciples la *Revue Lilas*, sur des cahiers d'écolier, en 1888. Il a pour professeur de philosophie Alphonse Darlu, qu'il admire vivement (voir M. Beulier dans *Jean Santeuil*). Premières expériences mondaines.

1889-1890 : Volontariat au 76ᵉ régiment d'infanterie à Orléans.

1890 : S'inscrit à la faculté de droit de Paris et à l'École des sciences politiques, sans conviction. Mène une vie surtout mondaine.

1892 : Collabore à la revue symboliste *Le Banquet*.

1907 : Article important dans *Le Figaro* du 1ᵉʳ février :
« Sentiments filiaux d'un parricide ». Vacances à
Cabourg. Excursions en automobile à travers la Norman-
die, avec Alfred Agostinelli pour chauffeur.

1908 : Dans *Le Figaro*, série de pastiches littéraires, en
février-mars, à propos d'une affaire d'escroquerie aux
faux diamants, l'Affaire Lemoine. À partir de l'été,
Proust travaille à un projet d'ouvrage mi-romanesque, mi-
critique, où il compte évoquer une matinée avec sa mère,
et se livrer à une étude sur la méthode de Sainte-Beuve.

1909-1912 : L'ouvrage de Proust prend de l'ampleur, et
devient uniquement un projet de roman. Proust le
propose tour à tour, mais en vain, au Mercure de France,
au *Figaro*, à Fasquelle, à la NRF. Il en fait paraître des
extraits dans *Le Figaro* et au *Gil Blas*. Il songe à deux
volumes de 700 pages, dont le titre général sera *À la
recherche du temps perdu.*

1913 : Il négocie avec Grasset l'édition à compte d'auteur de
son roman, dont la première partie, *Du côté de chez
Swann*, paraît le 13 novembre. Il a repris à son service,
comme secrétaire-dactylographe, son ancien chauffeur
Agostinelli.

1914 : Le 30 mai, mort d'Agostinelli dans un accident
d'avion. Néanmoins, Proust prépare l'édition du second
volume, qui doit s'intituler *Le Côté de Guermantes*,
l'ensemble de l'ouvrage devant désormais comporter trois
parties.
Le 1ᵉʳ août, la guerre est déclarée. Le projet d'édition est
arrêté.

1914-1918 : Proust, malade et dégagé du service militaire,
continue de travailler à son roman, qu'il développe
considérablement.

1919 (mars) : Proust publie à la NRF un volume de
Pastiches et Mélanges où il reprend et développe, entre
autres, ses pastiches de 1908-1909 dans *Le Figaro*.
(Juin) : Mise en vente (malgré un achevé d'imprimer daté
du 30 novembre 1918) du deuxième tome du roman,
intitulé cette fois *À l'ombre des jeunes filles en fleurs*.

L'éditeur de Proust est désormais la NRF. Le Prix Goncourt lui est attribué en décembre.

1920 : Publication du *Côté de Guermantes I*.

1921 : *Le Côté de Guermantes II, Sodome et Gomorrhe I*. Violent malaise de Proust, en mai, tandis qu'il visite au Musée du Jeu de paume une exposition de peinture hollandaise.

1922 (avril) : *Sodome et Gomorrhe II*. Proust travaille ensuite fiévreusement, pendant les répits que lui laisse sa maladie, à la préparation de *La Prisonnière*; mais il n'a le temps de revoir que le début des dactylographies.
(18 novembre) : Il meurt d'une pneumonie.

1923 (novembre) : *La Prisonnière*, publiée par Robert Proust et Jacques Rivière.

1925 : *Albertine disparue*, ou *La Fugitive*.

1927 : *Le Temps retrouvé*, dernier tome de la *Recherche*. *Chroniques*, recueil d'articles.

1952 : Publication, par les soins de Bernard de Fallois, sous le titre de *Jean Santeuil*, du projet de roman auquel Proust avait travaillé en 1895-1899.

1954 : Publication, par le même critique, de fragments antérieurs à la *Recherche*, sous le titre de *Contre Sainte-Beuve*. Publication en 3 volumes d'*À la recherche du temps perdu*, dans la collection de la Pléiade (Gallimard), par P. Clarac et A. Ferré.

1962 : Acquisition, par la Bibliothèque nationale, du fonds manuscrit conservé par les héritiers de Proust.

1971 : Année du centenaire, marquée par de nombreuses manifestations et publications, dont *Jean Santeuil* (par les soins de P. Clarac et Y. Sandre) et *Contre Sainte-Beuve* (par les soins des mêmes) dans la collection de la Pléiade.

1984 : Acquisition, par la Bibliothèque nationale, de treize cahiers de brouillon appartenant à la collection de Jacques Guérin.